'26年版

最新最強の地方公務員問題

東京工学院専門学校 監修

上級

教養試験から専門試験まで、すべてこれ一冊に凝縮！

成美堂出版

本書の使い方

【解説ページ】

◎出題傾向
出題傾向に応じて5段階評価しています。

◎赤シート対応
覚えておきたいキーワードなどは，付属の赤シートで消すことができますので，暗記学習に最適です。

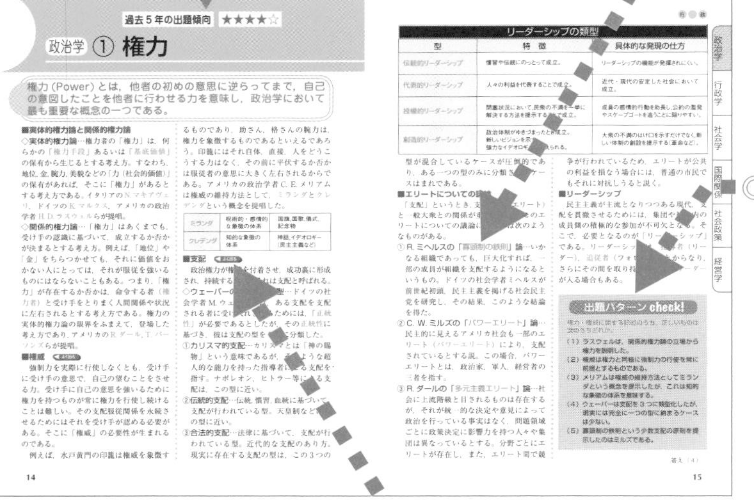

◎出題パターンcheck!
本試験の出題形式に準じた問題で，実戦力をアップします。

◎よく出る　よく出る
試験での最頻出テーマです。

【練習問題ページ】

◎練習問題
実際に試験に出題される水準の問題を各科目ごとに多数掲載。

◎解答・解説
設問ごとの詳しい解説を掲載。解答・解説ブロックは付属の赤シートで消すこともできます。

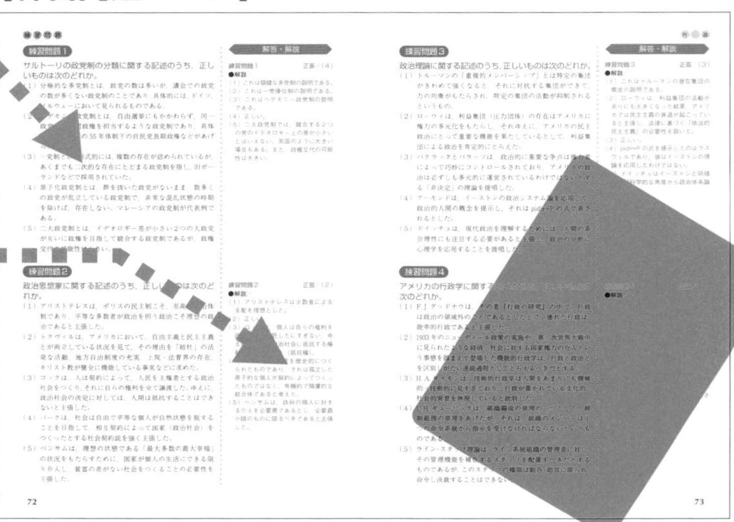

2025年度合格に向けて
地方上級公務員試験
実施状況と出題予想

■2023年の受験動向

地方公務員上級試験の受験者（事務系区分に限る）は4万2,077人と前年度より49人ほど減少した。採用者数は前年度よりわずかに増加し9,434人となった。結果として**合格率は前年同様約4.5倍**となった。かつては20倍近くの狭き門であったことを考えると，近年の上級試験は取り組みやすい試験になったといえる。

一時期は，政令指定都市は競争率が比較的低かったが，近年は名古屋市の9.2倍，福岡市の9.8倍など，都道府県よりも**倍率が高い**ことも珍しくない（2023年度行政事務）。

■専門試験・出題分析＆予想

行政分野の政治学では，各国の政治制度と思想・学説はよく出るテーマ。近年は，**政治思想史**も取り上げられている。行政学では，行政改革，地方自治は重要な論点。日本の各種委員会や**行政制度**などについても理解を深めておきたい。国際関係では，国連やアジアの国際組織は必須である。国際的な紛争などは時事に加えて**歴史的な背景**をおさえておきたい。特に，人権問題，国際開発協力については整理しておこう。

法律分野では，論理力を問う問題にも対応できるようにしておきたい。憲法では基本的人権，表現の自由，国会や裁判所なども重要度が増しているので学習しておく。行政法では行政行為，特に**国家賠償法**は重要。行政不服審査法もおさえておく。民法では頻出の財産法を中心に，**改正された法律**にも力を入れておく。

経済分野は例年，経済原論の比重は高く，ミクロ経済学は広範囲に，マクロ経済学は近年話題になったテーマについて，様々な理論に対応する力が問われる。

■教養試験・出題分析＆予想

数的処理は，例年，基本的な出題が大半である。条件文からの推理，位置関係，試合の勝敗，また図形では**立体図形の切断や展開図**等，まんべんなく準備しておく。

政治は，主要国の政治制度や国際機関，憲法が頻出テーマ。社会では時事に関連する内容からの出題も多い。**環境**，社会保障，エネルギー政策は頻出している。経済では租税，**財政**，金融政策に加えて，経済理論の対策も行い，苦手意識を克服しておきたい。

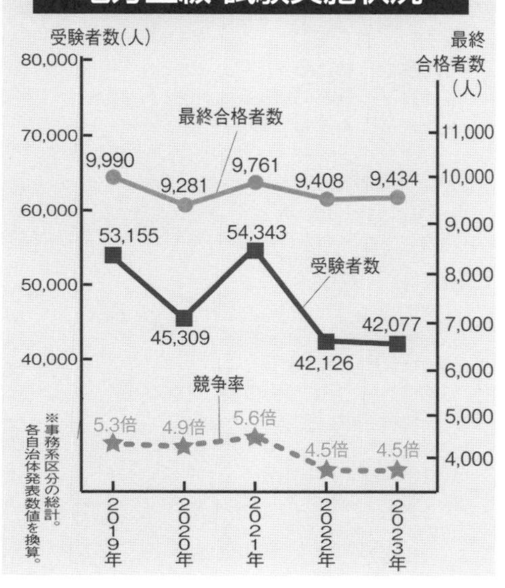

目次

教養試験 社会科学 258

教養試験 人文科学 294

教養試験 自然科学 334

注）本書は原則として令和6年8月1日現在の情報にもとづいて編集しています。

2025年度受験者必読！
地方上級公務員試験
最新ガイド

上級公務員試験を受けようと思ったら，まずは公務員にはどのような種類があるのか，また試験はどのようなスケジュールでどのような内容で行われているのか等を，しっかり把握しておくことが第一歩。最新の情報とあわせて，試験対策に役立ててほしい。

公務員の種類

公務員と一口にいっても，国家公務員と地方公務員に，さらに地方公務員は，都道府県庁などに勤める都道府県職員と区市町村の役所などではたらく職員に分けることができる。

採用試験はそれぞれ異なり，さらに試験内容の難易度によって，上級（大卒レベル），中級（短大卒レベル），初級（高卒レベル）に区分けされている。すなわち，上級地方公務員試験といえば，通常大卒レベルの都道府県市（区）の職員募集の試験を指す。

公務員の職種

◎事務・文系	◎技術系	◎資格・免許職系
一般行政区分	土木	保健師
事務系区分（学校事務・警察事務）	建築	看護師
国際・経営・情報処理・心理・社会福祉等	機械	獣医師
	電気	薬剤師
	農業	臨床検査技師
	農業土木	保育士等
	林業等	

※都道府県市により異なる

なお，上級試験の名称は様々で，大学卒業程度試験，A区分試験，I類B試験などの名称でも呼ばれているが，内容的に変わることはない。

公務員試験は，合格後就きたい仕事に応じても区分されてくる。この「職種」は専門・技術職を含めるとかなりの数に及ぶが，**本書の試験対策では，上級地方公務員（都道府県，政令指定都市含む）の一般行政を中心に展開していく**。

試験の日程と応募

まずは，試験がどのような日程で行われているか見ていこう。各都道府県で個別に試験が実施されているが，東京都と東京特別区など以外は，近年はほぼ同日に行われている。これは，他県実施試験との併願を防ぐための方策の一つともいえよう。ただし，国家総合職や一般職，国税等，他の国家公務員試験との併願は可能となる。

試験に関するスケジュールは次のページの表にまとめたので，そちらを確認してもらいたい。一次試験は，道府県が6月後半の週の日曜日で統一されており，2024年

上級公務員試験・試験日程

（統一実施日の例）

●公告日・募集要項配付　4月下旬～5月中旬

●受付期間　4月下旬～6月上旬

●一次試験　6月第3日曜日

●二次試験　7月下旬～8月上旬

●最終合格発表　8月下旬

※自治体によっては三次試験あり

度は6月16日に実施された。

また，東京都や特別区，大阪府は例年これよりも1～2ヶ月ほど早く実施されている（なお，2024年度の東京都Ⅰ類B試験と東京特別区Ⅰ類試験は4月21日に実施された）。近年の傾向として，2023年度の愛知県のように試験日を前倒しで実施しているところが出てきているので，事前に確認しておこう。

試験の概要

上級公務員試験は，一次試験と二次試験よりなり原則，一次試験で教養試験と専門試験を，二次試験で論作文試験や適性検査，面接，身体検査を行うといった構成が一般的である。

試験のレベル的には，国家総合職ほど難度は高くなく，一般職と同等といったところ（出題範囲は異なる）。競争率に地域格差があるため，競争率の高い地域では，合格までの道のりは自ずと困難になる。大学の教養課程～専門課程レベルまでが出題範囲とはいえ，**原則基礎的な出題が中心となるので，出題範囲は膨大だが試験としては決して難しくないといってもよい**。

五肢択一式での出題形式で，教養試験が50問，専門試験は40問程度出題される（全国タイプの場合）。教養試験は50問の中から，40問を自分で選択する「選択解答制」を採用している県もある。「選択解答制」の場合，学習の段階から力を入れるべき科目とそうでない科目をあらかじめ決めておくことも，合格のための戦略といえる。

また，記述式を採用している場合は，必ず過去問にあたって，**時間内に規定文字数を書き上げるテクニックを身に付けておくことも肝心**である。

なお，近年，通常の教養科目，専門科目による選考とは別に，SPI（総合適性検査）による試験形式による選考を実施している自治体も増加している。

受験資格（一例）

年齢	試験が行われる年の4月1日時点で21歳以上30歳未満の者 ※年齢制限のない県等もあり。
学歴	なし ※札幌市など，学歴として大卒（見込み含む）を必要とする場合もあり。
性別	原則ないが職種によっては制限あり。
欠格条項	地方公務員法第16条の欠格条項に該当しない人。

●都道府県市による試験タイプ

地方公務員試験は，もともと各都道府県で実施されるものであるから，教養試験の内容についても，各県で違った問題が出されていると思われがちである。しかし実際には，全国でかなりの割合の問題が，決まったパターンで出題されているのが現実である。上級公務員試験の択一試験を大きく区分すると，全国タイプ，関東タイプ，中部・北陸タイプ，独自出題タイプ（東京都，特

試験の概略（全国タイプ例）			
	出題形式	問題数	時間
教養試験	五肢択一式	50問	150分
専門試験	五肢択一式	40問	120分
適性検査	性格検査	-	-
作文	課題	１題	60～90分
面接	個別および集団		

別区等），その他の法律・経済タイプに分けるのが一般的である。これら同一の試験タイプであれば，一部問題を増減している場合もあるが，ほぼ同一と見なしてよいだろう。それぞれの試験のタイプは出題傾向が大きく異なるため，まずは該当する過去の試験問題を入手して，試験の特徴を把握することが，試験攻略へとつながる。

ただし，試験は毎年少しずつ変わっている。近年では，従来の試験区分に加えて，筆記試験で専門試験を行わない区分を新設する県が増えている。一方，大阪府や大阪市は，一次試験はエントリーシートと適性試験のみとするなど，自治体ごとの多様化が目立つ。

筆記試験の負担を減らすために，出題数の減少や選択解答制の導入などの動きもある。これらの変更は，学習に大きな影響を及ぼす。**無駄な学習をさけるためにも，必ず都道府県のホームページをチェックしておこう。**

※教養試験・専門試験の出題内訳などは，新年度で変わる可能性あり。

●科目の配分・バランスについて

試験タイプにより各科目の比重は少しずつ異なっている。大まかには，教養試験では，知能分野が約半分近くを占め，残りが知識分野の社会，人文，自然の３分野からの出題となる。選択解答制を採用している場合でも，知能分野は必須のケースが多いので，あきらかにここでの得点が合否を分けることになる。

専門試験は，行政分野，法律分野，経済分野に分けることができ，各分野ほぼ均等の出題といえる。専門性を考慮すると，やはり教養試験よりも念入りな学習が必要となるだろう。

なお，**合格するためには，最低６～７割**

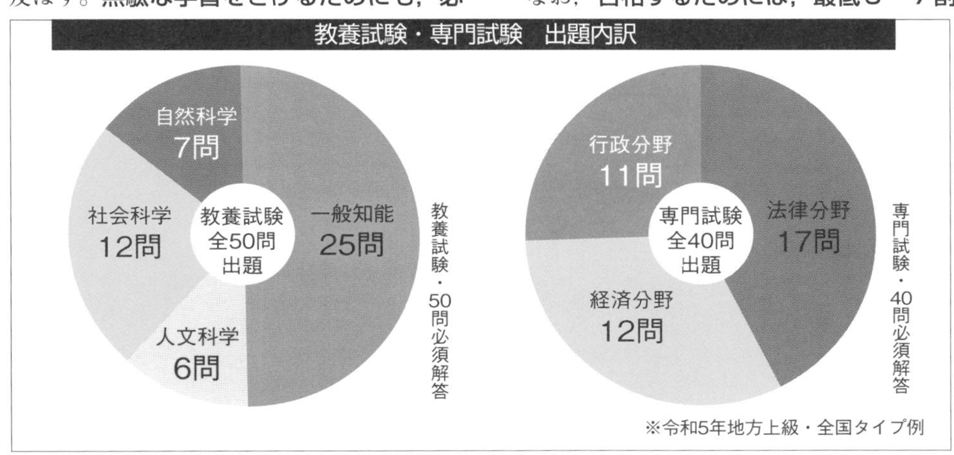

の得点は必要と見ておくべきだろう（各都道府県非公表）。ただし，教養，専門，論文試験等の単位で最低基準点を設けているケースが多いので，例えば教養だけ完璧であっても他の試験が一定基準（４割程度ともいわれる）を満たしていないようであるなら合格は難しい。

教養・専門試験以外の対策

教養・専門試験以外に公務員採用試験では，「作文試験」「面接試験」「適性検査」などが実施されている。

●作文試験対策

与えられたテーマに対して，60分で600～1,200字程度，というのが一般的。たとえどのようなテーマが与えられても，これが「公務員（就職）採用試験」であることを忘れず，職業観，人生観，志望動機などを内容に織り込む必要がある。

●面接の形式は様々

面接は一般的な，面接官数人対一人の個別面接と，面接官数人対受験者数人で行われる集団面接，受験者数人で提示されたテーマについて話し合う集団討論などの形式がある。

評価基準は明るさ，元気のよさ，態度や言葉遣い，積極性など。個別面接ならばたいてい面接官は３人ほどだが，質問者の顔をしっかりと見つめ，的確かつ簡潔に回答するのがポイント。過剰なていねい語や，長くて的を射ない発言は控えるように。

集団での討論の場合，５～12人程度の受験者が互いに与えられたテーマについて討論を行う。この試験では，協調性も重んじられるので，**自分以外が質問されていたり，発言している場合にも，きちんと耳を傾けている姿勢が重要**となる。

面接試験いろいろ

面接試験では志望動機などの一般的な質問がなされ，集団討論では5～12人ほどの受験者の間で，あたえられた課題に関するディスカッションが行われる。

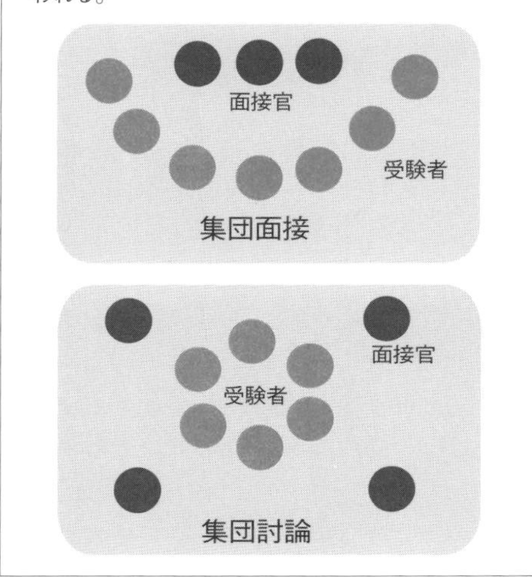

●適性検査について

試験というよりも検査に近いもので，性格検査と呼ぶところもある。代表的な検査方法には，クレペリン検査やY-G性格検査（矢田部ギルフォード性格検査）の２つの方法が主流。前者は数字の単純加算による精神の状態変化を判別するもので，後者は質問に対して「はい」と「いいえ」で答えていくもの。ともに深い思考や知識は必要としない。よって，準備の必要はなく，素直に答えれば問題ないものである。

◎本書の見方◎

本書は，地方上級公務員試験で頻度の高いテーマを優先的に取り上げている。項目の冒頭では，出題頻度（重要度）を星印（★）で示しており，５つ星なら各タイプの試験で例年頻出，４つ星，３つ星と下がるにつれて，頻度が低くなる。学習の際の目安にしよう。

第一章

専門試験

行政
法律
経済

出題傾向 政治学，行政学は必須科目。特別区を除いた各タイプの直近の試験で２問ずつ出題され，特別区では政治学で４問，行政学で５問出題されている。社会学は，主要な試験での出題はないが，中部・北陸型では例年２問出されている。ただし，特別区では５問の出題である。国際関係は特別区のみ出題がなく，関東型で３問，市役所（A日程）で４問，ほかの試験は２問出題されている。社会政策は特別区で１問，全国型と関東型で３問，中部・北陸型で２問，市役所で４問出題されている。また，経営学は特別区で５問出題され，全国型と関東型で２問出題されている。

ポイント別・学習法

■政治学

＜傾向＞分野としては，政治過程，政治思想，政治理論などが頻出分野である。直近の試験では，政党，トクヴィル，ホッブズ，ミルらの政治思想，政治制度などが出題されている。選挙制の問題も，選挙のある年度を中心に出題の可能性の高い分野である。また，権力論もそれほど頻度が高いとはいえないが，基本的なテーマであるので落としたくないところである。様々な権力概念についても整理しておく。

＜学習法＞政治思想に関しては，政治史を参照しながら学習するのが効果的である。政治理論に関しては，政治学者とそのキーワードとをおさえることが必要である。選挙制は，各選挙制の長所・短所が答えられることが肝要である。

◎難易度＝90ポイント

◎重要度＝95ポイント

■行政学

＜傾向＞分野としては，行政学史，組織論，官僚制，行政の組織，行政の統制などが頻出分野である。地方自治に関する問題も地方分権一括法の施行以来，出題頻度が高くなる傾向にある。直近の試験では，オンブズマン制度による民主的統制，行政委員会，バーナードの現代組織論などが出題されている。行政の概念も基本的な事項であるので，おさえておきたい。

＜学習法＞行政学史に関しては，特にアメリカ行政学の変遷をおさえる必要がある。組織論では，重要な論者の議論を一通り覚えることが肝要。官僚制については，ウェーバーの官僚制の原則は必須事項。また，行政の統制に関しては，ギルバートによる行政の統制の分類は特に重要である。

◎難易度＝90ポイント

◎重要度＝95ポイント

■社会学

＜傾向＞社会学理論と事情系の問題に大きく分けられる。事情系の問題は，社会政策が出題されない自治体で，出されることがある。社会学理論の問題としては，家族・地域社会が頻出項目である。社会集団・アノミー論にも注意が必要。直近の試験では，社会分業論や自殺論をとなえた社会学者デュルケーム，ゲマインシャフトとゲゼルシャフトといった社会集団論などが出題されている。

＜学習法＞代表的な社会学者の考え方を理解し，それぞれの学者が使っている用語を把握するようにしたい。その後，学説の違いを過去問にあたりながら覚えよう。

◎難易度＝ 80 ポイント

◎重要度＝ 80 ポイント

■国際関係

＜傾向＞直近の試験では，国連安全保障理事会らによる国際秩序，安全保障体制，ASEANによるアジアの国際協調などが出題されている。国際関係は，科目として独立した形で出題されないところもあるが，近年は，教養試験の政治・経済の一部や専門試験の政治学および政治社会事情などの範囲で問われることが多くなってきているので，専門試験で出題されないからといって，気を抜けない。

＜学習法＞特に注意を要する範囲は，国際機構，国際経済，国際政治史（冷戦史），国際関係の理論，地域紛争といったところである。国際経済や地域紛争は，日頃から新聞などを通じてある程度の知識を培うことが効果的である。

◎難易度＝ 90 ポイント

◎重要度＝ 85 ポイント

■社会政策

＜傾向＞労働経済と社会保障に大きく分けられる。労働経済の分野では，はたらき方の変化に対応し，労働基準法や男女雇用機会均等法が，社会保障の分野では医療保険制度と年金制度が頻出項目。直近の試験では，少子化の状況と国による少子化対策，合計特殊出生率，最低賃金，介護保険料等の公的介護保険などが出題されている。

＜学習法＞医療保険制度や公的年金制度といった頻出項目の制度の仕組みを理解し，その現状と対策を把握するように努めよう。現状把握のためには，『厚生労働白書』を読んで最新のデータも確認したい。

◎難易度＝ 95 ポイント

◎重要度＝ 95 ポイント

■経営学

＜傾向＞国家総合職，一般職や国税専門官では不可欠な科目でありながら，地方公務員試験ではあまり重視されない傾向にあったが，近年上級試験での出題が増加している。経営学では，経営学説・経営組織・経営戦略が大きな三本柱となっている。それぞれ幅広い範囲から出題されている。直近の試験では，国際化戦略や，マルチ・ドメスティック戦略といった国際ポートフォリオなどが出題されている。

＜学習法＞まずは頻出事項をチェックし，学習すべきポイントを整理した後，基本書等で学説の流れをつかむこと。代表的な学説の理解は不可欠。経営組織・戦略については，聞きなれない専門用語に戸惑うかもしれないが，基本事項の理解は必要不可欠である。

◎難易度＝ 90 ポイント

◎重要度＝ 70 ポイント

過去５年の出題傾向　★★★★☆

政治学 ① 権力

権力（Power）とは，他者の初めの意思に逆らってまで，自己の意図したことを他者に行わせる力を意味し，政治学において最も重要な概念の一つである。

■実体的権力論と関係的権力論

◇実体的権力論…権力者の「権力」は，何らかの「権力手段」あるいは「基底価値」の保有から生じるとする考え方。すなわち，地位，金，腕力，美貌などの「力（社会的価値）」の保有があれば，そこに「権力」があるとする考え方である。イタリアのN.マキアヴェリ，ドイツのK.マルクス，アメリカの政治学者H.D.ラスウェルらが提唱。

◇関係的権力論…「権力」はあくまでも，受け手の認識に基づいて，成立するか否かが決まるとする考え方。例えば，「地位」や「金」をちらつかせても，それに価値をおかない人にとっては，それが服従を強いるものにはならないこともある。つまり，「権力」が存在するか否かは，命令する者（権力者）と受け手をとりまく人間関係や状況に左右されるとする考え方である。権力の実体的権力論の限界をふまえて，登場した考え方であり，アメリカのR.ダール，T.パーソンズらが提唱。

■権威　よく出る

強制力を実際に行使しなくとも，受け手に受け手の意思で，自己の望むことをさせる力。受け手に自己の意思を強いるために権力を持つものが常に権力を行使し続けることは難しい。その支配服従関係を永続させるためにはそれを受け手が認める必要がある。そこに「権威」の必要性が生まれるのである。

例えば，水戸黄門の印籠は権威を象徴するものであり，助さん，格さんの腕力は，権力を象徴するものであるといえるであろう。印籠にはそれ自体，直接，人をどうこうする力はなく，その前に平伏するか否かは服従者の意思に大きく左右されるからである。アメリカの政治学者C.E.メリアムは権威の維持方法として，ミランダとクレデンダという概念を提唱した。

ミランダ	呪術的・感情的な象徴の体系	国旗,国歌,儀式,記念物
クレデンダ	知的な象徴の体系	神話,イデオロギー（民主主義など）

■支配　よく出る

政治権力が権威を付着させ，成功裏に形成され，持続するとき，それは支配と呼ばれる。

◇ウェーバーの支配の三類型…ドイツの社会学者M.ウェーバーは，ある支配を支配される者に受け入れさせるためには，「正統性」が必要であるとしたが，その正統性に基づき，彼は支配の型を３つに分類した。

①**カリスマ的支配**…カリスマとは「神の賜物」という意味であるが，そのような超人的な能力を持った指導者による支配を指す。ナポレオン，ヒトラー等による支配は，この型に近い。

②**伝統的支配**…伝統，慣習，血統に基づいて，支配が行われている型。天皇制などはこの型に近い。

③**合法的支配**…法律に基づいて，支配が行われている型。近代的な支配のあり方。現実に存在する支配の型は，この３つの

リーダーシップの類型

型	特　徴	具体的な発現の仕方
伝統的リーダーシップ	慣習や伝統にのっとって成立。	リーダーシップの機能が発揮されにくい。
代表的リーダーシップ	人々の利益を代表することで成立。	近代・現代の安定した社会において成立。
投機的リーダーシップ	閉塞状況において,民衆の不満を一挙に解決する方法を提示することで成立。	成員の感情的行動を助長し,公約の濫発やスケープゴートを追うことに陥りやすい。
創造的リーダーシップ	政治体制がゆきづまったとき成立。新しいビジョンを示す。強力なイデオロギーに支えられる。	大衆の不満のはけ口を示すだけでなく,新しい体制の創設を提示する(革命など)。

型が混合しているケースが圧倒的であり，ある一つの型のみに分類されるケースはまれである。

■エリートについての議論

「支配」というとき，支配階級（エリート）と一般大衆との関係が重要になる。このエリートについての議論に関しては次のようなものがある。

① R. ミヘルスの「寡頭制の鉄則」論…いかなる組織であっても，巨大化すれば，一部の成員が組織を支配するようになるというもの。ドイツの社会学者ミヘルスが前世紀初頭，民主主義を掲げる社会民主党を研究し，その結果，このような結論を得た。

② C. W. ミルズの「パワーエリート」論…民主的に見えるアメリカ社会も一部のエリート（パワーエリート）により，支配されているとする説。この場合，パワーエリートとは，政治家，軍人，経営者の三者を指す。

③ R. ダールの「多元主義エリート」論…社会に上流階級と目されるものは存在するが，それが統一的な決定や意見によって政治を行っている事実はなく，問題領域ごとに政策決定に影響力を持つ人々や集団は異なっているとする。分野ごとにエリートが存在し，また，エリート間で競争が行われているため，エリートが公共の利益を損なう場合には，普通の市民でもそれに対抗しうると説く。

■リーダーシップ

民主主義が主流となりつつある現代，支配を貫徹させるためには，集団や社会内の成員側の積極的な参加が不可欠となる。そこで，必要となるのが「リーダーシップ」である。リーダーシップは，指導者（リーダー），追従者（フォロアー）とからなり，さらにその間を取り持つ，サブ・リーダーが入る場合もある。

出題パターン check!

権力・権威に関する記述のうち，正しいものは次のうちどれか。

(1) ラスウェルは，関係的権力論の立場から権力を説明した。
(2) 権威は権力と同様に強制力の行使を常に前提とするものである。
(3) メリアムは権威の維持方法としてミランダという概念を提示したが，これは知的な象徴の体系を意味する。
(4) ウェーバーは支配を３つに類型化したが，現実には完全に一つの型に納まるケースは少ない。
(5) 寡頭制の鉄則という少数支配の原則を提示したのはミルズである。

答え（4）

過去５年の出題傾向 ★★★★★

政治学 ② 政治過程

現代政治においては，政党や圧力団体などの様々な組織の行動を始め，多かれ少なかれ政治に直接的な関係を持つあらゆる過程ならびに制度を検討することが必要なのである。

■政党

政党とは，英国で発展してきたものである。英国の政治学者E.バーカーによれば，政党は「公共の利益を促進するために，一致した原則により相互協力する一部の人々」が，「一方の足場を社会に，他方の足場を国家においた橋」として機能しつつ，政権（権力）の獲得を目指す結社，とされる。また，基本的に政党は，綱領と政策，組織および支持層を持つ。

政党は次のような４つの機能を持つ。

①選挙民の意思や利益の表出と集約の機能。

②議会内における反対勢力として政府を批判ないし監督する野党としての機能。

③市民に対する政治的教育の機能。

④政党指導者ないし政党幹部の選抜の機能。

■政党制 よく出る

政党制は，フランスの政治学者M.デュヴェルジェによれば，二党制，多党制，単独政党制の３つに区別される。特に，二党制とは，競合する二（大）政党のどちらかが単独で議会の過半数を獲得することによって政権交代が行われる確かな可能性がある政党制を指す。英国，アメリカなどの諸国の政党制がこの型に属する。

英国の場合，中道右派の保守党と中道左派の労働党による二大政党ではあるが，第三党であった自由民主党が連立政権として参画した時期もあり，完全な二大政党制とはいえない。

その点，アメリカは完全な二大政党であり，イデオロギー上の差異が小さいとはいえ，相対的に共和党が資本家寄りであり，民主党が女性，有色人種など社会的弱者の立場を重視しているなどの相違がある。

■圧力団体

圧力団体とは，政府に影響力を行使することによってその成員の特殊利益を促進しようとする組織と定義される。具体的には，経団連，農協など。

・圧力団体台頭の背景

①農協，労働組合など特定の地域を越えた利益を持つ集団が登場してきた。

②政党内の権力が一部の成員に集中した結果，政党によって代表されない利益が増加した。

	英国の二大政党制	アメリカの二大政党制
政　党	保守党 と 労働党 20世紀まで，トーリー党（その後の保守党）とホイッグ党（その後の自由民主党）	共和党 と 民主党
特　徴	イデオロギーや社会的基盤の差が大きい 中央集権的 党の財政は党員からの党費収入による	同質的な要素や基盤に立つ 地方分権的 英国のような意味での党員はいない

③国家が行政国家に変質したことにより，政党を通さず，直接政府に自らの要求を出すほうが有利になった。

■政党の分類 よく出る

イタリアの政治学者G.サルトーリは，デュヴェルジェの政党制の分類をさらに細かく分けた。

サルトーリの政党制の分類

		特　徴	国　家
非競合的政党制	一党制	政党が一つしか存在しない。	旧ソ連 ナチス・ドイツ
	ヘゲモニー政党制	形式的には複数政党制。 制度上独裁が保障されている。	共産主義下のポーランド
競合的政党制	一党優位制	自由選挙にもかかわらず同一の政党が長期間政権を担当。	55年体制下の日本(1993年まで)
	二大政党制	政権担当能力のある政党が二つ存在。世論の変化で，政権交代が起こる。	英国，アメリカ
	穏健な多党制	議会での政党の数はあまり多くない。 連立政権が生まれることが多い。	ドイツ，ベルギー，ノルウェー
	分極的多党制	政党の数が多い。 左右両極の対立が強い。 連立政権が多い。	選挙改正前のイタリア 第四共和制下のフランス
	原子化政党制	無数の政党が乱立。	マレーシア

ワンポイント★アドバイス

圧力団体は，自らの要求を妥協しないで主張するのに対し，政党は様々な利益を集約，それぞれの利益をまとめていく。また圧力団体は政権の獲得を目指さないが，政党は政権の獲得を目指す。

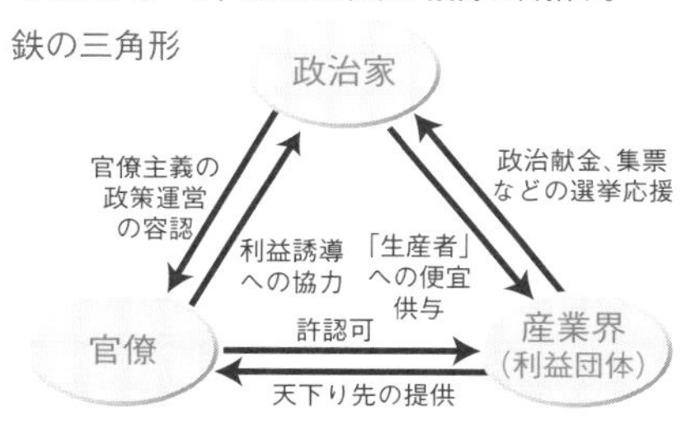

日本においては上記のような形で政治家，官僚，産業界が影響力を及ぼしあっている。このような関係は「鉄の三角形」とも呼ばれる。

出題パターン check!

政党に関する記述のうち，正しいものは次のどれか。

(1) アメリカの政党は中央集権的であり，党の財政からの党費に依存している。
(2) 英国は完全な二大政党制の国であり，第三党は存在しない。
(3) 圧力団体の中にも政権の獲得を目指すものがある。
(4) ヘゲモニー政党制とは，一党しか政党が存在しない政党制である。
(5) 分極的な多党制とは，左右両極の対立が強く，政党の数が多い政党制のことである。

答え（5）

過去５年の出題傾向 ★★★★★

政治学 ③ 選挙

選挙とは，公職保持者を，集団構成員の多数意志に基づいて選任するためにとられる集合意思表明行動のことである。選挙制度の長所と短所を正確に区別して理解しよう。

■選挙の種類

◇小選挙区制／単記投票制

①１つの選挙区から１人の候補者を選ぶ制度である。
②選挙が政策本位かつ政党本位になりやすい。
③二大政党制になりがち。英国，アメリカの例。
④大政党の安定政権が生まれやすい。
⑤死票が多い。
⑥地方の有力者に有利で，いわゆる「地盤」が固定化しやすい。
⑦特定の政党に有利なように選挙区の区割りをするいわゆる「ゲリマンダリング」が行われやすい。
⑧候補者の選択の幅が狭い。

◇中（大）選挙区制／単記投票制

①日本独特の制度。
②少数政党も議会に代表を送ることができる。
③候補者の選択の幅が広い。
④同一政党の候補者同士が争うため利益誘導が起こりやすい。
⑤候補者個人の後援会の維持費用が高いものになりがち。
⑥政党同士の政策論争が起こりにくい。
⑦派閥の形成を助長しやすい。

◇比例代表制（拘束名簿式）

①投票の対象は個人ではなく，政党。
②民意が「鏡のように」国会の議席に反映される。
③死票が少ない。
④少数意見を尊重し，多党制を保障するものである。
⑤選挙運動が政策本位になる。
⑥連立政権が生まれやすい。
⑦小党分立により政権が不安定になりやすい。
⑧「拘束名簿式」は候補者と有権者の関係が疎遠になりがち。
⑨政党幹部に権力が集中する可能性が高くなる。

■マニフェスト

①由来…イタリア語の「manifesto（宣言）」から来た言葉である。日本では，2003年の地方選挙から広まったとされる。
②意味…政党のマニフェストは「選挙公約」とされており，政権に就いたときには，「このような政策を実行する」という有権者との契約となるもの。

■主要各国の選挙制度

◇日本

1925年に男子普通選挙制が確立。1945年以降，20歳以上の男女普通選挙制が確立した。その後の改正により20歳以上から18歳以上とされた。

2016年成立の改正公職選挙法では，大型商業施設や駅への「共通投票所」の設置が可能になり，衆議院の定数を10減らし，小選挙区289，比例代表176議席の合計465議席となった。なお，選挙区の数の配分の計算には,「アダムズ方式」の導入が決定した。

2017年の改正公職選挙法では，地方議会議員選挙におけるビラの配布を解禁することが盛り込まれた。また2018年の改正では参議院定数の6増が行われ，比例代表100，選挙区148の248議席（2022年7月26日から）となった。また,比例代表に「特定枠」が設けられた。

◇イギリス

19世紀に選挙権の拡大が進む。1928年の第五次選挙法改正以来，男女普通選挙制が確立。現在，選挙権は選挙登録を行った18歳以上の男女に与えられる。被選挙権は21歳以上。完全小選挙区制。議員の任期は5年（解散がない場合）。

◇アメリカ

選挙区は人口に応じて区割りされており，各選挙区ごとに1名議員を選出。任期は2年。被選挙権は25歳以上で，7年以上，アメリカ合衆国市民であり，選挙時にその州の住民であることが必要。

◇フランス

下院にあたる議会は国民議会と呼ばれる。選挙権，被選挙権はともに18歳以上で与えられる。選挙は小選挙区二回投票制で，絶対多数を得た候補者が当選となる。二回投票制とは，一回目に有効投票数の絶対多数（過半数）を得た候補者がいない場合，有効投票数の12.5%以上の票を得た候補者のみが第二回投票に臨むという制度。二回目の投票は，第一回の投票から1週間以内に行われ，過半数であるかどうかにかかわらず，第一位の候補者が当選となる。

◇ドイツ

ドイツの下院は,連邦議会と呼ばれるが,その議員は小選挙区制選挙を加味した比例代表制選挙によって選出される。選挙権・被選挙権ともに18歳以上で与えられる。

有権者は，一回の選挙で二票を投じる。一票は小選挙区ごとの候補者個人に投じられる。もう一票は，比例代表制選挙に立候補している政党に対し投じられるものである。比例代表制選挙の結果が議会における各党の議席配分を基本的に決定する。

比例代表制選挙に小選挙区制選挙を加味して選挙結果を出す選挙制度は小選挙区比例代表併用制の下では，場合によっては議席が増えることもある。ゆえに連邦議会の議席は基本定数であり，定数ではない。

比例代表制選挙においては，小党分立を避けるために，議席を得ることができるのは，連邦全体で比例代表制選挙の5%以上を得票するか，小選挙区制選挙で3議席以上の議席を確保した政党に限定されている→5%条項。

ワンポイント★アドバイス

◎日本の参議院議員の比例区の選挙は，2001年7月の選挙から非拘束名簿式になり，投票は政党名でも候補者名でもよいことになっている（2019年改選から新設された「特定枠」には拘束名簿式を一部導入）。

◎「アダムズ方式」とは「同一の数字」によって都道府県の人口を割り，「商の小数点以下を切り上げた数」を各都道府県の議員定数とするというもの。都道府県の人口比をより反映した議席配分が可能になるとされる。「アダムズ方式」は2020年の国勢調査を基準に実施。

出題パターン check!

選挙に関する記述のうち，正しいものは次のどれか。

（1）小選挙区制とは，1つの選挙区から2人から3人の候補者が当選する選挙制である。

（2）中選挙区制とは，日本独自の選挙区制度であり，現在，北海道などいくつかの地域で行われている。

（3）比例代表制では，政党幹部に権力が集中することを妨げる。

（4）小選挙区制では，ゲリマンダリングが起こりやすい。

（5）比例代表制の特徴の一つは死票が多いことである。

答え（4）

過去５年の出題傾向　★★★☆☆

政治学 ④ 政治思想史（１）

政治思想史を理解するためには，単に，思想内容を暗記しようとするのではなく，その思想が登場した時代の政治状況を知ると，より理解が容易になる。

■思想家

ギリシャの都市国家（ポリス）が衰退し始めたころに登場するのがプラトン，アリストテレスらである。

■プラトン（427B.C.～347B.C.） よく出る

プラトンは，理想の国家（社会）はこの世とは別のイデアの世界にあるとした。しかし，この世でも限りなく理想国家に近づくことができると彼は考え，理想国家は，哲学的素養を持つ王である哲人王が支配する国家であると主張する。体制は貴族政か王政。それゆえ，プラトンは，教育の重視をうったえるのである。また，彼は個人的な財産や家庭を持つことも禁止すべきだとした。

■アリストテレス（384B.C.～322B.C.）

アリストテレスはプラトンの弟子であるが，師の理想（イデア）と現実の二元論を批判，理想は現実の中にあると主張。人間がよく生きるためには程よい大きさの，政治的に自立し，経済的に自足しうるポリスに住み，その経営は能力と手段と教育に恵まれた少数者に限るべきであるという少数者支配を主張した。さらに，ポリスの目的は，そこに生きる者一人一人がその持てる能力を高め，それを全体の幸福のために発揮するような状況をもたらすことであると彼は主張する。

◇ルネサンス以降

ルネサンスの時代は中世の神中心のものの考え方に対し，人間中心の考え方が台頭してくる時期であった。

■N. マキアヴェリ（1469～1527）

16世紀初頭，同時期の日本と同様にイタリアは分裂していた。その中で，強力な中央権力を打ち立て，イタリアの統一を考えていたのが，マキアヴェリである。彼は人間を際限ない野心と貪欲に駆り立てられる存在であると考え，ゆえに，力による強制手段によって，人間の欲望に歯止めをかける必要があると考えた。それゆえ，支配者は獅子と狐の性質，つまり力と狡猾さを併せ持つ必要があると彼は主張した。

彼は従来のような理想的な国家のあり方を論じる政治学は人間の本性が悪であるという現実に目を向けようとしないものであると批判し，倫理学と切り放された形の政治学（近代政治学につながる）を唱えたという点でも重要である。

⇒16世紀にドイツのルターの始めた宗教改革運動は，全ヨーロッパにおよび，各地にカトリックとプロテスタントとの対立・抗争をもたらした。その最も大きなものはドイツを舞台とした30年戦争であるが，フランスにおいても，宗教を巡る対立は国を二分する戦争となっていた。

■J. ボダン（1530～1596） よく出る

ボダンは，宗教戦争が激化するフランスに，国王のもとでの統一を確立する必要性を主張した。彼はフランスの分裂が，各派閥が教皇を始めとする海外の勢力や地方の有力貴族に忠誠を誓っていることに原因があるとする。彼は統一をもたらすために，他のなにものにも制限されることのない絶対にして，永続的な権力である「主権」という概念を提案し，それを国王が持つことが必要であると主張する。

ボダンは主権者（国王）は地上における「神の代理人」であるとしたが，この考え方はその後，王権は神によって与えられたという王権神授説という形で流布することになった。

■ T. ホッブズ（1588～1679）

清教徒革命に端を発する無政府状態を目にしたホッブズは，そのような混乱の再発を防止することを目的に議論を展開した。ホッブズは人間の本性は悪であるとする。社会や国家にしばられず，自然状態にある人間はお互いに敵対し合う「万人に対する万人の闘争」の状態にあると彼は考えた。そのため，彼は人間の生命や自由を真に守るためには，人間は相互に契約を結び，政治社会＝国家をつくること，同時に生まれながらの権利（自然権）をその代表である主権者に委譲するとともに，彼の意思に絶対的に従う必要性があることを説いた。

■ J. ロック（1632～1704）

ロックは，自然状態において，人間は平和裏に生活していたと考える。しかし，法律もなく，それを裁判，執行する者もいないため，人の生命・財産に対する侵害行為は起こりうる。そのため，彼は人間の自由や財産をよりよく守るためには，共通の法による支配をうける政治社会に契約によって入ることが必要であると説いた。一方で，彼は人は自らの権利の一部を政治社会に信託するに過ぎないとし，ゆえに政治社会の代表が人々の意思に反して，権力を行使した場合には，人々はこれに抵抗することができる（抵抗権）とした。また，所有（財産）権は不可侵であると主張した。

■ J.J. ルソー（1712～1778） よく出る

ルソーにとって，自然状態は理想状態であった。彼によると，文明化されるに従い人間は堕落し，支配と隷属の関係が社会全体を覆うようになった。そこから脱出するため，社会契約によって，新しい政治社会をつくる必要があるとルソーは説く。この契約は「各構成員が自ら持つ全ての権利と共に自らを共同体全体に対して譲渡」することを約束するものであり，この政治社会＝国家の主権者は国家を構成する人民そのものである（人民主権論）。そのため，彼は間接民主制に替えて，人民の定期集会の制度化を主張する。また，ルソーは共通の利益を求める意志を一般意志と呼び，人民は個人の利益を追求する特殊意志やその総和としての全体意志ではなく，この一般意志に従うべきであるとした。

重要語解説

●社会契約説…17 世紀，清教徒革命を経験した英国では，人間は本来的に自由で平等であるとする思想が台頭してくる。それに伴い，神が社会を創ったとする従来の考えに対し，自由で平等な個々人が自然状態（原始状態）を脱することを目指して，相互契約によって社会を創るという考え方が登場してきた。これを社会契約説という。この自然状態と社会契約説を用いて，思想を展開した思想家は T. ホッブズ, J. ロック, J.J. ルソーである。

出題パターン check!

政治思想に関する記述のうち，正しいものは次のうちどれか。

（1）プラトンは，哲人王による政治を否定して，寡頭制による政治を主張した。
（2）マキアヴェリは，ライオンと狐の性質を兼ね備える倫理的な政治を力説した。
（3）ボダンは，「万人に対する万人の闘争」を避けるために王権神授説を提唱した。
（4）ロックは，所有権の不可侵性を主張する一方で政府への抵抗権を確保する理論を構築した。
（5）ルソーは，自然状態を理想として一般意志よりも全体意志を優先した。

答え（4）

過去５年の出題傾向　★★★☆☆

政治学 ⑤ 政治思想史（２）

イギリスの名誉革命やフランス革命以降成立した市民社会は，国家権力からの自由を求める自由主義を信奉したが，19世紀後半，政治の民主化が進んだ結果，民主主義が台頭することになる。

■モンテスキュー（1689～1755）

モンテスキューは，中世以来の「法の支配」の理念によって政治的自由を確保する方法を理論的に追究した。彼は政治的自由が存在するためには，権力が分割され，権力が他の権力によって抑制し合うことによって，権力の均衡が図られる政体こそが必要であると考えた。彼は当時の英国の国家構造をモデルとして，国家権力を，立法権・行政権・司法権の３つに分け，それぞれ別の者によって担われる体制をつくることを主張した。

■ E. バーク（1729～1797）

バークは保守主義の祖ともいわれる。彼は理性の名のもとに無数のテロ行為が行われたフランス革命の経験から理性の限界を認識し，先入見（偏見），慣習，宗教が人間を破壊衝動や暴走から守るものであるとして，それらの重要性を訴える。それは長い時間の中で，その妥当性が証明されているものなのである。そこから，彼は国家における君主や貴族階級のような世襲制によって守られてきた伝統的要素を重視し，英国の憲法体制こそ国家の理想と考えた。また，社会契約説とは反対に，国家を歴史的につくられ，孤立した原子的な個人の単なる集合体ではなく，機能的・地域的な諸集団と諸階級よりなる有機的で階層的な結合体であるとみた。

■ A. トクヴィル（1805～1859）よく出る

トクヴィルが生きてきた時代，ヨーロッパでは急速に民主化が進んでいた。その結果，既存の社会関係の解体と物質主義の拡大がもたらされた。それは政治や社会問題に無関心な「個人主義」を生み出し，共和政に不可欠のものである公共心や愛国心といったものの衰退をうながした。

他方それは伝統社会に基づく社会的多元性を破壊し，権力の集中をもたらした。彼はこのような状況が「多数者の専制」をもたらすと考えた。トクヴィルは民主主義を時代の趨勢として認めながら，平等化された社会の中で，自由を維持する方策を考えた。アメリカの当時の状況はトクヴィルの問いに一つの解答を与えるものであった。当時のアメリカでは，ヨーロッパ以上に民主化が進んでいながら，「多数者の専制」に陥ることなく，人々が個々に公共心を維持し，自由主義が守られていたのである。彼はこのことの原因を次のようなアメリカに特有の状況に求めた。

①地方自治制度の充実。地方自治は身近な利益や問題を媒介にして人々の政治意識を高め，人々に公共心を植えつける制度であり，中央集権化が進んだフランスとの対比で，アメリカの行政的中央集権化の欠如を高く評価したのである。

②中間団体としての「結社」の存在と旺盛な活動。トクヴィルによれば，結社は国家と個人との間に介在する団体として諸個人の自由を守る防波堤の役割を果たす。政治結社は行政権の中央集権化に一定の歯止めをかける。個人は政治結社への参

加を通じて，公共精神を備えた市民へと育成されることになる。

③キリスト教が健全に機能。キリスト教は人々に眼前の利益から永遠の問題へと関心を向けさせ，個人主義や物質主義の狭い見方の枠を破壊する力を持っている。

④上院・法曹階級の存在。これら２つの存在は，貴族のいないアメリカで，貴族階級に代わる中間団体として機能し，自由を守る役割を果たしている。

■ J. ベンサム（1748～1832）

ベンサムは快楽は善で，苦痛は悪だとする「功利主義」を唱え，社会の利益とは，それを構成する個々の成員の利益の総計に他ならないと主張した。彼の主張は「最大多数の最大幸福」という言葉で表わされる。一方で，彼は政府の保護干渉を有害無益なものであるとし，功利主義の立場から自由放任を支持した。彼にとって，国家は個人の自由を犯罪から守る役割を果たす限りにおいてのみ，その意味が認められるものであり，「必要悪」といったものであった。

■ J.S. ミル（1806～1873）

ミルは当初とっていたベンサム的な立場から転換し，その修正を試みるようになった。ベンサムにとって，少数者とは，常に支配階級を意味していたが，ミルにとっては，「多数者」が支配者であった。個性ある少数者は常に多数者の専制化の脅威にさらされていると彼は考えていた。ゆえに，彼は社会の進歩を促進するためには，個性ある少数者の自由を多数者の専制から擁護しなければならないと考えていた。特に彼はプロレタリアートを個性と教養を欠いたものと見，その政治的な進出に危惧を抱いていた。そのため，彼は社会が最大限に尊重すべき個人の領域にかかわる３種類の自由として，①内面的自由（良心の自由，思想と感情の自由，言論出版の自由，討論の自由）②嗜好の自由，目的追求の自由，③団結の自由をあげている。

■ J. シュンペーター（1883～1950）

シュンペーターは，民主制とは「個々人（エリート）が人民の投票を獲得するための競争的闘争を行うことにより決定権力を得る」制度であるとした。彼は民衆は普通政治に関心を持ってはいないと考えており，それゆえ，人民を政治の主体とする従来の民主制の議論に異議を唱え，政治家が政治の主体となり，民衆の役割を「政府をつくること」に限定することを提唱した。つまり，民衆による権力の掌握ではなく，民衆が政治家に権力を与えることが民主制とされるのである。

彼の考えによると，「人民の権力」は選挙の時期に限定され，いっさいの圧力活動が禁止されるとされた。ただし，「競争的闘争」という基準は重要であり，権力をめぐる競争が禁止されているような政治体制は，民主主義とはされないと考えた。

ワンポイント★アドバイス

自由主義は国家権力からの自由を追求するものであった。しかし，19世紀後半，民主化の進展に伴い，それは多数者による専制から少数意見を守ることを追求するものに変容する。

出題パターン check!

政治思想に関する記述のうち，正しいものは次のどれか。

（1）モンテスキューは，保守主義の祖で，国家の有機的階層的な性質を強調した。
（2）トクヴィルは，「多数者の専制」に陥らずに自由を維持できる方策を考えた。
（3）ベンサムは，功利主義の立場から国家の干渉を大幅に認めた。
（4）ミルは，個性ある少数者の自由の確保を追究して，三権分立を提唱した。
（5）シュンペーターは，人民を政治の主体にするために，選挙の重要性を力説し，人民の政治的関心に期待した。

答え（2）

過去５年の出題傾向 ★★★★☆

政治学 ⑥ 現代の政治理論

19 世紀から 20 世紀にかけて，選挙権の拡大に伴い大衆が政治に参加するようになるが，これは，実際の政治を変えただけでなく，政治学にも変更を迫るものであった。

■ G. ウォーラス

ウォーラスは，20 世紀初頭，近代の理性と進歩に対する楽観的な見方に疑問を示し，人間の思考には非合理的な部分がつきまとっていると主張，政治（特に大衆民主政）を理解するためには人間の非合理性にも注目すべきであると指摘した。政治の分析に心理学を応用するアプローチの登場→政治的パーソナリティの研究，投票行動，世論調査など政治意識や政治行動の実証的・理論的研究へ。

■ A. F. ベントレー

ベントレーも 20 世紀初頭，政治を相互に圧迫し，抵抗し合う（圧力団体，政府機関などの）集団活動，集団インタレストが織りなす過程としてとらえる→政治過程論へ。

■ D. B. トルーマン

ベントレーの研究を基に，政治過程論を展開。「重複的メンバーシップ」,「潜在集団」の概念を提唱。

◇重複的メンバーシップ

複数の集団に加入するというアメリカ人の傾向が，集団間の利害抗争を未然に防止し，集団の政治的イデオロギーの均質化をもたらすというもの。ベントレーの「集団の交叉」の概念を継承したもの。

◇潜在集団

潜在（的利益）集団は，特定の集団がきわめて強くなり，過度の権力を行使するときは，それに反対する人々によってあらたに集団が形成され，特定の集団の活動を抑制し，諸集団の間に均衡が回復されるというもの。これもベントレーの「習慣背景」の概念をもとに考え出された。

■ T. ローウィ

ローウィは，利益集団（圧力団体）が強力になり，そこから排除された人々の権利や機会は奪われてしまっていると考えた。また，利益集団と政府との間に共通の利害関係が確立していると指摘。そのような状況を「利益集団自由主義」と名付けた。その結果，民主主義の衰退がもたらされているとし，政府諸制度の内部に「法の支配」を貫徹した「依法的民主主義」により克服することを提唱した。

■ R. ダール

ダールは多元的権力論（多元主義）を唱えるとともに，「政府決定に対するコントロールが市民間に共有され，いかなる市民の選好も他のいかなる市民の選好よりも大きいウェイトを占めることのないような状態」を民主主義の理想像とし，これをポリ

●ポリアーキーの概念図

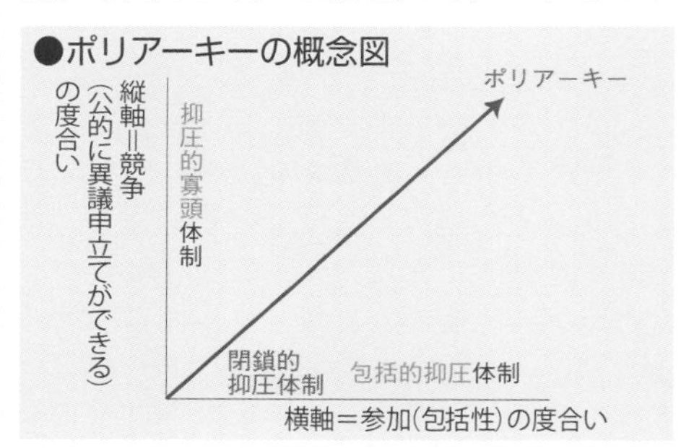

アーキーと呼んだ。

■ P. バクラック，M. バラッツ

彼らは，多元主義の論者が権力を持つものにとって，その地位を脅かすことのない比較的「安全」な争点に限定して権力を測っているのではないか，と疑問を呈した。彼らは権力者にとって「危険」な争点が，争点として表に出ないように権力者によって巧妙にコントロールされる可能性もあることを指摘した→「非決定」の理論。

■ D. イーストン よく出る

アメリカの政治学が細かな実証研究にとらわれて，「木を見て森を見ない」傾向があると警告するとともに，政治学の主題は社会に対する資源の権威的配分であるとし，その認識に基づき，システム論を応用して，次のようなイーストンの循環サイクルのモデルを提示した→政治システム論。

●イーストンの循環サイクルのモデル

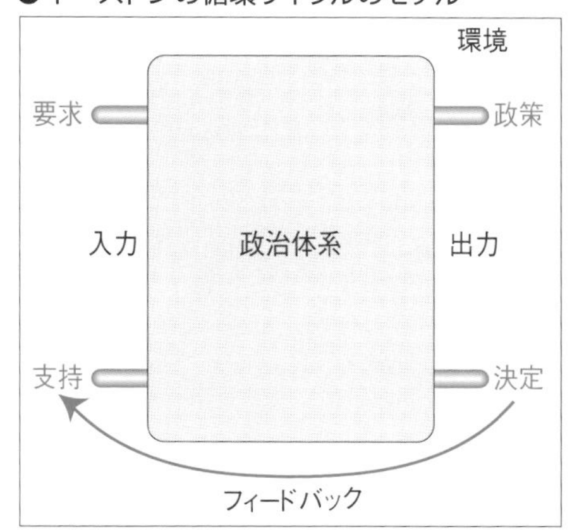

■ G.A. アーモンド

イーストンのモデルを応用しながら，発展途上国を含め，多くの国の政治体制を比較した。

政治文化の型	例	関心
未分化型	発展途上国	なし（入力・出力）
臣民型	戦前の日本・独	出力のみ
参加型	英・米	あり（入力・出力）

■ H.D. ラスウェル よく出る

ラスウェルは，政治的人間という概念を提示し，それを p|d|r=P で表されるとした。p は個人の私的動機，d は私的動機を家族的対象から公の対象へと転位することを表わす。r は転位を公共の利益などを引き合いに出して正当化することを表す。

ラスウェルの政治的人格の分類		
型	性格	特徴
煽動家	芝居っ気的性格	感情が激しやすい
行政家	強迫的性格	形式・細部にこだわる
理論家	冷徹	観念や思想を操作できる

■ K. ドイッチュ

イーストンと同様に情報科学的な角度から政治体系論を展開した。彼は政治体系の構造を，情報入力にかかわる構造，情報を政策に変換する機能にかかわる構造，政策出力を遂行する構造に分け，変換の構造に記憶，計算，決定の３つのサブシステムをあげている。《記憶》があげられているのは，それがフィードバック制御が可能となるための必要条件だからである。

出題パターン check!

政治理論に関する次の記述のうち，正しいものはどれか。

（1）ベントレーは政治の分析に心理学を応用するアプローチを提唱した。
（2）ラスウェルは，政治的人間という概念を提示し，それを政治システム論に応用して分類した。
（3）バクラックとバラッツは多元主義の理論に異議を唱え，非決定の理論を提唱した。
（4）ドイッチュは，イーストンのモデルを応用して多くの国の政治体制を比較した。
（5）ローウィは，利益集団が民主主義に貢献しているとする重複的メンバーシップ論を唱えた。

答え（3）

過去５年の出題傾向 ★★★☆☆

政治学 ⑦ 政治制度

政治制度に関しては，国によって同じ大統領制でも，その機能に大きな相違がある。また，議会の名称についても各国で異なるので，その相違点をよく理解しておく。

■アメリカ（大統領制） よく出る

アメリカ大統領制では，立法部と行政部とは相互に独立しており，大統領は議会に対して責任を負うのではなく，直接国民に対して負う。任期は４年。３選は禁止。大統領の選出過程は，予備選挙ないし党支持者集会（コーカス）による各州の党候補の決定→党大会での候補者の決定→各州ごとの最多得票者が，その州に割り当てられた全ての選挙人団を獲得し，全国で最も選挙人の数を集めた候補者が当選する。国民は候補者に直接投票するのではなく，選挙人団に投票するという形の間接選挙によって大統領を選出する。

大統領は議会を招集・解散する権限を持たない。議会は大統領に辞職を要求する権限を持たない（弾劾のみ）。大統領は議会に直接法案を提出できない。教書を出して法律の制定を要請するのみ。議員と官僚の兼職は，三権分立の立場から禁止されている。

■フランス（大統領制）

第五共和制の大統領は首相・大臣，文官・武官の任命，国民議会（下院）の解散，国民投票の実施を行う。危機に際しては，非常大権を行使して，憲法改正と国民議会の解散以外の全ての行為を行うことができる。任期は５年。首相や各大臣は議会に議席を有することはできない。大統領は直接国民から選ばれる。行政部は議会に対して責任を負う内閣制で組織されている。国民議会は政府に対する不信任決議権を持つ。

■ロシア（大統領制）

内政と外政の基本方針を決定する。大統領令を発布し，それは政府決定に優先する。下院の解散権を持ち，下院の同意を得て首相を任命し，首相の提案により副首相，官僚を任免。軍事体制，非常事態を導入する。12年の大統領選挙から任期は６年。下院は大統領の弾劾を発議し，上院が大統領を解任できる。

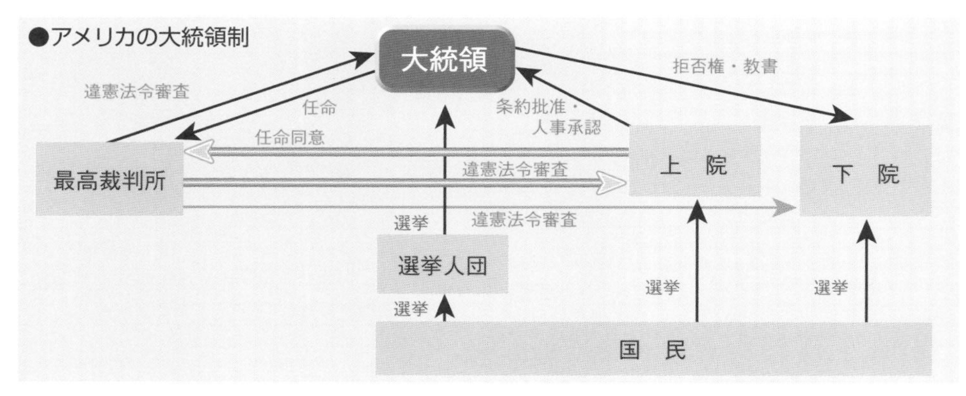

●フランスの大統領制

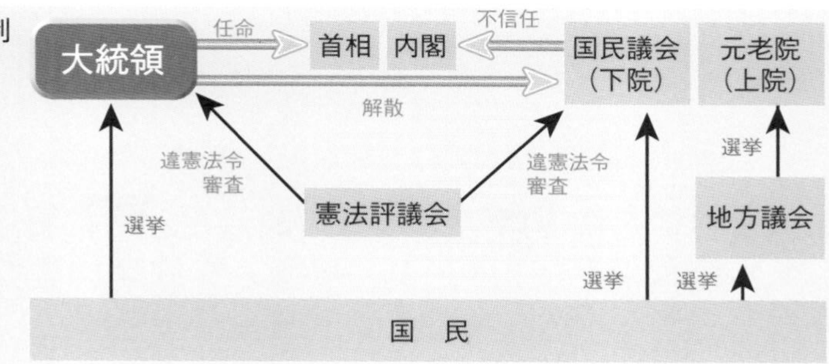

■ドイツ(大統領制) よく出る

ドイツの連邦大統領は，その選出のためのみに開かれる「連邦会議」を通じて間接的に選出される。「連邦会議」は連邦議会議員とこれと同数の各州議会代表によって構成される。大統領は，連邦を代表して外国との条約を締結し，外国の使節の信任・接受を行う。大統領は国家を代表する国家元首として，儀礼的地位の性格を強く持つが，連邦政府首相の推薦権・緊急立法状態の宣告権・連邦議会の解散権など，議会に対し一定の牽制機能を有する。

■英国(議院内閣制)

イギリスは，議院内閣制をとる。議院内閣制とは，内閣が議会の意思で構成される制度のことである。首相は庶民院(下院)の多数派から選出され，閣僚を任命し，政党内閣を構成する。閣僚は原則として，議会に議席を持っていなければならない。内閣は議会に対し，その責任を負い，議会は内閣に対してその責任を問う不信任決議権を持つ。庶民院で不信任案が可決されたとき，内閣は総辞職するか，庶民院を解散して国民に信を問わなければならない。

■中国(民主集中制)

中華人民共和国は，民主集中制を採用している。労働者・農民の代表からなる全国人民代表大会(全人代)は，唯一の立法機関として，憲法の改正，法律の制定，国民経済計画，予算・決算の審議と承認，国務院総理(首相)と国務院構成員の任免などの権限を持つ。国家主席は国家元首であるが，全人代で選出され，儀礼的な大統領のような機能を果たしている。国務院は内閣に相当し，最高国家行政機関である。

■イタリア(議院内閣制)

イタリアは，ドイツと同様に大統領が存在するが象徴的な役割であるため，実質的には議院内閣制と考えてよい。大統領の任期は7年で，上下両院合同会議で，3分の2以上の多数を得た候補が当選する。その権限は，法律の公布，外国使節の接受，軍隊の指揮権などだが，大臣の連署が必要である。首相を指名する際には各党の調整役を果たす。大統領が任命する上院議員は，終身議員である。

出題パターン check!

各国の政治制度に関する記述のうち，正しいものは次のどれか。

(1) アメリカの大統領は強大な権限を有し，直接選挙で選出される。
(2) フランスの大統領は象徴的な存在であり，間接選挙で選出される。
(3) ロシアの大統領は強大な権限を有し，直接選挙で選出される。
(4) ドイツの大統領は強大な権限を有し，直接選挙で選出される。
(5) 中国の国家主席は強大な権限を有し，直接選挙で選出される。

答え(3)

過去５年の出題傾向　★★★★☆

行政学 ① アメリカ行政学の歴史（行政理論）

アメリカの行政学はアメリカの政治とともに変遷をたどってきた。ここでは，「行政」と「政治」との関係を各学派がどのようにとらえているかをおさえることが重要。

■猟官制（スポイルズシステム）

政党や大統領の意向により，行政官を情実で任用する制度。この制度は1801年に就任したジェファーソン大統領のもとで始まり，第七代大統領ジャクソンの下で最盛期を迎える。→素人による行政に伴う行政能率の低下，党利党略による人事の横行。

■ペンドルトン法（1883）

アメリカの行政官の任用にも，一定の資格と能力を審査することを定めた法律。政治とは切り離して決定する資格任用制（メリットシステム）が導入されることになった。

このようなアメリカの行政と政治との関係をもとに，19世紀末期，行政の自立性を尊重し，政治が過度に行政に介入することを否定，行政を政策の執行過程と見なして単なる技術に過ぎないと考える〔初期〕技術的行政学が登場する。

戦間期になると，アメリカの私企業経営の世界で流行し始めていた科学的管理法の影響を受けた学派が登場し，ここにいたり，純粋にアメリカ産の学問としての行政学が成立する。これは正統派行政学（技術的行政学）と呼ばれる。

1929年に始まる大恐慌に対するニューディール政策の実施や第二次世界大戦の勃発に伴う戦時動員の導入は，社会・経済に対する国家介入の拡大･深化をもたらした。

ワンポイント★アドバイス

アメリカではいまだに，公務員の政治的任命が存在する。

●〔初期〕技術的行政学　よく出る

論者	著作	内容
W.ウィルソン	行政の研究（1887）	行政は政治の領域外すなわち経営の領域にある。そして，行政の価値は，最少の労力と資材でいかに最大の能率をあげるかにより判断される。
F. J.グッドナウ	政治と行政（1900）	政治が国家意志の表現であるのに対し，行政はその執行であり，立法，行政，司法の三権にまたがる技術的過程である。「政治は当然行政を統制しなければならないが，その統制が過度になってはならない」と主張。

●アメリカ行政学の歴史

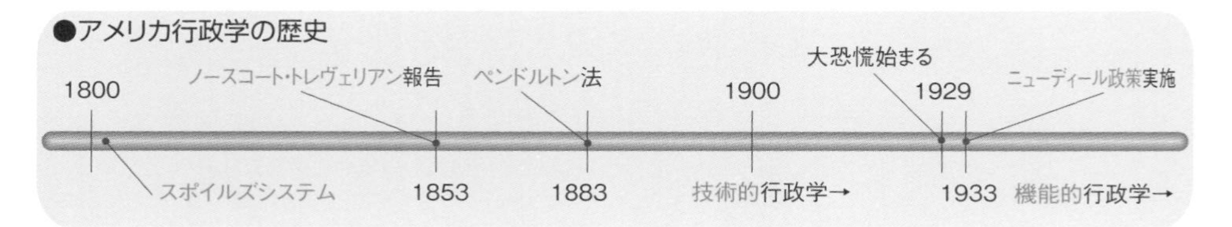

●正統派行政学 よく出る

論者	著作	内容
L. D. ホワイト	行政学 研究序説 (1926)	優れた行政は，能率的行政である。
W. F. ウィロビー	行政の 諸原理 (1927)	能率という行政の目的が達成されるために，基本的原則が発見されるべきである。伝統的な三権に「執政」と「選挙」を加えた，立法，司法，執政，行政，選挙の五権を提唱。
L. H. ギューリック	管理科 学論集 (1937)	「能率」こそは，行政の価値体系において最高の鉄則である。

従来，自由放任を奉じてきたアメリカも，行政国家への道を歩み始めたのである。このような変化に伴い，従来の「技術的行政学」の行政と政治とを分離して考えるべきだとする考え方に対する批判が台頭。さらに，政治と行政とは区別しがたい融合関係を築き，連続過程として理解すべきだとする「機能的行政学」が登場してくる。

技術的行政学を否定した機能的行政学は，「政治」を公共政策の決定とし，行政に不可欠なものであると考え，行政を公共政策の管理ととらえるものである。

●機能的行政学（正統派行政学批判）

論者	著作	内容
R. ダール	行政の 科学 (1947)	正統派行政学が科学であるならば，規範的価値から無縁でなければならないにもかかわらず，「能率」という規範的価値を第一の価値としている。正統派行政学は人間を余りに機械的・技術的に見すぎており，行政が置かれている文化的・社会的背景を無視している。
D. ワルドー	行政 国家 (1948)	正統派行政学はあたかも価値から自由であるように装っているが，アメリカ独自の物質的背景やイデオロギー的枠組みと不可分の関係にある。能率はそれ自体善ではない。ほかの価値観との関連で測定されるべきである。
H. A. サイモン	行政 の諺 (1946)	正統派行政学は科学的分析を行うために必要とされる概念上の用語を確立できていないため，例えば，一方で「虎穴にいらずんば虎児を得ず」といい，他方で「君子危うきに近寄らず」と主張するように相矛盾する原理を提示する諺のようなものにすぎないと主張。

重要語解説

●ノースコート・トレヴェリアン報告…イギリスで，公務員の資格任用制と行政の政治的中立を求めた報告。→資格任用制の採用へ。

出題パターン check!

行政学に関する記述のうち，正しいものは次のうちどれか。

（1）R. ダールは，優れた行政は，能率的行政であると主張した。
（2）機能的行政学が登場したきっかけの一つは，ニューディール政策であった。
（3）W. F. ウィロビーは，政治と行政の融合論を主張した。
（4）アメリカでは，ペンドルトン法の施行以来，公務員の政治的任命はない。
（5）猟官制とは，第七代ジャクソン大統領が始めた。

答え（2）

過去５年の出題傾向 ★★★★★

行政学 ② アメリカ行政学の歴史（組織論）

組織論とは，組織の目標の有効かつ能率的な達成に最適な条件を発見することである。また，その見取図を作成することをその目的とすることである。

■科学的管理法

F. W. テイラーによって提唱された管理法。時間研究と動作研究を活用した作業の標準化を行い，これを基礎にした課業管理の管理手法を提唱。そもそも工場の生産管理に適用されたシステム。

■古典的組織論 よく出る

L. H. ギューリックは組織編成の原理として，命令系統の一元化，統制範囲の原理，同質性による作業分業の原理を唱える。

原理	内容
命令系統の一元化	組織のメンバーは1つの命令系統から指示を受けなければならない。
統制範囲の原理	1人の上司が管理できる部下の数は一定の範囲内にとどめるべき。
同質性による作業分業の原理	作業の能率化のためには，各部門は何らかの業務の同質性が必要である。

■ラインとスタッフ

古典的組織論では，軍隊における参謀の制度にならい，ライン系統組織の管理者には，その管理機能を補佐するスタッフを配置すべきだとされた。スタッフの権限は原則として，ライン系統組織者の管理者に対する助言・勧告のみとされたが，近年では，ラインに指示を出す例も見られる。

科学的管理法は，人間は管理者の統制に応じて合理的に行動することを前提としていた。しかし，G. E. メイヨーらが行ったホーソン工場における実験は，そのような前提に疑問を抱かせるものであり，その結果登場したのが人間関係論であった。

●新古典的組織論－人間関係論 よく出る

論者	内容
G.E.メイヨー	労働者の生産性の向上のためには,労働者の満足感と連帯感（人間関係）が重要であるとし,インフォーマル組織の重要性を強調。フォーマル組織（定型組織）…目的を達成するために形成される。インフォーマル組織（非定型組織）…自主的な意思により,自然発生的に形成される。昼食仲間,同期会など。

■現代組織論

フォーマルな階統的組織を重視する古典的組織論とインフォーマルな組織を重視する人間関係論を融合させたのが，現代組織論である。現代組織論の嚆矢はC. I. バーナードである。

バーナードは，組織を「多様な動機を持ち自由に意思決定できる人々が，一定の目的達成のために協働するシステム」であると定義した上で，組織が人間行動の「協働システム」として機能するためには，経営者が協働の目的を明確にし，「協働」意欲の実現（例えば，賃金や威信を高めることにより）を促進し，組織の共通目的を構成員に行き渡らせるためにコミュニケーションの確保を図ることが重要であると主張した。

バーナードはまた，権威とは部下の側の受容によって成立するものであるとする，権威受容説を唱えた。一般に権限と呼ばれているものもこの権威の一種とされる。彼はこの説を，機能の権威・地位の権威・無関心圏という概念を使って説明する。

●バーナードによる権威受容説

権威の類型	内容
機能の権威	職務にかかわる上司の高度の学識・専門能力に,あるいはその豊かな経験により裏づけられた見識に心服し,この上司の下した判断と指示の確かさを信じて,部下がこれに従うというもの。
地位の権威	指示が組織上の上司からの指示であるがゆえに部下が服従するというもの。
無関心圏（地位の権威が成立するための条件）	現実では,機能の権威だけで部下が指示に従うわけではない。上司の指示・命令が理解可能で,従うことに精神的肉体的苦痛を伴わず,従うことが個人的利害・組織の目的に反していない場合,上司のこの指示・命令は,部下の無関心圏に属するという。

■バーナードの組織均衡理論 よく出る

バーナードはさらに，組織の存亡にかかわる成員の就職と離職の選択行動について，組織均衡の理論を提示し，次の３つの要素が均衡する時，組織は維持され，それが崩れた時，成員は離脱すると説いた。

動機…個人の組織に対する期待，意識的原因
貢献…個人が組織に対して払った犠牲の度合い
誘因…組織から個人が受ける貢献に応じた効用

■満足（充足）化モデル よく出る

バーナードの理論を継承・発展させたのがH.A.サイモンである。彼はコミュニケーションの結節点における意思決定に焦点を当て，ある目的を実現しようとする人間の行動選択に関する理論である，意思決定の理論を打ち立てた。状況に関する完全な情報を持ち，この情報を処理する最大限の認識能力を備え，そして効用を最大限にすべく努力する政策決定者を前提とするような従来の合理的選択理論を批判し，次のような概念を提唱した。

●サイモンの意思決定論

合理的意思決定	与えられた目的と与えられた状況のもとで,その目的を最大限に実現する手段を選ぶ意思決定。
満足（充足）化モデル	人間は限定された合理性のもとに置かれているため,政策決定者は目標達成の最大化（最適化）を目指すのではなく,一応の満足ができる水準まで,代替案を探すが,それが見つかれば,それ以上の探究をやめるというもの→行政人の意思決定のあり方。

出題パターン check!

組織論に関する記述のうち，正しいものは次のどれか。

（1）G. E. メイヨーが提唱したインフォーマルな組織とは，会社など私企業を指す。
（2）満足（充足）化モデルを提唱したのは，F. W. テイラーである。
（3）権威受容説とは，部下の受容があって初めて権威は成立するというものである。
（4）ホーソン工場の実験は，人間が合理的に行動することを証明した。
（5）組織均衡の理論を提唱したのは，G.E. メイヨーである。

答え（3）

過去5年の出題傾向 ★★★★☆

行政学 ③ 行政の組織

行政組織の型には，独任制（単独制）と合議制のものがある。特に独任制と合議制の長所と短所，および合議制組織である行政委員会と審議会の長所と短所をおさえることが重要。

■行政組織の分類

行政組織のために置かれる行政機関は，府・省・委員会および庁であり，この内，委員会と庁は，府または省の外局として置かれる。

府省庁（都道府県の知事部局なども含む）の行政組織は独任制行政組織に，行政委員会や審議会は合議制行政組織に分類される。

■独任制と合議制

項目	内容
独任制	単独の長を頂点とするピラミッド型の階統制をとる組織の編成方法。組織の最終責任者たる長がその権限と責任において順次下位の組織単位に振り分けて分業体制を敷く形態。中央官庁や都道府県の知事部局など。
合議制	対等な複数の人間の合意に基づく組織の編成方法。 行政委員会・審議会など。

■独任制と合議制の長所と短所

独任制	
長所	短所
責任の所在が明確，指揮命令系統が明確，業務の遂行が迅速，業務の一貫性が保持される。長の意思決定が統一される。	職務遂行が形式化しやすい。民意を反映させにくい（決定が長の独断に陥りやすい）。高度な専門技術を要する分野には対応不可能。

合議制	
長所	短所
業務遂行が慎重になる。専門的な知識や技術を有する分野に適する。利害調整に適する（政治的中立を保持できるため）。第三者の利益を確保しやすい。	決定までに時間がかかる。責任が分散し，責任の所在が不明確になりやすい。行政に対する意欲が希薄になりやすい。

■行政委員会と審議会

項目		内容
行政委員会		大臣の指揮監督を受けず，行政権からある程度独立して行政的規制を行う機関。アメリカの独立規制委員会をモデルに戦後導入された。準立法的機能（規則制定権）・準司法的機能（裁定権・審判権）を有するものが多い。例：中央労働委員会や地方労働委員会による裁定，公正取引委員会による審判など。
	国	国家行政組織法3条3項により，省の外局として設置される。 例…公正取引委員会・公害等調整委員会（総務省），公安審査委員会（法務省），運輸安全委員会（国土交通省），中央労働委員会（厚生労働省）など。

行政委員会	地方	地方自治法により設置。都道府県および市町村に設置されるもの…人事委員会,教育委員会,地方選挙管理委員会など。都道府県のみに設置されるもの…公安委員会,都道府県労働委員会,収用委員会など。市町村のみに設置されるもの…農業委員会など。
審議会	府・省・庁・委員会に付属する合議制の諮問機関であり,国家行政組織法の適用を受ける。国家行政組織法8条により設置。委員会とは異なり,準立法的・準司法的機能は有さず,また,その答申は行政長の意思決定を拘束しない。ただし,法律的に政策決定への実質的関与が求められている参与機関(例えば,中央最低賃金審議会など)の答申は基本的に尊重される。市民や利益団体の政治参加の窓口であると同時に,行政に対する統制機能をはたすものである。	

●行政委員会に準ずるもの
(国家行政組織法３条３項によらないもの)

名称	設置根拠
会計検査院	憲法
人事院	国家公務員法
中央選挙管理委員会	公職選挙法
日本銀行政策委員会	日本銀行法

●行政委員会と審議会の相違点

行政委員会	**目的** 高度の専門性を必要とする分野,政治的中立性が必要とされる分野,対立する利害を調整する分野など,一般の行政機関では処理することが困難な行政問題に対応するために設置される。
行政委員会	**問題点** 決定が遅延しがち。 責任の所在が不明確。
審議会	**目的** 民意を反映するための世論の吸収,専門的な知識・技術の吸収を行う。行政の画一化・硬直化・独善化を防止する。 **問題点** 答申が拘束力を欠くことから,答申の内容が軽視されがち。政府の政策の宣伝・説得として利用されることがある(行政の隠れ蓑)。政府等の意向が人事に影響を与える。

ワンポイント★アドバイス

人事院は，国家行政組織法が適用されず，人事院の内部機構は人事院自ら管理するという異色の地位と権能を持つ，他国に類例をみない日本独特の機関であり，公安委員会とともに日本的「委員会行政」の典型といわれることもある。

出題パターン check!

行政の組織に関する記述のうち，正しいものは次のどれか。

(1) 合議制の長所は，責任の所在が明確で，業務の一貫性が保たれることにある。
(2) 行政委員会は，大臣の指揮監督を受けている機関である。
(3) 人事院，公安委員会は，アメリカの独立規制委員会を忠実にならった機関である。
(4) 審議会は国家行政組織法３条をその設置根拠とするものである。
(5) 審議会が出す答申は，拘束力を欠くことから，軽視されがちであり，審議会は行政の隠れ蓑として使われることが指摘されている。

答え（5）

過去５年の出題傾向 ★★★★☆

行政学 ④ 行政の組織（官僚制）

近代官僚制は本来合理的なものと考えられているが，それは同時に様々な形で問題も抱えており，それゆえマートンらの官僚制批判はウェーバーの官僚制の原則とあわせて覚えておきたい。

■ M. ウェーバーの近代官僚制の特徴

以下の８項目を含め12項目を，近代官僚制を特徴づける原則として，ウェーバーはあげている。

ワンポイント★アドバイス

ウェーバーの原則は今日の視点からすると当然のことのように見えるが，20世紀初頭の時点では，新しいものであったことに注意。

規則による規律の原則	職務が客観的に定められた明確な規則に従って行われる。
明確な権限の原則	職務は規則に定められた明確な権限の範囲で行われる。
明確な階層構造の原則	組織内では上下の指揮命令系統が一元的に確立されている。
文書主義の原則	あらゆる決定は，最終的には文書で表示され，記録，保存される。
資格任用制の原則	職員は，一定の学歴と専門知識を持つ有資格者の中から採用される。
公私分離の原則	組織の所有物と職員の私有物とは明確に区分される。
官職占有排除の原則	官職の世襲制や売官制は認められない。
任命制の原則	近代官僚制は，職員を選挙で選ぶ選挙制ではなく，任命制に立脚する。

■官僚制批判 よく出る

マートンは，加えて，官僚の権威主義的態度や職務のたらい回し，責任回避の傾向などをあげて，これらを官僚制の「逆機能」と呼んだ。

論者	キーワード	内容
R. マートン	「訓練された無能力」	訓練された状況と異なる状況下に置かれると，徹底した訓練を受けた人間はかえって，能のない対応をしてしまう，というもの。
	繁文縟礼（はんぶんじょくれい）	形式ばった規則が過度に細かく定められ，必要と思われる以上の書類を要求すること。
	法規万能主義	法令ないし行政規則の規定の文言の遵守そのものが自己目的化すること。
	セクショナリズム	各部局が常に自分のところの所掌事務優先にものごとを考える姿勢のこと。
C. N. パーキンソン	パーキンソンの法則	行政機関の職員の数はその業務量に関係なく，ある一定の比率で増大していく，というもの。
L. J. ピーター	ピーターの法則	ピラミッド型の組織で職員が昇進していく結果，自身の能力を超えた地位に昇りつめることがある，というもの。

■公務員の任用制（資格任用制） よく出る

資格任用制には，閉鎖型任用制と開放型任用制との２つがある。

任用制の型	特徴
閉鎖型任用制	日本およびヨーロッパ諸国で採用。その年度の職種ごとの欠員数を採用枠とし，主に学校の新卒者から採用。終身雇用制と年功序列が基本で，中途採用は例外。業務相互間の労働力の移動が困難。
開放型任用制	アメリカで採用。職階制を基礎とし，職員の任用は個々の職位に欠員が生じるたびに行われる。終身雇用を前提とせず，中途採用も随時行っている。業務相互間の労働力の移動が容易。

■職階制

組織のそれぞれの職位には，その職位に割り当てられている範囲の職務・職責を遂行するのに，必要にして十分な資格・能力を有する人材を任用すべきだとする制度。
⇒要求されるのは即戦力になる人材。ゆえに，研修も補習的なものにとどまる。職員の専門分化を促す。

■ストリート・レベルの行政職員

行政機関では基本的に，下級機関・部下は上級機関・上司の指揮監督を受ける。しかし，その指揮監督関係が希薄で，なかば独立的に執務しているケースも存在する。M.リプスキーが提唱。
例）ケースワーカー，外勤警察官など。

●ストリート・レベルの行政職員の特徴

広い裁量の余地をもって，対象者とじかに接触しながら職務を遂行する。その判断が対象者に大きな影響を与える。上司の業務記録による勤務評定が，職員の行動に決定的な影響を与える。

■日本の官僚制の特徴

①意思決定に稟議制がとられている。
②横割りの組織が高度に整備され，官房系統組織として一元的に統合されている。

■稟議制

末端の職員が，担当している事案の処理方法を提案すると，その提案を記載した文書（稟議書）が上位のポストの職員に順次回覧され，その審議修正を受け，これら中間者全ての承認が得られた後，この成案を専決権者が決裁したとき，この処理方法は確定したとする事務処理方法である。

長所	部局間の意見調整ができる。下位職員の参加意欲が向上する。
短所	能率が低下する。責任の所在が曖昧になる。リーダーシップが欠如しやすい。

■横割りの組織

本来それぞれの縦割りの組織の中に，その中心業務に付随して分散しているはずの共通事務を，作業方法の同質性に基づく分業の原理に従って寄せ集め，一つの単位組織に編成したもの。財務・文書・人事など総括管理業務を統合している部局や電算処理・営繕・用度などの補助管理機能を統合している部局など。

出題パターン check!

行政組織に関する記述のうち，正しいものは次のどれか。

（1）訓練された無能力とは，自らの能力を超えた地位につくことであり，官僚機構においてはよく見られるものである。
（2）ストリート・レベルの公務員の特徴の一つは広い裁量の余地を持っていることである。
（3）日本の官僚組織の特徴は完全な縦割り組織になっている点に見られる。
（4）職階制とは，職場で職員の能力の養成をはかるシステムのことである。
（5）開放型任用制は日本やヨーロッパ諸国で採用されている公務員の任用制である。

答え（2）

過去５年の出題傾向 ★★★★★

行政学 ⑤ 行政の管理

行政管理とは，行政機関が行政の資源，すなわち，人材，施設，資金，情報などを民主的かつ効率的に活用し，行政目的を達成するための活動である。

■POSDCORB よく出る

組織管理者の職責を表した造語。ギューリックの創作によるもの。P = Planning（計画），O = Organizing（組織），S = Staffing（人事），D = Directing（指揮命令），CO = Coordinating（調整），R = Reporting（報告），B = Budgeting（予算）。

■PPBS

ＰＰＢＳ = Planning,Programming,and Budgeting System（企画計画予算編成方式）とは，1960年代後半，アメリカ連邦政府で導入された，これから採用しようとする政策について予測される成果の能率を事前に比較評価しようとするもの。具体的には，基本的戦略の観点から諸政策や諸事業間に優先順位をつけ，予算過程における意思決定の合理化を目指そうとしたもの。ＰＰＢＳでは，政策目的が予算の中心的関心になる。

⇒ＰＰＢＳの試みは，結局失敗に帰し，ニクソン政権下で廃止された。しかし，1990年代以降，再び世界的に，政府の政策・施策・事業の業績を評価しようとする潮流が生まれており，日本でも，2001年1月から施行された中央官庁の再編成に合わせて，国の中央官庁の全てに対して，政策評価の実施が義務づけられた。

■インクリメンタリズム（漸増主義，増分主義） よく出る

C.リンドブロムが現実的な意思決定モデルとして提唱した概念。彼は，現実の政策決定は，あらゆる選択肢の中から理想的なものを選ぶとする合理的選択理論を非現実的であると批判，決定に際しては個人ないし集団は，自己の価値基準に従い，現状との相違部分のみを考慮して各自の決定を行うため，小さな変化のみを追求するような決定が行われていると主張した。この考えによると，決定とは小さな変化の積み重ねであるとされる。つまり，ほとんどの場合，現実の政策決定は，問題の連続的・漸進的改善を目標とするものであるとされるのである。

この観察に基づき，リンドブロムは，個々の政策決定者が利己主義と現実主義とに立脚して行動する結果，逆説的ながら公共の利益の実現は可能であるとする多元的相互調整の理論を唱えた。

■混合走査法

A.エッチオーニが唱えた概念。彼は，組織の資源は有限であることに着目し，これを効率的に活用するためには，影響力の大きい政策については，集中的かつ綿密な分析を加えた上で，その決定を行い，それ以外のものについては，インクリメンタリズムによる政策決定に委ねるべきだとした。

■予算過程

予算の過程は約３年半におよぶ次の４つの過程からなる。

1．第一年度<準備>
　①政府における編成過程。
　②議会による立法過程。
2．第二年度<執行>
3．第三年度<決算>

4．第四年度<政治的統制>
前々年度の予算を議会が審議する過程。

■能率 よく出る

行政管理の価値の尺度の一つが「能率」である。能率には次のような学説がある。

論者	概念	内容
L. H.ギューリック	機械的能率	最小の労力・時間・経費コストによって最大の効果を実現することを,能率を測定する最大基準とするもの。
H.A. サイモン	バランスシート（貸借対照表）的能率	能率を入力（投入）と出力（産出）の比とする。
M. ディモック	社会的能率	行政職員のやる気,行政職員の仕事に対する満足,市民の行政サービスに対する満足度などの基準を考慮して,能率を算定しようというもの。
D. ワルドー	客観的能率（二元的能率）	単純な職務内容に適用される,技術的・数量的な判断基準。
	規範的能率（二元的能率）	政策決定にかかわる高度な業務に適用される,判断者の規範意識に基づく基準。

■行政改革

行政管理が日常的に行われ，政府構造の機関にかかわる諸制度と法令上の権限を所与の前提とし，この枠内で，総括管理機関が予算査定と定員査定をとおして新規増分を抑制することであるのに対し，非日常的で，この枠を超え，抜本的な改革に及ぶものは通常，行政改革と呼ばれる。

●行政改革·行政管理の代表的手法

名称	内容
スクラップ・アンド・ビルド方式	局・部・課等の新増設を要求する省庁は,その前提として,同格の組織・職を同数統廃合する案を提示しなければならないとするもの。1968年の1省庁1局削減の措置以降確立。
シーリング方式	各省庁から財務省に提出する概算要求の総額を設定するやり方。1961年度の予算から実施（2010年度に一時廃止）。
サンセット方式	新たに制定される法律を時限立法にし,時限ごとに更新の必要の有無を厳格に審査することにより,法令の増殖に歯止めをかけようとするもの。

出題パターン check!

行政管理に関する記述のうち，正しいものは次のどれか。

（1）規範的能率とは，行政職員のやる気，市民の行政サービスに対する満足度などを基準に図る能率の概念である。
（2）インクリメンタリズムを唱えたのは，エッチオーニである。
（3）日本では，中央官庁全てに，政策評価の実施が義務づけられている。
（4）政策評価の手法の一つであるPPBSは，ニクソン政権期に導入されたものである。
（5）POSDCORBのSはSYSTEM（組織化）のSである。

答え（3）

過去５年の出題傾向 ★★★★★

行政学 ⑥ 行政責任と統制

行政責任は，行政国家の興隆（行政権の優越）に伴って行政学の主題となってきたものである。特に，C. ギルバートによる行政統制の類型は重要。

■行政統制

行政活動が適正かつ民主的に行われるための手段・制度を指す。

● C. ギルバートによる行政統制（行政責任）の分類

	外在的統制	内在的統制
制度的統制	立法部による統制 司法部による統制 執行機関（内閣） オンブズマン制度	◎行政監察 ◎行政管理（大臣・官房系統組織・上司） ◎会計検査院 ◎人事院 ◎国家公務員倫理審査会
非制度的統制	対民衆責任（マスコミ・利益集団・住民運動） 専門家・諮問機関 情報制度	◎自己規律 ◎同僚

■フリードリヒ・ファイナー論争（FF 論争）

行政の裁量領域が拡大した現代の行政官・行政職員は，規律に反しない限度で最も賢明な行動をとること，社会問題に敏感になって上級機関への助言を行うこと，などを期待されている。

これは，伝統的な行政統制論とは別の行政責任が登場する背景であり，いわゆるFF 論争の背景でもある。

論者	主張
H. ファイナー	政治行政二元論の立場から,伝統的な外在的責任論を主張。議会に対する制度的な答責制（アカウンタビリティー）を重視。国民は議会を通じて,間接的に行政を統制する。
C. フリードリヒ	政治行政融合論から,内在的責任論を主張。現代において行政機構の統制と行政間の担うべき責任が問題とされるのは,これまで行政統制の中心に位置づけられていた議会による統制が機能しなくなったからである,と考えて,次の2つの責任の概念を提示。 機能的責任…行政官の義務感や良心,倫理等に基づく責任。 政治的責任…国民感情に対応すべき責任。

■行政統制の新しい方式

1．広報（広義の広報）

　＝狭義の広報＋広聴

（1）狭義の広報

市民に対する情報のアウトプット。

(2) 広聴（情報のインプット）

種類	方法
集団広聴	対話集会
個別広聴	行政相談,法律相談
調査広聴	アンケート調査やモニター調査

2．情報公開 よく出る

(1) 情報公開制度

政府・地方公共団体が保有する情報について請求権者からその開示を求める請求を受けたときには，政府・地方公共団体は原則としてこれを開示する義務を負うとする制度。北欧諸国に始まり，アメリカ，カナダ等に普及。

(2) 情報公開法

1999 年成立。2001 年施行。国に行政文書の開示を義務づける法律。

・対象文書：単なるメモは含まれないが，組織として共用されていた文書は決裁前でも公開対象に。
・不開示情報：個人情報，防衛・外交情報，捜査などの情報，審議・検討情報，行政運営情報。
・対象者：外国人，法人も含む。行政機関が開示を拒んだときは不服申立てをすることができる。不服申立てをする機関は，当該の行政機関。その機関は情報公開個人情報保護審査会に諮問する。同委員会が審査し，それでも開示がない場合，裁判所に訴訟を提起できる。情報公開個人情報保護審査会は 15 人のメンバーで構成され，内閣府に置かれる。そのメンバーは両院の同意を得て，首相が任命。

ワンポイント★アドバイス

現在自治体レベルでは，ほとんど全ての都道府県，及び市町村が，条例によって保有する情報の公開を定めている。

3．オンブズマン制度 よく出る

1809 年，スウェーデンにおいて，行政官や裁判官の違法な裁量行為や職務上の義務に対する違反を監視するために議会に設置されたのが最初。

北欧諸国，英連邦諸国，フランス，ドイツ等に存在。イギリスでは首相による任命。アメリカでは，中央レベルでは不在。州レベルでは各州知事による任命。

(1) 議会型オンブズマン

スウェーデンなど。行政の違法，不法行為に対する訴追権を行使しうる外在的統制。議会により任命されるが，議会や行政府からは独立して活動。

(2) 行政型オンブズマン

フランス，日本（一部の地方自治体）など。行政に対する苦情処理。組織内部改革を図る行政の内部統制。

ワンポイント★アドバイス

日本でのオンブズマン制度導入は 1990 年の川崎市が最初。以降地方自治体での設置は広まっているが国レベルではいまだ設置されていない。

重要語解説

●メディアトゥール…フランスのオンブズマンはメディアトゥール（仲介者）と呼ばれる。

出題パターン check!

行政の管理統制に関する記述のうち，正しいのは次のどれか。

(1) 日本で，導入されているオンブズマンは，議会型のオンブズマンである。
(2) フリードリヒは，行政統制のあり方について，外在的責任論にたって主張を展開した。
(3) 日本では，外国人は行政文書の開示を求めることはできない。
(4) ファイナーは，行政に対するアカウンタビリティーを重視した。
(5) 広聴は行政に対する市民の意見を収集するインプットの過程である。

答え（5）

過去５年の出題傾向 ★★★★☆

社会学 ① 社会学の基本理論（1）

市民社会が確立される過程，産業革命が進展する中，新しい科学，社会学は誕生した。社会学の創始者たちは社会をどのようにとらえ，新しい科学を創造したのだろうか。

■初期総合社会学

◇ A. コントの社会静学と社会動学

社会が封建体制から産業体制へと進展しようとするとき，サン＝シモンの弟子コントは，師サン＝シモンの未完の社会生理学を完成させ，これを「社会学」と命名した。

人類社会を一つの有機的全体としてとらえるコントは，社会を「秩序」の理念と「進歩」の理念からとらえた。そして，社会の秩序の仕組みを研究するのが社会静学，その仕組みの変動，進歩を解明するのが社会動学であるとし，その統合したものが社会学であるとした。

特に社会動学においては，「三段階の法則」を提唱。人間の知識は，神学的段階→形而上学的段階→実証的段階という進歩の途を歩むというもので，神学的段階は神の存在によって諸現象を説明する段階であり，形而上学的段階は抽象的思惟の支配する段階，実証的段階は経験的事実を重視して現実社会にかかわっていく段階だという。そして，社会もそれぞれの段階に対応して軍事的社会→法律的社会→産業的社会と発展していくという。

◇ H. スペンサー

スペンサーもコント同様，社会有機体説の立場をとり，さらにC. ダーウィンの進化論の影響から，生物学と同じように社会を解剖（構造と機能）と成長（発展）の視点から考察した。そして，人間社会は単純社会から複雑社会へ，「軍事型社会」から「産業型社会」へと『進化』するとした。軍事型社会とは政治統制を絶対化する社会であり，産業型社会とは自治的な団体を民主主義的につくりあげる社会である。

■ E. デュルケームの社会学

デュルケームは，コントの実証主義を批判的に徹底させ，社会現象は社会的事実によってのみ説明しうると考えた。

◇『社会分業論』

デュルケームは社会的「分業」を社会連帯の主要な源泉とみなした。そして，近代社会以降は，個人的意識と共同の社会意識が完全に合致する「環節社会の機械的連帯」から，差異により各成員が異なった役割を分担しながら全体社会に参加する「分業社会の有機的連帯」へと，変化してきていると主張した。

◇『自殺論』

これまで自殺の原因は，宇宙的要因（遺伝，自然環境など）から説明されてきたが，デュルケームは自殺を社会的要因によるものとしてとらえた。

・自殺の３類型

①自己本位的自殺

社会の凝集性が弱いために起こる自殺の形態である。

②集団本位的自殺

社会の凝集性が強すぎるために起こる自殺の形態である。

③アノミー的自殺

社会規制が弱く，無規制状態から起こる自殺の形態である。

なお，デュルケームは，過度の規制から生じる自殺を宿命的自殺と呼んだが，それは示唆されただけである。

■ M. ウェーバーの社会学 よく出る

ウェーバーは，社会的行為を理解し，その経過－結果を説明しようとするのが社会学と考えた。そのため，ウェーバーの社会学は理解社会学と呼ばれる。

そして，現実社会の多面性を把握する社会科学の方法として，自然科学的厳密性を持つ「理念型」を考えた。理念型は純粋な一つの思惟像であり，価値から全く自由な論理的構成物であるという。抽象性が高いため，必ずしも現実と一致するものではない。具体例としては，行為の４類型（①目的合理的行為，②価値合理的行為，③感情的行為，④伝統的行為），支配の３類型（①合法的支配，②伝統的支配，③カリスマ的支配）があげられる。

◇『プロテスタンティズムの倫理と資本主義の精神』

この著は，資本主義成立の要因を分析したものである。ウェーバーは，資本主義がなぜ東洋ではなく，西欧において成立したのかを宗教思想から考察していく。そして，キリスト教においては，東洋の宗教とは異なる合理的な禁欲態度が実践されていることに注目する。特にプロテスタンティズムにおいては，その合理的禁欲態度が世俗内において実践されていた（カトリックにおいては，中世の修道院のような世俗外禁欲であるのに対し）。

この世俗内禁欲は，ルター派の「天職理念」によって用意されたものであり，やがてこれにカルヴァン派の「予定説」が加わっていく。予定説では人が救われるか否かは前もって決まっており，誰も神の決定を知り得ないという。

そのため人は禁欲的態度に努めて従事しなければならない。これによって利潤追求は倫理的に善となり，善行としての職業への勤勉こそが資本主義の〈精神〉の発生の契機となったと分析した。

重要語解説

●行為の４類型
①目的合理的行為…その行為が目的達成のために合理的な手段を考慮している場合であり，営利行為などである。
②価値合理的行為…その行為の結果を考慮せず，その行為自体に価値を見出す芸術的行為や宗教的行為などである。
③感情的行為…実際的感情や，その状態によって生じるものである。
④伝統的行為…これまでの慣用によるものである。

●支配の３類型
①合法的支配…制定された諸秩序や規則などに根差している支配。
②伝統的支配…古くから存在する伝統的秩序や支配権力の神聖性の信念に基づく支配。
③カリスマ的支配…支配者の天与の資質や，それに基づく諸秩序への非日常的な帰依によって成り立つ支配である。

出題パターン check!

次の学者と社会学的立場およびその内容の組み合わせから正しいものを選びなさい。

(a) A. コント (b) M. ウェーバー
(c) E. デュルケーム (d) G. ジンメル
(ア) 形式社会学 (イ) 総合社会学
(ウ) 社会学主義 (エ) 理解社会学

(A) 社会を有機体としてとらえ，社会静学と社会動学の２つの側面から社会学を展開した。社会静学では「秩序」，社会動学では「進歩」が基調となる。
(B) 社会を研究するのに，まず人間の「社会的行為」から出発し，それを解明・理解してそれによってその経過及び結果を因果的に説明しようとした。
(C) 社会は「もの」として，経験的に観察可能な指標を通じて客観的にとらえられる。「社会的なもの」とは個人に対して，外在的・拘束的という特性を持つ社会的事実である。
(D) 社会が統一体であるのは，個人と個人との間に心的相互作用が行われることにより，この相互作用を通じて個人は社会を形成するが，その過程が「社会化」だという。

(１) (a) — (イ) — (A)
(２) (b) — (ウ) — (B)
(３) (c) — (ア) — (C)
(４) (d) — (ア) — (B)
(５) (c) — (エ) — (D)

答え（１）

過去５年の出題傾向　★★★★☆

社会学 ② 社会学の基本理論（2）

ジンメルの形式社会学，シンボリック相互作用論，エスノメソドロジー，交換理論，それぞれの社会学者たちの学説の内容を理解しよう。

■形式社会学　よく出る

G.ジンメルは，社会は個人を超えて存在するとする社会実在論と，社会を単なる集合と考える社会名目論を批判し，社会は諸個人の相互作用において成立すると考える。そして,実在するのは諸個人の「(心的)相互作用」，すなわち社会化であるという。

社会あるいは集団とは，この相互作用の反復と様式化がもたらす統一体であり，そのため社会化について論じるべきだと主張した。そして，この相互作用の様式化（社会化の形式）を社会学の研究対象としたのである。

例えば，上下関係，闘争，競争，模倣，分業，党派形成などのような社会化の形式は政治・経済・宗教などの生活全般に見られるのであって，他の社会諸科学の対象とは全く異なって，この社会化の形式こそが社会学の対象であるとしたのである。

また，ジンメルは社会圏の拡大・交差と個性の発達を論じた社会文化論，ダイアド／トライアドの問題といった業績も残している。

■ G. H. ミードと H. ブルーマーの社会学

ミードやデューイなどのプラグマティズムは，社会心理学，行動主義，そして後のシンボリック相互作用論など広義のプラグマティズムを生み，その後のアメリカ社会学に大きな影響を与える。ミードは，自我における社会的規範の内面化過程に注目し，自我を主我（I）と客我（me）に分け，客我の社会的形成を論じている。

ミードによれば相手とのコミュニケーションが成り立つためには，自分の行為によって引き起こされる相手の反応を予期しうることが必要であり，これは他者の観点から自分を眺めることによって可能になるという。それゆえ，自分に対する他者の役割期待を内面化することによって形成された客我が重要であり，それが主体的な主我によって再構成され，主我と客我の相関の中に現実の自我があると考えた。

この考えは，ブルーマーに受け継がれていく。ブルーマーは，人間の相互作用は事物に対して与えた意味に基づいて行動するのであり，その意味も人間同士の相互作用から生じ，その意味はさらに人間の解釈によって変わるとした。

■ E. ゴフマンの社会学

ゴフマンは，小集団，社会構造といった従来の社会学の中心領域から独立するものとして，人と人とが顔を合わせる場面，そこでの「対面的相互行為」を対象として分析した学者である。彼は，行為者が他者に対する印象を創り出すことに注目し，他者に対する自己統制を「印象操作」と名づけた。私たちは常に社会生活という舞台の上で演技を行っているというのである（ドラマツルギー）。

そして，演技を行う舞台を「表局域」，自室などパフォーマンスを行う必要がない場所を「裏局域」と呼んだ。ゴフマンのテーマは，現象学的社会学，エスノメソドロジーと重なる部分もあるが，ゴフマン自身はエスノメソドロジーを批判し，デュルケームへの回帰の姿勢を示している。

さらにゴフマンはスティグマ論を提唱する。スティグマとは，ある人々が他の人々と異なることを示す，その存在によって他者から蔑視されるような負の烙印である。スティグマになりうる属性としては，①身体上の障害，②性格上の欠点，③人種や民族，宗教にまつわるものなどがあるという。この属性は，それ自体がスティグマとなるわけではなく，それに対する周りの反応が否定的になったときのみスティグマとなるのである。

■ H. ガーフィンケルの社会学

ガーフィンケルは，デュルケームのいう社会的事実は，「日常生活での様々な行為の協調的結果」であるとして，日常生活における人々の関わり合い方を具体的素材によって解明されるべきであると主張する。その活動は「叙述する，日常の実際の活動」である。叙述するとは，話す，聞く，読む，書くことであり，見ることでもある。そして，ごく普通の人々が，他者の行為の意味を理解するために用いる方法 — エスノメソッドを用い，人々の実践をありのままに記述していくことが主眼とされ，会話分析が重視された(エスノメソドロジー)。

■交換理論

人間の相互作用を財やサービスの交換とみなすのが交換理論である。

◇ G. C. ホーマンズの社会学

ホーマンズは，人間の相互行為を人類学や経済学で使われていた「交換」の概念を応用して分析した。次の５つの基本命題を設定し，社会的相互行為を説明しようとしたのである（社会的交換理論）。

1. 成功命題…特定の行為で報酬を受けることが多ければ多いほど，その行為が繰り返される。
2. 刺激命題…過去に報酬を受けた時と同じような刺激に出会うと，その時と同じような行為を行うことが多くなる。
3. 価値命題…ある人の行為結果がその人にとって価値があればあるほど，彼はその行為を行うことが多くなる。
4. 剥奪・飽和命題…報酬をもらえばもらうほど，報酬の価値は低下していく。
5. 攻撃・是認命題…期待した報酬を受けなかったら攻撃的行動を，期待以上の報酬があれば是認的行動をとりやすい。

◇ P.M. ブラウの社会学

ブラウの目的は，対人関係の分析を手がかりにして，人々の間に発展する結合の複雑な構造について，より適切な理解を引き出すことであった。ブラウは人間の相互行為は「互酬性の規範」に基づいて行われると考え，個人および集団の経済的動機に依拠した交換理論を展開させた。すなわち，相互作用過程における費用－報酬の移動ということから分析を進め，社会的諸関係における結合・同調・支配などの発生，社会的地位，権力など社会構造的な側面の解明を目指したのである。

出題パターン check!

次の文章から正しいものを選びなさい。

（1）ゴフマンは，人間をスティグマ的動物と定義したが，スティグマとは社会的相互作用を行う際の個々人の目安である。

（2）ホーマンズの交換理論は，心理学的アプローチをとっているが，個人間の関係それ自体の理解にとどまってしまう。

（3）ガーフィンケルの社会学は，エスノメソドロジーと呼ばれるが，これは互酬性の規範に基づいて展開する。

（4）ブルーマーは，私たちの生活世界が多元的な意味の層から成り立つことを示した。

（5）ブラウは，社会は諸個人の相互作用において成立すると考え，個人の「（心的）相互作用」を重視した。

答え（4）

過去５年の出題傾向　★★★★☆

社会学 ③ 社会学の基本理論（3）

構造－機能主義とは何か。総体的な機能連関を見渡したパーソンズ，経験的で具体的な方針をとったマートン，それぞれの機能主義の違いを理解しよう。

■ T. パーソンズの社会学

パーソンズの社会学の中心は，行為の一般理論であるが，彼はこれまでの文化人類学，行動心理学等の諸成果を統合することによって，主意主義的な社会的行為概念を発展させていく。そして，行為を「個人のパーソナリティ体系」「相互作用を焦点とした社会体系」「行為の要素としての文化体系」という３体系の相互連関とし，それを包括的に分析するための概念図式を示した。

その後，この一般理論を基礎として，制度，役割，行為の動機づけなどの概念を加え社会体系理論を展開する。すなわち，構造－機能主義といわれる理論である。構造－機能主義では，社会体系における定数を社会構造として確定（＝構造分析）し，次にそれを体系の動的な要素と結びつけていく（＝機能分析）。さらに，パーソンズは体系が均衡を維持するためのメカニズムとして，社会化と社会統制をあげている。また，体系が存続するために満たされなければならない必要条件の問題をあげ，体系の維持・存続のための機能的課題を「機能的要件」と呼び，AGIL 図式を提唱する。

AGIL 図式のそれぞれは，以下のような意味を持つ。

◎ A（adaptation）：適応－社会体系の目標を達成するのに必要な用具を提供する機能。

◎ G（goal-attainment）：目標達成－社会体系の具体的な目標を設定し，その達成に向けて体系内の諸資源を動員する機能。

◎ I（integration）：統合－社会体系を構成している諸単位間の関係を調整する機能。

◎ L（latency）：潜在的パターンの維持と緊張処理－制度化された価値体系を変動させようとする圧力に対して，体系を安定的に保持しようとするパターンの維持機能と，体系の中で生じる緊張を処理する機能。

パーソンズは，この図式を用いてまず全体社会の分析に着手していくが，上位体系である全体社会のA・G・I・Lという機能を受け持つ下位体系は，A－経済，G－政治，I－社会コミュニティ，L－文化・動機付けのシステムを表す。また，それぞれの下位体系も上位体系となり，経済の場合であれば，それぞれの下位体系としてA－資本の供給と投資の下位体系，G－生産の下位体系，I－経済化の下位体系，L－経済上の委託の下位体系ということになる。

■ R. K. マートンの社会学　よく出る

１．中範囲の理論

社会学における理論はそもそも何を指し示すのか，ここからマートンの社会学は出発する。マートンは，当時の社会学が観察結果も考慮せずに調査結果を羅列するものと，論証可能性を問わずに社会学法則の樹立を目指すものと二極に分かれると考え，経験的調査と一般理論の橋渡しの役目を果たす「中範囲の理論」を提唱。これは，日常的に繰り返される調査の中で豊富に展開される小さな作業仮説と経験的に観察される社会行動のたくさんの画一性を導出しうるような主要な概念的図式を含む包括的思索とを媒介する理論である。

2. 機能分析

マートンの機能分析は，機能には社会体系に調整・適応を促進する機能と逆に阻害する機能があるとし，前者を順機能，後者を逆機能とした。また，行為者にも注目し，活動参加者が主観的に意図している目的や動機と合致する観察結果が得られた場合は顕在的機能，行為者に意図も認知も観察されなかった場合を潜在的機能とした。マートンは，この４つの機能を組み合わせて機能分析を行う。

	順機能(＋)	逆機能(－)
顕在的機能	顕在的順機能	顕在的逆機能
潜在的機能	潜在的順機能	潜在的逆機能

3. 個人の適応様式（アノミー論）

デュルケームは，アノミーを人々の無限に拡張していく欲望の中に見出した。つまり，急激な社会変動により，人々の欲望に対する社会的抑制がきかなくなる無規制の状態をアノミーとしたのである。

マートンはこのアノミーを社会構造の２つの側面，文化的目標と制度的手段の不調和に端を発するものとしてとらえている。そして，彼はアメリカの社会的文化的構造を取り上げる。アメリカ社会では，金銭的成功を文化的目標としてその成員全てに課すが，社会構造の下層にいる人々が合法的に成功する手段を得ることはほとんどない。そのため，彼らは手段を選ばず行動する可能性があり，逸脱行動が生じやすいととらえたのである。

適応様式	文化的目標	制度的手段
Ⅰ　同調	＋	＋
Ⅱ　革新	＋	－
Ⅲ儀礼主義	－	＋
Ⅳ逃避主義	－	－
Ⅴ　反抗	±	±

(＋)：承認　　(－)：拒否
(±)：既成価値の拒否と新しい価値の創設の試み

次にマートンは文化的目標と制度的手段の二項目について，社会構成員がそれを承認するか拒否するかにより５つのパターンに分けた。第１のものは同調である。これは，文化的目標も制度的手段も承認する適応様式で，最も一般的な型である。第２のものは革新である。これは，文化的目標は承認するが，制度的手段は拒否する適応様式である。目標達成のためには手段を選ばず，犯罪・非行の大部分がこれに含まれる。第３のものは，儀礼主義であり，制度的手段は承認するが，文化的目標は断念したりその水準を引き下げたりする適応の仕方である。第４は逃避主義である。これは，文化的目標も制度的手段も放棄しようとする。第５の適応様式は反抗である。これは，当該社会の文化的目標も制度的手段も拒否するが，新しい目標と手段を創設しようと試みるものである。

出題パターン check!

次の文章から正しいものを選びなさい。

（１）パーソンズは，行為者を構造に動機付けるものは２つあることを指摘したが，それは社会化，社会統制である。
（２）マートンの構造－機能分析では，複数行為者間の相互行為が均衡を維持し，安定を保つための「役割」が重視されている。
（３）パーソンズの AGIL 図式で全体社会を考えた場合，A は経済体系を表し，L は調停・統合を表す。
（４）マートンの構造－機能分析は，全体社会から小集団までを対象にするが，社会変動を説明できないことが指摘されている。
（５）パーソンズは，デュルケームが指摘したアノミーを社会構造の文化的目標のパターンと制度的規範との不調和に端を発するものとしてとらえた。

答え（１）

過去５年の出題傾向　★★★★★

社会学 ④ 社会集団論

人間は自らが所属する集団を通して社会とかかわる。ここでは，社会集団とは何かを理解し，代表的な社会学者による集団の類型を理解しよう。

■未組織集団と組織集団

◇未組織集団

1．群集－G. ル・ボンは，匿名の諸個人が一時的な出来事を契機にして共通の目標に向かう一過性の集合形態を群集と呼んだ。非理性的で感情的な存在である。

2．公衆－G. タルドは，新聞などのマス・メディアを通じて結びついた集合体を公衆と呼んだ。理知的性格が合理性を志向し民主主義を可能にするという。

3. 大衆－産業の発達, 分業化, 官僚制の拡大, マス・コミュニケーションの支配を背景とする概念。マス・メディアに対して受動的に反応し，権力に操作されやすい孤独で連帯性を欠いた存在である。

◇組織集団

未組織集団とは違って，以下の特徴を持っている。

1．集団を構成する成員の間に共通の関心や目標があること。

2．集団目標が明確化され，そのための手段が体系化され，その共同目標達成のための成員の役割が明確化されていること。

3．成員間に共通の感情（われわれ意識，一体感など）が成立していること。

■集団の諸類型　よく出る

社会集団は一般に基礎集団と機能集団に分類される。基礎集団とは，血縁や地縁に基づく自然的に発生した集団であり，家族や氏族などがこれに相当する。それに対して機能集団とは，ある目的達成のために人為的につくられた集団であり，国家や学校といった集団を指す。

1．ゲマインシャフトとゲゼルシャフト（Gemeinschaft/Gesellschaft）

F. テンニースは，人間の結合の本質に着目し，集団をゲマインシャフトとゲゼルシャフトに分類した。ゲマインシャフトは「本質意志」，人間相互の自然的状態としての結合であり，家族のような集団である。

一方，ゲゼルシャフトは「選択意志」，特定の目的を遂行するために手段的に選択された人為的・機械的結合であり，あらゆる結合にもかかわらず依然として分離している集団である。

2．社会生成体と社会組成体（social composition/social constitution）

F. H. ギディングスは，社会形成の仕方に注目して，自然性と目的性に区別した。そして，血縁や地縁に基づいて生じる社会生成体，特定の目的を遂行するために人為的に構成された社会組成体とに区別した。

3．コミュニティとアソシエーション（community/association）

R. M. マッキーバーは，地域性に着目して「関心」を軸に社会集団をコミュニティとアソシエーションに分類した。コミュニティは，一定の地域性を基礎にして自然的に発生した共同生活の範囲を指している。これは，共同生活のための単なる地域的統一ではなく，共同体感情によって支えられているのが特徴である。一方，アソシエーションは，コミュニティの中で特定の共同関心を集合的に追求するために人為的に結成された組織体であり，関心の多様性に従ってアソシエーションは様々に分類されている。

さらに，マッキーバーは社会進化をコミュニティの拡大とアソシエーションの一層の分化としてとらえている。

4．第一次集団と第二次集団
(primary group/secondary group)

C. H. クーリーは，成員相互の「接触」の仕方に留意し，顔と顔とをつきあわせた親密な結びつきと緊密な協力によって特徴付ける集団を第一次集団と呼んだ。具体的には，家族，子どもの遊び仲間，近隣集団などである。

この第一次集団と対比して，後にクーリーの弟子たちに類型化されたのが第二次集団の概念である。これは間接的な接触を特徴とし，利害関係に基づく意図的に組織された集団，例えば企業や政党などがあてはまる。

5．フォーマル・グループとインフォーマル・グループ（formal group/informal group）

G.E. メイヨーら産業社会学のグループが，「ホーソン実験」から導いた類型である。フォーマル・グループとは，成員の地位と役割，それに伴う責任と権限，組織図や規則によって明確化された「能率」重視の組織である。

一方，インフォーマル・グループはフォーマル・グループの中に発生する第一次的な集団であり，いわば職場内の友人集団である。そして，このインフォーマル・グループがフォーマル・グループの目標達成に大きな影響を与えることを指摘した。

6．内集団（in-group）と外集団（out-group）

W. G. サムナーが提唱した概念。内集団とは，われわれが自分の属する集団に愛着や帰属感をいだき，その存続を希望し，さらにはその成員によって程度の違いはあるが，「集団意識」が成立している集団である。また，外集団とは敵意や違和感を持って「よそ者」「彼ら」といったとらえられ方をする集団である。

7．準拠集団（reference group）

準拠集団とは，H. H. ハイマンによって提唱され，マートンによって体系的な理論化がなされた概念であり，個人が態度や行動を決定する際に，その判断基準や，拠り所となる集団である。個人の行動にとって，準拠集団は2つの機能を持つ。①規範的機能であり，個人がある集団に受容されたいと願って，その集団規範に自己を一致させようとするはたらき，②個人が自分や他者を評価する際にその判断の比較基準となるはたらきである。

出題パターン check!

以下の社会集団に関する記述のうち，妥当なものはどれか。

（1）マッキーバーは，接触を軸に類型論を展開して，第一次集団と第二次集団に分類した。
（2）クーリーは，人間結合には直接結合と間接結合の2種類あるとして類型論を展開した。
（3）テンニースは，本質意志に基づくゲマインシャフト，選択意志に基づくゲゼルシャフトの2類型を提示した。
（4）ホーソン実験では，フォーマルグループの重要性が明らかになった。
（5）ル・ボンは，新聞などのマスメディアによって媒介された公衆概念を示した。

答え（3）

過去５年の出題傾向　★★★★★

社会学 ⑤ 家族・地域社会

家族の概念，類型，機能を理解し，家族を超えた地域社会について学ぶ。特に，マッキーバーのコミュニティ，シカゴ学派が展開した都市・都市化の研究が重要である。

■家族論 よく出る

◇家族とは何か

家族は，「夫婦関係を基礎として，親子，きょうだいなど少数の近親者を主要な成員とし，成員相互の深い感情的包絡で結ばれた，第１次的な福祉追求の集団である」と規定され，家族が生活する場所を包括的に意味する家庭，時間を超えて存続する家の概念とは異なる。

◇家族の類型

１．G. P. マードックの分類

マードックは，世界中の約250の社会について家族，親族組織の比較分析を統計的手法を用いて行い，一組の夫婦とその子どもからなる単位が人類にとって普遍の社会集団であることを発見し，核家族と呼んだ。そして，この核家族が親子関係を中心として縦につながったものを拡大家族（拡張家族），配偶者の一方を中心にして横につながったものを複婚家族と呼んでいる。

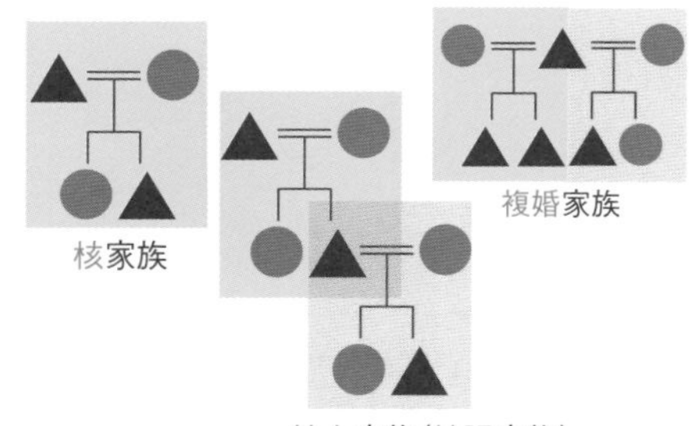

２．森岡清美らの分類

森岡清美らは，マードックの核家族理論を中国や日本の家族に適応し，核家族にあたる夫婦と未婚の子女から構成される家族を夫婦家族，夫婦家族に一人の既婚の息子とその妻子で構成される家族を直系家族，夫婦に未婚の子女，既婚の息子たちとその妻子で構成される複合家族の３つに分けられるとした。

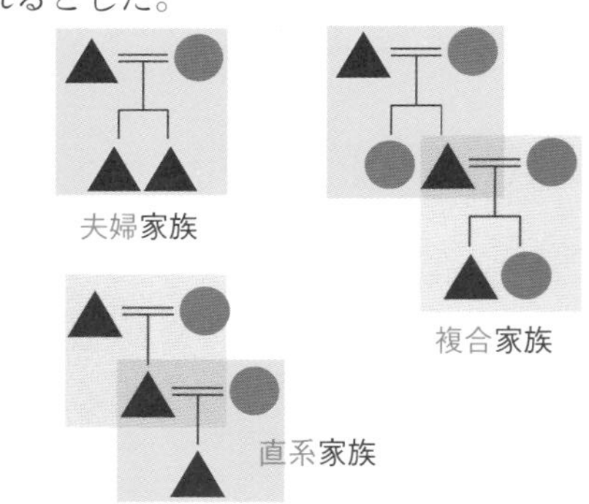

◇家族の機能

近代化以前の農業社会においては家族は消費の単位であるとともに生産の場でもあった。だが，近代社会の成立は家族の持つ機能を縮小させていく。

マードックは，人類に普遍的な核家族の持つ機能として，１）性の機能，２）経済の機能，３）生殖の機能，４）教育の機能の４つをあげた。また，パーソンズは，アメリカの家族を分析し，現代の核家族の機能として，１）子どもの社会化の機能，２）パーソナリティの安定化の機能の２つをあげた。

◇家族の構造

家族構成員は，様々な家族的地位を占め

ているが，パーソンズとR. F. ベールズは核家族の構造に役割という視点からアプローチした。彼らは小集団理論に基づいて，役割を外部への適応と課題の遂行にかかわる「手段的役割」と，集団の維持と成員の統合にかかわる「表出的役割」に二分した。前者は男性によって分担され，後者は女性によって分担される。

また，保護－被保護，指導－被指導という関係で親と子を上位者と下位者に分類し，それぞれ手段的上位者と手段的下位者，表出的上位者と表出的下位者の４つの役割がそれぞれ，父と息子，母と娘という地位に結びつくという。

■地域社会

◇コミュニティ

コミュニティという用語は，従来は，地域社会，共同体などの訳語をあてる概念として使われていた。だが，学説史的にはマッキーバーのコミュニティとアソシエーションの対概念のコミュニティ概念が使われるようになっている。マッキーバーはコミュニティを地域性と共同性によって包括的に規定し，これは，都市や農村，国までもが問題とされる。そして人々の生活欲求を充足させていく上では，比重の軽いものになっていると言われる。そのため，コミュニティの弱体化による問題が指摘され，新たなコミュニティの形成が問題とされている。

◇シカゴ学派

都市，都市化の研究はシカゴ学派のメンバーによって展開されていく。このシカゴ学派の理論は人間生態学という独自の視点から都市の特徴を追求する上で多くの成果をあげていく。

E. W. バージェスは，同心円地帯理論によって，人間生態学の立場から都市の拡大過程を探求した。彼は都市拡大化の典型的過程を，サークルによって説明しようとした。これは，中心に中央ビジネス地区が位置し（ループⅠ），次いで推移地区（ループⅡ），工業労働者の居住地（ループⅢ），高級アパート等の住宅地域（ループⅣ），郊外（ループⅤ）となる。

●同心円地帯理論

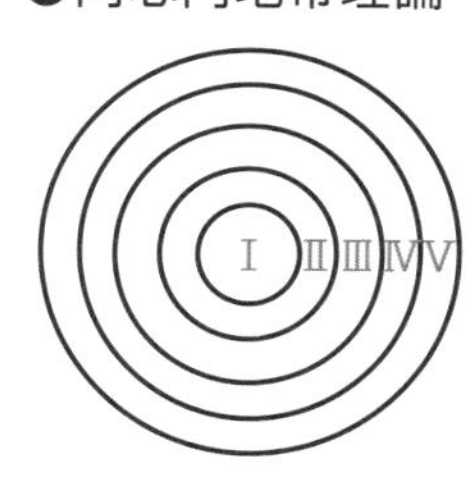

これを修正したのが，H. ホイトの扇形理論，C. ハリスとE. ウルマンの多核心理論である。

また，L. ワースは都市が異質な大量の人々の居住する密度の高い集落であると規定し，その都市には特有の都市的生活様式（アーバニズム）が発達し，拡大すると考えた。このアーバニズム論は，生態学的側面，社会構造的側面，社会心理的側面の３つの側面からとらえられている。

生態学的側面とは，人口の異質性や地域的分化（階層，人種による凝集など），移動性等を意味し，社会構造的側面は一面的で非人格的な第二次的接触の優位，分業の進行，職業の専門化，階層構造の複雑化等を意味する。また，社会心理的側面は個人主義的無関心，他者への依存的な性格などを表す。

出題パターンcheck!

家族に関する記述のうち，妥当なものはどれか。

（1）核家族が世代的に縦に，またきょうだい関係で横に接合した形態は複婚家族である。
（2）マードックのいう核家族は，西欧社会に見られる家族の典型例で，日本や中国には見られない。
（3）森岡清美が唱える夫婦家族は，ヒンズー教徒に見られる合同家族と同じである。
（4）拡大家族は，日本の場合でいう複合家族にあたる。
（5）複婚家族と複合家族は同概念である。

答え（4）

過去5年の出題傾向 ★★★★★

国際関係 ① 東西冷戦

第二次世界大戦終結後，米ソは直接の戦争に至らなかったものの，厳しい冷戦の時期を経験する。冷戦はいくつかの時期に分けて勉強すると覚えやすいであろう。

■第一期　1945～56

・米ソ相互不信深化の時代

1946年，チャーチル英元首相はアメリカのフルトンで「鉄のカーテン」演説を行い，ソ連の脅威に対し，警鐘を鳴らした。47年，アメリカ政府はトルーマン・ドクトリンとマーシャル・プランを発表する。これらの政策は対ソ封じ込め政策の一環をなすものであり，当時駐ソ・アメリカ大使館の職員であったジョージ・ケナンのアイディアに基づくものであった。このようなアメリカの動きに対し，ソ連は当時，ドイツの首都ベルリン市を封鎖するという行動をとった（ベルリン危機)。この結果，米ソ関係は決定的に悪化した。

さらに，49年，アメリカを中心とする西ヨーロッパ諸国の対ソ集団安全保障機構であるNATO（北大西洋条約機構）が結成される。これに対抗して，東側では，COMECON（経済相互援助会議）が成立，また，ソ連が原子爆弾の実験を行い，中華人民共和国が成立したのも49年であった。このような中で，ドイツが東西に分裂してそれぞれ国家として成立することになる。

特に，ソ連が原子爆弾の実験に成功し，さらに，共産中国が誕生したことはアメリカ国民にとって，大きなショックであり，このため，アメリカ国内で50年代初頭，共産主義者をはじめ，反体制派の弾圧が横行することになる（マッカーシズム)。さらに，国際的には，50年に，朝鮮戦争が勃発し，冷戦は熱戦に変わることになる。同時にこの朝鮮戦争の勃発は米ソの対決がアジアに波及したことをも意味した。これに伴い，アメリカはアジアにSEATO（東南アジア条約機構）を設立し，アジアでも，ソ連の拡大を阻止する姿勢を見せた。そして，55年には，ソ連を盟主とする東ヨーロッパ諸国の軍事機構であるワルシャワ条約機構が成立することになった。

■第二期　1957～69

・雪解けから新たなる対立の時期へ

ソ連は，アメリカに先立ち，57年人工衛星（スプートニク）の打ち上げに成功するが，これは，ソ連の技術力の高さを世界に示すものであった。それはまたソ連に自信を与えるものであり，これ以後，その自信を背景に，しばらくの間，米ソの外交交渉で，イニシアチブを握ったのはソ連であった。58年には，第二次ベルリン危機と呼ばれる事件が発生するものの（61年のベルリンの壁の建設へ)，米ソ関係は50年代末から60年代初頭にかけて，相対的に雪解けといわれる緊張緩和の時期を迎える。それは直接には50年代末に急速に高まった両陣営の緊張から，現実に核戦争が勃発する可能性がきわめて高いとする危機感が急速に高まったからである。

そのような危機感に基づき，ソ連のフルシチョフ第一書記（首相兼任）が訪米，米ソの平和共存路線を訴える。このような努力の結果，米ソ間の緊張は一時的ながら，緩和することになる。しかし，このような緊張緩和の努力は，その後も続いたものの，60年のソ連上空でのアメリカ偵察機の撃墜という事件，キューバ革命，62年のキューバ危機で，頓挫することになる。キューバ危機が一応，平和裏に解決し，その翌年の63年に米ソの首脳間に直通ラインであるホットラインが引かれたが，60年代半ばからアメリカがベトナム戦争に本格的に介入。さらに，68年にソ連が同盟国であるチェコの民主化に対し，軍事介入をするにおよび，再び米ソ関係は緊張関係に逆戻りすることになる。

一方，中国とソ連の関係もこの間，イデオロギー上の対立でそれまでの友好関係から一転，緊張関係に陥り，69年には，中ソ間の国境地域で，大規模な武力衝突が発生するに至る（ダマンスキー島事件）。

■第三期　1969～79　よく出る

・米国主導のデタントの時代

ベトナム戦争の長期化や経済力の相対的な低下などにより，60年代は自信を失いつつあったアメリカであったが，69年のアポロ計画の成功で，自信を取り戻した。また，70年代の米ソ関係で，主導権をとったのはアメリカであった。72年には，ニクソン大統領が中国を訪問，米中和解がはかられる（国交樹立は79年）。同大統領はソ連をも訪問し，第一次戦略兵器制限条約（SALT－Ⅰ）をソ連との間に調印した（デタント）。また，73年には，パリ和平協定に調印，ベトナム戦争から米軍を撤退させることに踏み切った。

■第四期　1980～89　よく出る

・新しい冷戦と冷戦の終結

70年代初頭以来，緊張緩和が進んだ米ソ関係ではあったが，79年に，ソ連軍がアフガニスタンに軍事侵攻を行うと，再び急速に悪化。米ソ首脳間で調印されていた，第二次戦略兵器制限条約（SALT－Ⅱ）もアメリカ上院の批准を受けられず，効力を持たなかった。また，81年には対ソ強硬派のレーガン大統領が就任し，軍備の大幅な拡大に乗り出し，対決姿勢を示す。その結果，80年代初頭には，第二次冷戦といわれる緊張状態がもたらされた。しかし，85年，ソ連にゴルバチョフ書記長が誕生すると，ソ連はアメリカとの話し合い路線を提案。87年には，INF（中距離核戦力）全廃条約が結ばれ，89年のマルタ島での米ソ首脳会談の結果，正式に米ソ冷戦の終結が宣言された。

・アメリカとキューバの関係

2015年7月，アメリカとキューバは双方に大使館を設置。54年ぶりに国交を回復するも，トランプ前政権は対立姿勢を表明，バイデン政権はキューバへの渡航に関する規制を緩和するなど緩和政策をとった。

重要語解説

●トルーマン・ドクトリン…当時，ソ連の影響力が増しつつあったトルコ，ギリシャへの支援を提案したもの。

●マーシャル・プラン…共産圏を含めた，ヨーロッパ経済復興計画。ソ連の反対により，共産圏の諸国は援助を受けなかった。

出題パターンcheck!

冷戦期の歴史的事件について，時系列的に並べた場合，正しい組み合わせは次のどれか。

(a) フルシチョフ・ソ連第一書記は，アイゼンハワー米大統領とアメリカで会談した。
(b) 中ソ国境を巡る問題で両国間で，軍事的な衝突が発生した。
(c) 北朝鮮が38度線を越えて，侵攻，朝鮮戦争が勃発した。
(d) アフガニスタンにソ連軍が侵攻した。
(e) ニクソン米大統領がソ連を訪問，第一次戦略兵器制限暫定協定を締結した。

（1） (b)-(c)-(a)-(e)-(d)
（2） (c)-(a)-(b)-(e)-(d)
（3） (c)-(e)-(d)-(b)-(a)
（4） (a)-(d)-(c)-(b)-(e)
（5） (c)-(d)-(b)-(e)-(a)

答え（2）

過去5年の出題傾向 ★★★★☆

国際関係 ② 国際連合

国際連合の活動はPKOで近年注目されているが，財政問題など克服すべき問題も多い。PKOは地域紛争と関連させて学習すること。安全保障理事会の機能も重要である。

■国際連合の主要機関

◇**安全保障理事会**…常任理事国5カ国（米，英，仏，露，中），非常任理事国10カ国（任期2年）で構成。日本は2023年より非常任理事国を務めている（12回目）。

〈機能〉①国際平和と安全の維持，②国際紛争の調査，③紛争の解決条件の勧告，④軍備規制計画の立案，⑤侵略に対する行動の勧告，⑥侵略防止のための経済制裁等の要請，⑦侵略に対する軍事行動，⑧新加盟国の承認の勧告と国際司法裁判所への加入条件の勧告，⑨“戦略地域”における信託統治機能の行使，⑩総会への事務総長の任命勧告と国際司法裁判事の選出。

◇**総会**…1国1票制度，多数決制，通常総会（9月開催），特別総会，緊急特別総会（安全保障理事会が機能していない時）がある。

・**経済社会理事会**…経済，社会，文化，教育，保健などの問題について審議・勧告を行う。

◇**国際司法裁判所**…国家間の紛争を法律的に解決するための裁判所。国際連盟時代の常設国際司法裁判所を継承したもの。裁判は全ての当事国が同意しない限り行われない。国連加盟国は当然に，非加盟国でも国連総会の承認があれば，裁判規程の当事国になる。これは，あらかじめ選ばれた15名の裁判官からなる常設的裁判所である。

◇**信託統治理事会**…国力不足のため，独立できない地域について，その施政を一時的に他の国に委託する，信託統治のための理事会。理事国は安全保障理事会の常任理事国5カ国。現在は任務を停止。

●専門機関および自治機関

UPU	万国郵便連合（1874年）
IBRD	国際復興開発銀行（1945年）
ILO	国際労働機関（1919年）
IFC	国際金融公社（1956年）
IMF	国際通貨基金（1945年）
IDA	国際開発協会（1960年）
FAO	国連食糧農業機関（1945年）
MIGA	多国間投資保証機関（1988年）
UNESCO	国連教育科学文化機関（1946年）
IMO	国際海事機関（1958年）
ICAO	国際民間航空機関（1947年）
WIPO	世界知的所有権機関（1967年）
ITU	国際電気通信連合（1947年）
IFAD	国際農業開発基金（1977年）
WHO	世界保健機関（1948年）
UNIDO	国連工業開発機関（1967年）
WMO	世界気象機関（1951年）
WTO	世界貿易機関（1995年）

※カッコ内は設立・発足および国連の機関になった年

■PKO よく出る

PKO（平和維持活動）とは憲章上にある

国際連盟（The League of Nations）	国際連合（The United Nations）
本部／スイスのジュネーブ	本部／アメリカのニューヨーク
設立／ウィルソン大統領の14か条の平和原則	設立／大西洋憲章（チャーチルとルーズベルト）
構想／ベルサイユ条約（1919年）	構想／サンフランシスコ会議（1945年）
原加盟国／42カ国（計63カ国）	原加盟国／51カ国（2024年現在193カ国）
議決方式／全会一致	議決方式／5大国に拒否権付与
常任理事国／日，英，仏，伊，独，ソ連（ロシア）	常任理事国／米，英，仏，ロシア，中国

「国連軍」とは異なり，強制力を持たず，紛争の平和的解決のために停戦合意が成立した後，当事者の引き離しや選挙監視など，武力を伴わない紛争調停に従事する活動のことである。憲章には規定がなく，紛争の平和的解決を定めた第六章と「国連軍」について定めた第七章の中間に位置することから第六章半の活動とも呼ばれる。パレスチナ休戦の監視を行う「国連休戦監視機構」が，国連初の平和維持活動として1948年に発足。2024年8月現在，世界で12のPKOが展開されている。1992年には安全保障理事会にPKO局が新設され，2007年には国連改革の一環として，従来のPKO局を分割する決議案が採択された。

・PKOの派遣の三原則…受け入れ国の同意（同意原則），自衛以外には武力を行使しない（自衛原則），紛争当事者の一方に加担する行為は慎む（中立原則）。

・日本のPKO…1992年にPKO協力法が成立して以降，カンボジアでのPKOへの参加を皮切りに，これまで日本が参加したPKOは29件を数える。安倍政権では，PKO協力法が改正され，国連以外からの要請でも復興支援活動が可能となり，加えて，武器の使用基準も緩和され，任務遂行に武器使用が認められることとなった。さらに，国連職員などが襲撃されたケースでは，いわゆる「駆けつけ警護」（非政府組織であるNGOなどの緊急の要請を受け，自衛隊が駆けつけてその保護にあたること）も可能となった。

■国連軍　よく出る

国連軍とは，平和を破壊する国家に対し，強制行動をとることを目的として編成される軍隊のことであり，安全保障理事会と加盟国間の協定に基づいて，安全保障理事会の統制下におかれるものとされている。その戦略的指導をするのが常任理事国の参謀総長で構成される「軍事参謀委員会」である。しかし，国際連合創設以来，そのような協定は結ばれておらず，この型の「国連軍」は一度も組織されたことはない。

⇒朝鮮戦争時の「国連軍」は正規のものではなく，変則的なもの。

■国連分担金

国連の財政は加盟国が負担する分担金によりまかなわれる。過去4年半の国民総生産の平均値を基準として分担率を計算する。アメリカの負担は2001年以降は同国の強い希望により，負担の上限が22％に引き下げられた。

日本は2024年現在，8.03％を負担しており，これは中国に次いで3番目に当たる負担率である（1位はアメリカ）。

■加重投票制

国際機関の諸機関での表決にあたり，構成国の国力や機構への貢献度に応じて票数に差異を設ける制度。

■IAEA（国際原子力機関）　よく出る

1957年設立。国連専門機関ではないが，これに準ずる地位にある。国連総会への年次報告のほか，安全保障理事会などにも報告を行う。本部はウィーン。目的は原子力の平和利用の促進，援助とともに，軍事目的への転用防止。原子力の軍事目的への転用の可能性を検証する「保障措置」を行う。

出題パターン check!

国際連合に関する次の記述のうち，正しいものはどれか。

（1）国連において，最も権限を付与されているのは，国連総会である。
（2）国連軍は，朝鮮戦争を始め，1990年には，湾岸戦争にも派遣されている。
（3）国連平和維持活動（PKO）は，国連憲章第7条に明記された活動である。
（4）国際司法裁判所は，常設の裁判所である。
（5）国連は，加盟国が分担する分担金により運営されているが，分担金は全加盟国一律である。

答え（4）

政治学　行政学　社会学　国際関係　社会政策　経営学

過去５年の出題傾向 

国際関係 ③ EU

ＥＵは国家統合の先駆的な例として非常に重要なものである。その統合の諸段階，条約の内容，組織の権限を柱にして学習を進めると，理解がより一層深まる。

■ＥＵへの構想

現在のEUに至る構想は，フランス人のジャン＝モネの考えに遡る。彼は，独仏がわずか百年の間に３回も戦争をした原因の一つを，石炭・鉄の鉱脈が独仏の国境地域に偏在している事実に求めたのである。すなわち彼は，独仏が国家運営にとってきわめて重要な資源を奪いあってきたことが独仏間に紛争をもたらす重要な原因となっていると考えたのである。EUの出発点が石炭鉄鋼資源の共同管理を目指すECSCに始まるのは，偶然ではないのである。

ヨーロッパの統合への道は必ずしも平坦だったわけではない。60年代後半から70年代前半にかけて，統合への歩みは挫折と停滞を経験した。統合に伴い，一部の国家主権を制限されることは為政者のみならず，加盟国の多くの国民にとっても，統合を躊躇する要因であったのである。しかし米ソの二極構造が崩れ，日本をはじめとする域外の国家が経済の上で挑戦してきた80年代以降，ジャック＝ドロールEC委員会委員長らの努力もあり，統合は再び大きく前進する。政治的なヨーロッパの統合を規定した，マーストリヒト条約はそのような動きの一つの現れであった。2024年８月現在，EUは加盟27カ国に拡大しており，世界一の経済圏となるに至ったのである。EUの「成功」に刺激され，他の地域でも統合を目指す動きが活発化している。APECやAU（アフリカ連合），メルコスールなどはその例である。

EUの歴史　よく出る

- 1952　欧州石炭鉄鋼共同体(ECSC)発足。西独,仏,伊,ベルギー,オランダ,ルクセンブルクの6カ国が原加盟国。
- 58　欧州経済共同体(EEC)／欧州原子力共同体(EURATOM)
- 62　EEC,共通農業政策(CAP)原則決定。
- 67　EC(欧州共同体)発足。
- 68　共通関税導入。
- 73　イギリス,デンマーク,アイルランドEC加盟。フランスの反対で,イギリスの加盟は10年ほど遅れた。
- 81　ギリシャEC加盟。
- 85　シェンゲン協定調印(第一次)。
- 86　スペイン,ポルトガルがECに加盟し,拡大ECとなる。域内統合を決めた,単一議定書に調印。→発効は87年
- 90　シェンゲン協定調印(第二次)。
- 92　マーストリヒト条約調印。EC域内は,単一国家に近い政治,経済の統合を目指すことに。
- 93　EC域内統一市場になり,「ヒト・モノ・カネ・サービス」が国境間を自由に移動できるように。欧州連合(EU)発足。
- 95　オーストリア,フィンランド,スウェーデンEU加盟。
- 97　アムステルダム条約
- 99　欧州通貨統合実施。共通通貨ユーロ(EURO)。2002年ユーロ流通開始。

2001　ニース条約調印。
04　ポーランド,ハンガリーなど10カ国加盟。
07　ブルガリア,ルーマニア加盟。
09　リスボン条約発効。初代EU大統領は前ベルギー大統領のファン・ロンパイ氏。
13　クロアチア加盟。
20　イギリスがEUを離脱。
22　EU,ウクライナとモルドバを「加盟候補国」に承認。
3代目のEU大統領のシャルル・ミシェル氏が大統領に再選。

■ EUの組織　よく出る

EUの最高意思決定機関は加盟国の大統領や首相によるEU首脳会議。

◇**EU閣僚理事会**…EU加盟国閣僚による，主要意思決定機関。共通政策の実質的協議及び決議を行う。加盟国はその規模に応じて票を持ち，その3分の2が賛成すれば決定となる，特別多数決制を採用。首脳会談（定例年2回）と閣僚理事会がEUの立法機関である。

◇**欧州委員会**…各加盟国から1名ずつ参加する委員会。EUの行政府。EU閣僚理事会に政策を提案し，その実行，監督を行う。

◇**欧州議会**…諮問機関の性格が強い。1979年から加盟国から直接選挙で選出。任期5年，定数751人。立法機能を持たないが，予算案を含めて理事会提案を修正する権限を持っている（99年には欧州委員会を総辞職に追い込む）。

◇**欧州中央銀行（ECB）**…1998年設立。

◇**単一議定書**…ECの機能拡充，政策領域の明確化を図るもの。ECが経済統合から政治統合へ向かう上での制度的基盤整備を行ったもの。特に，ECの機能に関しては，主要機関の権限について，政治統合を念頭においた整備・再編を推進し，法的な根拠づけを行っている。

◇**マーストリヒト条約**…EUの設立を定めた条約。具体的には，EMU＝経済通貨同盟（通貨統合），CFSP＝共通外交安全保障政策などの確立をその骨子とする。この条約は，EUを政治統合を推進する超国家機構と位置づけ，明確に加盟各国の主権（の一部）が，EUにより制限されることを規定している。

◇**ニース条約**…EU拡大に備えた条約。加盟国増加で政策決定が停滞する事態を防ぐため，閣僚理事会にて多数決で決める分野を広げるとともに国別の投票持ち数を再配分。欧州委員会の人数や欧州議会の定数も改めて設定。

◇**建設的棄権制**…1997年調印のアムステルダム条約で導入。重要問題は賛成国だけで実施義務を負い，棄権国は義務を免除される。

◇**リスボン条約**…2009年12月発効。批准されなかったEU憲法条約の代案として2007年，議長国であるドイツのメルケル首相主導の下，リスボン条約が提案された。EU憲法条約を引き継ぎ，ＥＵ大統領や外相の新設など，機構改革が盛り込まれた。

◇**欧州議会選挙**…2024年6月，EUの欧州議会選が実施され，親EU会派が引き続き過半数を維持したものの，ユーロ懐疑派である極右勢力が躍進した。

出題パターン check!

EUに関する記述のうち，正しいものはどれか。

（1）欧州議会は，欧州連合（EU）の立法機関である。
（2）イギリスはEUの前身である欧州共同体（EC）の原加盟国である。
（3）欧州連合には，中央銀行にあたる機関がいまだにない。
（4）欧州統合のきっかけは，長年にわたる独仏間の対立を緩和することにあった。
（5）スウェーデンを始めとする北欧諸国はいまだにEUに加盟していない。

答え（4）

過去５年の出題傾向　★★★★☆

国際関係 ④ 地域紛争（パレスチナ）

地域紛争を理解するためには，そこに至る歴史的背景を把握することが不可欠。紛争当事国と紛争の原因・結果を整理し，時事的事項にも関心を持つこと。ここでは特に重要なパレスチナの問題をとりあげる。

■パレスチナの歴史的背景

現在，イスラエルが存在する地域には，紀元前10世紀ごろから，古代ユダヤ国家が存在した。しかし，西暦２世紀，ローマ帝国との戦いに敗れたユダヤ人は世界中に離散した。その後，この地域には，アラブ人やトルコ帝国の勢力をはじめとして，様々な民族，宗教が入ってくることになる。

パレスチナ問題の遠因となったのは，イギリスの二枚舌外交にある。第一次世界大戦中，中近東を支配するトルコの勢力を排除するため，当時民族意識に目覚めつつあったアラブ人に独立を約束することで，イギリス政府はこのアラブ人を対トルコ戦に利用することを考えたのである。これが1915年に結ばれた，フサイン・マクマホン協定である。

一方で，イギリス政府は戦争遂行のための資金をユダヤ人の財閥から得るためにこの地域にユダヤ人の国家を創ることも約束したのであった（バルフォア宣言）。19世紀の半ばから，ユダヤ人の間には，パレスチナへの帰還を目指すシオニズム運動が盛り上がりつつあったのである。このように相矛盾する約束をイギリス政府が行ったことが今日に続くパレスチナ問題を引き起こすきっかけとなった。

■中東戦争 よく出る

第二次世界大戦後，国連がパレスチナを分割してユダヤ人の国家とアラブ人の国家とを創ることを決定し，パレスチナにユダヤ人が国家建設のために多数入ってくるようになると，ユダヤ人とアラブ人との摩擦は激化，1948年イスラエルが建国されると，第一次中東戦争が勃発し，大量のパレスチナ（アラブ人）難民が生まれることになる。

1956年には，エジプト政府のスエズ運河国有化宣言をきっかけに，第二次中東戦争勃発。1964年，パレスチナ人の組織であるパレスチナ解放機構（PLO）が結成され，第二代議長にアラファトが就任する。1967年，第三次中東戦争が勃発，イスラエルはシナイ半島，ガザ地区（以上エジプトから），ヨルダン川西岸（ヨルダンから），ゴラン高原の一部（シリアから）を占領。1973年には，第四次中東戦争が起こった。この戦争に際し，産油国は石油戦略を発動し，石油価格が高騰，世界的な石油危機が起こる。

■戦争から和解へ

1979年には，エジプトはイスラエルとの平和条約に調印し，それまでのイスラエルに対する敵対的な政策を放棄した。88年には，ヨルダンがヨルダン川西岸地区の統治権放棄を宣言。パレスチナ民族評議会（PNC）がパレスチナ国家の樹立宣言。PLOがイスラエルの存在を容認。アメリカ政府がPLOとの対話開始。一方，87年から，イスラエル占領地のヨルダン川西岸地区・ガザ地区では，パレスチナ人のイスラエルに対する抵抗運動（インティファーダ）が強まり，パレスチナ問題が改めて世界の注目を集めるようになる。92年，和平派のラビン労働党党首がイスラエル首相に就任。彼はパレスチナとの和平に努め，その結果93年イスラエルとPLOは相互承認，両勢力のパレスチナ暫定自治協定への調印にこぎつけた。同協定により，占領地にパレスチナ人の国家が建設されることになった。イスラエルではアラブ勢力との対決により，常に準戦時体制の緊張下に置かれ，国防予算が国家予算を大きく圧迫していることからアラブ人との和平を望む世論が急速に台頭。政府がインティファーダを鎮圧できなかったこともあり，政治交渉を模索する。それがPLOとの相互承認につながったが，パレスチナ人によるテロ行為がおさまらなかったため，90年代半ば以降，労働党と保守派のリクード党より交互に首相が出るようになった。

■ 2000年以降

2002年，アメリカはパレスチナ国家の承認を表明。和平構想を提示したが，イスラエル政権は力でテロを封じ込めることを標傍した。2006年には，選挙でイスラム原理主義組織ハマスが過半数の議席を獲得し，2007年にはハマスとファタハによるパレスチナ挙国一致内閣が成立。ハマスがガザ地区を制圧，ヨルダン川西岸を拠点に緊急内閣を成立させた（のちに挙国一致内閣は崩壊）。

2017年，アメリカのトランプ大統領が，エルサレムをイスラエルの首都とすることを公式に認め，2018年にはアメリカ大使館をエルサレムに移転した。2019年，ネタニヤフ首相は，ヨルダン川西岸地区にある入植地をイスラエルに併合する考えを発表。2020年，イスラエルはアラブ首長国連邦(UAE)，バーレーン，スーダン，モロッコと相次いで国交正常化で合意，パレスチナは反発の姿勢を見せた。

2022年6月，イスラエルの国会が解散になり，議会選挙で右派の野党「リクード」が第1党になり，ネタニヤフ前首相が返り咲きを果たすとともに，イスラエル史上，最も右派の連立政権が発足した。

2023年10月，パレスチナ自治区のガザ地区を実効支配するハマスが，イスラエルに侵入して南部を襲撃，多くの兵士や市民を殺害し，人質として連れ去った。それを受けて，イスラエルはガザ地区に激しい空爆を開始し，本格的な地上侵攻も実施した。

イスラエル軍がハマス壊滅に向けて攻勢を強める中，ガザ市民の犠牲を憂いて侵攻中止を求める声が国際的に高まった。

●1947年パレスチナ分割

レバノン
地中海
シリア
ヨルダン川
エルサレム
ヨルダン
エジプト
アカバ

アラブ人国家
ユダヤ人国家
パレスチナ自治区

●1949年第一次中東戦争終了時

●現在

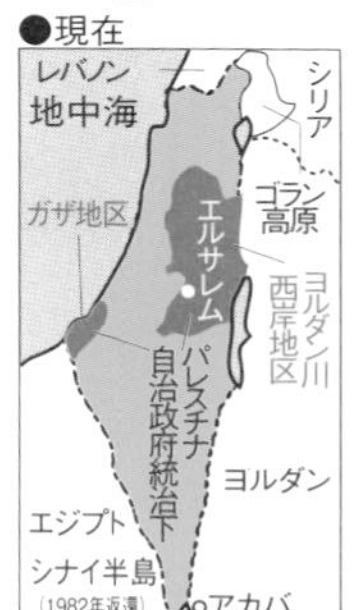

出題パターン check!

パレスチナ問題に関する記述のうち，正しいものはどれか。

（1）2023年10月，パレスチナ自治区のガザ地区を実効支配するファタハが，イスラエルに侵入して南部を襲撃した。
（2）イスラエルはガザ地区に激しい空爆を開始したが，地上侵攻は実施しなかった。
（3）シオニズム運動とは，パレスチナ人のイスラエルに対する抵抗運動を意味する。
（4）第四次中東戦争では，産油国の石油禁輸により，世界的に石油危機が起きた。
（5）アメリカは，パレスチナ国家をテロ国家とし，いかなる場合も承認しないことを表明している。

答え（4）

過去５年の出題傾向　★★★☆☆

国際関係　⑤　国際関係論

国際関係論は国際関係における諸現象が発生する原因，その法則，パターン等を検討するものである。理論家の名前・主張・キーワードを一体化して理解してほしい。

■国際関係論の分類

現実主義，自由主義，グローバリズム（マルクス主義）の３つがある。

①現実主義の理論は国家間の関係では国際法が発達し，国連が登場した現在にあっても，以前と同様，ジャングルのルールが支配しており，このような状況は一貫して変わっていないと主張する。②自由主義の理論は国際経済，国際貿易が増大し，国家間の交流が盛んになった今日，国際関係は大きく変化したとし，その変化に基づき国際関係の分析を行うべきだと主張する。③グローバリズムの理論は主として，国家間の不平等（南北問題など）にその分析の焦点を当て，不平等が発生した背景について検討するものである。

■現実主義　よく出る

・**E. H. カー**…理想主義の思想を批判する一方で，国際関係で，政治と道徳を分離する極端な現実主義的立場をも否定する立場をとり，健全な政治理論をユートピアと現実の両方の要素の上に構築すべきことを主張した。

・**H. モーゲンソー**…政治の本質は権力闘争であり，国際政治とは国家が国益＝権力をあくことなく求めて権力闘争を繰り広げる，国内政治とは独立した領域と主張。

■自由主義

代表的理論家にはＤ.ミトラニー，E.ハース，J.ナイ，R.コヘインなど。この自由主義に分類できるものに政策決定論，統合理論，相互依存論などがある。

◇政策決定論

・**R. スナイダー**…政策決定論の代表的理論家。国家の行動は合理的な選択の結果ではなく，むしろ生身の人間が主観的にある状況を判断し，それが集団的，組織的，政治的枠組みの中でろ過されて出てきたものであるとする。

⇒非政府組織，貿易，価値観，マスメディア，文化交流といった従来の現実主義では重視されなかったものを国家の行動を分析する上で重視。

・**G. アリソン**…合理的行為者モデル，組織過程モデル，官僚政治モデルの３つのモデルを提唱した。このうち，官僚政治モデルとは，国家の行動はその決定に参画する政治家，官僚を始め，多くの参加者の駆け引きの結果出てくるものであると主張するものである。国家は一枚岩としてトップダウン的に行動しているわけではないとする説。

・**認識過程モデル（心理モデル）**…このモデルは「人間は必ずしも，状況を正確にとらえて，政策目標を設定し，複数の選択肢を秤にかけて最適な手段を選ぶことができないし，少なくとも非常に困難である。ゆえに，国家の行動を理解するためには政策決定者の心理を始めとして，心理的背景を分析することが必要である」と主張。このモデルを提唱する論者として，Ｒ.ジャービス等がいる。

◇統合理論

代表的理論家…D.ミトラニー，E.ハースなど。

・**機能主義**…ミトラニーが唱えた。複雑な現代社会には，一国単位で解決できない専門上の問題が増えた。そのため，専門家が政治家に代わって，国際的に協力して，ある問題の解決にあたることが少なくない。このような事例を通じて，国家は他の国との協力がきわめて利益のあることだと認識するようになる。このように，ある分野の協力を通じて，福祉，経済などの分野での国家間の協力が進み，国際紛争はその数を減ずるとする説。

・**新機能主義**…環境問題など，一国単位で解決できない問題を解決する協力が他のより高度に政治的な問題（例えば安全保障の問題など）における協力に繋がり，結果として，複数国家の統合が進み，最終的に国家を超えた組織(世界連邦など)が生まれるとする説。これをスピルオーバー（波及）仮説と呼ぶ。

◇相互依存論

代表的理論家…J.ナイ，R.コヘインなど。多くの国家（主に先進国）が特に経済分野において，相互に依存関係に置かれるようになった状況と，一方で国境を超えた財，サービス，人間，情報等の国際交流が飛躍的に増大したという状況とに注目し，「このような相互の依存関係や交流の増大という近年の国際関係の構造的な変化により，国家間にはある種のルールや慣行が生まれてきている」と指摘。「そのルール（例:GATTのルール）を通じて，たとえ，国家間に摩擦が生じても，それが紛争など深刻化する可能性は著しく低くなった。ルールを応用することにより，国家は戦争に訴えることなく，対立状況を克服でき，むしろ，対立しあうよりも相互に協力しあうことでその利益を極大化できる状況が今や存在する」とする説。このようなルールの体系を体制（レジーム）と呼ぶ→レジーム論。

■グローバリズム

世界大の政治，経済，社会発展を理解するためには，資本主義の発展拡大に注目する必要があると主張。分析の対象として，地球大のシステムないし世界システムを置く，世界分析を強調。

・**J.ガルトゥング（従属理論）**…資源の配分が不平等な現在の国際関係にあっては，先進国は資源を独占することによって，途上国を困窮状況に放置しておくような間接的な形の「暴力」を，意図するしないにかかわらず振るっていることを指摘→構造的暴力。

・**I.ウォーラーステイン**…世界システムという概念を提唱し，そのシステムは資本主義の世界大のシステムによってもたらされ，このシステムの中には中心国，準周辺国，周辺国の３つの階層が存在すると主張。「中心国」とは先進工業国を指し，「周辺国」とは発展途上国である。そして，その中間に位置し，中心国からは搾取されかつ周辺国を搾取する位置にいるのが「準周辺国」であるとされる。

出題パターン check!

国際関係論に関する記述のうち，正しいものは次のどれか。

（1）I.ウォーラーステインは，構造的暴力という概念を使って国家間の不平等を指摘した。
（2）国家間の１つの分野の協力が他のより高次の分野に拡大することを説明したのがスピルオーバー仮説である。
（3）自由主義は単一体としての国家を前提に国際関係の分析を行う傾向がある。
（4）機能主義は国家間の協力がやがて世界政府のような超国家組織につながると主張する。
（5）H.モーゲンソーは自由主義の代表的な論者である。

答え（2）

過去５年の出題傾向　★★★★☆

社会政策 ① 少子・高齢社会

世界でも類を見ない超高齢社会を迎える日本。高齢化した福祉国家が経済成長した例は過去にない。少子・高齢社会がもたらす問題点を理解しよう。

■人口の高齢化

総人口に占める65歳以上の人口の割合が増えることが高齢化であり，65歳以上の人口の占める割合が国全体の７％になると高齢化社会と呼ばれる。その割合が14％（高齢社会）になるまでの年数を高齢化速度といい，日本の高齢化速度は欧米諸国と比べて急速である。

2024年１月１日現在，65歳以上の高齢者の人口は約3,620万人，総人口の29.2％を占め，高齢化率は過去最高である。75歳以上の割合は16.3％であり，女性に限ると女性総人口の19.1％を占めている。

また，前年の高齢者の就業者数は19年連続増加の912万人であり，全体の就業者に占める割合も13.6％と前年同様になっている（2023年９月時点）。

欧米諸国で高齢化が進んでいるのはイタリアとポルトガル，フィンランドであるが，総人口に占める高齢者人口は第２位のイタリアで24.5％である（2023年）。これと比べて見ても日本の高齢化が世界でも例を見ないスピードで進行していることがわかる。高齢化がこのまま推移すると，日本の高齢化率は2040年で35.3％になると予想されている。この日本の高齢化は，少産少死の高度産業社会の人口構造へと急速に転換した結果による。

また，都道府県別に高齢者人口比を見ると，秋田県が最も高く，次いで高知県，山口県と続く（2023年 総務省統計局）。

■少子化傾向　よく出る

1989年の合計特殊出生率は1.57となり，「1.57ショック」という言葉とともに少子化問題が注目された。その後も合計特殊出生率は低下を続け，2005年は1.26と過去最低を記録。2023年の出生数は前年より4.3万人少ない72.7万人で，過去最低を更新した。また，同年の合計特殊出生率は1.20で，７年連続で減少している。

●主要国における高齢者人口の割合の比較（2023年）

(%)

国	65歳以上	75歳以上	65～74歳
日本	29.1	16.1	13.0
イタリア	24.5	12.7	11.8
ドイツ	22.7	11.4	11.4
フランス	22.0	10.6	11.4
イギリス	19.5	8.5	11.0
カナダ	19.5	9.6	9.9
韓国	18.4	7.7	10.6
アメリカ	17.6	7.4	10.2
中国	14.3	4.8	9.4

世界の65歳以上人口割合 10.0％

※総務省統計局のグラフを加工

■少子・高齢社会がもたらす影響と対策　よく出る

１．扶養負担の増大

若年労働力人口の減少に伴って，経済生産性も下がり，財政の収入不足が生じる。年金財源の調達方法として，受給者自らが支払った保険料を原資とする積立方式と現

●日本の人口ピラミッド(2023年)

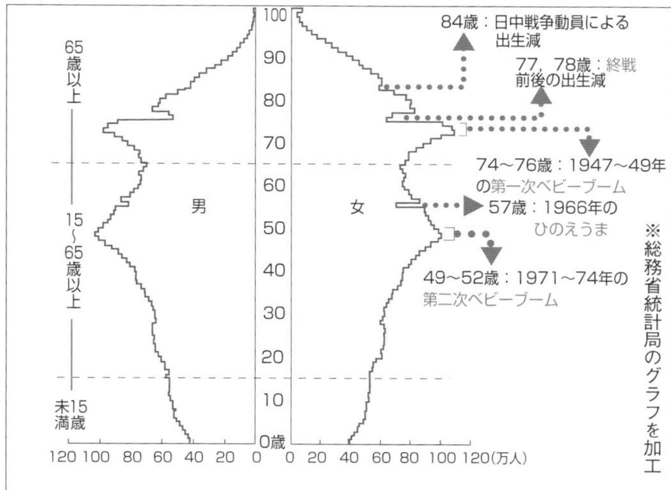

役勤労世代が支払った保険料を現在の高齢者に給付する賦課方式があるが，日本では中間の修正積立方式を採用している。

そのため，高齢者が増えると若年労働者の負担が増加することが予想され，対策が課題となっている。従来，企業に従業員が65歳まではたらける機会をつくることを義務づけていたが，2020年に高年齢者雇用安定法などの関連法を改正。70歳まではたらく機会の確保を企業の努力義務とした。

2．女性の労働機会の確立

労働力不足等の理由から女性労働者が今後一層増加することが予想され，女性労働者がはたらきやすい環境整備が必要となる。1999年には「男女共同参画社会基本法」が制定され，2006年の改正男女雇用機会均等法では，性別を理由とする差別，間接差別を禁止し，妊娠や出産等を理由とする不利益取り扱いも禁止。また，2020年発表の第5次男女共同参画基本計画では，指導的地位に占める女性比率の目標を2020年代に30％程度とし，2024年には企業における女性登用の加速化に係る成果目標について市場再編を踏まえ目標を設定している。

2022年には女性活躍推進法を改正し，行動計画の策定や情報公表などを義務付ける対象企業を拡大させた。

重要事項

1．合計特殊出生率●1人の女性が一生に何人の子を産むかの平均値で，実際には未婚・既婚を問わず15歳〜49歳の女性の年齢別出生率を合計する。この数が2.08のときが人口置換水準で，静止人口（現在の人口が将来的に維持される）である。

2．リプロダクティブ・ヘルス・ライツ●女性が自らの意思で子どもを産むかどうか，いつ何人産むかを選択できるとする権利。1994年の国際人口・開発会議で国際的に承認され，1995年に北京で開かれた第4回世界女性会議でも重要課題として議論された。

出題パターン check!

以下の記述のうち，妥当なものはどれか。

（1）日本社会は，この30年間で急激に高齢化が進んできたが，一方で少子化も進んでいる。だが，2023年現在でまだ年少人口の方が65歳以上人口より多い。

（2）高齢者人口が増加する中で，東京圏の高齢者人口は減少に転じている。

（3）高齢者が増加する中で，若年労働人口の減少が危惧されており，女性労働者や雇用形態のあり方自体の検討がなされている。

（4）日本の高齢化は，その急激さが特徴とされているが，スウェーデンやイギリスほど老年人口比率は高くない。

（5）高齢者人口が増える中，若年労働者の年金負担額が増えないように高年齢者雇用安定法が制定された。

答え（3）

過去５年の出題傾向 ★★★★☆

社会政策 ② 社会保障制度

日本の社会福祉，特に医療保険制度の仕組みと現状，年金保険制度の仕組みと現状を把握し，理解を深めて今後の対策を考えよう。

■世界の歴史 よく出る

１．エリザベス救貧法：1601 年・英国より始まる⇒無産者に仕事を与える。

２．社会保険：「アメとムチ政策」19 世紀末のドイツのビスマルクが各種の社会保険の整備を行った。

３．社会保障：全国民に対する国民最低限（ナショナル＝ミニマム）の保障。社会保障法を最初に制定したのはアメリカ（1935）。完備したのはニュージーランド（1938）。

■日本の社会保障

◇医療保険制度

１．制度の仕組み

1961 年－国民皆保険制度導入。

①国民健康保険－都道府県が運営・国庫が50％負担（調整金を含んだ分）。

②健康保険組合－大企業の会社員が加入。

③協会けんぽ－中小企業の会社員が加入。

④共済組合－公務員が加入。

⑤後期高齢者医療制度－ 75 歳以上の医療費を全保険加入者が応分に負担。制度の運営は広域連合。

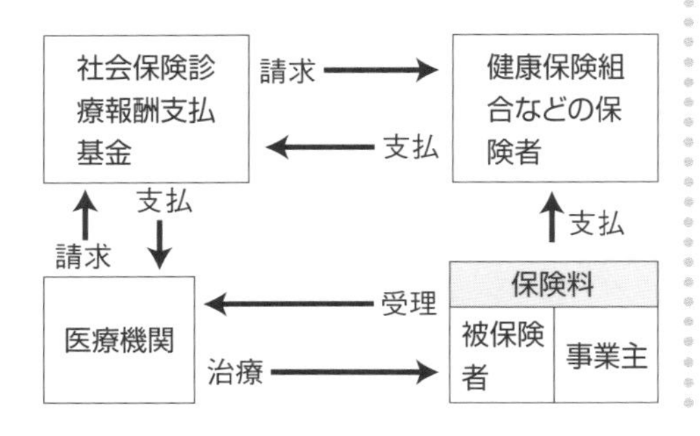

２．医療制度改革法

2006 年成立。

①70 歳以上の長期入院者を対象に，食費・居住費を自己負担とする「入院時生活療養費」導入。

②現役並みの所得を有する 70 歳以上の自己負担割合を２割から３割に引き上げ。

３．医療・介護総合確保推進法

2014 年成立。

①医療事故を調査する第三者機関の設置。

②介護保険の自己負担割合を１割から２割負担に引上げ（年金収入 280 万円以上。2018 年より単身 340 万円以上等の年収の人は３割負担）。

４．医療保険改革法

2015 年成立。

①国民健康保険の運営主体を市町村から都道府県へ移管。

②紹介状なしで大病院を受診する患者には定額負担が求められる。

５．現状

政府管掌健康保険事業を運営する協会けんぽの2023年度の決算は，4,662 億円の黒字。

◇年金保険制度 よく出る

１．制度の仕組み

1961 年－国民皆年金制度導入

1985 年－基礎年金制度導入

2001 年－確定拠出年金法成立

２．年金制度の種類

①国民年金…「全国民が加入」「基礎年金を給付」「定額の保険料」

②厚生年金…「サラリーマンと公務員が加入（公務員が加入していた共済年金は，2015年より厚生年金に統一）」「保険料は所得の一定割合を労使折半」「報酬比例」

3．問題点

①厚生年金空洞化，②高い未納率

4．対策

社会保障・税一体改革関連法案成立。

◇年金・社会保険の主な改正

①基礎年金の国庫負担割合は2分の1

② 2007年より，70歳以上の在職者は一定以上の収入があれば厚生年金給付額を削減。

③ 2016年10月から，社会保険の適用範囲が拡大。従業員501人以上の事業所に勤務していて，月収が8.8万円以上で，所定労働時間が週20時間以上の短時間労働者も対象となった。

④ 2020年5月，短時間労働者への社会保険適用拡大について，企業規模を「従業員数50人超」まで段階的に引き下げる旨を盛り込んだ改正法が成立。公的年金の受給開始年齢を75歳まで繰り下げられることなども盛り込む。75歳まで受給を遅らせる場合は受給金額を増額する。

⑤ 2022年10月 より，一定の所得がある75歳以上の後期高齢者の医療費窓口負担が，従来の1割から2割に引き上げられた。これにより，後期高齢者は1割，2割，3割の3グループが存在することになった。

社会保障の歴史

年	国名	事項
1601	英	エリザベス救貧法
1833	英	工場法制定
1883	独	疾病保険法（ビスマルク社会保険計画の発足）
1884	独	労働者災害保険法
1889	独	老齢・廃疾保険法成立
1911	英	国民保険法（失業保険制度のはじまり）
	独	ドイツ国社会保険法制定（各種社会保険の統一）
1919	ソ	国家社会保険制度の開始
		国際労働機関（ILO）設立,失業保険の勧告
		1939年までに条約21,勧告14採決
1929		世界恐慌起こる
1935	米	連邦社会保障法成立（社会保障という言葉をはじめて使用）
1942	英	ビバリッジ報告発表
1944		ILO,フィラデルフィア宣言
		ILO,所得保障に関する勧告,医療保障に関する勧告を採択
1945	英	家族手当法成立
1948		世界人権宣言（第22条）
1952		ILO102号条約（社会保障の最低基準に関する条約）を採択
1961		社会保障憲章（世界労連）
1964		ヨーロッパ社会保障法典採択（ILO102号よりも高水準の社会保障制度をめざす）

●年金の種類

	企業年金 確定拠出年金
国民年金基金 確定拠出年金	厚生年金 報酬比例部分
国民年金	

日本の年金は3階建ての構造になっている。

出題パターンcheck!

以下の記述のうち，妥当なものはどれか。

（1）国民年金基金とは，民間企業ではたらく雇用者の年金，厚生年金に上乗せ年金を支給する制度のことである。

（2）わが国の年金支給開始年齢は65歳であるが，60歳代後半の年金については部分年金に切り替えられていく。

（3）被用者を対象とする健康保険では，被保険者の資格喪失後も2年間に限り，継続することができる。

（4）医療保険給付を超えた差額費用を患者から徴収することは認められていない。

（5）生活保護は，高齢者世帯，母子世帯等をその対象としていたが，1970年代後半から低所得者層も加わった。

答え（3）

過去５年の出題傾向 ★★★☆☆

社会政策 ③ わが国の労働事情

終身雇用制，年功序列制，企業別組合，日本の三大雇用慣行の変化，そしてその背景にある就労者の意識変化を中心に理解しよう。

■わが国の労働事情

１．戦後の労働運動

戦後，日本では経済民主化の一環として治安維持法の廃止と労働組合の承認が行われた。まず，労働組合法（1945 年）が制定されて団結権が認められた。

組合には使用者と交渉する団体交渉権と争議権が認められ，労使の交渉の調整を図るために労働関係調整法（1946 年）が制定され，その後労働基準法（1947 年）が制定された。その結果，労働運動は敗戦直後の食糧難やインフレを背景に急速に進展した。しかし，米ソ対立が激しくなると，GHQ は占領政策を転換し，労働運動の抑圧にのり出した。

その一方で，企業別組織の労働組合が一般化していく。戦後のナショナル・センターとして，総評・同盟・中立労連・新産別があり，労働４団体と呼ばれた。

その後，1987 年に連合（全日本民間労働組合連合会）が結成され，労働４団体は解散した。連合は，1989 年には官公労系組合を加えて新連合（日本労働組合総連合会）を結成した。

２．労働基準法

①労働条件の七原則：労働条件の最低基準の順守，労使間の対等の原則，均等待遇の原則，男女同一賃金の原則，強制労働の禁止，中間搾取の排除，公民権行使の保障。

②労働契約：この法律で定めた最低基準よりも不利な条件の労働条件を定める労働契約，労働協約，就業規則は，違反の部分だけ無効となる。

③賃金支払いの原則：通貨で直接本人に全額，月１回以上定期的に支払わなければならない。

④労働時間：１日８時間以内，週 40 時間以内が原則で，変形労働時間制も導入。

⑤時間外労働：時間外・休日労働は，労働者の過半数を代表する者または組合との協定（三六協定）が必要。

⑥年次有給休暇：6 カ月継続勤務した者に 10 ～ 20 日の休暇を与える。

⑦女子労働者の保護：深夜業原則禁止，危険有害業務の就業規制，産前６週間産後８週間の休業を与える。時間外労働規制と深夜業禁止は，男女雇用機会均等法とともに改正，99 年より自由化された。

⑧有期労働契約について：契約期間の上限は原則３年とされた。高度な専門的知識，技術等を有する者は５年。

⑨企業が従業員を解雇するときの基準を明文化。

３．労働組合法

①労働組合法の目的：労働者が団体交渉で労働協約を結び，地位向上を目指す。

②労働組合：労働者が自主的に労働条件の改善・経済的地位向上を目指す団体。

③労働組合の活動：労働協約によって賃金，労働時間，争議などの事項を決定する。団体交渉が合意に至らない場合，組合はストライキなどの争議行為を行う。

④不当労働行為の審査期間の目標を定める

ともに目標達成状況等を公表する。

４．労働契約法

労働契約の成立から変更，終了にいたる基本的なルールを定めた労働分野の民事法。契約期間中の解雇についても盛り込む。

■現代日本の労働問題

１．日本の三大雇用慣行とその変化

①終身雇用制：新規採用をすれば定年まで解雇しないという慣行。

②年功序列制：勤続年数に応じて昇給する賃金形態。社員の帰属意識を高める。

③企業別組合：労使協調主義になり，組合が使用者の生産性向上に協力的であり，高度経済成長を支えた。

④最近の変化：終身雇用制が崩壊し，賃金体系も年俸制などの導入により，年齢上昇に伴う賃金上昇率は小さくなってきている。また，年齢計の平均勤続年数は長期化しているが，30歳代以下では転職割合の増大等により勤続年数は短期化している。

■働き方改革関連法　よく出る

2018年に成立。2024年までに段階的に施行された。ワークライフバランス実現のための長時間労働の抑制，非正規雇用労働者の保護などを目的とする改正である。

①時間外労働の上限規制：大企業，中小企業は先行して導入されていたが，2024年４月からは建設事業，自動車運転の業務，医師など一部の事業・業務についても上限規制が適用された。時間外労働の上限については，月45時間，年360時間を原則とする。また，前日の終業時刻と翌日の始業時刻の間に一定時間の休息の確保に努める勤務時間インターバル制度の導入が事業主の努力義務になった。

②非正規雇用の待遇改善：雇用形態に関わらない公正な待遇の確保，いわゆる「同一労働・同一賃金」の実現を明記。正規雇用労働者と非正規雇用労働者の間の不合理な待遇差の解消を促進。

④高度プロフェッショナル制度の導入：年収1,000万円以上の労働者の一部専門職を労働時間の規制から外す制度。高度の専門的知識を必要とする業務が対象。

⑤割増賃金引き上げ：時間外労働の割増賃金率は50%へと引き上げられていたが，中小企業は25%のままで猶予されていた。しかし，2023年４月からは中小企業も大企業と同じく，月60時間を超える時間外労働に対して50%の割増賃金率が適用された。

■改正労働施策総合推進法（パワハラ防止法）

2019年に成立。職場でのパワーハラスメント（パワハラ）防止を義務付ける関連法で，相談窓口を設置するなど企業に防止措置の義務付けを規定している。2022年より，同義務付けは中小企業にも適用を拡大している。

出題パターンcheck!

以下の記述のうち，妥当なものはどれか。

（１）高齢者の雇用は依然進んでおらず，近年の雇用情勢の改善に反して，高齢者の雇用は減少してきている。

（２）女性の高学歴化等の影響による女性労働者の増加を背景に，男女雇用機会均等法とその改正法，育児休業法とその改正法が成立し，労働基準法も改正され，女子保護規定が撤廃された。

（３）年功賃金，終身雇用制度が崩れ始めているといわれるが，若年労働者の中では，同一会社に勤め続けたいと考えている者はまだ多い。

（４）わが国の労働組合は，1989年に新連合，全労連が発足し，組織が拡大したが，最近は企業のリストラクチャリングの増加から組合への参加者が一層増えている。

（５）日本の労働組合は欧米の職業別・産業別組合と異なり，企業ごとに組合がつくられ，労使協調主義で高度経済成長を支えてきたが，最近は欧米のような産業別組合に変わりつつある。

答え（３）

過去５年の出題傾向 ★★★★☆

経営学 ① 事業構造

企業はとりわけ環境や市場の変化によって，その事業を拡大もしくは多角化していくことが多い。その際，どのように変化させていくかの基本方針を理解する。

■ライフ・サイクル

新しい商品が市場に導入されてから成熟するまでの過程は，下図のような形状になる。図の①の部分は導入期で，製品が導入され，需要は少ないが大きな投資を必要とする。②の部分は成長期で，需要の急増が見込まれ，同時に競合相手も多く出現し，価格の低下が起こる。③の成熟期では売上高の伸びが鈍くなり，飽和状態を迎える段階である。売上を伸ばす要因が新規客よりも，再購入者にシフトする。それを過ぎると衰退期である④へと変化する。市場に広く行き届いた商品は多くの競合相手によって生産され，需要も低下する。

●ライフ・サイクルの過程

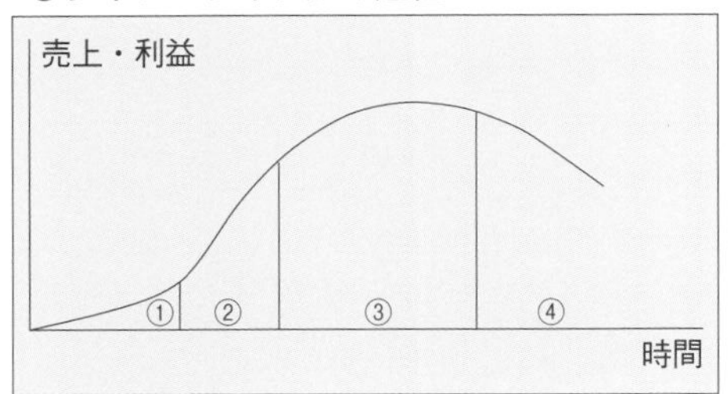

■複数事業

多くの場合，単一事業を行う企業は，その成長とともに複数事業へと事業を多岐に展開していく傾向がある。これは，単一事業を行う上で蓄積されるノウハウや，技術，ブランドイメージ（＝未利用資源）は既存の事業のみならず，他の事業にも活用できる可能性があることによる（＝成長の経済）。

⇒規模の経済：大量生産によってコストを低くできること。

また，複数事業への展開は，規模の経済と同様，コストを下げることができる。つまり，企業は多種類の財・サービスをまとめて生産するほうが，一つだけ生産する企業よりも効率的に生産でき，コストを抑えることができる（＝範囲の経済）。さらに，複数の事業に進出することで，一つの事業が危機に直面した場合にも，その影響を和らげることが可能となる（＝リスク分散）。

■企業ドメイン

先述のように，複数事業を行うことによるメリットは非常に魅力的であるが，それと同時に，その企業がどの程度の規模で事業を行うのかという，事業範囲の定義「企業ドメイン」の決定と，どの事業を組み合わせていくのかという「事業ポートフォリオ」の選択が必要となる。

企業ドメインの決定とは，企業の事業活動の領域を決めることである。その決定にはまず，どの程度多角化するのかという広さの程度と，機軸となる企業のアイデンティティの確立が必要になる。

■事業ポートフォリオ

企業ドメインをもとに，複数の事業分野を個別の事業の魅力だけで考えるのではなく，事業の組み合わせが全体に及ぼす影響を考えることが重要である。事業ポートフォリオは，企業の事業活動全体のことであり，企業ドメインの中でどのような事業をどの程度，どのように組み合わせるかの決定を指す。その際重要なのが事業の競争力，つまり既存の事業の経営資源が，新しい事業にどこまで有効かである。このとき，既存事業の新事業に対する経営資源転用の効果が転用した量以上の効果をもたらすことをシナジー効果という。

■プロダクト・ポートフォリオ・マネージメント（PPM）　よく出る

PPMは，各事業のキャッシュフローから，成長率とマーケットシェアによって4つのカテゴリーで分類し，ポートフォリオを組むことでマーケティング戦略を検討する方法である。「金のなる木」は，マーケットシェアが高く，市場の成長率は低い成熟期の分野で，事業自体の成長は今後見込むことはできないが，自社の競争優位性が高い部分で，資金の主たる供給機能となる。「花形」は，事業としての将来性も明るく，競争上の優位性も高い分野であり，大きな資金流入と同時に，成長のための資金投入も必要としている。長期的には，ライフ・サイクルの衰退期に入り，投下資金も減り「金のなる木」に変化する可能性もある。「問題児」は，市場が成長している半面，自社のシェアが確立されていない部分である。かなりの資金投下が必要であるが，競争上優位に立つことがない限り，将来の資金流入につながる保証はない。市場の成長が高い分，ライフ・サイクルの衰退期に入る恐れもあり，仮に巨額の投資によって現状の市場成長に追いついたとしても，その分のペイバックが見込めない可能性がある。「負け犬」は産業的にも成長が遅く，しかも競争力も低い事業のことである。成長投資は必要がない分，優位性がないことにより，資金もいらない。事業の撤退を考慮しなくてはならないポジションである。

当然，「負け犬」的事業は持つべきではないが，「花形」的事業ばかりでも問題である。資金流入が多い分，成長のための大規模投資によって，投資資金創造へは結びつかないからである。また，「問題児」が「負け犬」へと変化するのか，それとも「金のなる木」へと化けるのかを見極めることも重要である。当然，うまく「金のなる木」へと豹変したとしても，その後の市場の成長に合わせて「花形」へと変化させていく必要性が出てくる。

●PPMでのカテゴリー

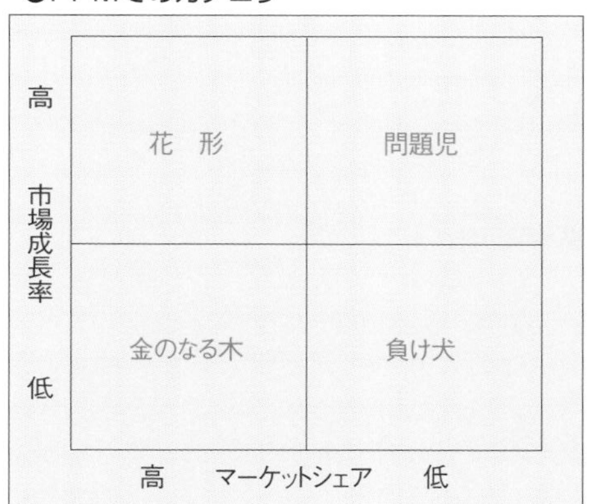

出題パターン check!

ある企業がブルーレイレコーダーを製造している。このブルーレイレコーダーがライフ・サイクル上のどの期間に属し，またPPMのポジションにおいてどのような行動をとることが妥当か以下から選びなさい。

（1）ライフ・サイクル上，導入期であり，今後の発展が見込まれるので，金のなる木となる可能性が高い。
（2）ライフ・サイクル上，衰退期であり，PPMでは負け犬となる可能性が高い。新技術を搭載した製品の投入が不可欠である。
（3）ライフ・サイクル上，成熟期であり，金のなる木から花形になる可能性が高い。しばらくは様子を見るのが妥当。
（4）ライフ・サイクル上，成長期であり，競合相手が増えるが，その分需要も期待できる。金のなる木となるための投資が必要である。

答え（2）

過去５年の出題傾向　★★★★☆

経営学 ② 組織構造

企業内では様々な分業が行われている。分業によって作業が効率的に進むことが期待されるが，そのために分業のメリット・デメリットと組織構造の種類を理解することが重要。

■分業のメリット　よく出る

分業は，それぞれの仕事が細分化されるため，作業を単純化できる。例えば自動車の組み立ては長い工程を経ている。この工程を最初から最後まで工員全員が分業せずに行うのは非常に困難であり，また非効率である。これをラインに沿って細分化することで，作業を単純化でき，また熟練度の低い労働力も採用することができる。

分業はまた，その作業を専門化でき，また携わる労働力に対しても，その分野に関して非常に熟練した技術者として成長させることができる。

●職能別組織

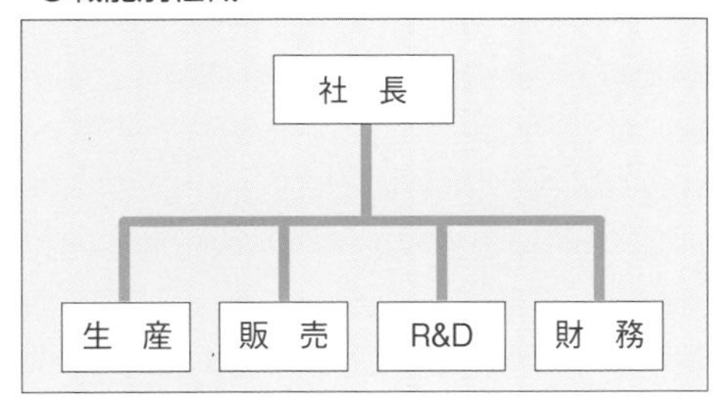

●事業部制

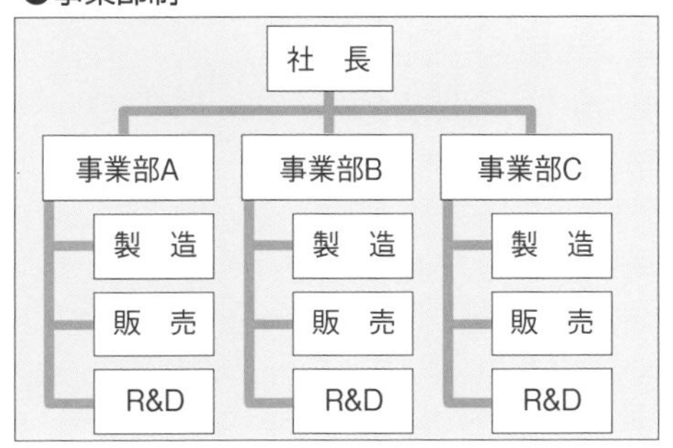

■分業のデメリット

一方で，分業にはデメリットも存在する。作業を細分化させる分，単調化し，労働に対するモチベーションが低下する可能性がある。また，分業によって専門化が進んだ場合，環境・技術などの変化によって分業構成を変えた場合，必ずしも従来の専門性を再び用いられるとは限らない。さらに専門化が進むと，各分業単位のコミュニケーションがうまくいかなくなったり，異なった思考様式が生まれたりする可能性がある。

■職能別組織

職能別組織は，購買，生産，販売，財務，R&D（研究開発）といった仕事内容によって会社を部門に分けた組織である。仕事内容によって専門化するので，高度な知識や経験が蓄積される。しかし，同時に分業による問題も発生する。部門で区切るために，部門ごとの比較が難しい。責任が不明瞭になり，また部門ごとの基準が異なるが故の対立も発生する可能性がある。

■事業部制　よく出る

職能別組織を採用すると，事業ごとに異なる市場・技術を取りまとめていくことが困難になるために，製品，顧客，地域別といった単位で編成される組織構造である事業部制がもっともよく採用される。各事業部には利益責任とともに権限が委譲され，自己完結的に経営活動を展開する。各事業部がそれぞれ独立した会社のようになるため，互いにライバル関係となり，競争原理がはたらきやすい。

■マトリックス組織

マトリックス組織は，事業部制のように，縦だけではなく，横にも調整やコミュニケーションの軸をいれたものである。事業部制では個々の事業は強くなるが相対的に職能軸は小さく，弱くなる。また，各事業で行われているそれぞれの分業（製造・販売・R&D）が他の事業と重複し，資源を無駄に利用する可能性がある。そこで職能別組織と事業部制の利点を同時に採用する，マトリックス組織が生まれた。

●マトリックス組織

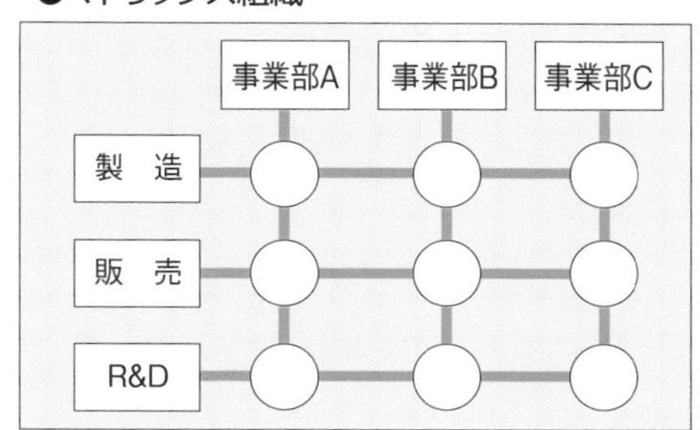

ただし，1人の管理者に対し2人の上司ができてしまう可能性があり，上司間のコミュニケーションがうまくいっていない場合は，命令系統において下に付く社員に悪影響を及ぼしかねないというリスクもある。

■戦略的事業単位（SBU）

上記のマトリックス組織のデメリットをカバーするために，戦略的事業単位（Strategic Business Unit）という形態が採用されることがある。このSBUとは，普段は事業部制を採用しているが，ある特定のプロジェクトが発生した場合に限り，そこで必要とされる経営資源を持った部門を選び出し，一時的にそのプロジェクトに向けて組織化してしまうことである。

●戦略的事業単位

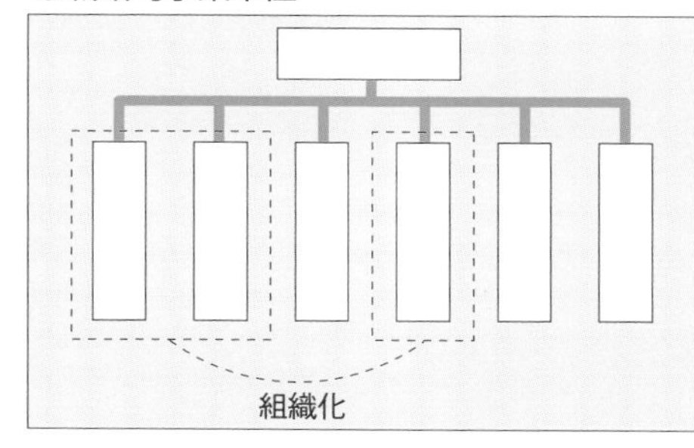

■社内ベンチャー組織

既存事業の中から人材を選出し，既存の組織単位とは別個に関連会社として独立させる方式を社内ベンチャー組織という。既存組織からの出資で開発から販売に至るまでのプロセスを組織として完全に独立した形で行う。既存事業を用いて新規開拓するリスクを負わず完全独立した形で行うので，リスクの高い事業をターゲットとすることが可能であると同時に，組織内で高いモチベーションを維持することが可能である。また，既存事業の力関係を意識する必要がないために，本社からの影響も少なくて済むのが利点である。

出題パターン check!

ある企業では職能別組織形態を採用している。正しいものを以下より選びなさい。

（1）各部門が独立しているので，互いの連携がしやすく，作業がスムーズに行える。
（2）各部門は高度な知識・経験を有しており，部門ごとの基準の統一を図りやすい。
（3）各部門は高度な知識・経験を有しているが，作業の責任が明確ではない。
（4）各部門は複数の上司ができてしまい，上司間のコミュニケーションが取りづらい。

答え（3）

過去５年の出題傾向　★★★☆☆

経営学 ③ 国際化戦略

企業にとって国際化とは国内需要のみならず国外需要に応えるための戦略であり，現代企業にとって事業拡大における非常に重要な要素である。

■国際化への発展

企業が国際化へと発展する段階として，次のようなケースが多い。まず，①輸出である。国内における販売が飽和状態となり，新しい市場すなわち国際市場へとその製品の販売エリアを拡大することにより，より大きな収益を期待でき，さらなる投資を行うことが可能である。また，国内の市場が未熟であるために，海外の市場へ目を向けることで販売エリアを獲得することも考えられる。

次に，輸出において弊害となる各国の保護政策を回避するために，生産活動拠点を国内ではなく海外に置く②摩擦回避型投資へと変化する。日本からの輸出が多くなると，海外の政府は日本製品のシェア拡大および国内製品の淘汰を防ぐために，関税強化などの保護政策を行う恐れがある。日本企業はこの保護政策を回避するために，海外に生産拠点を置き始める。

続いて，生産コストを出来るだけ抑えるために，もっともコストの安い国で生産をする③コスト優位型へと発展する。円高などにより国内生産コスト増加の影響が大きくなることを受けて，人件費・税金・材料費などが安い海外拠点を選定し工場を建設するケースである。摩擦回避型へと発展した際に，同時にコストを考慮し，摩擦回避とコスト優位を享受できる海外生産拠点を選定する場合もある。

次に，国内での生産が不利という理由で海外に拠点を置いてきた摩擦回避・コスト優位から，現地での生産が国内での生産よりも現地市場の需要に合致する④市場立地型へと変化する。

そして最後に⑤世界各地に生産拠点を持ち，資源調達も販売も世界中で行われるグローバル型へと形態を拡大していく。

■国際化に伴う留意点

国際化を行う企業は，ただ単に国内での生産・マーケティング・販売戦略を海外に持ち出すだけでは成功できない。以下の点を考慮する必要がある。

1．市場…国によって人口も所得も労働供

●国際化への発展

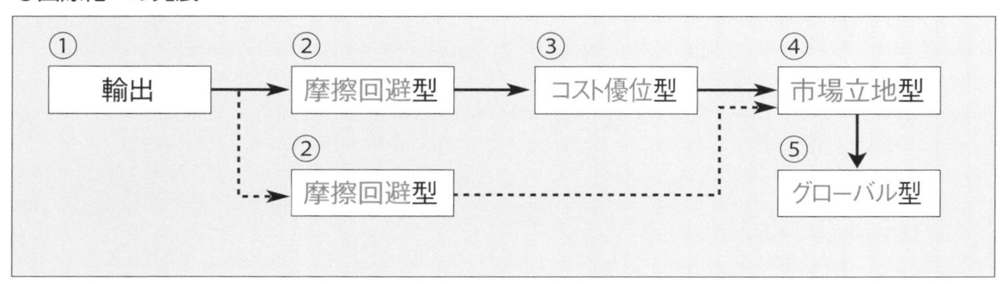

給構造も異なっている。

2．政治…企業が進出する際に，その国のローカル企業とのパートナーシップでの法人設立しか認めないなどの政府の規制が存在する。

3．文化…文化の違いから，現地労働力に対する対応の仕方が日本のそれとまったく異なることがあり，生産性の低下を生み出すこともある。また，宗教などにより，その製品自体がまったく受け入れられない事態も想定される。

4．言語…当然言語が異なるため，コミュニケーションが円滑に行われず，誤った情報として指示が伝えられる可能性がある。

■国際ポートフォリオ

企業が多くの国へ進出する際には，各国のポートフォリオを持つことになる。それぞれの国における文化・政治・市場規模に対する戦略が必要となるばかりでなく，企業がその国においてどのような生産活動を行うかというポートフォリオの決定が欠かせない。

1．ドメスティック…ドメスティックとは，国際化以前の状態で，日本国内での需要のみに対応する製品を生産・販売すること。この時点で考慮すべきは消費者ニーズであり，貿易を行っている場合は為替の変動などであるが，他国の文化や政治情勢を考慮することはない。

2．マルチドメスティック…マルチドメスティックは，進出した国によって製品，マーケティング，生産方法を異ならせ，それぞれの国の文化・風習に沿った製品を製造・販売すること。各国での戦略が多様なため，国際的な経営資源の蓄積につながる可能性は高いものの，各国間の連携はあまり強くはならない。

3．グローバル…世界を一つと考え，共通した需要が見られる地域に対し，共通した製品を供給すること。各国に対し多様な戦略をとる必要がなく，標準化された製品として市場に供給することができるため，コストを抑えることにも優れている。長期的には，需要の見られない地域でも，その製品が国際標準と認識されるようになり，取り入れられるようになる可能性がある。

重要語解説

●外国為替…企業の国際化には外国為替が重要なポイントとなる。ある製品を輸出するにしろ，現地で生産するにしろ，輸出代金の受け取りや，製造にかかる費用の支払いには，円建て以外に，ドルやユーロといった他国通貨が用いられる。仮に，輸出した際のドルのレートが１ドル＝110円で，受け取り額が１万ドルだとすると，もし，支払い日まで（例えば３カ月後）に１ドル＝100円になっていると，支払日に１万ドル受け取っても，100万円しか手に入らない（レートが１ドル110円なら110万円）。このように１ドル＝110円から100円になること（ドルの価値が下がり円の価値が上がること）を円高といい，逆に110円から120円といったようにドルの価値が上がり円の価値が下がることを円安という。

出題パターン check!

以下の文章の中で，正しいものを選べ。

（1）海外に生産拠点を置く場合には，世界市場の構造がほぼ日本と同じであるので，各国の人口・所得等は考慮に入れる必要はない。

（2）ドメスティック企業とは，国内の需要に応えるために，生産コストが低い国に生産拠点を置くことである。

（3）海外に生産拠点を置く場合には，政治的影響の及ばない場所のみを選定することが最善策である。

（4）マクドナルドは，国際的に製品が標準化しており，マルチドメスティック企業といえる。

（5）輸出に頼っていた企業が生産拠点を海外に移転する理由の一つに，各国間の貿易摩擦を回避することがあげられる。

答え（5）

練習問題1

サルトーリの政党制の分類に関する記述のうち，正しいものは次のどれか。

（1）分極的な多党制とは，政党の数は多いが，議会での政党の数が多くない政党制のことであり，具体的には，ドイツ，ノルウェーにおいて見られるものである。
（2）ヘゲモニー政党制とは，自由選挙にもかかわらず，同一政党が長期間政権を担当するような政党制であり，具体的な例は日本の55年体制下の自民党長期政権などがあげられる。
（3）一党制とは，形式的には，複数の存在が認められているが，あくまでも二次的な存在にとどまる政党制を指し，旧ポーランドなどで採用されていた。
（4）原子化政党制とは，群を抜いた政党がないまま，数多くの政党が乱立している政党制で，非常な混乱状態の時期を除けば，存在しない。マレーシアの政党制が代表例である。
（5）二大政党制とは，イデオロギー差が小さい２つの大政党が互いに政権を目指して競合する政党制であるが，政権交代の可能性は小さい。

練習問題2

政治思想家に関する記述のうち，正しいものは次のどれか。

（1）アリストテレスは，ポリスの民主制こそ，至高の政治体制であり，平等な多数者が政治を担う政治こそ理想の政治であると主張した。
（2）トクヴィルは，アメリカにおいて，自由主義と民主主義とが両立している状況を見て，その理由を「結社」の活発な活動，地方自治制度の充実，上院・法曹界の存在，キリスト教が健全に機能している事実などに求めた。
（3）ロックは，人は契約によって，人民を主権者とする政治社会をつくり，それに自らの権利を全て譲渡した。ゆえに，政治社会の決定に対しては，人間は抵抗することはできないと主張した。
（4）バークは，社会は自由で平等な個人が自然状態を脱することを目指して，相互契約によって国家（政治社会）をつくったとする社会契約説を強く主張した。
（5）ベンサムは，理想の状態である「最大多数の最大幸福」の状況をもたらすために，国家が個人の生活にできる限り介入し，貧富の差がない社会をつくることの必要性を主張した。

解答・解説

練習問題１　正答／(4)

●解説／
（1）これは穏健な多党制の説明である。
（2）これは一党優位制の説明である。
（3）これはヘゲモニー政党制の説明である。
（4）正しい。
（5）二大政党制では，競合する２つの党のイデオロギー上の差が小さいとはいえない。英国のように大きい場合もある。また，政権交代の可能性は大きい。

練習問題２　正答／(2)

●解説／
（1）アリストテレスは少数者による支配を理想とした。
（2）正しい。
（3）ロックは，個人は自らの権利を政治社会に信託したにすぎない，ゆえに，個人は政治社会に抵抗する権利があると説いた（抵抗権）。
（4）バークは，国家を歴史的につくられたものであり，それは孤立した原子的な個人が契約によってつくったものではなく，有機的で階層的な結合体であると考えた。
（5）ベンサムは，政府の個人に対する介入を必要悪であるとし，必要最小限のものに限るべきであると主張した。

練習問題３

政治理論に関する記述のうち，正しいものは次のどれか。

（１）トルーマンの「重複的メンバーシップ」とは特定の集団がきわめて強くなると，それに対抗する集団ができて，力の均衡がもたらされ，特定の集団の活動が抑制されるというもの。

（２）ローウィは，利益集団（圧力団体）の存在はアメリカに権力の多元化をもたらし，それゆえに，アメリカの民主政治にとって重要な機能を果たしているとして，利益集団による政治を肯定的にとらえた。

（３）バクラックとバラッツは，政治的に重要な争点は権力者によって巧妙にコントロールされており，アメリカの政治は必ずしも多元的に運営されているわけではないとする「非決定」の理論を提唱した。

（４）アーモンドは，イーストンの政治システム論を応用して，政治的人間の概念を提示し，それはp}d}r=Pの式で表されるとした。

（５）ドイッチュは，現代政治を理解するためには，人間の非合理性にも注目する必要があると主張し，政治の分析に心理学を応用することを提唱した。

解答・解説

練習問題３　正答／（３）

●解説／

（１）これはトルーマンの潜在集団の概念の説明である。

（２）ローウィは，利益集団の活動が余りにも大きくなった結果，アメリカでは民主主義の衰退が起こっていると主張し，法律に基づく「依法的民主主義」の必要性を説いた。

（３）正しい。

（４）p}d}r=Pの式を提示したのはラスウェルであり，彼はイーストンの理論を応用したわけではない。

（５）ドイッチュはイーストンと同様に情報科学的な角度から政治体系論を展開した。

練習問題４

アメリカの行政学に関する記述のうち，正しいものは次のどれか。

（１）F. J. グッドナウは，その著『行政の研究』の中で，行政は政治の領域外のことであるとした上で，優れた行政は，能率的行政であると主張した。

（２）1933年のニューディール政策の実施や，第二次世界大戦中に見られたような経済・社会に対する国家権力の介入という事態を踏まえて登場した機能的行政学は，行政と政治とを区別しがたい連続過程としてとらえるべきだとする。

（３）H. A. サイモンは，技術的行政学は人間をあまりにも機械的・技術的に見すぎており，行政が置かれている文化的・社会的背景を無視していると批判した。

（４）L. H. ギューリックは，組織編成の原理の一つとして，統制範囲の原理をあげたが，それは，組織のメンバーは１つの命令系統から指示を受けなければならないというものである。

（５）ライン・スタッフ理論は，ライン系統組織の管理者に対し，その管理機能を補佐するスタッフを配置すべきだとするものであるが，このスタッフの権限は勧告・助言に限られ，命令し決裁することはできない。

練習問題４　正答／（２）

●解説／

（１）これはウィルソンの主張。

（２）正しい。

（３）これは，ダールの主張である。

（４）これは，ギューリックの命令系統の一元化の原理の説明である。統制範囲の原理とは，１人の上司が監督する部下の数は一定の範囲にとどめるべきであるとする原理である。

（５）古典的組織論では，ライン・スタッフのスタッフは原則として，勧告や助言のみを行うものとされていたが，近年では，命令もできるとされる。

練習問題5

行政の組織に関する記述のうち，正しいものは次のどれか。

（1）審議会は，行政の画一化・硬直化・独善化を防止するために設置されるものであるが，その答申は政府の政策の宣伝・説得として利用されることがある。

（2）行政委員会，審議会ともに合議制の行政機関であり，それらはどちらも規則制定権，および裁定権・審判権を有している。

（3）M.ウェーバーは，官僚制の特徴として，繁文縟礼やセクショナリズム，法規万能主義など官僚制の否定的な側面も指摘している。

（4）官僚制では，行政機関の職員の数は，その業務量に関わりなく，ある一定の比率で増大する傾向が知られているが，これはその命名者の名をとってピーターの法則と言われる。

（5）日本の官僚制では，意思決定に稟議制がとられている。これは，職員の提案を順次上位の者が閲覧していき，最終的に専決権者が決裁するというシステムであるが，下位の職員の参加意欲が高まり，それゆえ，行政の能率が上がるという長所を持っている。

練習問題6

能率に関する次の記述に関し，（　　）の中に入る言葉の組み合わせとして最も適当なものはどれか。

入力と出力との比で計られる能率概念は，（　A　）と呼ばれ，これは，H.A. サイモンが提案したものである。一方，D. ワルドーは，（　B　）と（　C　）の２つの能率の概念を提案したが，特に，（　C　）は政策決定に関わる高度な業務に適用されるものである。また，M. ディモックは，行政職員のやる気，彼らの仕事に対する満足度，市民の行政サービスに対する満足度などによって計られる（　D　）を提唱した。

	A	B	C	D
（1）	機械的能率	社会的能率	客観的能率	バランスシート的能率
（2）	規範的能率	社会的能率	機械的能率	客観的能率
（3）	バランスシート的能率	客観的能率	規範的能率	社会的能率
（4）	バランスシート的能率	社会的能率	客観的能率	規範的能率
（5）	機械的能率	客観的能率	規範的能率	社会的能率

解答・解説

練習問題5　正答／（1）

●解説／

（1）正しい。

（2）審議会には，規則制定権，裁定権，審判権はない。

（3）これは，マートンによる官僚制の病理の説明。ウェーバーは必ずしも近代官僚制を手放しで肯定したわけではないが，このような指摘はしていない。

（4）これは，パーキンソンの法則である。

（5）稟議制の問題点として，能率の低下があげられている。

練習問題6　正答／（3）

●解説／能率の概念は頻出事項であるので，提唱者，概念内容をしっかりおさえておきたい。なお，「客観的能率」とは，単純な職務に適用される技術的・数量的な判断基準のことである。

練習問題7

ジンメルの形式社会学に関する記述として，妥当なのはどれか。

（1）彼は機能的社会観を否定し，個人のみに実在を認める社会名目論と社会を実在とする社会実在論を統合し，概念実在論という観点から個別科学としての形式社会学を確立した。
（2）彼は，社会は人間の相互作用すなわち社会化において成立するとし，この相互作用を形式と内容に分け，社会学の対象となるのは，人々の社会化過程の形式的側面であるとした。
（3）彼は，社会化の形式として上下関係，競争，模倣，分業，党派形成等を指摘し，企業体，宗教団体，学校といった集団の種類によって，実現される形式が異なることを見出した。
（4）彼は闘争理論を示し，社会化の一形式である闘争は，それ自体すでに対立する者の間の緊張を解消する作用があり，対立する各集団において成員間の内部的結合を弱めるとした。
（5）彼は，形式をつくり出すものは生であり，生は，つくり出した形式と衝突することなくさらに上の存在を目指し，形式を結晶化させることによって，文化を創造するとした。

解答・解説

練習問題7　正答／（2）

●解説／ジンメルは，社会が統一体であるのは，個人と個人との間に「（心的）相互作用」が行われているからだと考え，この相互作用を通じて個人が社会を形成するとした。その過程が社会化であり，これこそがジンメルの考える社会学の研究対象である。この社会化は，具体的には上下，闘争，競争，分業などでこれが社会の形式とされる。また，ジンメルは社会を形式と内容から構成されるとするが，政治・経済などがその内容となる。

練習問題8

パーソナリティの理論に関する記述として，妥当なのはどれか。

（1）クーリーは，「鏡に映った自我」は，他者の目に映る自我についての想像，他者が自我に対して下す判断についての想像，その結果生ずる自我感情という3要素から成り立っており，このうち，第三の要素が最も重要であるとした。
（2）G.H. ミードは，社会過程の中に生まれた人間は，彼に対する他者の態度を自らに取り入れ，他者が彼に期待する役割を取得し，社会の規範を「一般化された他者」の態度として学習することで，社会性を持った自我を形成するとした。
（3）フロイトは，パーソナリティをイド，自我，超自我の3つに区分し，自我はイドの衝動を抑制するために，両親から受け継いだ道徳的態度を代表してイドを監視し，超自我は，イド及び自我と現実原則との調整を行うとした。
（4）カーディナーはタブー，民話や儀式などを第一次的制度，幼児期における育児様式や家族内関係を第二次的制度と呼び，第一次的制度が社会の成員に共通の性格をつくるとした。
（5）リースマンは，集団の成員に共通しているパーソナリティ上の特性である社会的性格を，歴史的・社会的条件と対応させて3つに分類し，近代社会は他人指向型，現代社会は内部指向型であるとした。

練習問題8　正答／（2）

●解説／
（1）クーリーの「鏡に映った自我」では，この3要素だが，彼は幼児期の場合，特に両親や教師が重要な「鏡」であることを指摘した。
（2）正しい。
（3）超自我が両親から受け継いだ道徳的態度を代表とし，自我がイドと超自我，現実原則の調整を行うとした。
（4）カーディナーは，最頻的パーソナリティや国民性が大多数の成員が幼児期に体験した育児様式によって規定されると主張した。
（5）近代社会が内部指向型，現代社会が他人指向型である。

練習問題9

家族論に関する記述として，妥当なのはどれか。

（1）マードックは，家族は，人と人との感情的融合を実現するという意味で社会の原型であり，人間が社会生活を学習する学校であるとした。

（2）コントは，制度的家族から友愛的家族への推移をとらえ，近代家族は，制度的なものではなく，家族成員相互の人格的な愛情と理解によって結合しているとした。

（3）モーガンは，家族の形態を核家族，複婚家族及び拡大家族の3つに分け，核家族は世界中の全ての家族に含まれている普遍的な中核であるとした。

（4）パーソンズは，核家族は機能を喪失しつつあるのではなく，子どもの第一次的社会化と成人のパーソナリティ安定化という2つの機能を果たしているとした。

（5）バージェスは，近代産業社会に対してより調和的な家族形態として修正拡大家族を提唱し，夫婦関係については性別分業原理を超えて，役割の代替可能性が促進されるとした。

解答・解説

練習問題9　正答／（4）

●解説／

（1）マードックは一組の夫婦とその子どもからなる単位が人類にとって普遍の社会集団で，これを核家族と呼んだ。

（2）これは，コントではなくバージェスである。

（3）これは，モーガンではなくマードックである。

（4）正しい。

（5）これは，バージェスではなく，リトワクである。

練習問題10

東西関係に関する記述のうち，正しいものは次のどれか。

（1）アメリカは，ソ連の脅威に対し，西欧諸国とともにNATOを1949年につくったが，ソ連はそれに対抗し，東欧諸国の軍事同盟であるCOMECONを創設した。

（2）50年代後半，ソ連はそれまでの政策を変更，西側諸国との平和共存路線をとるようになり，アメリカとの緊張緩和が進んだが，この状況は雪解けと呼ばれた。

（3）63年，核保有国である，アメリカ，ソ連，英国，フランス，中国の5カ国は部分的核実験禁止条約を締結したが，同条約は大気圏内，宇宙空間及び水中における核兵器実験を禁止することを規定したものである。

（4）79年，アメリカ・ソ連両国は第二次戦略兵器制限条約（SALT－Ⅱ）を締結し，同条約は同年発効した。

（5）80年代後半，アメリカ・ソ連関係は急速に改善するが，これは主に80年代初頭の政権発足時から一貫して対ソ宥和政策をとっていたレーガン政権の努力によるものである。

練習問題10　正答／（2）

●解説／

（1）COMECONは経済相互援助会議と訳され，経済上の連帯強化を目指すものであり，軍事同盟ではない。

（2）正しい。

（3）この時の部分的核実験禁止条約にフランス，中国は参加していない。

（4）SALT－Ⅱはソ連軍によるアフガニスタン侵攻に対し，アメリカ上院がその批准を見送ったため，発効しなかった。

（5）レーガン政権は当初，対ソ強硬路線をとり，大規模な軍備拡張を実行した。

練習問題 11

国連の平和維持活動（PKO）および国連軍に関する記述のうち，正しいものは次のどれか。

（1）国連軍とは，平和を破壊する国家に対し，強制行動をとることを目的として編成される軍隊のことであるが，不安定化し，地域紛争が頻発する冷戦終了後の世界情勢に対応するために構想されたものであるので，国連憲章には明確な規定をもたない。

（2）PKOは，紛争の平和的解決のために停戦合意が成立した後，当事者の引き離しや選挙監視など，武力を伴わない紛争調停活動に従事する活動のことであるが，強制処置であるので，受け入れ国の同意は必要とはしない。

（3）2024年1月現在，世界では11のPKOが展開しており，地域的にはアフリカが半数を占めている。

（4）国連のPKOは1953年に朝鮮戦争の休戦監視を行うために「国連監視機構」が派遣されたのが最初のものである。

（5）日本は2012年1月から，南スーダンのPKOに参加していたが，現地では政府軍と反政府軍との武力衝突が激化し，そのため，ほとんど活動できないままに，自衛隊の施設部隊は撤退を強いられた。

解答・解説

練習問題 11　正答／（3）

●解説／

（1）国連軍に関しては国連憲章第7章に明記されている。

（2）PKOの派遣には受け入れ国の同意が不可欠である。

（3）正しい。

（4）初めてのPKOは1948年にパレスチナ休戦の監視を行うための「国連休戦監視機構」。

（5）南スーダンでの自衛隊施設部隊の活動は過去最大の実績を残した。

練習問題 12

国際政治理論に関する記述のうち，正しいものは次のどれか。

（1）英国の国際政治学者のE. H. カーは，国際社会はジャングルのルールが支配する世界であることを強調，政治と道徳とを分離して，国際政治を見ることを主張した。

（2）覇権安定理論とは，他の国家を圧倒するような強国が存在せず，同質の国家が多数存在する時こそ，世界秩序は安定するという理論であり，その代表的論者として，R. ギルピンなどがあげられる。

（3）G. アリソンは，２レベルゲームを提示し，外交交渉の過程においては，交渉の当事者のみならず，国内の諸集団も大きな影響を与えると主張した。

（4）環境問題やエネルギー問題など一国単位で解決できない問題を解決する協力が，他のより高度に政治的な問題における協力につながると主張するのがスピルオーバー仮説である。

（5）J. ガルトゥングは，国際政治の分析において，構造的暴力という概念を提示したが，これは，大国が帝国を形成し，中小国を支配する状況を描写する概念である。

練習問題 12　正答／（4）

●解説／

（1）カーは政治を道徳と切り放す極端な現実主義を否定した。

（2）覇権安定理論とは他の国家を圧倒する国力を持つ国家が覇権を掌握するとき，国際秩序は安定するという理論である。

（3）２レベルゲームを唱えたのはR. パットナムである。

（4）正しい。

（5）構造的暴力とは，資源が不平等に配分される現在の国際関係において，先進国が資源を独占することにより，意図することなく途上国に一種の暴力的な行為を行っていることを示す概念である。

練習問題 13

わが国の近年における労働事情に関する次の記述のうち，妥当なものはどれか。

（1）完全失業率とは，完全失業者を労働力人口で割って算出した数値であり，数値が下がるほど雇用環境が悪化していることをあらわしている。

（2）有効求人倍率は，求職者一人に対し企業から平均何件の求人があるかをあらわしている数値であり，1を下回ると雇用が悪化していることになる。

（3）近年の賃金制度では，業績・成果主義が影をひそめ，年功序列の復活が増加している。

（4）働き方改革関連法の時間外労働の上限規制とは，時間外労働の上限について，月80時間，年720時間を原則とする。

（5）働き方改革関連法には割増賃金引き上げも盛り込まれており，2023年4月からは中小企業も大企業と同じく，月60時間を超える時間外労働に対して25%の割増賃金率が適用されている。

解答・解説

練習問題 13　正答／（2）

●解説／

（1）完全失業率は数値が下がるほど雇用環境が改善していることをあらわす。

（2）正しい。

（3）業績・成果主義が広がってきている。

（4）働き方改革関連法の時間外労働の上限規制は，時間外労働の上限について月45時間，年360時間を原則としている。臨時的な特別な事情がある場合でも，年720時間，複数月平均80時間と規定。

（5）中小企業も大企業と同じく，月60時間を超える時間外労働に対して50%の割増賃金率が適用された。

練習問題 14

わが国の公的年金制度に関する次の記述のうち，妥当なものはどれか。

（1）国家公務員の年金制度については，官吏については国家公務員等共済組合法が，官吏以外の公務員については公共企業体職員等共済組合法が制定されている。

（2）第二次世界大戦後，船員保険の職務外年金部門が厚生年金保険制度に統合されたため，今日では厚生年金保険制度が民間被用者を対象とする主な公的年金制度となっている。

（3）1984年には，国民年金の適用を被用者年金の被保険者および配偶者に拡大し，基礎年金を全制度に組み込んで給付の共通化を図ること等により，公的年金制度の一元化を完了させる旨の閣議決定が行われ，これをもって1983年の法律改正による一元化は完了した。

（4）2004年の年金制度改革では，まず年金の給付水準を設定し，それに必要な保険料負担水準を設定するとの考え方に切り替えられた。

（5）国際的な人的交流が盛んとなる中で，自国と勤務地所在国の両方で公的年金に加入すると二重に保険料が徴収されるといった問題が発生していることから，1995年にわが国は，ドイツとの間で公的年金制度の共通化・統一化についての協定を結んだ。

練習問題 14　正答／（2）

●解説／

（1）公共企業体職員等共済組合は，公社の民営化に伴って廃止された。

（2）正しい。

（3）共済年金が厚生年金に一元化されたのは，2015年の10月からである。

（4）設問は従来の年金制度。年金制度への信頼低下を防ぐため，まず負担の上昇を極力抑制しながら，将来の負担の上限を設定し，その収入の範囲内で給付水準を調整する，との基本的な考え方に立つ制度改革が行われた。

（5）1995年からドイツと政府間交渉をし，1998年に協定が結ばれた。この協定では，両国の制度加入期間を通算できることになった。

練習問題 15

保育問題に関する次の記述のうち，妥当なものはどれか。

（1）就学前の子供に幼児教育と保育の両方を提供し，地域の子育て支援事業を行う施設として，文部科学大臣の認定を受けた施設を認定こども園という。

（2）保育施設において，保育時間終了後も親が仕事の都合などで児童の迎えにこれず，児童は親の仕事の帰りを待ち続けなければならないという待機児童問題が社会問題となっている。

（3）市町村は，保護者の労働，疾病等の事由によって乳児・幼児・児童の保育に欠けることがあると認めるときは，それらの子供を保育所に入所させて保育を行わなければならない。

（4）保育所に入れない待機児童をゼロにするため，市長の指導力のもと企業の参入を強力に促し，2013 年に目標を達成した横浜市のやり方を「民間導入方式」という。

（5）2024 年成立の改正子ども・子育て支援法では，こども誰でも通園制度を導入し，保護者が働いていなくても 6 歳未満の子どもを保育園などに預けられるようにする。

練習問題 16

我が国の医療制度に関する次の記述のうち，妥当なものはどれか。

（1）国民健康保険には，会社に勤務している正社員，個人事業主，その他の保険制度に属さない人全てが加入する。

（2）医療保険改革法により，2018 年度より国民健康保険の運営主体を従来の市町村から都道府県へ移管した。

（3）生活習慣病の医療費は国民医療費の 2 分の 1 を占め，高齢化の進展でさらに膨らむことが予想されている。

（4）都道府県国民健康保険（国保）などの医療保険運営者に 30 歳以上を対象にした健診を義務づけ，保健指導などを徹底させている。

（5）現役並みの所得のある 70 歳以上の高齢者の自己負担割合は 2 割である。

解答・解説

練習問題 15　　正答／（3）

●解説／

（1）認定こども園の認定は，都道府県知事が行う。

（2）待機児童とは，保育施設への入所を希望しても入所できず，待機状態にある児童のことである。保育施設の不足が原因で，深刻な社会問題となっている。

（3）正しい。

（4）「横浜方式」が正しい。10 年 4 月の横浜市の待機児童数は全国の市町村で最悪の 1,552 人だったが，わずか 3 年で受け入れ枠は 1 万人以上増え，2013 年時点では待機児童数はゼロになった。

（5）本制度は，生後半年から 3 歳未満の子どもについて，希望すれば通園できるようになる制度である。

練習問題 16　　正答／（2）

●解説／

（1）会社に勤務している正社員は，協会けんぽ，または各社会保険組合が運営する社会保険に加入する。

（2）正しい。

（3）生活習慣病の医療費は国民医療費の 3 分の 1 を占めている。

（4）医療保険運営者に 40 歳以上を対象にした健診を義務づけている。

（5）70 歳以上の高齢者でも現役並みの所得がある場合は，3 割負担である。

練習問題 17

商品のライフ・サイクルについて，正しいと思われるものを選びなさい。

（1）導入期においては，需要が少ない分，投資も少なく済む。
（2）成長期においては，需要の増加が見込まれる半面，競合が少なく，利益拡大を期待できる。
（3）成熟期においては，更なる売上増を目標として，新規客獲得を目指す時期である。
（4）衰退期においては，製品が広く市場に供給されているため，新製品の投入が必要である。

練習問題 18

複数事業展開について，正しい記述を選びなさい。

（1）未利用資源とは，製造に必要な材料の中で利用されていない資源のことである。
（2）成長の経済とは，ある事業で培われたノウハウが，他事業において活用できる可能性のことをいう。
（3）大量生産によってコストを下げることが可能であることを，範囲の経済という。
（4）複数事業を行う企業にとって，ある事業が危機に直面した際に他の事業にも影響が及ぶため，リスク分散が困難である。

練習問題 19

下の文章の［　　　］内に入る言葉を選びなさい。

　プロダクト・ポートフォリオ・マネージメント（PPM）において，市場成長率が低いがマーケットシェアが高い事業を［　　　］と呼ぶ。

（1）花形
（2）金のなる木
（3）問題児
（4）負け犬

解答・解説

練習問題 17　　正答／（4）

●解説／
（1）需要増加へ繋げるために，多くの投資が必要となる。
（2）競合相手が多く出現し，価格競争が引き起こる。
（3）新規客獲得ではなく，すでにその製品を持っている消費者が再度購入することによる売上が期待できる。
（4）正しい。

練習問題 18　　正答／（2）

●解説／
（1）単一事業で培われた技術・ノウハウ・ブランド力のこと。
（2）正しい。
（3）大量生産によるコスト削減は，規模の経済といい，範囲の経済とは，複数の製品を生産することにより，それらの間に共通の生産要素を複数の生産過程に適用させてコストの削減を行うことをいう。
（4）各事業が独立しているので，ある事業が危機に直面したとしてもその影響が他事業に及ばず，リスクが分散できる。

練習問題 19　　正答／（2）

●解説／
（1）市場成長率高，マーケットシェア高。
（2）正しい。
（3）市場成長率高，マーケットシェア低。
（4）市場成長率低，マーケットシェア低。

練習問題 20

マトリックス組織で起こりうる問題点として，適当なものを選びなさい。

（1）命令系統において下に付く社員に正確な指示が伝達されない危険性がある。
（2）経営資源が効率的に共有されず，資源を浪費する可能性がある。
（3）責任者となる人間が存在せず，責任の所在が不明になりがちである。
（4）部門同士の競合により，効率的に作業が推し進められないことがある。
（5）部門同士の競合により，業務の質が損なわれることがある。

練習問題 21

進出した国によって製品，マーケティング，生産方法を異ならせ，それぞれの国の文化・風習に沿った製品を製造・販売する国際ポートフォリオのことを表す用語はどれか。

（1）ドメスティック
（2）マルチドメスティック
（3）グローバル
（4）テクノロジー・トランスファー

解答・解説

練習問題 20　正答／（1）

●解説／
（1）正しい。
（2）経営資源の非効率は事業部制で起こる可能性がある。
（3）責任の所在が不明になりやすいのは職能別組織。
（4）マトリックス組織は，事業部制のような競合による非効率性を生じさせない組織構造である。
（5）競合によって業務の質は損なわれない。

練習問題 21　正答／（2）

●解説／
（1）国内での需要のみに対応する製品を生産・販売すること。
（2）正しい。
（3）それぞれの国のニーズに応える製品を供給するのではなく，世界規模で需要のあるエリアに標準化した商品を供給する。
（4）海外技術移転のこと。

出題傾向 専門試験の中でも，憲法と行政法，民法の出題頻度は，試験のタイプによらず高い。直近では，憲法は全国型と関東型で8問，それ以外は5問が，行政法は中部・北陸型で8問，市役所で6問，それ以外は5問出題されている。また，民法は全国型で4問，関東型で6問，中部・北陸型で7問，特別区で10問，市役所で5問出題されているので，外せない科目となる。他の科目については，試験のタイプにより出題されていない場合もあるので注意が必要である。例えば労働法と刑法は特別区と市役所では出題されていないが，他の主要なタイプの試験では直近でも2問ずつ出題されている。

ポイント別・学習法

■憲法

<傾向>大きくは人権分野と統治分野に分けることができ，人権分野では，人権総論，平等権，表現の自由，職業の自由，生存権などが頻出している。条文の抽象性が高いため，詳細な解釈を施した判例理論が重要になってくる。統治分野では，司法権の範囲・限界，違憲審査権が重要。国会や裁判所に関する条文の知識も問われてくる。直近の試験では，社会権，法の下の平等，国務大臣の任命といった内閣，違憲審査権といった司法などが出題されている。

<学習法>過去問にあたるには，不必要な先入観を持たないためにも，ある程度の勉強を一通りしてからにすること。なお，法学部出身者以外は，まず，コンパクトな憲法のテキストから準備をするべき。それで，まず憲法をマクロ的にとらえる必要があるからである。判例については，コンパクトな判例集をたえず傍らにおいて，判例が出る度に（億劫がらずに），主要判例を熟読し，ノートに整理しておく必要がある。

◎難易度＝ 90 ポイント

◎重要度＝ 90 ポイント

■民法

<傾向>民法は，大きく分けると，総則，財産法・家族法の分野から構成されている。中でも財産法は，出題の割合が大きいので重点的に整理する必要がある。総則では，私権の主体，法律行為，代理，時効が頻出しており，特に私権の主体では，成年後見制度に関する出題が目立っている。財産法の分野は，さらに物権法と債権法に分かれるが，物権法では物権変動について，債権法では契約に関する出題が目立っている。家族法の分野では，特に親族法からの出題が目立っている。直近の試験では，未成年

者の行為能力，売買契約，契約の成立，抵当権，債務不履行といった債権などが出題されている。
<学習法>民法を含め，法律学の学習法としては条文知識と判例の理解は必須である。ただし，民法は条文数がとりわけ多く，論点も多岐にわたるので，逆に過去問で出題された条文と判例は必ず目を通すように工夫して勉強していくべきである（判例は，理由と結論だけでよい)。
◎難易度＝90ポイント
◎重要度＝95ポイント

■行政法

<傾向>行政作用法の分野では，行政行為を中心とした出題が多い。行政行為の種類，効力，瑕疵を必ず理解しておこう。行政救済法では，不服申立ての詳細な手続を，行政事件訴訟と国家賠償では，処分性，原告適格，違法性等，判例の理解を問う出題がなされる。直近の試験では，損害賠償や外国人への適用といった国家賠償制度，行政事件訴訟法の取り消し，法規での命令，行政行為の分類，行政行為の瑕疵などが出題されている。
<学習法>行政法は，学習当初，体系的に理解するのが難しく感じるが，まずは行政法独自の基本的概念を理解することを最優先しよう。救済法では，必ず判例に目を通し，項目と判例をリンクさせて覚えていくことがコツである。救済法を一通り終えると，行政法全体が見渡せるようになるので焦らずに学習していこう。
◎難易度＝85ポイント
◎重要度＝95ポイント

■刑法

<傾向>刑法総論と刑法各論とに大別される。刑法総論では，不能犯論，因果関係論，事実の錯誤論などが出題されやすい傾向にある。刑法各論では，窃盗罪，強盗罪，恐喝罪，詐欺罪といった財産犯論が最も重要である。いずれも，判例の理解を中心としながらも，主な学説の立場も理解する必要がある。直近の試験では， 犯罪事実の認識・認容といった犯罪における故意を問う問題などが出題されている。
<学習法>きわめて論理的で体系的な学問分野である刑法では，刑法総論と刑法各論は，同じ執筆者の単著のテキストを選ぶことが望ましい。できるだけ平易なものを(最初は難解な部分を読み飛ばしてでも）とにかく三回ぐらいは通読する必要がある。判例は，判例百選などで確認すれば必要最低限の理解は得られる。
◎難易度＝90ポイント
◎重要度＝75ポイント

■労働法

<傾向>例年2問の出題で，個別法，集団法から各々1問の出題がされる。個別法は専ら労基法の条文程度の知識が問われるが，近年の労基法の改正も理解しなければならない（働き方改革関連法の改正内容も含む)。労働法の労働者概念，男女平等と男女雇用機会均等法，就業規則，解雇，賃金，労働時間のうち36協定に関わる部分は頻出である。労働時間制は難しいためか，あまり出題されない。集団法では，労働組合法も頻出。直近の試験では，就業規則と労働契約，労働組合などが出題されている。
<学習法>全分野にわたり出題されるが，頻出分野の重点学習は有益である。テキストでは紙幅の関係で割愛せざるを得なかった年休についても，判例付き六法等で条文や関連判例の確認作業を行ってほしい。集団法は深入りせず，テキストの内容をよく理解し，練習問題を多く行うこと。
◎難易度＝85ポイント
◎重要度＝80ポイント

過去５年の出題傾向　★★★★★

憲法 ① 基本的人権 人権総論(1)

基本的人権は，人権とか基本権とも呼称され，自由権，社会権，参政権等の人権を総称する。「自然権」思想および人権の歴史については，基本書を熟読してしっかりとらえておく必要がある。

■人権の類型

①包括的基本権…幸福追求権 13 条
②法の下の平等…14 条
③自由権
・精神的自由権…思想・良心の自由 19 条，信教の自由 20 条，表現の自由 21 条１項学問の自由 23 条
・経済的自由権…職業選択の自由 22 条１項，財産権の不可侵 29 条
・人身の自由…奴隷的拘束・苦役からの自由 18 条，法定手続 31 条，逮捕の要件 33 条，抑留・拘禁の要件 34 条，住居の不可侵 35 条，拷問および残虐刑の禁止 36 条，刑事被告人の権利 37 条，自己に不利益な供述強要の禁止 38 条，遡及処罰の禁止・一事不再理 39 条
⇒日本国憲法の人権規定のほぼ３分の１を刑事手続が占めているのはなぜか，歴史的背景からとらえる必要がある。
④社会権…生存権 25 条，教育を受ける権利 26 条，労働権 27 条，労働基本権 28 条
⑤国務請求権・参政権…請願権 16 条，裁判を受ける権利 32 条，国および公共団体の賠償責任 17 条，刑事補償 40 条，公務員の選定および罷免の権利 15 条
⇒この（人権の類型）全体像を把握すること。

■基本的人権の本質

憲法によると，日本国民に保障する基本的人権は，人類の多年にわたる自由獲得の努力の成果であり，いかなる場合においても侵害されてはならない「永久の権利」として信託（憲法 97 条）され，国の最高法規として，全ての法律は憲法に反することはできないものである（憲法 98 条１項，憲法 81 条）と規定されている。

■人権の享有主体

そもそも基本的人権は，「人が生まれながらにして当然に有する権利」（自然権思想）とされている。それならば，人種，性別，身分等に無関係に当然，享有できる普遍的な権利ととらえて支障はないように考える。しかし，日本国憲法は，その第３章において「国民の権利及び義務」という標題を掲げている。それでは，日本国籍を有しない外国人の人権はどうなるのかが問題となる。人権の享有主体では，外国人の他，未成年者，天皇・皇族，法人が問題としてあげられる。ここでは，外国人と法人に絞って考えてみることにする。

（1）外国人　よく出る

日本国憲法は，国際主義の立場から，条約および確立された国際法規の遵守を規定している（憲法 98 条２項）ことに立脚して，権利の性質上（日本国民だけを対象としているものを除いて），その適用が合理性を有する人権の規定は，全て外国人に保障されるととらえる考え方が支配的である。権利の性質上，外国人に適用されないものとして，入国の自由，社会権，参政権（国民主権の原理）がある。
【判例】マクリーン事件…（最大判昭 53・10・4）民集 32 巻７号 1223 頁
⇒外国人の入国を認めるか否かは，国際法

上，その国の自由裁量。

(2) 法人

人権は，個人の権利である。それゆえ，人権の享有主体は，自然人でなければならない。では，団体や法人には，その保障はおよばないのか。今日，団体や法人は，社会において広汎で，そのすみずみまで広く浸透した活動をしており，その存在の重要性を考慮した結果，団体や法人も基本権の享有の主体と考えるようになった。

【判例】税理士会政治献金事件…(最判平8・3・19) 民集50巻3号615頁

■**幸福追求権（包括的人権）**

基本的人権とは，憲法に明文規定されているものだけであろうか。憲法13条「生命，自由及び幸福追求に対する国民の権利」では，幸福追求の文言がある（以下,「幸福追求権」)。そもそも，基本的人権は，人間の生存に不可欠の権利である。それゆえ，人間の生存に不可欠の権利は，憲法の規定のあるなしにかかわらず全て基本権である。従って，幸福追求権は，基本的人権を総称しているものととらえられている（包括的な人権保障規定)。

◎**幸福追求権として具体的にあげられる権利**

(1) プライバシー権

プライバシー権は著しい情報化社会の形成によって，今日では「自己に関する情報をコントロールする権利」ととらえられている。

【判例】京都府学連事件…（最大判昭44・12・24）刑集23巻12号1625頁／前科照会事件…（最判昭56・4・14）民集35巻3号620頁

■**法の下の平等** よく出る

憲法14条1項は一般的に平等原則を定めているが，そこには沿革的に人間平等の思想があり，封建的身分を打破しようとするものである。憲法の平等原則は国家による不平等な取り扱いを排除する狙いがあり，それを実現するため法的な取り扱いの平等を求めるものである。法の下の平等の意義はここにある。

・形式的平等と実質的平等

近代の消極国家では，法律上等しく扱うという考え方が支配的であった。そこには自己責任の考え方を中心にとらえて，機会の平等を保障するものであった。しかし，時の推移と共に様々な弊害が露呈し，経済的および社会的な不平等を是正して実質的な平等(結果の平等)も考慮するようになった（積極国家)。具体的には，近代市民法の規範原理の一つである契約の自由の原則から，この変化をより深く理解できる。

・憲法14条1項後段の意味

後段では，差別してはならない事項を列挙しているが，この列挙は，あくまでも例示的な列挙であって限定列挙ではない。従って，これら事項に該当しないものでも，不合理な差別は問題となる。

・合理的差別

前述した実質的平等を実現する為，相対的平等を採ったとする。そこでは，人と人との事実上の異同に基づいた取り扱いがされるが，果たして，その異なる取り扱いが合理的な差別といえるのかどうかの問題がある。

出題パターン check!

外国人の人権に関して，次の記述のうち妥当なものはどれか。

(1) 外国人の精神活動の自由は基本的に認められる。しかし，定住外国人の政治活動は全面的に認められるが，そうでない外国人のそれは制限される。
(2) 法の下の平等から，日本国籍のない外国人にも，国民と全く同様の人権が保障される。
(3) 憲法93条の地方公共団体の住民に定住外国人も含まれる。
(4) 国際慣習法上，友好のため外国人に対する入国，在留，再入国の自由は当然認められる。
(5) 外国人の精神活動の自由は基本的に認められる。しかし，政治活動の自由では，特に，我が国の政治的意思決定やその実施に影響がある活動は制限される。

答え（5）

過去５年の出題傾向　★★★☆☆

憲法 ② 基本的人権 人権総論（2）

人権総論では，その沿革「自然権思想」を理解し，人権の類型，人権の享有主体，人権の限界，幸福追求権，法の下の平等までをとらえる。人権宣言，人権の観念等からの出題は少ない。

■人権の限界

基本的人権は制限があるのかないのかの問題に対して，憲法は，「公共の福祉」という制限を規定している（12条，13条，22条，29条）。では，「公共の福祉」という制限は何か（内在的制約説，政策的制約説），および，比較衡量論，二重の基準論等から人権の限界を考察する。

「公共の福祉」といっても抽象的でとらえどころが見出せない。そこで，どのような法的意味を持つのか２つの学説が提唱された。以下２説の難点は，判断基準が抽象的であることである。

・内在的制約説（全ての人権に対して）

イ）他人の生命・健康を害してはいけない。ロ）他人の人間としての尊厳を傷つけてはならない。ハ）他人の人権と衝突した場合の相互調整の必要性。

・政策的制約説（経済的・社会的弱者の生存の保障）…22条，29条

⇒基本書および参考書によって用いられる名称に違いがあるが，それぞれの意義からとらえること。

（1）比較衡量論

前述した２説の難点を解決すべく，提唱された基準。「それを制限することによってもたらされる利益とそれを制限しない場合に維持される利益とを比較して，前者の価値が高いと判断される場合には，それによって人権を制限することができる」という考え方。しかし，この基準も，例えば，国家権力と国民の利益とを比較衡量した場合，前者の利益を優先してしまう蓋然性が懸念される。

【判例】「よど号」ハイ・ジャック新聞記事抹消事件…（最大判昭58・6・22）民集37巻5号793頁／教科書検定…（最判平5・3・16）民集47巻5号3483頁

（2）二重の基準論（double standard）

立憲民主制にとって精神的自由はきわめて重要な権利である。だから，経済的自由に比して優越する。従って，経済的自由の規制立法に適用する合理性の基準は，精神的自由の規制立法には妥当しない。もっと厳格な基準によって，審査しなければならないという考え方である。

【判例】全逓東京中郵判決…（最大判昭41・10・26）刑集20巻8号901頁／薬局距離制限違憲判決…（最大判昭50・4・30）民集29巻4号572頁

（3）在監者の人権と公務員の人権

大日本帝国憲法の施行下の「特別権力関係論」（学説）は，現行憲法では認められていない。特別な法律関係において原則として人権規定が適用される。そして，当該関係における人権の制約は，個々の関係毎に，その目的の達成に必要最小限度のものにとどまらなければならない。

大日本帝国憲法から日本国憲法への移行に関しては，基本書等でしっかりおさえておくこと。

【判例】猿払事件…（最大判昭 49・11・6）刑集 28 巻 9 号 393 頁

⇒国公法 102 条 1 項，110 条 1 項 19 号，人事院規則（14-7）5 項 3 号，6 項 13 号は，合憲か違憲か。下級審からの判決の流れに注意。

全農林警職法事件…（最大判昭 48・4・25）刑集 27 巻 4 号 547 頁

警職法改正案国会上程に対して反対する被告人たちは，全農林勤務時間内での抗議行動を扇動したとして国公法 110 条 1 項 17 号違反の罪に問われた事案。

⇒公務員による政治活動を規制する現行法および労働基本権は合憲。

（4）私人間における人権の問題

基本的人権の規定は，本来，対国家（公権力）による国民への権利を保障するものであることを，しっかり理解しておくこと。しかし，大きな力を持った社会的権力ともいえるような私的団体による個人への人権侵害はどうなるのか，いわゆる人権規定の私人間効力の問題が現出している。

憲法の人権規定は，私人相互の関係に適用されるか否かでは，3つの学説が提唱されている。

①無効力説…憲法の人権規定は私人間にはおよばない。

②間接適用説…私人間に直接適用されるのは私法の規定である。従って，私人間の人権侵害問題は，私法規定の解釈をする際，憲法の人権規定の趣旨を読み込んで憲法の人権規定を間接的に適用しようとする考え方である。

③直接適用説…人権規定は，私人相互の関係に直接適用されるという考え方。

⇒間接適用説が通説・判例の立場であるが，直接適用説の問題点を基本書からしっかり理解しておくこと。

次に，私人間に人権規定がどのような場合におよぶのかである。

イ）かかる人権侵害行為が，憲法の人権規定に違反するものであること。

ロ）問題とされる私人間において，支配・服従等の関係にあることで，人権侵害をした私人が国家権力に近似している場合。

【判例】三菱樹脂事件…（最大判昭 48・12・12）民集 27 巻 11 号 1536 頁／日産自動車男女別定年制事件…（最判昭 56・3・24）民集 35 巻 2 号 300 頁

ワンポイント★アドバイス

人権の限界に関しては，各々提唱されている理論のうち，内在的制約説，政策的制約説，比較衡量論をベースにして，よく理解して二重の基準論をとらえるようにすると理解は容易である。まずは基本書を熟読すること。通説・判例の見解を問う単純正誤型の他，やや深く掘り下げられた問題も出されている。

出題パターン check!

法の下の平等に関する次の記述のうち，妥当なものはどれか。

（1）尊属殺重罰規定は，封建時代からの家族制度を維持・強化するために規定されたもので，これは人格価値の平等に反する不合理な扱いだから違憲無効とした判例がある。

（2）憲法 14 条 1 項は，不合理な差別を列挙しているが，これら列挙したもの以外の差別は，法の下の平等とは無関係である。

（3）少年と成人とを比べると，確かに精神的にも肉体的にも違いがあるが，法の下の平等では，少年も成人もいかなる場合にも等しく取り扱わなければならない。

（4）憲法 14 条の法の下の平等とは，国家は不平等な取り扱いをしてはならないということであって，法的な取り扱いの平等を求めるものである。

（5）公務員の労働争議権の全面一律禁止は，公務員でない一般の労働者のそれと比して法の下の平等に反しないのは，公務員が採用時に自発的に労働争議権を放棄しているからである。

答え（4）

過去5年の出題傾向 ★★★★★

憲法 ③ 精神的自由権（表現）

精神的自由権には，思想・良心の自由，信教の自由，表現の自由，学問の自由が規定されている。表現の自由に関しては，判例が実に多い。そのため，判例を素材として出題される傾向が高い。

■表現の自由の意義 よく出る

憲法21条1項の表現の自由は，思想や知識を発表する自由を保障したものである。言論は口頭によるもの，出版は印刷物をいい，「その他一切の表現の自由」からは，絵画，彫刻，音楽，演劇，映画等の全てが表現の自由として保障される。

表現の自由は2つの価値によって基礎づけられている。1つは，個人的な価値としての「自己実現の価値」であり，もう1つは社会的な価値としての「自己統治の価値」である。前者は自己の内心に抱いている思想等を表現することで自らの人格を向上させる源になり，後者は言論活動により政治への意思決定に国民が関与することが民主政治への根源となる。このような重要な意義を持つ表現の自由の合憲性は，それ以外の人権に対する制限の場合よりも，より厳格な基準によって判断を求めているのである（「優越的地位の理論」）。

■知る権利 よく出る

上で取り上げた「表現の自由」を逆の面（受動的）からみると，「知る自由」，「聞く自由」，「読む自由」となる。これらを総称した知る権利はきわめて基本的な権利である。

前述した民主政治に国民が関与するには，国内外の政治や経済や社会の実相および問題を正確に知らなければならない。しかし，現在，情報は国家に集中している（国家秘密の増大化現象）。国民が真に知らなければならない情報を，知ることができなくなるということは，国民が正確な判断ができなくなることになり，国が専有している情報に対して「知る権利」は，国民が公開を求める権利として形成される。

もう1つの側面は，マス・メディアの巨大化・独占化である。マス・メディアが情報統制によって一方的に流す情報を甘受せざるをえない立場に立たされている国民が抗議するために，「知る権利」が形成された。「知る権利」を考える時，この両者の状態を，しっかりととらえる必要がある。

①情報公開請求権

国が専有している情報を，それも国民が必要としている情報を，国に対して請求できる（アクセス）ように，1999年に制定されたのが情報公開法である。

⇒地方公共団体によっては情報公開条例が制定されている。

②アクセス権（反論権）

マス・メディアに国民からアクセス権を主張する場合。サンケイ新聞意見広告事件（最判昭62・4・24 民集41巻3号490頁）に目を通して，このアクセス権（自己の意見を発表する場の提供の要求）を理解すること。反論権は認められていない。

③取材の自由

報道の自由は，前述したように憲法21条によって保障されるが，報道は，取材・編集・発表という作業によって成り立つものであれば，取材にも，憲法21条の保障がおよぶのかという問題がある。通説は是認するが，判例では「憲法21条の精神に照らし，十分に尊重に値するもの」と述べるにとどまっている。
【判例】テレビフィルム提出命令事件…（最大判昭44・11・26）刑集23巻11号1490頁
⇒取材の自由に関する最高裁の見解は，この判旨から，しっかり理解すること。
④営利広告の自由
営利目的の商業広告にも，表現の自由の保障がおよぶというのが通説の考え方だが，判例は，表現の自由とはとらえていない。
【判例】（最大判昭36・2・15）刑集15巻2号347頁

■表現の自由の限界 よく出る

表現の自由は前述した二重の基準論により厳格な基準によって審査しなければならないが，表現の自由の内容毎に異同があり，その差異によって検討する必要がある。
①事前抑制の禁止
事前抑制とは，ある表現の行為がなされる前の段階で，公権力によって抑制することである。原則論としては，表現の自由は，優越的地位にあり事前抑制は，禁止される。しかし，事前抑制といっても，様々なタイプがあり，他者の人権との調整から，事前抑制を認めなければならない場合もある。
【判例】北方ジャーナル事件…（最大判昭61・6・11）民集40巻4号872頁
⇒この判例から事前抑制の例外（公共性がない）を理解しておくこと。（補）刑法230条の2第1
②検閲の禁止
検閲とは，「国家権力が主体となって表現内容を審査し，不適当と認めるときはその表現行為を禁止すること」である。憲法21条2項で検閲禁止を明記しているのは，表現の自由は，「優越的地位」にあり，検閲は国家による思想の弾圧・統制をもたらし，民主制に反するためである。ゆえに検閲は無条件に違憲とされなければならない。
⇒税関による輸入書籍等の検査は検閲にあたるか。
【判例】税関による輸入物検査と検閲の禁止…（最大判昭59・12・12）民集38巻12号1308頁
⇒税関検査は検閲にあたらない。
⇒教科書検定は，検閲にあたるか。
【判例】第一次家永教科書事件…（最判平5・3・16）民集47巻5号3483頁
⇒検定で不合格となった図書は教科書として発行できないが，一般図書としての発行はできることから検閲にあたらない。
③表現内容の規制の問題
いわゆるわいせつ文書に関して，なにが「わいせつ」かの判断が，規制する側の主観によって表現内容を規制するとの批判がある。学説では，「明白かつ現在の危険」の基準を用いて判断すべきとの主張がある。主な基準として「当該行為をなんら規制することなく放置したならば，ほとんど例外なく『害悪』が発生するであろう」ということが証明されて，その規制の合憲性が認められることになる。

出題パターン check!

表現の自由に関する次の記述のうち，妥当なものはどれか。

（1）刑事裁判においては，とくに適正な手続が要求されていないので裁判所が報道機関に対して取材フィルムの提出を求めることについて特段の制約はない。
（2）表現の範囲や内容について事前に一定の基準を設け，これに抵触する表現行為を規制することは，表現が営利的なものであっても，また非営利的なものであっても許されない。
（3）表現の自由は国民個人の表現行為についての保障であるから，報道機関の報道の自由は当然に表現の自由に含まれるものではない。
（4）表現の自由といえども他人の財産権・管理権を不当に害するごときものは許されず，他人の家屋に了承なくはり札をする行為を規制しても，表現の自由には反しない。

答え（4）

過去５年の出題傾向　★★★★★

憲法 ④ 経済的自由・人身の自由

経済的自由権では職業選択の自由と財産権の意義にポイントを置く。人身の自由では，人間の尊厳にとって身体の不当な拘束を受けない自由は全ての自由権の根源であることを理解する。

■経済的自由権

（１）職業選択の自由

職業選択の自由とは，自己が選択した職業を行う自由である。職業には，雇われてはたらく職業と，自らが営業の主体となって営む職業に大別されるが，職業選択の自由には，その両者を含む。

◇制約◇

職業選択の自由ならびに営業の自由は，直接社会と密接な関係と影響を持つことから内在的制約を受ける。この制約は，社会に与える害悪（生命・健康面での）の防止という消極的な目的の制限であるから，消極目的の制限と呼ばれる場合がある。具体的には，公衆衛生，犯罪防止等から，職種によっては，開業するにあたって行政庁の許可を必要とするものがある。

次に，「政策的制約」が及ぶ場合である。例をあげれば，小売市場における大型店の進出と弱小小売店の保護の問題等がある。

（２）財産権

財産権は，その変遷をおさえること（近代市民法の規範原理・所有権絶対の原則に公共の福祉という制約を設けるワイマール憲法）。憲法29条1項の規定は，自由権における財産権の保障と，私有財産制度の保障という2つの意義がある。

■人身の自由　よく出る

・適正手続の保障

適正手続の保障は，国家権力による恣意的な刑罰権の発動および不当な人権侵害を抑制するものでなければならない。本規定は，ただ単に手続を法定するというだけでなく，その内容の適正さ（告知・聴聞を受ける権利の保障）も求めている。そして，実体要件（刑罰権発動の根拠）も法定（罪刑法定主義）を求め，その実体規定も適正（刑罰法規の明確性の原則）でなければならない。

・憲法31条と行政手続

夜警国家から積極国家への移行は，行政権の機能の増加を顕著にし，それに伴って国民の権利や自由を侵害する危険性を真剣に検討しなければならなくなった。すなわち，憲法31条の法定手続は行政権にも及ぶのかどうかという問題である。判例は原則的に適用されるとの見解を示している。

・憲法の刑事手続規定

刑事手続の流れに沿って，すなわち，捜査段階から公判段階までの全体を規定したものであることを理解することが大切。

◇捜査段階

（１）逮捕の要件

憲法33条は，令状（逮捕状）による通常逮捕と，現行犯逮捕を認めている。犯罪の取り調べのため身体を拘束する逮捕は，捜査機関の独断で行うことは許されず，司法官憲（裁判官）の発する令状を必要とする（司法的抑制，令状主義）。

令状主義の例外としては，現行犯逮捕を認めているが，急速を要し，裁判官に逮捕状を求める時間的余裕がないときの「緊急逮捕」に疑義が生じる。

(2) 抑留・拘禁（憲法34条）

逮捕に引き続いての身柄の拘束で，それの一時的なものを抑留，それの比較的継続的なものを拘禁という。尚，拘束される場合，弁護人依頼権が保障される。また，拘禁理由に関しては，公開の法廷でその理由の開示を求めることができる。

(3) 住居の不可侵

住居等への侵入・捜索・押収は，裁判官の発する令状（捜索状等）によらなければならない。憲法35条は，場所・領域のプライバシー権。

(4) 拷問及び残虐刑の禁止（憲法36条）

拷問は，被疑者・被告人に官憲が自白を得んとして肉体的・生理的苦痛を与えることをいう。残虐刑とは，刑の執行方法が「その時代と環境において人道上の見地から一般に残虐性を有するものと認められる場合」に「残虐な刑罰」に当たる。

◇公判段階

(1) 刑事被告人の権利

（イ）憲法37条は，公平な裁判所の迅速な公開裁判を受ける権利，(ロ)証人尋問権・喚問権，(ハ)弁護人依頼権を保障している。

(イ) 迅速な公開裁判

【判例】高田事件…（最大判昭47・12・20）刑集26巻10号631頁

審理開始後，15年余り中断，再開されなかった事案で，保障の侵害とする判旨。

(ロ) 証人尋問権

訴訟の当事者が自己に有利な事実上・法律上の主張をし，証拠を出し合い論争した上で，それを，中立の第三者（裁判官）が判断するという方式において，この反対尋問権は当事者主義を実現するための必須な保障である。

(ハ) 弁護人依頼権

「死刑または無期もしくは長期3年を超える懲役もしくは禁錮（2025年6月より拘禁刑で一本化）にあたる事件」を審理する場合，弁護人がいなければ開廷できない（必要的弁護）。被告人が経済的理由で弁護人を依頼できないときは，国選弁護人の制度がある。必要的弁護および刑事訴訟法37条の事由の他は，弁護人を依頼するか否かは，被告人の自由な意思による。

(2) 自己に不利益な供述及び自白の証拠能力（憲法38条）

自己に不利益な供述とは，自己負罪拒否特権（黙秘権）をいい，不当に精神的・肉体的に何ら抑圧されない状態で，自白するか否かは，その本人が決定する権限を持っていることを意味する。

(3) 遡及処罰の禁止・一事不再理（憲法39条）

前者に関しては，罪刑法定主義の原則をしっかり理解しておくこと。後者は，上訴期間の徒過，上訴の放棄・取下さらに上訴を棄却する裁判の確定によって実体判決又は免訴判決が確定した場合，同一事件に関して再び公訴を提起することは許されないとする原則。

出題パターン check!

刑事司法に関しての次の記述のうち，妥当なのはどれか。

（1）身体の継続的拘束である拘禁や，一時的拘束である抑留を受けた者は，直ちに拘束の理由である犯罪事実の要旨を告げられ，弁護人を依頼する権利を与えられなければならない。

（2）憲法31条は，刑罰を科する手続きは適正でなければならないことを求めているが，法律の内容まで実質的に適正であることまで求めていない。

（3）無罪の判決が確定した後，検察官が同一の犯罪の有力な証拠を新たに入手した場合，公訴の提起ができる。

（4）行為時に刑罰によって禁止されていなかった過去の行為のうちで，重大なものは，新たに法律が犯罪と定めた場合，事後法は当然認められる。

（5）自己に不利益な唯一の証拠が公判廷における自白の場合，補強証拠を必要としない。

答え（1）

過去５年の出題傾向　★★★★☆

憲法⑤ 参政権・受益権・国民の義務

参政権では議員定数不均衡や戸別訪問の主要判例を，しっかり把握しておくのが肝心。これらの判例をベースにして出題される場合がある。

■参政権

（1）選挙権の法的性格

国家意思の形成活動に，国民が能動的に参加する権利であって，具体的には選挙権，被選挙権，国民投票権，公務員になる権利等がある。

これらのうちの選挙権は，選挙人の地位から，公務員の選挙に関わる「公務」ととらえるか（公務説），国民に保障する国政への参加の権利（権利説）ととらえるかの選挙権の法的性格をめぐる争いがある。しかし，通説としての見解は，これらの説を複合させた二元説である。たしかに選挙権は，人権のうちの一つであって，参政権の行使という観点からの権利である。しかし，公務員という国家の機関を選定するものであって，それを純粋な権利としてとらえるには異なる側面があり，従って，そこに公務という性格が付け加えられていると考えることができるからである。

（2）選挙権の要件に関する基本原則

この原則には，普通選挙，平等選挙，自由選挙，秘密選挙，直接選挙の５つの原則があげられる。このうち重視しなければならないのが，普通選挙と平等選挙であって，ここではそれらを検討する。

①普通選挙

納税額や財産の所有，教育，信仰，性別等を選挙の要件としない選挙。逆に，それらを要件とする制度を制限選挙という。憲法15条３項および44条の選挙人の資格の規定によって普通選挙制の保障を定めている。

②平等選挙

選挙人の価値が平等であること，すなわち，１人１票を原則とする制度（憲法14条，44条，公職選挙法36条）。

【判例】被選挙権の性格…（最大判昭43・12・4）刑集22巻13号1425頁

「立候補の自由」は，「選挙権の自由な行使と表裏の関係」で，立候補の自由は，憲法15条１項で保障される。

【判例】平等選挙の原則と議員定数不均衡の問題…（最大判昭51・4・14）民集30巻3号223頁

判旨（イ）選挙権の平等は投票価値の平等。（ロ）１対５程度の不均衡は立法裁量の限界を超え違憲。しかし，選挙は無効としない（事情判決）。

【判例】戸別訪問禁止事件…（最判昭56・6・15）刑集35巻4号205頁

判旨「憲法21条は絶対無制限の言論の自由を保障しているのではなく，公共の福祉のため」「合理的制限がおのずから存する」「選挙の公正を期するために戸別訪問を禁止した結果として」衆議院議員選挙法98条（当時―現行公職選挙法138条１項）の禁止規定は憲法21条に違反するものではない。

■受益権

日本国憲法は，自由権の保障と共に，ひとりひとりの国民が国家に一定の行為を要求する権利も保障している。それは，個人の権利の保護を国家に請求する権利である請願権（憲法16条），裁判を受ける権利（憲法32条），国家賠償（憲法17条），刑事補償（憲法40条）である。

(1) 請願権

国の機関に対し，ある事項について希望を陳述する権利である。その沿革は，立憲主義以前にその原形があり，個人の権利として初めて法典に現れたのは，権利章典(1689年）であった。因みに，大日本帝国憲法では，臣民の権利として存在した。古く長い歴史を持つ請願権は，日本国憲法では基本権の一つとして位置づけられる。

請願は，権利救済を求めるための法的手段ではなく，国からの恩恵的な手段であると考えられている。従って，請願を受けた国家機関は，その内容に関して審査して回答をしたり，具体的に何らかの措置を講じる法的義務はないものととらえられている。ただし，請願権は，外国人にも保障されていて，今日，定住外国人の選挙権に関して物議をかもすことがあるが，別の観点から外国人の請願権は，意義があるものと考える。

(2) 裁判を受ける権利

全ての国民が平等に，政治部門から独立した公平な裁判所に訴えて，裁判を求める権利があるということ。刑事事件に関しては，前述したような裁判所の裁判によらなければ刑罰を科せられないという意義がある（自由権の一種）。この権利で最も重視すべきことは，人権侵害の救済手段として裁判を求める権利があるということである。尚，憲法37条1項にも併せて規定がある。前の人身の自由でもあげたが（迅速な公開裁判），審理がひどく遅れた場合，具体的な規定が存在しなくとも，当該審理を打ち切るという非常救済手段がある。

(3) 国家賠償請求権

公務員が不法行為を行った場合，国または公共団体に対して損害賠償を請求する権利。明治憲法では，一般的に公務員の不法行為には賠償責任が否定されていた（国家無答責の原則）。外国人への国家賠償請求権に関しては，その外国人の国籍を有する国家で，日本人が同等の扱いを受けられる場合には（相互保証制度　国家賠償法6条），その外国人も国家賠償請求ができる。

(4) 刑事補償請求権

犯罪の嫌疑を受け，身体を拘束され，無罪の裁判を受けた刑事被告人に刑事補償を請求する権利を保障している(憲法40条)。この権利は，明治憲法にはなかった。

■国民の義務

日本国憲法が特に義務としてあげているのは，教育の義務（憲法26条2項），勤労の義務（憲法27条1項），納税の義務（憲法30条）である。これは，多分に倫理的な宣言で，法的な義務は特にないととらえられている。

出題パターンcheck!

選挙に関する次の記述のうち，誤っているものはどれか。

(1) 参議院議員選挙の一票の価値の合理的範囲は，参議院の特殊性から，衆議院議員選挙の場合よりもゆるやかに考えられている。
(2) 憲法の保障する法の下の平等は，選挙人資格だけでなく，投票価値の平等もその内容としている。
(3) 違憲の判決があった場合には，訴訟の対象となった選挙自体も無効となり，判決確定後改めて選挙が行われる。
(4) 一票の価値の差が合理的範囲を超えている場合，定数配分規定は違憲だとする判決がこれまでたびたびなされている。
(5) 選挙区への議員定数配分規定は，単に立法政策の問題ではなく，その内容が合理的範囲内でなければ，配分規定は違法である。

答え（3）

過去５年の出題傾向 ★★★★☆

憲法 ⑥ 社会権

社会権の中では，教育を受ける権利・労働基本権等が出題されている。教育を受ける権利は，全ての子どもが教育を受ける権利を有しており，憲法 26 条で保障されている。

■生存権 よく出る

生存権は，憲法 25 条 1 項の条文に留意すること。生存権の具体例としては，生活保護法，児童福祉法，国民健康保険法，雇用保険法等がある。

・生存権の法的性質をめぐる問題

生存権はプログラム規定なのか，それとも法規範なのかをめぐっての論争がある。

後者の法規範とした場合，憲法 25 条の規定では直接，裁判所に請求することはできず，生存権を具体化した法律ができて初めて具体的な権利となる抽象的権利説に対して，具体的権利説によると，国が生存権を具体化する法律を全く制定しなかった場合，立法不作為の違憲確認訴訟を提起することができる。

【判例】朝日訴訟…（最大判昭 42・5・24）民集 21 巻 5 号 1043 頁

「全ての国民が健康で文化的な最低限度の生活を営み得るように国政を運営すべきことを国の責務として宣言したにとどまり」（プログラム規定）。

■教育を受ける権利 よく出る

憲法 26 条 1 項の規定は，教育の機会均等と社会権に定められた教育を受ける権利を定めたものである。

後者は，積極的配慮を要求する権利であるが，機会均等の意味をどのようにとらえるか，これまでの見解（通説）は，経済的理由から就学困難な者に経済面の条件としての整備を国家に求める権利としてとらえられてきた（経済面の条件整備要求権）。この見解も重要な要素であるが，全ての子どもは，生まれながらにして教育を受け，学習し，成長・発達する権利を有しており，その学習権を実現させるために国家は条件を整備し，充実した教育内容を提供しなければならない。教育を受ける権利とはこの様な教育を国に要求する権利ととらえられている。

【判例】義務教育の無償…（最大判昭 39・2・26）民集 18 巻 2 号 343 頁

「無償とは，授業料の無償の意味」とする判旨（判例・通説）。

■勤労権

憲法 27 条は，その 1 項で勤労の権利を保障し，２項で勤労条件に関する基準を法律で定め（制度的保障），３項で児童の酷使の禁止を規定している。

①勤労の権利（憲法 27 条１項）

この規定は抽象的な規定であり（新たに具体的な権利が定められない限り，具体的権利は認められない），仮に立法が新たにされなかった場合，強制する方法はない。従って，本規定は，プログラム規定と解する。

②勤労条件に関する基準（憲法 27 条２項）

国家が積極的に立法（勤労条件を定める法律）を通じて介入し，労働者の立場を擁護しようとしたものである。

③児童の酷使の禁止（憲法 27 条３項）

歴史上，児童を酷使した忌まわしい事実があった。尚，この条項の効力は，私人間にも及ぶ。

■労働基本権 よく出る

前述した社会権の生成を想起し，自由放任主義の弊害の発生から労働基本権の保障をとらえると理解が容易になる。自由放任主義を貫いてゆくうち，労使間の経済力の差から，特に，使用者側が主導権を握る勤労条件は非人間化し，個人の尊厳を守ることとは程遠い内容になってしまうため，国家は，その両者の関係に関与し，団結権を保障して，その地位を向上させ，団体交渉および団体行動をする権利を認めることによって，勤労者の人間に値する生存を実現させようとしたものである。

①労働基本権の保障の内容（労働三権）（憲法 28 条）

（イ）団結権

勤労者が適正な労働条件を維持し改善するために，使用者と対等の交渉力を有する団体（労働組合）を結成する権利である。

（ロ）団体交渉権

勤労者の団体（労働組合）が，使用者と労働条件について交渉し労働協約を締結する権利である。

（ハ）団体行動権（争議権）

勤労者が，労働条件の維持および改善する要求を実現する目的で，業務の正常な運営を阻害（ストライキ，サボタージュ等）することができる権利。

②労働基本権の性格

（イ）社会権として，労働基本権を確実に保障するため，国に立法その他の措置を要求し，国はその義務を負う。

（ロ）自由権的な側面を持つものとして，正当な争議行為は刑事免責を有する。

（ハ）使用者に対する勤労者の権利（労働三権）は私人間の関係に当然に適用される。従って，私人間においてなされた契約等で，この権利を侵害するものは無効となる。

・勤労者の意義

労働力を提供し，その対価（賃金・給料・その他）を得て，生活する者をいう。労働基準法，労働組合法等にいう労働者のこと。公務員は勤労者である。農民，漁民，小商工業者（自己の計算で業を営む者）は，勤労者ではない。

③公務員の労働基本権の制限

現行法上（国家公務員法，地方公務員法等），全ての公務員には争議権が禁止されている。しかし，憲法 28 条は，全ての勤労者に対して労働基本権を保障していて，公務員を除外するとはどこにも明文規定されていない。

それゆえ，公務員の労働基本権の制限は，憲法 28 条に違反しないのか否かをめぐって，当初から争われてきている。

	団結権	団体交渉権	争議権
警察・消防・自衛隊・海上保安庁・刑事施設	×	×	×
地方公務員・非現業公務員	○	制限	×
現業公務員（林野等）	×	○	×

出題パターン check!

教育を受ける権利に関して次の記述のうち，妥当なものはどれか。

（1）憲法の義務教育の無償とは，授業料のほかに教科書，学用品まで含むとするのが判例である。

（2）教育を受ける権利は，親の経済的理由から，学校へ行けない子どもたちだけを救済する考え方がその根底にあるのが今日の通説である。

（3）教育を受ける権利は，経済的な面での条件整備要求権だけでなく，子どもの学習権をその根底において考えている。

（4）憲法 26 条２項の義務教育の無償制とは，教育の機会均等のため経済的側面での条件整備要求権を最大限認めたものである。

（5）親には子どもの教育に対する支配権が認められているが，その支配権は家庭環境はむろんのこと学校内における教育にも及ぶ。

答え（3）

過去5年の出題傾向　★★★★☆

憲法 ⑦ 国会

国会の3つの地位についての通説をしっかり覚えておく。両議院の権能は，整理しておくこと。衆議院の優越に関しては，その事項と内容，なぜ参議院に優越するのか理解しておく。

■国会の地位と構成

(1) 国民代表機関

国の立法およびその他の重要な国政に参与する機関である国会は，国民より公選された議員によって組織されている（憲法43条）。すなわち，これが国民の意思により国政を行わなければならないとする政治思想の根幹をなしている。ある著者は，「国家の政治組織の中で議会が占めている地位は，その国家における民主主義の強弱の度合を示すものである」と述べている。この言葉の深い意味をしっかりとらえる必要がある。

(2) 国権の最高機関

憲法41条では,「国会は国権の最高機関」といっているが，これは，法的に厳密に考えて規定したものではない。これは，国会が主権者である国民によって直接選挙される国家機関で，最も近接していることから国会につけられた政治的修飾詞（政治的美称説）である。↔統括的機関説

(3) 唯一の立法機関

憲法41条「国の唯一の立法機関」とは，国会が立法権を独占していて，その他の機関による立法を認めない（国会中心立法の原則）という面と，立法において，他の機関の関与は必要とせず，国会だけの議決で法律が成立（国会単独立法の原則）するということを意味する。

次に,「立法」とは何か，ここでは，伝統的な考え方まで遡及してとらえる必要がある。19世紀の立憲君主制の頃,「国民の権利を直接，制限し，国民に義務を課す法規範の定立」を立法とする伝統的な「法規」概念があった。さらに「法規」を前提としながら，拡大的にとらえて「直接に国民を拘束し，または，少なくとも国家と国民との関係を規律する成文の一般的法規範」等が提唱されてきた。これらの考え方を熟慮すると，国会以外による法規範制度の余地が考えられる。憲法には，国会のみが制定した法律に基づいて，行政・司法を従わせる狙いがあり，ここから，立法とは,「およそ一般的・抽象的法規範の定立一切をいう」意義としてとらえるのが妥当であろう。

※引用・参考文献『入門憲法ゼミナール』浦部法穂著 『憲法〔第七版〕』芦部信喜著

(4) 二院制

国会は，衆議院と参議院の2つの合議体で構成される（憲法42条）。そして，両議院とも「全国民を代表する選挙された議員でこれを組織する」（憲法43条）。

(5) 衆議院の優越

憲法は，いくつかの面で衆議院の優越を認めているが，その事由は,（イ）衆議院は，議員の任期が短く，且つ，解散制度があり，より強力な民主的コントロールが可能だからである。（ロ）両院の意思が合致せず，国政への停滞が続くと深刻な問題を惹起する懸念があるからである。具体的には，法律案の議決（憲法59条），予算先議権（憲法60条1項），予算の議決（憲法60条2項），条約の承認（憲法61条），内閣総理大臣の指名（憲法67条2項），内閣不信任決議（憲法69条）。

■国会の活動

(1) 会期と原則

会期とは国会が活動能力を持つ期間のことで，常会，臨時会，特別会の3種類がある。

(2) 会期の制度

①会期不継続の原則…会期中に議決されなかった案件は，次の会期には継続しない（国会法68条）。

②一事不再議の原則…いったん議決した議案は，同じ会期において再提出することはできないとする原則。いわゆる，再議によって覆すことはできない（国会法56条4項）。明治憲法39条には，この規定が存在した。

(3) 国会の召集と閉会

①国会の召集…国会は，内閣の助言と承認によって天皇が召集する（憲法7条国事行為）。

②休会…国会あるいは各議院が議決によって，会期中，一時的に活動を休止することをいう。尚，国会の休会は，両議院一致の議決を必要とする。各議院の休会は，10日以内（国会法15条1項・4項）。

③延長…国会の会期は，両議院一致の議決で延長することができるが，両議院の議決が一致しない場合，または参議院が議決しない場合には，衆議院の議決による（国会法12条，13条）。

④閉会…会期の終了または衆議院が解散されたとき閉会となる（憲法54条2項）。衆議院が解散された場合，参議院は同時に閉会となる（憲法54条2項）。

(4) 審議の原則

①定足数…少数の議員によって議事を開催し，議決することは，会議の根幹をゆるがすため定足数がある。定足数とは，議事を開いて議決する際，必要とされる最小限度の出席者数をいう。両議院では，総議員の3分の1である（憲法56条1項）。

②議決要件…憲法56条2項が表決の原則。

■国会議員

(1) 不逮捕特権

憲法50条は，議員に対して不逮捕特権を保障して，政府の権力の濫用を防止して議員が職責を全うできるように配慮したものである。特権が認められない場合は，①院外での現行犯罪（憲法33条）と②議院の許諾がある場合の2つである。ただし，①に関して，院内における現行犯罪は，議院の自主的な措置に，②では，通説として，正当な逮捕請求は許諾しなければならない。尚，特権は，会期中と参議院の緊急集会は認められ，閉会中の継続審議の委員会は認められない。

(2) 免責特権

憲法51条の規定は，議員の自由な言論の保障として，職務遂行に制約を受けさせないようにしたものである。特権は，両院の議員であって，議員でない国務大臣は除かれる。免責される行為は，「議院で行った演説，討論または表決」である。尚，地方公聴会においての発言もその対象となる。以上，あげた行為は，院外で民事，刑事および懲戒の責任を問われない。

⇒国会法119条，120条，121条。

出題パターンcheck!

以下の記述のうち，妥当なものはどれか。

(1) 条約の国会承認については，予算の議決の規定が準用されるとされており，衆議院の先議権が認められている。

(2) 内閣は行政権の行使について国会に対して連帯して責任を負うとされており，内閣不信任の決議は，衆議院と参議院の両院に認められている。

(3) 国会の休会は両議院の一致を必要とするが，両議院の議決が一致しない場合および参議院が議決しない場合は，衆議院の議決による。

(4) 参議院の緊急集会でとられた措置は，次の国会開会の後10日以内に衆議院の同意が得られない場合は，その効力を失う。

答え（4）

過去５年の出題傾向　★★★☆☆

憲法⑧ 内閣

憲法65条は，行政権は内閣に属すると定めている。「行政」という概念は，権力分立主義の考え方によって，立法・司法と区別されて成立したものであることを，まず理解しよう。

■議院内閣制

国民主権主義をその根底において，国民の直接選挙によって構成される議会の信任に内閣という合議制機関の存在を拠り所とさせる制度である。そして，本質的特色として（イ）議会と内閣とが一応分立している。（ロ）議会の信任によって内閣は成立・存続するもので，議会に対して責任を負うものである。

（1）日本国憲法の定める議院内閣制

憲法で議院内閣制を採用しているのは，下記の諸点に現れている。

①内閣総理大臣の指名。内閣の首長は，国会議員の中から，国会の議決で指名する（憲法67条）。

②国務大臣は，内閣総理大臣によって任命されるが，その過半数は，国会議員の中から選出されなければならない（憲法68条１項）。ただし内閣官房副長官を議員は兼ねることができる。

③衆議院で不信任の決議案を可決し，または，信任の決議案を否決したとき，内閣は，10日以内に衆議院が解散されない限り，総辞職をしなければならない（憲法69条）。内閣は，その成立が国会の意思に依存しているだけでなく，存続に関しても，衆議院の信任に依存している。

④内閣は，行政権の行使に関して，国会に対して連帯責任を負う（憲法66条３項）。

⑤内閣総理大臣・国務大臣の議院出席の権利と義務（憲法63条）。

議院内閣制の本質については，論争がある。政府と議会とが一応分離していることによって政府が議会の信任に依存しているという論拠の責任本質説と，憲法69条の内閣が議会に対して自由な解散権があることによって，権力均衡の面を重視する均衡本質説の２つである。

（2）衆議院の解散

衆議院議員の任期満了前に，議員全員の資格を失わせる行為である。衆議院の規定が充分でなかったため，解散権の実質的主体は誰にあるのかという論争がある。

憲法では７条によって，衆議院の解散が天皇の国事行為とされて，内閣の助言と承認により行うとされているが，４条１項により天皇は国政に関する権能を有しないから，いったい誰に実質的な解散の権限があるのかという解散権の実質的な主体の問題がある。

■内閣の組織と権能

（1）内閣の組織

内閣は，その首長である内閣総理大臣およびその他の国務大臣で組織される（憲法66条１項）。各大臣は，合議体として内閣の構成員であって，それと共に主任の大臣として行政事務を分担管理する（内閣法３条１項）。そして，行政事務を分担管理しない無任所大臣も認められている（内閣法３条２項）。国務大臣の数は，原則として14人以内，特別に必要な場合は17人以内とされている（内閣法２条２項）。

尚，内閣総理大臣および国務大臣は文民でなければならない（憲法66条2項）。これは当時，連合国軍総司令部（GHQ）から要求があったものである。文民とは職業軍人の経歴がない者とする説が通説である。

（2）内閣の権能

①内閣の職務

行政権は内閣に属し（憲法65条），一般行政事務は，したがって，内閣に属するのである。憲法73条は，「他の一般行政事務の外，左の事務を行ふ」と7つの事務を列挙しているが，ここであげたものは，とりわけ重要なものを選別して，内閣の権限を明らかにしようとした意図が考えられる。

<1号>…行政の本質は，法律の執行であり，ここでは法律を誠実に執行することを求めたものである。

<2号と3号>…日常の外交事務は外務大臣の主管であるが，外交関係の処理および条約の締結等の重要な外交事務は，内閣が処理することを定めたものである。

<4号>…行政権の職務を行う公務員の任免，服務，懲戒等々の人事行政事務。

<5号>…内閣が予算の作成，提出をするが，その権限は内閣のみである。

<6号>…内閣に政令を制定する権限があることを定めているが，政令は「憲法および法律を実施するために」内閣が制定することができる執行命令である。そして，政令は，行政機関が制定する命令の中で最高位に位置づけられる。

<7号>…大赦，特赦，減刑，刑の執行の免除及び復権を決定すること。

一般行政事務の主なものを説明する前に，内閣法4条の閣議について触れる。「閣議は，内閣総理大臣がこれを主宰する」（内閣法4条2項），この閣議によって内閣の職権を進めてゆく。

尚，この閣議は慣例として全員一致となっているが，この背景には内閣の一体性の確保の狙いがある。

②内閣の職務と憲法が定める特別な事務

憲法73条以外の一般行政事務は内閣法7条および8条に規定されている（内閣法参照）。

・憲法が規定する特別な事務

（イ）天皇の国事行為への助言と承認（憲法3条，7条）

（ロ）国会に対する権限

a．臨時会召集の決定（憲法53条前段）。しかし，召集するのは天皇である（憲法7条2号）。

b．衆議院の解散の決定（憲法7条3号，憲法69条）前述の，解散権の実質的な主体の問題を想起せよ。

（ハ）裁判所との関係

a．最高裁判所長官の指名権（憲法6条2項）。最高裁判所長官の指名権は有するが，任命権は天皇である。

b．最高裁判所長官以外の最高裁判所裁判官および下級裁判所の裁判官の任命権（憲法79条1項，憲法80条1項）。

（ニ）参議院の緊急集会（憲法54条2項）。

出題パターン check!

内閣に関する次の記述のうち，妥当なのはどれか。

（1）内閣総理大臣が辞職により欠けた場合，内閣は総辞職しなければならないが，新たに内閣総理大臣が任命されるまでは，それまでの内閣が引き続き職務を行う。

（2）内閣は最高の行政機関であるから，最高裁判所とは別に内閣所轄の行政裁判所を設け，これを行政事件に関する訴訟の終審裁判所としても違憲ではない。

（3）内閣が裁判官を任命することは司法権独立を著しく侵害し，違憲であると解されている。

（4）内閣が総辞職を義務付けられているのは，国会が不信任の決議案を可決したときと予算を否決したときである。

（5）内閣は政令を制定することができ，法律の委任がない場合でもこれに罰則を設けることができる。

答え（1）

過去５年の出題傾向　★★★☆☆

憲法 ⑨ 財政

財政とは，国家が任務を行うため必要な資金をまかない，管理し，支出する作用をいう。この意味では，国家も強大な経済主体といえる。

■財政国会中心主義

憲法83条は，国の財政に関する活動は，全て国会の議決に基づいて行わなければならないことを規定している。この原則を財政国会中心主義という。国家が，任務を行うには巨額の財源を必要とするが，消極国家（夜警国家）から積極国家に移行し，とりわけ現代国家は任務が増大し，国家財政が国民の経済に占める割合は計り知れないものがある。国家の必要とする財源は，とどのつまり国民の負担となる。それゆえ，国家の財政がどのように運用されているかは，国民の利害に影響する。そのため，財政に関しては，国民の代表機関である国会の議決に基づいて行使される。かかる原則は，財政における民主主義の現れの一つである（財政民主主義）。

（1）租税法律主義

租税法律主義とは，租税の賦課徴収が必ず法律によることを要求するものである。租税法律主義に関しては，歴史から（特に王制から）遡ってたどると深い理解ができる。そして，そこでは，立法権と課税同意権とがそれぞれ別々に発達したものであることや，国家権力による強制的課徴等を理解する必要がある。

しかし，租税法律主義には，２つの例外がある。一つは，地方税である。地方自治法は，地方公共団体の課税権の根拠を定めているが(地方自治法223条)，地方税法は，地方税の種類や一般的標準を定めているものの，法律で全ての地方公共団体に適用される規定を設けることは不可能であり，その観点から，課税客体，課税標準，税率等は，条例に委ねられている（地方税法３条１項）。しかし，これは租税法律主義から疑義がある。だが，法律の定める範囲内で地方税に対して細目の決定を地方公共団体に委ねたもの（地方自治の本旨）で，憲法上，問題がないとされている。

いま一つは，関税の賦課徴収である。これは，関税法や関税定率法に基づくのが原則である。しかし，条約により特別に協定された貨物（関税法３条但書）や政令で関税を決定したものは，例外として認められる。このことは，関税の特殊な性質によるものと考えられており，憲法84条にいう「法律の定める条件」ととらえられている。

（2）国費の支出・国の債務負担

全て国費を支出するには，国会の議決に基づかなければならない（憲法83条）。

①皇室関係

皇室の財政に関して，財政国会中心主義がおよぶ（憲法８条，憲法88条）。

②公金支出の制限

憲法の趣旨から宗教を国家から完全に分離するが（憲法20条），宗教団体に対しては，公の財産を支出，または利用の制限をすることによって国と宗教との分離の原則を貫いている（憲法89条前段）。

■予算

予算とは，一会計年度における国の財政行為の準則である。

（1）予算の作成

予算の作成権（発案権）は，内閣のみに属する(憲法86条)。これは，予算の特殊性(専門性）からくるもので予算作成権は，国会にはない。予算は最初に衆議院に提出される(衆議院の予算先議権　憲法60条1項)。これは，予算審議に関して，衆議院を尊重するもので，予算の議決と関係がある（衆議院の優越　憲法60条2項)。

（2）予算の法的性格

予算の法的性格をめぐっては3つの学説があげられる。（イ）予算は，国会が内閣に対して一年間の行政計画を承認するもの（予算行政説)，（ロ）予算は，法律の形式で議決するべきもの，すなわち，予算も法律の一種だとする説（予算法律説)，（ハ）予算は法律ではないが予算という名称を持つ国法の一形式である（予算法形式説）であるが，（ハ）が通説となっている。

これは憲法が，73条5号で予算の作成・提出を内閣の職務としている，86条で予算の作成・議決について規定，60条で衆議院の予算先議権・衆議院の優越および予算の再議決を認めないことを規定しているが，運用面でもその効力は一会計年度であること等による。

（3）予算の修正

予算の発案権，衆議院の予算先議権，衆議院の優越はすでに述べた。予算審議で問題となるのは，国会がどの程度まで予算を修正できるのか，すなわち予算修正の制限の問題である。日本国憲法は，明治憲法（67条）と異なって，国会の予算審議権を制限していない（財政国会中心主義)。従って，修正権に制限はないと解されている。また，国会法57条但書，同57条の3，財政法19条によって増額修正権が認められている。従って，予算は，減額修正，増額修正はともにできることになる(通説)。しかし，増額修正で，あまりにも大幅な修正は予算の同一性を損なうのでできないととらえられている。

（4）予備費

予算に予見しがたい不足が生じた場合［(イ）予算の費目の金額を超過して支出する場合，（ロ）予算費目のない場合]，本来からいえば追加予算の国会提出・議決を経るべきであるが，緊急性，軽微な修正の煩わしさから，国会の議決を得て予備費を設定することになったものである。予備費は，予算の中に含まれ，支出の目的を特定しない。支出に関して，内閣は事後，承諾を得なければならない（憲法87条2項)。国会の承諾は，内閣の政治的責任の解除にあり，仮に，承諾が得られない場合，無論，内閣の政治責任は考えられるが，予備費支出の法的効力とは別な問題とされている。

（5）決算

一会計年度における収入・支出を計数で表示したものが決算であるが，国の歳入・歳出は，適法に行われたのかを会計検査院が検査（憲法90条1項前段）する。内閣は，次年度，この検査報告とともに，決算を国会に提出する（憲法90条1項後段)。国会は，これを審査し，内閣の政治責任を明らかにする。

出題パターンcheck!

以下の記述のうち，妥当なのはどれか。

（1）国会は予算を審議し，それを認めるか否かを議決するが，特定の支出が否定された場合には，その支出は法的に無効とされ内閣は原状回復義務を負うことになる。

（2）予算は内閣によって作成され，国会の審議・議決を受けるが，予算の作成・提出権は内閣に専属しているから，国会は提出された予算を修正することはできない。

（3）租税法律主義は，納税義務者，税率等の課税要件と，税の賦課・徴収の手続きを法律で定めることを求めるが，ここでいう「法律」には，条例および条約を含む。

（4）予算の法的性格については争いがあるが，予算を法律と異なる特殊の法形式と解した場合（予算法形式説）には，予算と法律との不一致の問題は生じない。

答え（3）

過去５年の出題傾向 ★★★★★

憲法 ⑩ 司法権

米法の影響から立法事実が出題されており，奥行きのある勉強が求められている。司法権の範囲と限界とでは，司法審査から除かれるものを，整理しておく必要がある。

■司法権の範囲と限界 よく出る

司法権に関しては，憲法76条１項に明文規定されている。裁判所の主たる任務は，具体的な争訟（後述）について，法を適用しかかる争訟を解決する国家の作用である。そして，憲法の権力分立制の下で，裁判所は，国家の機関の一つである。

（１）司法権の範囲

明治憲法下では，司法権は，民事と刑事の裁判権を意味したが，日本国憲法下では，行政事件の裁判権も加えられた（裁判所法３条１項）。このように，旧憲法下と比較すると，現行憲法下では司法権の範囲は拡大した。そのことは，裁判所が，国法秩序の維持と国民の権利の保障という重要な任務を帯びていることを意味している。

①特別裁判所

旧憲法下では，特別裁判所が存在したが，現行憲法の下では禁止されている（憲法76条２項前段）。特別裁判所には（イ）軍法会議，（ロ）皇室裁判所，（ハ）行政裁判所等が存在した。ここで大切なことは通常裁判所と特別裁判所との判別の着眼点である。仮に，特定の種類の事件のみを担当する裁判所であったとしても，最高裁判所を頂点とする通常の裁判所にそれも組み入れられて，通常の裁判所に上訴ができ，そこの裁判官が通常の裁判所と同じ身分であれば，その裁判所は特別裁判所ではない。従って，行政機関による終審裁判の禁止は，憲法76条１項からの帰結となる。

例外としては，国会の両議院による議員の資格争訟の裁判（憲法55条）と弾劾裁判所による裁判官の罷免（憲法64条）がある。

②具体的争訟（事件性の要件）

裁判所法３条１項は，「一切の法律上の争訟を裁判し」と規定しているが，司法権は，具体的な事件についてのみ行使される。前述した法律上の争訟とは，当事者間において具体的な法律関係で紛争が発生し，その当事者から裁判所に判断を求められた場合をいうのである。

【判例】警察予備隊違憲訴訟…（最大判昭27・10・8）民集６巻９号783頁

司法権が発動するには，具体的な争訟事件が必要と判旨。

③宗教上の問題と司法審査

前述した法律上の争訟を，具体化するためには，「法令を適用することによって解決し得べき権利義務に関する当事者間の紛争」が必要であるが，宗教上の価値判断とか教義について判断を求められた場合，果して，法令の適用によっての解決は可能かの問題がある。

【判例】板まんだら事件…（最判昭56・4・7）民集35巻３号443頁

宗教上の教義に関する判断は，法律上の争訟にあたらない。

（２）司法権の限界

裁判所は，裁判所法３条１項によって「一切の法律上の争訟を裁判」するが，ここには，以下の例外がある。

（イ）議員資格争訟の裁判（憲法55条）
（ロ）裁判官の弾劾裁判（憲法64条）
（ハ）議院の自律権に属する内部事項（懲罰や議事手続等。この判例は下記する）
（ニ）自由裁量行為

これは，政治部門に自由裁量が委ねられている行為で，社会政策立法，社会権（福祉），選挙に関する立法等である。かかる行為に対して，当・不当が問題になるとしても，裁量権の著しい逸脱，濫用でない限り裁判所の統制はおよばないと考えられている。

（ホ）団体の内部事項に関する行為（部分社会の法理）

地方議会，大学，政党等の団体の自主的な問題に関しては，真にその団体の内部事項については，その性質から，自治を尊重して司法審査を差し控えるべきケースが考えられる。

【判例】警察法改正無効事件…（最大判昭37・3・7）民集16巻3号445頁

裁判所の審査権は，国会両院の法律制度の議事手続の効力を判断すべきでない。

【判例】議員懲罰の司法審査…（最大判昭35・10・19）民集14巻12号2633頁
大学の在学関係と司法審査…（最判昭52・3・15）民集31巻2号234頁

（3）統治行為 よく出る

司法権で最も重視しなければならないのは，統治行為である。統治行為とは高度の政治性を有するために裁判的審査の対象とならない国家行為をいう。この法理は，フランスのコンセイユ・デタの判例で形成されたものである。

【判例】衆議院の解散は，司法審査の対象となるのか。苫米地事件…（最大判昭35・6・8）民集14巻7号1206頁
条約の違憲審査（砂川事件）…（最大判昭34・12・16）刑集13巻13号3225頁

■裁判所の構成

・裁判所の組織

憲法79条1項は，最高裁判所の裁判官の構成について規定し，裁判所法5条1項と3項は最高裁判所長官およびその他の裁判官（14人）を規定している。最高裁判所の長たる裁判官は内閣の指名にもとづいて天皇が任命する（憲法6条2項）。その他の裁判官は，内閣が任命し（憲法79条1項），天皇が認証する（憲法7条5号）。

下級裁判所は，裁判所法2条に規定されている（ここでは，下級裁判所の列記は敢えてしない）。尚，下級裁判所の裁判官の指名は最高裁判所がなし，その任命は内閣によってされる（憲法80条1項前段）。

・終審裁判所について

最高裁判所は，司法権の最高機関であって，必ず最高裁判所に上告または抗告の機会が与えられていなければならない（裁判所法7条）。最高裁判所は終審裁判所である。

出題パターン check!

判例上，裁判所の審査が及ぶとされている事件は，次のうちどれか。

（1）国立大学の学生が，大学の専攻科修了の認定を求めて出訴した場合。
（2）衆議院の解散によって議員としての地位を失った者が，衆議院の内閣不信任決議を経ずに内閣により一方的に行われた解散は憲法違反であるとして，解散の効力を争って出訴した場合。
（3）自衛隊が憲法違反であると考える国民が，自衛隊が違憲であることの確認を求めて出訴した場合。
（4）宗教団体が信者に求めた寄付をめぐる紛争で，寄付を求められた信者の1人が，その寄付が宗教団体の教義に反していると出訴した場合。
（5）ある法律をめぐる国会審議について，議院規則に定める手続きで審議・決議がなされなかったと主張し出訴した場合。

答え（1）

過去５年の出題傾向 ★★★★★

憲法 ⑪ 司法権（違憲審査権）

司法権の中で出題頻度が高いのは違憲審査である。できる限り詳しく説明をしているが，これは，なかなか難解。本書の他，基本書や参考書に当たって理解の奥行きを広げてもらいたい。

■違憲審査権 よく出る

本来，大陸法系理論によれば，司法裁判所は，法律の審査権を持たないというのが定見であった。それに，立法，行政，司法の各機関は権力分立制の下に，憲法を尊重し，それに従っての行動を要求されているし，当然のごとく立法機関は，立法にあたり，憲法に違反していないと判断して法律を制定している。このような状況下で，司法機関が法律の審査をすれば，司法権が立法権に干渉するということになってしまう。だから，ある法律が憲法に違反しているか否かの判断は，立法権の行使に当たりなされるから，その判断そのものを尊重すればよいというのが，大陸法系理論の考え方であった。

しかし，そうは言っても，実際，違憲の法律が制定される可能性があるとの配慮で，憲法裁判所を設置して憲法裁判制度が採用されるようになった。一方，イギリスでは，成文憲法は存在しないし，国会主権の理論によって，裁判所は違憲審査権を持っていない。アメリカの場合，裁判所が違憲審査権を有するという制度を生み出したのは，判例によってであった（Marbury v. Madison，1 cranch，137 1803）。その後，ニューディール立法の抗争を経て今日に至っている。

尚，第二次世界大戦は，人権侵害の深刻な影響を全世界に与え，基本的人権は，法律によって保障されなければならないと考えられ，多くの国々で違憲審査の制度が設けられるようになった。日本国憲法81条の違憲審査権は，アメリカ判例法の制度を採用したものである。

憲法が違憲審査制を認めた趣旨は，第一に，憲法の最高法規性を担保するためである（人権保障を主要な構成要素としている日本国憲法を視座に）。第二は，国民の基本的人権を守るためである。

憲法は，国の最高法規である。この憲法に反する法律が制定された場合，これを無効と認定する機関が存在しなければ，問題になっている違憲の法律が有効として適用されてしまう。

■違憲審査の性格

違憲審査の制度は，大別して付随的違憲審査制と抽象的違憲審査制との２つがある。前者は，裁判所が抽象的な法令に対して行使するものではなく，具体的争訟（司法権の範囲を参照）の解決にあたり，前提問題として，その事件に適用される法令およびその他の国家行為の合憲性をその事件の解決に必要な限度で審査する制度である。要は，違憲審査が具体的な事件に対して，司法権の行使に付随して行われるのである。ここには，当事者の権利を侵害することがないように配慮されている（私権保障型の制度）。後者は，通常の裁判所とは別の，特別に設置された憲法裁判所が，具体的な事件ではなく，抽象的に法令の合憲性を審査する制度である。ここには，個々の権利救済というよりも違憲の法律を排除する狙いがある（憲法保障型）。以上のように，理念としては両者には違いがあるが，今日，実際の運用面から概観するに，両者の近接傾向がある。

【判例】警察予備隊違憲訴訟…（最大判昭27・10・8）民集6巻9号783頁

■違憲審査の主体

憲法81条の規定がはっきりしないため，その主体は最高裁判所だけという印象を受けるが，それのみならず，下級裁判所も含まれる。

【判例】下級裁判所の違憲法令審査権…（最大判昭25・2・1）刑集4巻2号73頁

違憲問題を，下級裁判所は，終審として裁判することはできないし，必ず最高裁判所に上訴する機会を与えなければならない。

■違憲審査の対象

違憲審査の対象は，憲法81条に列挙しているものの他，条例も対象となる。また，記述が前後するが憲法81条の処分には，判決も含まれる（下記判例参照）。問題は条約と立法不作為である。前者に関しては，条約優位説，憲法優位説があるが，条約優位説をとれば，簡易な手続（憲法61条）で成立する条約により憲法が改正されてしまうという懸念（国民主権，硬性憲法）がある。

判例は条約に関して違憲審査の可能性を是認（下記判例参照）している。後者について判例は，審査は原則およばないとしている（下記判例参照）。

【判例】（イ）違憲審査の対象（処分に関して）…（最大判昭23・7・7）刑集2巻8号801頁／（ロ）条約の違憲審査（砂川事件）…（最大判昭34・12・16）刑集13巻13号3225頁／（ハ）立法不作為（在宅投票制度事件）…（最判昭60・11・21）民集39巻7号1512頁

ここであげた判例は，コンパクトな判例集を熟読することによって理解が深まる。特に（ハ）の判例。最後にここで述べた以外に，前節の司法権の範囲と限界をたえず対比すること。

■違憲審査の効力

効力に関しては，違憲無効の効果は，その事件にのみおよぶとする個別的効力説と，違憲と判断された法令は，一般的に無効となって，その規定が廃止されたのと同様の効果を有するという一般的効力説がある。違憲審査の本質は具体的争訟における裁判を行うにおいて法令の合憲性を審査する権限ととらえるべきで，前者が妥当と考えられる。

そして，かかる裁判所の違憲判断が与える政治的影響を，政治部門が，政治的に解決する余地を残すということになる。

出題パターン check!

違憲立法審査権に関する次の記述のうち，妥当なものはどれか。

（1）違憲立法審査権の対象は一切の法律，命令，規則または処分であるが，地方自治を尊重する見地から，地方公共団体の議会が制定する条例はこれに含まれない。

（2）裁判所は具体的な争訟事件が提起された場合に初めて，その事件に適用されるべき法律に関し，違憲立法審査権を行使することができる。

（3）違憲立法審査権を有するのは最高裁判所のみであり，下級裁判所の裁判官は法令が憲法に適合するか否かにかかわらず，当該法令を適用して裁判を行わねばならない。

（4）違憲の判決を受けた法令は，国民の権利の保障に関する判決の効果を高める趣旨から，原則としてその効力が一般的に否定される。

（5）衆議院の解散はきわめて政治性の高い，国家統治の基本に関する行為であるが，法律上，その有効，無効を判断することが可能である場合には，裁判所の違憲立法審査権の対象となるとするのが判例である。

答え（2）

過去５年の出題傾向 

民法① 私権の主体

権利義務の帰属先である私権の主体にはどのようなものがあるのか，また，これらがどの範囲で権利義務の帰属先となりうるのかを理解することがポイントとなる。

■私権の主体の種類

◇自然人 よく出る

・権利能力の始期

私権の享有は，出生に始まる（3条）。

⇒「出生」の時期は，胎児の身体が母体から全部露出した時点である（全部露出説）。

胎児の権利能力	
原則	「出生」前なので,権利能力なし(3)
例外	一定の場合に既に生まれたものとみなされる。 ・損害賠償請求権(721) ・相続(886) ・遺贈(965)

⇒胎児が「すでに生まれたもの」とみなされるというのは後に生きて生まれることを停止条件として胎児に権利能力を付与することを意味する（判例…停止条件説）。

・権利能力の終期

自然人は死亡により私権の主体としての地位を失う。

⇒死亡の証明が困難な場合は認定死亡（戸籍法89条），同時死亡の推定あり（32条の2）。

・失踪宣告

利害関係人は，一定期間，不在者の生死が明らかでないときは，家庭裁判所の失踪宣告により不在者の死亡を擬制し，同人の住所を中心とする法律関係を整理することができる（30条，31条）。

⇒普通失踪では失踪期間（7年）満了時より，危難失踪では危難の去ったときから（危難が去ってから1年を経ってからではないことに要注意），失踪宣告により不在者は死亡したものとみなされる（31条）。

⇒失踪宣告による死亡擬制の効果は，本人または利害関係人の請求による失踪宣告の取消により死亡擬制時に遡って消滅する。ただし，失踪宣告後その取消前に善意でなされた行為は有効である（32条1項）。

■権利義務を取得するための能力

◇意思能力

・意思能力の意義

各人が正常な意思に基づき自己の行為の結果を弁識するに足るだけの精神能力のことを意思能力という。これを欠く行為は無効となる。

◇行為能力

・行為能力の意義

自らの行為によって法律行為の効果を確定的に自己に帰属させる能力を行為能力という。

・制限行為能力者

行為能力を制限された者（制限能力者）の行った行為は一定の場合に取消すことができる。

⇒制限行為能力者には，未成年者の他，成年被後見人，被保佐人・被補助人がいる。

・成年後見制度

従来の禁治産・準禁治産の制度は廃止。法定後見制度と任意後見制度が導入された。

法定後見制度

法定後見制度の種類	制度の内容
後見	日用品の購入等を除き取消可(9)
保佐	13条1項に列挙された行為のほか,家庭裁判所の定めた行為につき,保佐人の同意を得ない行為は取消可(13)
補助	特定の行為のみ取消可(17条4項)

・成年後見登記制度（後見登記等に関する法律）

成年後見制度が適用された事実の公示は，従来の戸籍に記載する方法を改め，コンピュータにより行われる。

■制限行為能力者 よく出る

◇未成年者

18歳未満の者を意味する（2022年4月1日より改正法施行）。法定代理人の同意がなければ，法律行為をすることができず，同意なしに法律行為を行うと取消されてしまう。

◇成年被後見人

精神上の障害により事理を弁識する能力を欠く常況にある者で家庭裁判所の審判を受けた者。成年後見人に代理されなければ法律行為をすることができないのが原則。単独で法律行為を行うと取消されてしまう。

◇被保佐人

精神上の障害により事理を弁識する能力が著しく不十分である者で家庭裁判所の審判を受けた者。保佐人の同意が必要な行為（民法列挙）につき同意なしに法律行為をすると取消されてしまう。

◇ 被補助人

精神上の障害により事理を弁識する能力が不十分である者で家庭裁判所の審判を受けた者。

補助人に同意権が付与されていれば，同意の対象となる行為（被保佐人が制限される行為の一部）について同意なしに法律行為をすると取消されてしまう。

成年年齢の引き下げ（民法第4条）

①一人で有効な契約をすることができる年齢	20歳から18歳に引き下げ，「成年」と規定。（2022年4月1日施行）
②親権に服することがなくなる年齢	

任意後見制度

判断能力が不十分な状態になった場合に備えて後見事務を委託し,その事務について代理権を付与する委任契約(任意後見契約)を締結し,受任者の事務処理を家庭裁判所が選任した任意後見監督人により監督させる制度。

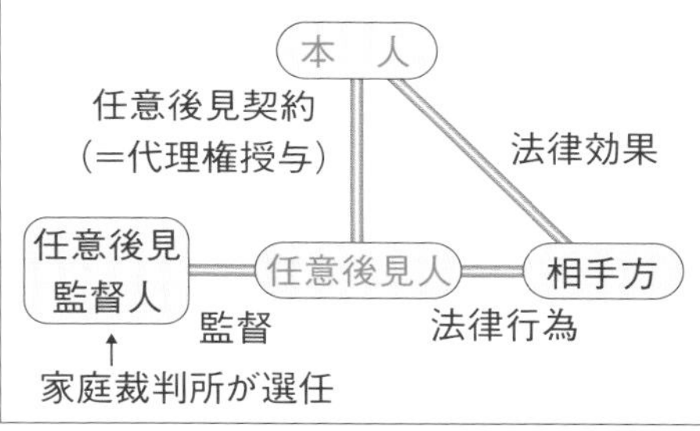

重要語解説

●私的自治の原則…各人は自己の意思によって自己の法律関係を形成できるとの原則。「自己の意思」によるには，正常な判断能力が必要なため，意思能力や行為能力の制度がおかれている。

●成年後見制度…精神上の障害により判断能力が乏しい成年者の保護を念頭におきながら，自己決定の尊重と取引の安全をはかる制度。

出題パターン check!

私権の主体に関する記述として誤っているものは次のうちどれか。

（1）自然人は出生時から権利能力を取得する。
（2）失踪宣告の取消は失踪者本人が口頭で行う。
（3）未成年者が単独で行った法律行為は無効である。
（4）成年被後見人が行った法律行為の中には取消すことができないものもある。
（5）被保佐人が保佐人の同意が必要な行為につき，同意なしに法律行為をすると取消される。

答え（2）

憲法 民法 行政法 刑法 労働法

過去５年の出題傾向 ★★★★★

民法② 法律行為

権利義務変動の仕組みである法律要件と法律効果の関係と，私的自治の原則の下で重要な法律要件である法律行為の構造を理解することがポイントとなる。

■法律行為制度

◇法律行為の意義

意思表示を要素とする法律要件を法律行為という。

⇒単独行為（遺言，相続放棄等），契約（売買，賃貸借，委任，請負等），合同行為（社団の設立等）等。近代資本主義経済社会では，私法関係の形成を国家権力の干渉を受けない当事者の自由な意思に委ねることが妥当とされたために重要視されている。

◇法律行為の成立

・一般的な成立要件…各法律行為に共通して必要な要件をいう。

⇒①意思能力・行為能力を有する当事者の存在すること，②目的の存在すること，③意思表示が存在することが必要である。意思表示は内心的効果意思・表示意思・表示行為の３つにより成立する。意思表示のきっかけとなる動機は，原則として意思表示の成立要件ではない。

・特別な成立要件…特に個々の法律行為につき必要とされる要件をいう。

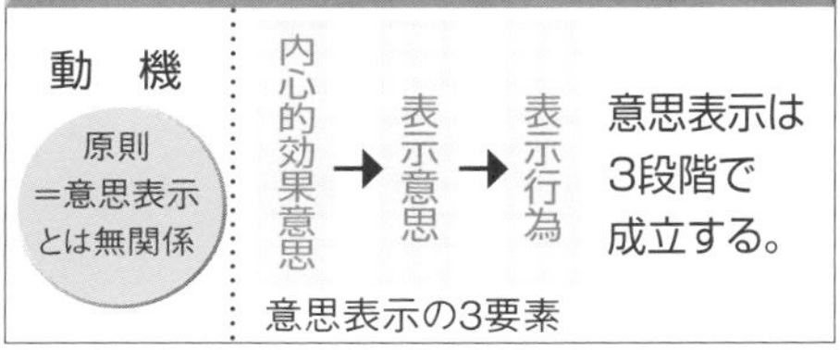

⇒婚姻や養子縁組などの要式行為では一定の方式が要求され（739条，799条），質権設定契約等の要物契約では，目的物の交付が要求される（342条）。

法律要件と法律効果

権利義務変動の原因となる事実を法律要件といい，権利義務変動の結果を法律効果という。法律行為は，法律要件の一つである。

法律要件
例：法律行為
↓
法律効果
＝権利義務の発生・移転・消滅

意思表示の成立要件

動機
原則
＝意思表示
とは無関係

内心的効果意思 → 表示意思 → 表示行為

意思表示の3要素

意思表示は3段階で成立する。

◇法律行為の解釈

法律行為の意味を確定する作業を法律行為の解釈という。

⇒法律行為の解釈にあたっての一般的基準については，民法に明確な規定がないため，当事者の意図する目的，慣習，任意規定，条理（信義則）などを適用して解釈することを認めている。

◇法律行為の効力 よく出る

・法律行為の内容確定性…法律行為の内容が確定できないものは無効である。

・法律行為の実現可能性…法律行為の内容が実現不可能なものは無効である。

⇒ただし，法律行為が当然に無効となるのはいわゆる原始的不能であり，後発的不能では債務不履行（415条），もしくは危険負担（536条）の問題となるにすぎない。

・法律行為の適法性…法律行為の内容が強行

法規・公序良俗に反する場合は無効である。
⇒91条は反対に法律行為の当事者が「法令中の公の秩序に関」する規定と異なった意思表示をした場合は効力を生じないという趣旨を含んでいる。
・意思表示の完全性…法律行為の成立要件である意思表示に瑕疵・意思の欠缺(けんけつ)がある場合は，当該法律行為が無効もしくは取消しうべき行為となる。

■意思表示の効力 よく出る

◇不完全な意思表示
・瑕疵ある意思表示…意思表示をなすにあたって，違法な行為が行われ，これにより動機付けされて意思表示をしてしまった場合である。民法は2つの場合を規定している。
・「詐欺による意思表示（96条）」…騙されたために錯誤に陥り，これにより行ってしまった意思表示。
・「強迫による意思表示（96条）」…身体・名誉・財産等への侵害を内容とする強迫により畏怖させせられそのため行ってしまった意思表示。
⇒いわゆる「意思の自由」を完全に奪われて行われた意思表示は無効である。
・意思の欠缺…表示行為に対応する内心的効果意思がない場合である。民法は3つの場合を規定している。
・「心裡留保(しんりりゅうほ)（93条）」…表示行為に対応する内心的効果意思がないことを表意者自身が知って行う意思表示。
・「通謀虚偽表示（94条）」…意思表示の相手方と通じた上で（＝通謀）表示行為に対応する内心的効果意思がないことを表意者自身が知って行う意思表示。
⇒意思表示の相手方と通じて行う意思表示である点で心裡留保とは異なる。
・「錯誤による意思表示（95条）」…表示行為に対応する内心的効果意思がないことを表意者自身が知らないで行う意思表示。
⇒動機の錯誤については「表意者が法律行為の基礎とした事情についてのその認識が真実に反する錯誤」として定義（95条）。

◇意思表示の効力発生要件
・一般的な効力発生要件…意思表示の効力が発生するためには，①意思表示が相手方に到達していること（97条，例外：98条），②相手方に，意思表示の受領能力があること（98条の2），が必要である。
・特別の効力発生要件…条件・期限の到来（127条～）等がそれである。

意思表示の効力

不完全な意思表示	意思表示の種類	原則	例外
瑕疵ある意思表示	詐欺による意思表示	取消可	善意無過失の第三者に対する取消主張不可 第三者の詐欺の場合は相手方が悪意,または過失がある場合に取消可
	強迫による意思表示	取消可	――――
意思の欠缺	心裡留保	有効	相手方が悪意有過失の場合は無効
	通謀虚偽表示	無効	善意の第三者に対する無効主張不可
	錯誤	取消	重過失の場合は取消主張不可（相手方が表意者に錯誤があることを知っていた場合等を除く）

重要語解説

●意思主義と表示主義…意思表示に関する各国立法は表意者の利益を重視する立場（意思主義）と取引の安全を重視する立場（表示主義）があるが，日本民法は両者の折衷主義を採用している。
●無効と取消し…無効とは当初より効力が認められないのに対し，取消しは取消して初めて無効となる。

出題パターン check!

法律行為に関する記述として正しいものは，次のうちどれか。

（1）錯誤による意思表示は有効である。
（2）法律行為は意思表示の要素である。
（3）詐欺による意思表示は無効である。
（4）強迫による意思表示は取消すことができる。
（5）通謀虚偽表示は取消すことができる。

答え（4）

過去5年の出題傾向　★★★★★

民法 ③ 代理

私的自治の拡張と補充のための制度である代理の基本的な構造を理解した上で，代理権が無いにもかかわらず行われる無権代理の効果を理解すること。

■代理制度

◇代理制度の意義

代理とは，本人のために意思表示をする代理権を有する代理人が，本人に代わり代理行為（法律行為）を行うことにより，その法律効果のみが，本人に帰属する制度をいう。

◇代理制度の理論的根拠

代理の理論的根拠については，一般に，代理の効果は，代理人または相手方の代理意思（意思表示の効果を直接本人に生じさせる意思）の表明と，この意思を承認する法律に基づくものと解されている。

代理の構造

代理は本人と代理人と代理行為の相手方の3面関係により法律関係が形成される。代理人に代理権が与えられていることは代理行為の効果が本人と相手方に有効に帰属するための要件である。

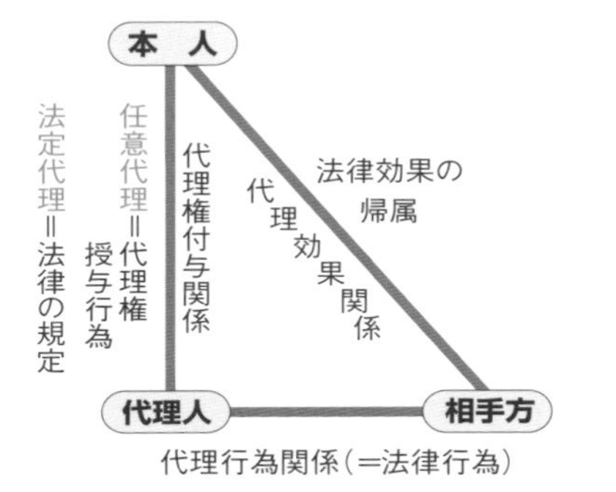

■代理の種類

◇任意代理と法定代理

・**任意代理**

任意代理とは，代理人が本人から信頼され委託されて代理人となるものをいう。

⇒「特定の法律行為をすることを委託された場合」（101条3項），「委任による代理」（104条）。本人の私的自治能力を拡張する制度としてとらえられている。

・**法定代理**

◇能動代理と受動代理

・**能動代理**

代理人が意思表示をする場合の代理を能動代理という（99条1項）。

・**受動代理**

代理人が相手方の意思表示を受領する場合を受動代理という（99条2項）。

⇒能動代理の場合は，代理人が「本人のためにする」ことを示す（顕名（けんめい））必要があるが，受動代理の場合は顕名不要である。

◇有権代理と無権代理　よく出る

・**有権代理**

代理権を有する代理人が代理行為を行う場合を有権代理という。

・**狭義の無権代理**

代理権を有しない者（無権代理人）が代理人として代理行為を行う場合を無権代理という。

⇒判例は無権代理人が本人の地位を単独相続した場合は当初から有権代理が行われたのと同視する。他方，本人が無権代理人を相続した場合は本人たる地位に基づき追認を拒絶しても信義則に反しないとする判例や，無権代理により連帯保証を行い，117条の債務を負担する父を相続した子は本人たる地位に基づき追認を拒絶し右の債務を免れることはできない，とする判例がある。

・表見代理

民法は無権代理行為を原則として無効とする一方（狭義の無権代理），本人と無権代理行為の相手方の利益を考慮して一定の場合に，代理の効力を認める表見代理を規定している（109条，110条，112条）。

■代理の適用

◇代理の適用範囲 よく出る

代理は法律行為を本人以外の他人（代理人）が行い，その法律効果のみ本人に帰属させることから，その適用は一定の範囲に制限される。

⇒不法行為や事実行為，また法律行為であっても本人の意思決定を尊重する必要がある身分行為（婚姻等）には代理の適用はない。

◇代理権の制限

・共同代理

数人の代理人が共同して代理行為を行うことを要する場合を共同代理という。これにより代理権の濫用防止がはかられる。

⇒親権の共同行使（818条）等。ただし，受動代理は共同で行う必要はない。

・自己契約，双方代理

代理人自身が代理行為の相手方となる場合（自己契約）や，同じ代理人が代理行為の当事者（本人と相手方）双方の代理人となる場合（双方代理）は無権代理とみなす（108条）。

⇒自己契約ないし双方代理は法律行為の当事者の利益を害する危険があることから無権代理とみなされる。ただし，債務の履行や本人があらかじめ自己契約ないし双方代理を行うことを許諾している場合は除く。また，代理人と本人との利益が相反する行為については，代理権を持たない者がした行為とみなされる。

代理権の範囲

任意代理	代理権授与行為により定められた範囲
法定代理	法律の規定により定められた範囲（824条〜，859条〜等）
権限の定めなし	管理行為（保存行為・利用行為・改良行為）のみ行うことができ，処分行為はできない（103条）。

代理権の消滅原因

任意代理と法定代理に共通する消滅原因	・本人の死亡（111条1項1） ・代理人の死亡（111条1項2） ・代理人の後見開始の審判または破産（111条1項2）
任意代理だけの消滅原因	・委任の終了（111条2項）
法定代理だけの消滅原因	各法定代理の規定による（25条2項，26条，834条〜，844条〜等）

重要語解説

●委任と代理…委任とは本人のために法律行為を行うことを委託する内容の契約。ただし代理関係は委任だけから生じるわけではないので，「委任による代理」の「委任」は広く代理権を生ずる委任的契約と解されている。

●追認…法律行為の瑕疵を後に補充して完全にすることをいう。民法では無効行為の追認（119条），取消しうべき行為の追認（122条〜），無権代理行為の追認（113条〜）が規定されている。

出題パターン check!

代理に関する記述として正しいものは，次のうちどれか。

（1）任意代理は委任契約のみから生じる。
（2）親権者には子の代理権が認められない。
（3）無権代理は原則として無効である。
（4）自己契約は双方代理ではないので禁止されない。
（5）代理権は代理人の死亡により相続される。

答え（3）

過去5年の出題傾向 ★★★★★

民法④ 物権変動

物権変動における意思主義を理解した上で，物権法が物権変動においてどのように取引の安全をはかっているかを，不動産と動産に分けて理解すること。

■物権の意義

◇物権の意義

物権とは物を直接かつ排他的に支配できる権利をいう。

⇒同じく民法（財産法）上の権利である債権は，人に対して一定の行為を請求できる権利をいう。したがって物の利用関係では物権が債権に優先するのが原則である（「売買は賃貸借を破る」）。

◇物権の本質（一物一権主義）

物権には排他性が認められるため，そこから一物一権主義の原則が導かれる。一物一権主義とは，一個の物には同一内容の物権は1つしか成立せず，逆に，1つの物権の客体は一個の物である，という原則である。すなわち，①物権の客体はあくまで独立の物でなければならず（独立性），また②単一の物でなければならない（単一性）のである。

⇒もっとも，これにも例外がある。①の例外として，一筆の土地の一部にも所有権は成立しうると解されており，②の例外として，集合物譲渡担保の肯認があげられる。

⇒所有権は物権の典型として紹介されるが，それは以上のごとく物に対する全面的支配をその内容とするからである。

占有権は事実的支配を保護したものであるが，このような占有権の特徴から占有権には物権変動に関する規定は適用されない。

民法は用益物権として，地上権（265～269条の2），永小作権（270～279条），地役権（280～294条）の3つを規定している。担保物権としては，法定担保物権たる留置権（295～302条），先取特権（303～341条）を，約定担保物権たる質権（342～366条），抵当権（369～398条の22）をそれぞれ規定している。

物権の種類

	意味	物権変動の規定との関係
所有権	ある特定の物を自由に使用収益処分できる権利（206条）	有
占有権	占有という事実状態を権利として保護するもの	無
用益物権	所有権の3つの機能のうち，使用収益権能のみを内容とする権利	有
担保物権	債権担保目的で物を支配する権利	有

物権変動の種類

意思表示による物権変動	契約・合同行為等の法律行為による物権変動
意思表示によらない物権変動	時効取得（162条），無主物の帰属（239条），遺失物拾得（240条），埋蔵物発見（241条），付合（242条～），相続（896条）

■物権変動 よく出る

◇物権変動の意義

物権変動とは，物権の発生・変更・消滅のことをいう。

⇒民法は物権変動に関する通則としてわずかに176条以下4条をおくのみで，物権変動の詳細については専ら解釈にゆだねられている。

◇物権変動の問題点

・物権変動に必要な行為

民法は「物権の設定及び移転は，当事者の意思表示のみによって，その効力を生ずる」としている（176条）。この「意思表示」の意味については，債権契約と解するか，これとは別の物権変動を目的とする物権行為と解するかで，議論がある。

⇒物権行為の独自性を否定する説と肯定する説に分かれる。前説は176条の「意思表示」を債権契約と解している。その根拠としては，かりに物権行為の存在を認めるにしても，物権の移転は契約の履行行為の効果としてなされるものと考えればよいから，さらに物権行為に法的意味を与える必要はない点をあげている。これに対し後説は物権の移転時期の考え方と一体をなして説くものであり，176条の「意思表示」を債権契約とは別個の物権行為をいう，としている。その根拠として，我が国の取引の実態からすれば，物権は代金支払・引渡し・登記といった外部的徴表行為の時に物権が移転すると解するべきであり，したがってこれらの行為の時に物権行為がなされたものとみるべきだという点をあげている。

・物権変動の時期

物権がいつ移転するのかは物権変動に必要な「意思表示」の理解にもかかわる。

⇒物権行為独自性否定説は物権変動の時期を債権契約成立時とするのが一般である（判例）。

これに対して物権行為独自性肯定説は，物権は代金支払・引渡し・登記といった外部的徴表行為の時に物権が移転すると解する。

・物権変動を第三者に対抗するための要件

民法は，不動産物権変動の対抗要件として登記を（177条），動産物権変動の対抗要件として引渡しを定めている（178条）。

⇒対抗要件がなければ第三者に対抗できない物権変動の典型例は二重譲渡の譲受人相互間である。その他，元の物権者が取消後の第三者に物権を主張する場合，解除後の第三者に物権を主張する場合等がある。なお，詐欺による意思表示を前提に新たな取引関係に入ってきた取消前の善意でかつ過失がない第三者（96条）は，登記なしでも優先して所有権を主張できる。解除前に同じく取引関係に入ってきた第三者（545条1項）は登記を経れば同じく所有権を主張できる。

◇物権変動における取引の安全

不動産物権変動，動産物権変動のいずれにおいても物権が排他性を有する権利であるため，特に取引の安全がはかられている。

⇒不動産物権変動においては登記に公信力がないため権利外観法理に基づく94条2項を類推適用して広く不動産物権変動の取引安全がはかられている。逆に動産物権変動においては引渡し（占有）に公信力が認められる結果，即時取得の制度により取引の安全がはかられている（192条）。

重要語解説

●意思主義と形式主義…物権変動の成立要件として意思表示のみとする立法主義を意思主義といい，意思表示の他に一定の方式を整えることを要する立法主義を形式主義という。日本法は意思主義を採用している。

●公示の原則と対抗要件…物権の所在は公示されなければならないとする考え方を，公示主義という。公示主義は，公示しなければ物権変動の効果を第三者に対抗できない（対抗要件主義）とすることにより促進される。

出題パターン check!

物権変動に関する次の記述のうち，誤っているものはどれか。

（1）民法総則にも物権変動に関わる規定がある。
（2）物権変動は，物権の発生・変更・消滅を指す。
（3）物権変動の原因は意思表示に限られる。
（4）民法は物権変動につき意思表示を採用する。
（5）「売買は賃貸借を破る」の法諺は，物権の債権に対する優越性を意味する。

答え（3）

過去５年の出題傾向　★★★★★

民法 ⑤ 債権の目的

債権の目的にはどのような種類があるかを正確に分類・整理した上で，各債権の目的ごとに認められる法律効果の内容を理解することがポイントとなる。

■債権の目的

◇債権の目的の意義

債権の客体，すなわち債務者の行為（＝給付）を債権の目的という。債権の目的はいくつかの視点から分類できるが，特に「与える債務となす債務」の分類が重要である。

債権の目的の分類方法

分類の視点	分類方法
給付の重点による分類	与える債務となす債務
給付の可分不可分による分類	可分給付と不可分給付
給付の頻度による分類	一時的給付と継続的給付と回帰的給付

◇与える債務となす債務

与える債務とは債務者の行為そのものだけでなく目的物の引渡しを重視し，これをその内容とする債務をいう（さらに特定物の引渡しを内容とする特定物債務と，不特定物の引渡しを内容とする不特定物＝種類債務に分けられる）。

これに対し，なす債務とは債務者の行為そのものを内容とする債務をいう（これは，さらに債務者の作為を内容とする作為債務と，不作為を内容とする不作為債務に分けられる）。

⇒民法は特に「与える債務」を念頭において規定している（400条～405条）。

■与える債務の種類

◇特定物債務

特定物の引渡しを給付の内容とする債務のことを特定物債務という。特定物債務では，その名のとおり給付の目的物が特定しており，当該目的物以外に目的物は存在しないとの特徴から独特の規律がなされている。

⇒保管義務（400条），目的物の滅失・毀損の場合の引渡義務（483条），引渡場所（484条）等。

◇種類債務　よく出る

・種類債務の意義

一定の種類に属する物の一定量の引渡しを給付の内容とする債務を種類債務という。種類債務では特定物債務と異なり，目的物に個性がない点が特徴である。

⇒追完履行請求権，目的物の品質に関する規定（401条１項）等。

・種類債務の特定

種類物は履行のある段階で確定しなければならない。この種類物の確定を種類債務の特定または集中という。これは履行の対象を確定する必要があるということにとどまらず，特定以後の履行の規定に差異を生じさせる。民法は特定の方法として「債権者の同意を得てその給付すべき物を指定したとき」と，「債務者が物の給付をするのに必要な行為を完了したとき」，の２つを定めている。

⇒特定により，その後は「その物を債権の目的物」とする。これにより，注意義務の引き上げ（400条），特定物の現状による引渡し（483条）がなされる。

◇金銭債務

一定額の金銭の支払を目的とする債務を金銭債務という。金銭は，例えば売買契約において買主が対価を支払う手段であることからもわかるとおり，その意味するところは，まさに（経済的）価値そのものである。

⇒金銭の価値でなく物としての性質を考えてこれを取引の対象とするときは，特定物債権，もしくは種類物債権の客体となる。

◇利息債務 よく出る

・利息債務の意義

元本使用の対価として支払われる金銭その他の代替物を利息という。利息の支払を目的とする債務を利息債務といい，契約によって生じる場合（約定利息）と法律の規定によって生じる場合（法定利息）とがある。

⇒さらに，弁済期の到来した利息債権を元本債権に組入れて，その合計額を元本とした上でこれを基準に利息を生じさせることを重利または複利という。これにも契約によって生じる場合と法律の規定によって生じる場合がある。

・利息規制（利息制限法）

法外な高利貸しを規制し，債務者を保護するための法律として，利息制限法がある。

⇒元本額に応じて３段階の制限利率を定め，それを超える部分を「無効」とし（利息制限法１条１項），制限超過部分の返還請求を否定している（利息制限法２条，４条２項）。しかし判例は制限超過利息の支払いが元本を消滅させるまでに至らない場合は当該超過利息分の支払いを元本に充当することを認める。また，判例は元本に充当した結果，元本が消滅した上になおも超過払い分がある場合は，その部分の返還請求を認める。

◇選択債務

・選択債務の意義

「債権の目的が数個の給付の中から選択によって定まるとき」（406条）の債務を選択債務という。選択債務はこのままでは給付が確定しないので，いずれが給付されるべきか選択されねばならない。

⇒選択権者は特約なき限り債務者だが（406条），第三者を選択権者としてもよく（409条），選択権者が選択をしない場合は選択権の移転も認められる（408条，409条２項）。そして選択により債権は発生当初より選択された給付を目的とする単純な債権となる（411条）。なお，給付すべき物の特定は不能によっても生じる（410条）。

■ 2020年４月施行の主な改正点

①債権の時効期間について，主観的起算点から５年，客観的起算点から10年という二本立ての時効期間を設定。

②法定利率は改正当初は年３%とし，金利や物価など経済情勢を考慮し，３年ごとに利率を見直す。

③定型約款を契約内容とする旨の表示があれば個別の条項に合意したものとみなすが，信義則に反して相手方の利益を一方的に害する条項は無効と明記。

④個人保証の要件の厳格化。事業用の融資について，経営者以外の保証人については公証人による保証意思確認の手続を新設。

重要語解説

●弁済と給付…債権の目的は債務者から見た場合には弁済といい，債権者から見た場合は給付という。

●債務不履行…債務者が正当な理由なく債務の本旨に従って債務を履行しないことを債務不履行という。債務不履行には履行遅滞，履行不能，不完全履行の３つがある。

出題パターン check!

債権の目的に関する記述として，次のうち誤っているものはどれか。

（1）債権の目的は金銭に見積もることができることを要する。
（2）債権の目的は適法でなければならない。
（3）特定物も債権の目的となりうる。
（4）民事法定利率は３年ごとに見直される。
（5）債権の目的は選択により定まることもある。

答え（1）

過去５年の出題傾向　★★★★☆

民法⑥ 婚姻と離婚

親族関係の成立の場面である婚姻と解消の場面である離婚について，それぞれの成立過程に着目しながら，成立要件と効果を整理し，理解しよう。

■婚姻

◇婚姻の予約

・婚姻の予約の意義

婚姻が成立するまでには恋愛などの事実関係から婚姻の予約の過程を経るのが通常である。

・婚姻の予約の成立要件

婚姻の予約が成立するためには，当事者間で将来婚姻することについての合意があればよい。結納などの形式を具備する必要はない。

・婚姻の予約の効果

婚姻予約の効果として，当事者は互いに誠実に交際し，婚姻を成立させる義務を負う。そこで，正当な理由なく婚姻の予約を解消した当事者は，他方に対し解消により生じた損害を賠償する責任を負う。損害賠償の範囲は，財産的損害だけでなく精神的損害も含まれる。

◇婚姻の成立　よく出る

・婚姻の意義

婚姻とは，社会の慣習・習俗・宗教・道徳等の社会規範により支持された，種族保存を目的とする男女の性的結合関係をいう。今日の婚姻の形態は一夫一婦制が一般であり，婚姻の本質は当事者が結ぶ私法上の契約であると解されている。婚姻が成立するためには形式的要件と実質的要件を充足することを要する。

・形式的成立要件

婚姻の成立に関して民法は法律婚主義を採用しており，一定の方式（婚姻の届出）により婚姻意思を合致させることが必要となる（739条）。

・実質的成立要件

婚姻成立の実質的要件としては，①婚姻意思の合致（742条参照）と，②婚姻障碍（婚姻適齢未満・重婚・近親婚）の不存在があげられる。

婚姻の成立要件	
形式的成立要件	婚姻の届出（739条）
実質的成立要件	婚姻意思の合致 ⇒婚姻意思としては実質的意思を必要とする説と婚姻届出意思（形式的意思）で足りるとする説が対立している（判例は実質的意思説）。 婚姻障碍の不存在 ・婚姻適齢未満（731条） ⇒婚姻は満18歳にならなければ，することができない（2022年4月1日施行）。 ・重婚の禁止（732条） ⇒配偶者のある者は重ねて婚姻できない。 ・近親婚の禁止（734～736条） ⇒①直系血族または三親等内の傍系血族の間，②直系姻族との間，③養子，その配偶者，直系卑属またはその配偶者と，養親またはその直系尊属との間では離縁による親族関係終了後も婚姻できない。 なお，従来，女性の再婚禁止期間について733条で設定していたが，2022年12月の法改正により本条文は削除，再婚禁止期間は廃止された（2024年4月施行）。

◇婚姻の無効

婚姻は「人違いその他の事由によって当

事者間に婚姻をする意思がないとき」,「当事者が婚姻の届出をしないとき」,無効となる(742条)。

無効な婚姻は,無効を宣言する判決や審判を経ることなく当然に無効である。

◇婚姻の取消し

婚姻は「不適齢婚」,「重婚」,「近親婚」,「再婚禁止期間内の婚姻」(744条),「詐欺・強迫による婚姻」(747条)の場合に取消すことができる。

婚姻の取消しは,取消訴訟によるか,家事審判法23条1項の合意に相当する審判による必要がある。婚姻取消しの効果は,判決または審判により形成され,将来に向かって効力を生ずる(748条1項)。

◇婚姻の効力

・一般的効果

婚姻の成立により,「夫婦同氏」(750条),「同居・協力・扶助義務」(752条),「夫婦間の契約取消権」(754条)の各効果が発生する。

・夫婦財産制

夫婦間の財産関係は,婚姻前であれば夫婦財産契約により自由にその内容を定めることができる(755条)。夫婦財産契約を締結しなかった場合は法定財産制による(760～762条)。

■離婚

◇婚姻の解消と離婚

婚姻の解消とは,いったん有効に成立した婚姻の効果を,婚姻成立後に生じた事由により将来に向かって消滅させることをいい,夫婦の一方の死亡と離婚がある。

◇離婚の意義

離婚は,一定の事由により婚姻を解消する場合である。民法上の離婚の方法としては協議離婚と裁判離婚が定められている。

◇離婚の方法 よく出る

・協議離婚

夫婦は協議で離婚をすることができる(763条)。協議離婚の成立要件としては,夫婦の双方が同意(離婚届出意思の合意)し,かつ協議離婚の届出があることが必要である。

⇒夫婦間の協議が整わないときは,家事審判法上の調停離婚・審判離婚の方法がある(家事審判法17条・18条・24条)。

・裁判離婚

夫婦の一方は法定の原因がある場合には離婚の訴えを提起できる(770条)。

◇離婚の効果 よく出る

離婚により婚姻は解消し,婚姻から生じた一切の権利義務は消滅することになる。また離婚を原因として新たに生じる効果も存在する。

⇒再婚の自由,姻族関係の消滅(728条1項),復氏(767条),子の監護者・親権者の決定(766条,819条),祭祀財産の承継者の決定(769条,771条),財産分与(768条),慰謝料請求権(709条,710条)等。

裁判離婚の原因

・配偶者の不貞行為
・悪意による遺棄
・配偶者の生死が3年以上明らかでないとき
・配偶者が強度の精神病にかかり回復の見込みがないとき
・婚姻を継続し難い重大な事由があるとき

重要語解説

●親族…民法上,親族とは,六親等内の血族,配偶者,三親等内の姻族をいう(725条)。
●内縁…社会的には婚姻関係にあるが,婚姻の届出を欠くために法律上は婚姻と認められない場合をいう。

出題パターンcheck!

婚姻と離婚に関する次の記述のうち,正しいものはどれか。

(1)婚姻の予約は,結納により成立する。
(2)婚姻は当事者の合意だけで成立する。
(3)男女を問わず再婚禁止期間の規定がある。
(4)離婚は当事者が合意しない限りできない。
(5)離婚の成立と同時に姻族関係も消滅する。

答え(5)

過去５年の出題傾向 ★★★☆☆

行政法 ① 行政行為（特徴・効力・種類）

行政法理解の鍵となる概念の「行政行為」。行政行為とはどのようなものを指し，それにはいかなる効力が存在するのか，またどのような種類があるのだろうか。

■行政行為

行政主体が法の下に法の規制を受けながら，公権力の行使として国民に対し具体的な法的規制をする行為。

◇行政行為の特徴

・国民の権利義務を決定する行為

行政機関の内部行為，事実行為（行政指導を含む）と区別される。

・行政庁の一方的な判断で国民の権利義務を確定する行為

当事者の意思の合致による行政契約と区別される。

・国民の権利義務を具体的に決する行為

抽象的一般的に国民の権利義務を定める行政立法と区別される。

◇「行政処分」，「行政庁の処分」という用語

行政事件訴訟法，行政不服審査法においては「処分」という用語が用いられている。処分と行政行為とは同一ではないが，行政行為を中核として「処分」概念は構成されている。

■行政行為の効力 よく出る

◇公定力

行政行為が違法であっても，権限ある機関が正式に取消さない限り，有効として通用し，関係行政機関，当事者，関係者を拘束する力。

・無効な行政行為には公定力は及ばない。
・国家賠償訴訟にも及ばない（予め取消訴訟で取消判決を得ていなくても，国家賠償請求訴訟を提起することが可能）。
・刑事裁判手続にも及ばない（違法な行政行為によって命じられた義務違反に対する刑罰が争われる場合，被告人は予め取消訴訟で取消判決を得ていなくても，無罪を主張できる）。

◇不可争力

不服申立期間・出訴期間を徒過した後は，もはや国民はその行為を争えなくなる。

・職権取消しには，不可争力は及ばない。

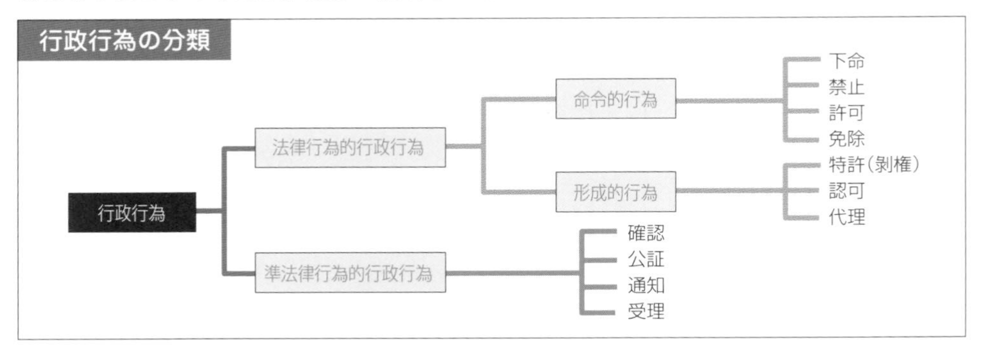

◇自力執行力

義務を賦課する行為で，国民が義務を履行しない場合，法律の定めるところにより行政庁自らが，その義務を強制的に実現することができる。

・義務の実現には，行政行為とは別個の法律の根拠が必要。

◇不可変更力

争訟裁断行為たる行政行為については，紛争の終局的解決の見地から，たとえそれが違法であっても，行政庁は取消し，変更することができない。

■行政行為の種類

◇下命

一定の行為をする義務を課す行為。租税の賦課徴収，違法建築物の除却命令。

◇禁止

一定の行為をしない義務を課す行為。営業の禁止，道路の通行止め。

◇許可

一般的な禁止を特定の場合に特定の者に解除する行為。風俗営業の許可，道路交通法の自動車運転免許。

・申請に対して行政機関は応答の義務を負う。
・競願関係においては先願主義が妥当する。

◇免除

下命によって課された義務を解除する行為。納税義務の免除，就学義務の免除。

◇特許（剥権）

国民に対して特定の権利又は包括的な法律関係を設定する行為。河川・道路の占用許可。剥権は，特許の内容を変更し，あるいは一度与えた特許を取消す行為。

・特許を与えるか否かは，行政庁の自由裁量に服する。
・競願関係においては自由選択主義が妥当する。

◇認可

第三者の行為を補充してその法律上の効果を完成させる行為。農地法上の農地の権利移動の許可。

・法律で認可が要件とされている場合，認可を受けないで行った行為は無効。

◇代理

第三者のなすべき行為を行政主体が代わって行い，第三者が行ったのと同一の効果を生じさせる行為。土地収用裁定。

◇確認

特定の事実や法律関係の存否又は真否を確認する行為。当選人の決定，建築確認。

◇公証

特定の事実や法律関係の存否を公に証明する行為。

◇通知

特定人又は不特定人に対して一定の事項を知らせる行為で，法律上一定の効果が発生するもの。

◇受理

他人の行為を有効な行為として受領する行為で，法律上一定の効果が発生するもの。

憲法　民法　行政法　刑法　労働法

ワンポイント★アドバイス

行政行為の種類のうち，許可，特許，認可を中心に，①それぞれの行為の特徴，②裁量性の認められる範囲，③（許可，特許，認可を）受けずに行った行為の効力，これらの違いをきちんと理解しておこう。

出題パターン check!

行政行為の講学上の概念に関する次の記述のうち，妥当なものはどれか。

（1）許可とは特定の場合に特定の者に対して作為義務を解除する行為をいう。
（2）認可とは国民に対し，一定の行為をする義務を課す行為をいう。
（3）確認とは特定の事実や法律関係を公に証明する行為である。
（4）特許とは国民に対して特定の権利を設定する行為をいう。
（5）下命とは国民に対して一定の行為をしない義務を課す行為をいう。

答え（4）

過去５年の出題傾向 ★★★★☆

行政法 ② 行政裁量

行政裁量に対して，司法審査はどこまで及ぶのか。学説が確立してきた原則の理解と重要判例を，しっかりと理解しておくことが大切である。

■羈束（きそく）行為と裁量行為

◇羈束行為

法律の規定が厳格で，要件，効果が明確であり，行政権に判断の余地を認めていない行政行為。

◇裁量行為

法律の文言を抽象的なものとして行政権の判断や行動の余地を認めている行政行為。

<裁量が存在する理由>

・立法技術的に全ての行政行為について，要件や内容を予め規定しておくことは不可能。

・行政の対象が専門技術的対応や将来的予測を含んでおり，行政権が機動的に対処することができるようにするため，行政権の判断を積極的に容認しようとする立法の判断。

■法規裁量と自由裁量の区別

◇法規裁量（羈束裁量）

何が法であるかの裁量であり，行政権が判断を誤れば，違法が生じる。

・法規裁量の誤りは司法審査の対象となる。

◇自由裁量（便宜裁量）

何が公益に合致するかの裁量であり，行政権がその判断を誤っても，当・不当の問題が生じ，違法の問題は生じにくい。

・自由裁量の誤りは，直ちに司法審査の対象となるわけではない。

■要件裁量説と効果裁量説

◇要件裁量説

裁量性は，要件の認定にのみ存在し，行為をするか否かに関しては裁量性がないとする。裁量の有無を法の文言によって区別しようとする考え方。

◇効果裁量説

裁量は要件の認定ではなく，行為をするか否かの判断をする場合に存在するという考え方。法の規定の実質的意味内容との関係で考察し，行為の性格によって裁量の有無を判断しようとする考え方。

■裁量権の踰越（ゆえつ）と濫用

◇裁量権の踰越

法律で付与された裁量権の限界を逸脱して，行政権が裁量判断を行っている場合。

◇裁量権の濫用

裁量権の行使が，法律が付与した裁量権の範囲内にとどまっているものの，法の認めていない不当な動機ないし目的で裁量判断を行っている場合。

◇行政事件訴訟法 30 条

自由裁量であっても，裁量権の踰越・濫用に該当する場合には，司法審査の対象となる。

・今日では，行政行為を羈束行為，羈束裁量，自由裁量と類型化し，それぞれについて司法審査の程度を考察してきた伝統的な考え方は，徐々に採られなくなってきている。

■裁量権濫用の類型

◇目的違反 よく出る

裁量権を付与した法律の目的に違反して，裁量判断を行うことは違法となる。

【判例】個室付浴場と児童遊園認可処分事件…（最判昭 53・5・26）。

◇平等原則違反

合理的な理由なく特定の個人を不利益に扱うことは，憲法 14 条に照らし許されない。

◇比例原則違反

行政目的達成のためにとられるべき手段は必要最小限度でなければならない（憲法 13 条）。それに反する裁量判断は，違法となる。

◇事実誤認

全く事実の基礎を欠く処分，事実の根拠に基づかない処分は，裁量権の濫用となる（最判昭 29・7・30）。

◇判断過程における過誤

法律上適正に考慮されるべき事実を考慮しないで行った処分は違法となる（最判平 8・3・8）。

◇懲戒処分の程度

懲戒処分が，社会観念上著しく妥当性を欠く場合は，裁量権の濫用となる（最判昭 52・12・20）。

■裁量権の収縮

法律によって，裁量が認められる場合であっても，一定の行為をしないことにより重大な不利益の発生が確実な場合には，一定の行為が義務付けられる（最判平 7・6・23）。

羈束行為・裁量行為と司法審査

行為の分類		法の規定の仕方	司法審査
羈束行為		一義的	可能
裁量行為	法規（羈束）裁量	多義的・抽象的（経験則から，一定の基準が導かれる）	可能
	自由（便宜）裁量	多義的・抽象的	踰越・濫用に該当する場合のみ可能

■時の裁量

処分をいつ行うかについて，法律の特別の定めがなくても，申請の処理は「相当な期間内」に行われることを要する。

・行政事件訴訟法 3 条 5 項：不作為の違法確認の訴え。

・行政手続法 6 条「標準処理期間」の設定と公表の努力規定。

重要語解説

●法律による行政の原理…近代行政法の根本原理。行政権の行使は，国会の制定する法律に従ってなされなければならないとする原則。法律による行政の原理からすると行政裁量は例外的なものとして存在している。

●要件と効果…「A 大臣は，△△の場合に，○○することができる。」という条文の中で，△△の部分を法律の「要件」といい，○○の部分を「効果」という。

ワンポイント★アドバイス

①行政機関の専門技術的判断（原子力発電所の安全性，温泉掘削の適否），②政策的判断（旅券の発給），③懲戒処分について，法が行政機関に裁量判断を認めている場合，裁量処分に対する司法審査の方法は，原則として，行政機関の判断を尊重する。ただし，その判断が社会観念上著しく妥当性を欠いている場合に裁量権の濫用として違法と判断する。

出題パターン check!

次の記述のうち，妥当なものはどれか。

（1）羈束裁量には，司法権による統制は及ばない。

（2）裁量が認められる場合でも，行政庁の権限不行使には不作為違法の問題を生ずることがある。

（3）裁量の踰越とは，裁量権を授与した法規の内在的目的に適合しない場合をいう。

（4）自由裁量の誤りは，直ちに司法審査の対象となる。

（5）羈束行為とは，法律が行政庁に対して，限定されたいくつかの行為のうちから選択することを義務付けている行為のことを指す。

答え（2）

過去5年の出題傾向 ★★★☆☆

行政法 ③ 行政行為の瑕疵

行政行為に瑕疵が存在する場合，その行政行為の効力はどのようになるのか。「無効」と「取消し」の場合の違いを正しく理解することが大切である。

■行政行為の瑕疵

行政行為は，法の定める要件，手続，効果に基づいてなされなければならない。これらに欠陥がある行政行為を瑕疵ある行政行為という。行政行為の瑕疵には，違法性と不当性の2つがある。

・瑕疵の違法性は，処分の取消訴訟等，司法による是正の対象となる。

・瑕疵の不当性は，裁量性の認められる行政行為の場合に存在する。

⇒裁量の踰越・濫用に該当しない限り，司法による是正の対象とはならない。

■無効と取消し よく出る

瑕疵ある行政行為も，当然に無効となるわけではない。瑕疵の態様によって「取消し」と「無効」にわける。

◇取消すことのできる行政行為

瑕疵のある行政行為は，通常，取消すことのできる行政行為となる。

・公定力がはたらく。

・処分の名宛人等が争訟期間内に不服申立て，取消訴訟の提起を行い取消しの決定，判決を得るか，職権によって取消しされない限り，有効なものとして扱われる。

◇無効な行政行為

瑕疵が重大明白な場合には，無効な行政行為となる。

・公定力がはたらかない。

⇒行政行為の効力は存在しない。

・取消訴訟以外の訴訟で争うことが可能である。

◇無効と取消しを区別する実益

公定力の範囲を確定する。

<訴訟手続の違い>

・取消すことのできる行政行為→取消訴訟の提起のみ→公定力の排除。
出訴期間の制限（行政事件訴訟法14条）。
例外的な審査請求前置（同法8条1項但書）。

・無効な行政行為→無効等確認の訴えの提起（同法3条4項，36条，38条）が可能。
出訴期間経過後でも出訴が可能。争点訴訟，公法上の当事者訴訟の提起も可能。

■無効と取消しの区別の基準

◇重大明白説（最判昭31・7・18）…通説

行政行為の違法が重大かつ明白な場合に無効な行政行為となる。

◇一見明白説（最判昭36・3・7）

処分の外見上，客観的に，誤認が一見して看取しうる場合に無効となる。

◇明白性の要件が緩和される場合（最判昭48・4・26）

処分の相手方以外の第三者の法的保護を必要としない場合，瑕疵の明白性は要求されない。

■無効原因とされた具体例

◇主体に関する瑕疵

無権限の行政庁が行った行為。

正当に組織されない合議体機関の行為。

心神喪失中の行為，強度の強迫の下に行った行為，完全に意思のない行為。

◇内容に関する瑕疵

処分内容が不明確な行為。

【瑕疵ある行政行為のまとめ】

	取消すことのできる行政行為	無効な行政行為
瑕疵の態様	通常の瑕疵	重大かつ明白な瑕疵
公定力の存否	公定力が存在	公定力は存在せず
行政行為の効力	取消されるまでは有効 取消されると遡及して効力を失う	初めから効力なし
違法な行政行為によって権利侵害を被った者が提起できる訴訟	最初に取消訴訟を提起 →公定力の排除 続いて民事訴訟，当事者訴訟	無効等確認訴訟 争点訴訟・当事者訴訟 出訴期間内であれば取消訴訟も可能

法律上，事実上実現不能な行為。

◇手続に関する瑕疵

同意を要する行政行為において，同意を欠いた行為。

法律で個人の権利保護のために設けられた手続（公告，通知，聴聞，弁明の機会の付与など）を欠いた行政行為。

◇形式に関する瑕疵

書面を要するのに書面によらない場合。理由附記をすべき場合に，全く理由を付さなかった場合。

■瑕疵の治癒・転換

◇瑕疵の治癒（最判昭47・12・5）

違法な行政行為が，事情の変化により適法要件を満たした場合，瑕疵が軽微でこれを前提として手続が進行した場合，瑕疵が治癒されたとして適法なものとして取り扱うこと。

・理由附記の不備は，不服申立手続の中で理由が示されても瑕疵を治癒しない。

◇瑕疵の転換

ある行為としては違法ないし無効であっても，これを他の行為として見た場合には有効として取り扱う場合。

・死者に対して行われた処分（本来無効である）を，相続人に対する処分として転換する。

重要語解説

●争点訴訟…処分または裁決の存否又は効力の有無を前提とする私法上の法律関係に関する訴訟のこと。基本的に民事訴訟の一種であるが，処分庁の訴訟参加（行政事件訴訟法45条1項），職権証拠調べ（同法45条4項）の規定が準用される点に特徴がある。なお，この訴訟によって事件が解決できるのであれば，無効等確認の訴えを提起することはできない。

ワンポイント★アドバイス

無効と取消しを区別する実益である訴訟上の取扱いの違いを，行政行為の公定力，不可争力と関連付けて理解していくことがポイントとなる。

出題パターンcheck!

次の記述のうち，妥当なものはどれか。

（1）租税の賦課処分をなす権限のない行政庁が行った課税処分は無効である。

（2）無効な行政行為にも公定力が認められることがある。

（3）無効な行政行為に対して取消訴訟を提起することはできない。

（4）取消訴訟とは異なり，無効等確認訴訟は，1カ月の出訴期間を徒過したら争うことが可能になる。

（5）行政行為の無効は相対的なものであるから，同一の瑕疵が存在する私人にとって無効であっても，別の者にとっては取消事由であることがある。

答え（1）

過去５年の出題傾向　★★★★☆

行政法 ④ 行政不服申立て

新行政不服審査法と旧行政不服審査法との違いに注意。異議申立てがなくなった点，処分庁による再調査，審査を担当する審理員，裁決前の行政不服審査会などに注意すること。

■行政不服申立て

違法又は不法な行政処分がなされた場合にその是正を行政機関に求める制度。

◇審査請求

行政庁の処分又は不作為に対してなす不服申立て手続。異議申立ては廃止された。

◇審査請求先（４条）

- 処分庁
- 主任大臣・宮内庁長官・庁の長官
- 処分庁の最上級行政庁

◇再調査（５条　新設）

処分庁以外の行政庁に審査請求できる場合に審査請求に先立ってなされる手続。処分庁が行う。法律の定めが必要。

◇再審査請求（６条）

審査請求をもう一度行うこと。法律で認められた場合にできる。

◇審理員（９条　新設）

審査請求手続を担当する職員。審査庁に所属する職員から選ばれる。

◇処分についての審査請求期間（18条）

処分があったことを知った日の翌日から起算して３月か，処分があった日の翌日から起算して１年。

■審査請求の方式（19条）　よく出る

書面（審査請求書の提出）で行う。

■不服申立人適格

当該処分について不服申立てをする法律上の利益がある者，すなわち，当該処分により自己の権利若しくは法律上保護された利益を侵害され又は必然的に侵害されるおそれのある者に限って不服申立てをすることができる（最判昭53・3・14）。

■執行停止（25条）

（1）執行不停止の原則

違法な処分に対して審査請求がなされても当該処分の効力は止まらない。例えば，違法な建物除却命令が下され，右処分の取消を求める審査請求が提起されても，建物除却命令の効力は生きている（執行不停止の原則）。

（2）執行停止

一定の要件を満たした場合に限って行政処分の執行をとりあえず止めようという制度。処分の効力の停止，処分の執行の停止，手続の続行の停止がある。

◇執行停止の取消し（26条）

執行停止が公共の福祉に重大な影響を及ぼすことが明らかとなったとき，その他事情が変更したときは，審査庁は，その執行停止を取消すことができる。

■審査請求の取下げ（27条）

審査請求人は，裁決があるまでは，いつでも審査請求を取り下げることができる。取り下げは書面で行う。

◇審査請求書（19条）・弁明書（29条）・反論書等（30条）

審査請求は審査請求人がまず審査請求書を審査庁に提出，この審査請求書の写しを受け取った処分庁が弁明するために提出する書類を弁明書，弁明書に対して請求人が反論する書類を反論書という。

◇口頭意見陳述（31条）
審査請求人や参加人の申立てがあった場合，審理員は口頭での意見を述べる機会を与えなければならない。
◇教示（82条）
行政庁は，審査請求をすることができる処分をする際には，処分の相手方に対して当該処分につき不服申立てができる旨，不服申立てすべき行政庁，不服申立て期間を書面で教示する必要がある。
◇審理員意見書（42条　新設）
審理員は審理手続を終結したときは，遅滞なく，審査庁がすべき裁決に関する審理員意見書を作成する義務を負う。審理員意見書は事件記録とともに審査庁に提出する。
◇行政不服審査会等への諮問（43条）
審査庁は審理員意見書の提出を受けたときは，審査請求が不適法であり，却下する場合や処分の全部の取消しを認める場合といった法が定める例外に該当しない限り，以下の機関に諮問しなければならない。
・審査庁が主任の大臣等→行政不服審査会
・審査庁が地方公共団体の長→地方公共団体に置かれる機関
◇行政不服審査会（67条,68条,74条）
総務省に設置される。委員は9名。必要があると認める時は，審査関係人に対し，その主張を記載した書面などの提出を求めるといった調査権限がある。
■裁決（審査庁の最終判断）よく出る
（1）処分に対する審査請求
①不適法（申立ての要件満たさず）→却下（45条1項）
②理由なし（処分が違法・不当でない）→棄却（45条2項）
③理由あり（処分が違法か不当）
◇法律行為→取消・変更（46条）
◇事実行為（47条）
当該事実上の行為が違法又は不法であることを宣言して以下の措置をとる。
・審査庁が処分庁でない→撤廃・変更を処分庁に命じる
・審査庁が処分庁→審査庁が撤廃・変更
※審査庁が変更裁決をする際，審査請求人に不利益な変更はできない
④理由はあるが，公共の福祉の観点から処分を取消せない→棄却（事情裁決・45条3項）
（2）不作為に対する審査請求（49条）
①不適法→却下
②理由なし→棄却
③理由あり→違法又は不当である旨の宣言。必要あれば一定の処分をすべき旨を命じたり，一定の処分をしたりできる。
◇裁決の拘束力（52条）
①裁決は関係行政庁を拘束する。
②申請に基づいてした処分が手続の違法又は不当を理由に取消された又は申請を却下し棄却した処分が取消された→処分庁は裁決の趣旨に従い，改めて処分をしなければならない。

重要語解説

●審査請求中心主義…行政庁が行った処分についての不服申立ては審査請求をしなければならない。

出題パターンcheck!

次の記述のうち，妥当なものはどれか。
（1）処分庁に上級行政庁がない場合には審査請求はできない。
（2）審査庁は，審査庁以外の行政庁から審理員を選任する。
（3）処分があったことを知った日の翌日から起算して60日経過で審査請求できなくなる。
（4）審査庁が主任の大臣の場合，裁決前には必ず行政不服審査会の諮問を受けなければならない。
（5）不作為に対する審査請求に理由がありと審査庁が判断した場合，審査庁は一定の処分をすべき旨を命じることができる。

答え（5）

過去５年の出題傾向　★★★★★

行政法 ⑤ 行政事件訴訟

行政救済の中心的な制度である。行政事件訴訟法の定める訴訟類型を覚えること，取消訴訟の訴訟要件である「処分性」「原告適格」を理解することがポイントである。

■行政事件訴訟の種類

(1) 抗告訴訟

◇公権力の行使に関する不服の訴訟

・義務付けの訴え

行政庁に一定の行為をすべき旨を命じることを求める訴訟。申請行為を前提としないものと申請行為を前提とするものがある。

・差止めの訴え

行政庁が一定の行為をしてはならない旨を命ずることを求める訴訟。

(2) 当事者訴訟

◇実質的当事者訴訟

当事者の公法上の法律関係に関する訴訟。

・公務員の地位確認訴訟，公務員の俸給請求訴訟。

◇形式的当事者訴訟

公権力の行使を争っているが，行政庁ではなく法令によって定められる当事者を被告として争う訴訟。

・土地収用法に基づく収用委員会の裁決の損失補償に関する訴え（土収133条２項）。

(3) 民衆訴訟

国又は公共団体の機関の法規に適合しない行為の是正を求める訴訟。

・個別法で定められる場合のみ認められる訴訟。

(4) 機関訴訟

・国又は公共団体の機関相互間における権限の存否又はその行使に関する紛争についての訴訟。

・個別法で認められる場合のみに認められる訴訟。

■抗告訴訟の種類

(1) 処分取消訴訟

行政庁の処分，その他公権力の行使に当

【行政事件訴訟法の定める訴訟類型】

抗告訴訟（３条）	処分の取消しの訴え（３条２項） 裁決の取消しの訴え（３条３項） 無効等確認の訴え（３条４項） 不作為の違法確認の訴え（３条５項） 義務付けの訴え（３条６項）　差止めの訴え（３条７項）
当事者訴訟（４条）	実質的当事者訴訟（４条後段） 形式的当事者訴訟（４条前段）
民衆訴訟（５条）	選挙・当選の効力に関する訴訟（公職選挙法204条など） 住民訴訟（地方自治法242条の２）
機関訴訟（６条）	地方公共団体に対する国・都道府県の関与に関する訴え（地方自治法251条の５，251条の６） 法定受託事務に関する代執行のための訴訟（地方自治法245条の８　３項以下）

たる行為の取消しを求める訴訟。
・「処分その他公権力の行使」を「処分」とまとめて呼ぶ。

(2) 裁決取消訴訟

不服申立てに対する行政庁の裁決，決定その他の行為の取消しを求める訴訟。

(3) 無効等確認訴訟

処分若しくは裁決の存否又はその効力の有無の確認を求める訴訟。
・無効な行政行為に対応する訴訟。

(4) 不作為違法確認訴訟

行政庁が法令に基づく申請に対し，相当の期間内に何らかの処分又は裁決をすべきであるにもかかわらず，これをしないことについての違法の確認を求める訴訟。

■取消訴訟の訴訟要件① 処分性 よく出る

取消訴訟の対象は，行政庁の行為のうち処分性を備えているもの。直接国民の権利義務を形成しまたはその範囲を確定することが法律上認められているもの（最判昭39・10・29）。

◇処分性が認められた具体例
・行政行為。
・行政行為に準ずる行政庁の権力的行為（形式的処分）。
・国民の権利義務を直接的かつ具体的に決定する行為。
・土地区画整理事業の事業計画。→処分性が認められた（最大判平20・9・10）。

◇処分性が認められなかった具体例
・公共施設の設置廃止・公共土木事業，ごみ焼却施設の設置行為。
・内部的行為（通達，運輸大臣が日本鉄道公団にした新幹線工事の実施計画認可）。
・行政指導（最判昭38・6・4）→ただし処分性を認めた判例もある（最判平17・7・15）。
・海難審判庁の裁決（最大判昭36・3・15）。

■取消訴訟の訴訟要件② 原告適格 よく出る

取消訴訟は，個人の権利利益の保護・救済を図る制度であり，誰が行政事件訴訟法9条「法律上の利益を有する者」かが問題。

◇法律上保護する利益説（判例・通説）
・実定法によって保護されている利益→法律上保護する利益。
・実定法によって保護されていない利益→反射的利益。

◇原告適格が認められた具体例
・公衆浴場の既存業者（最判昭37・1・19）。
・保安林指定解除処分により，自己の利益が害されるおそれのある者（最判昭57・9・9）。
・原子炉設置許可により，事故が生じたときに生命，身体に直接かつ具体的な被害を受けるおそれのある者（最判平4・9・22）。
・開発許可処分によりがけ崩れ等，生命・身体の安全を害されるおそれのある者（最判平9・1・28）。

ワンポイント★アドバイス

取消訴訟の訴訟要件には，他に「狭義の訴えの利益」，出訴期間，被告適格，裁判管轄，適式な訴状の提出がある。

出題パターンcheck!

行政事件訴訟に関して誤っているものはどれか。

(1) 抗告訴訟は，行政庁の公権力の行使に関する不服の訴訟をいい，法律上，処分の取消しの訴え及び無効等確認訴訟のみが認められている。
(2) 処分取消の訴え及び裁決取消の訴えは，法律上利益を有する者に限り提起することができる。
(3) 機関訴訟及び民衆訴訟とは，客観的訴訟であり，法律上認められた者に限り提起することができる。
(4) 日本国憲法下においては，司法裁判所の系統に属さない行政裁判所のような制度を設けられない。
(5) 行政機関内部のみに効力を有する通達は，取消訴訟の対象とはならない。

答え（1）

過去５年の出題傾向 ★★★★★

行政法 ⑥ 国家賠償制度

行政救済制度の一つである国家賠償制度とはどのような制度か。国家賠償法１条，２条の対象となる事項を覚えておくことが大切である。

■国家賠償制度

違法な国家活動が行われたことによって生じた損害を補塡する制度。

・国家活動の効果が一過性で阻止できないもの（即時強制，学校事故など）。

・違法状態の排除だけでは損害を十分に回復し得ないもの（生命・健康の侵害など）。

⇒国家賠償の根拠は憲法 17 条。

国家賠償法の制定。

■国家賠償法１条 よく出る

違法な公権力の行使による損害賠償。

(1) 国・公共団体の賠償責任の根拠

・代位責任説（通説）

不法行為を行った公務員が，本来負うべき責任を国が代わって負担するという考え方。

・自己責任説

公務員の行った不法行為の賠償責任を国が直接自己の責任として負担するという考え方。

(2)「公権力の行使」の意味

・狭義説

本来的な権力的作用のみを指す。

・広義説（通説）

私経済作用を除く公的な行政作用を指す。

(3)「公務員」

国家公務員，地方公務員，権力的行政権限を行使する民間人，公庫の職員。

(4)「職務を行うについて」の意味

職務行為，職務行為に付随して行われた行為。

外形上職務行為とみなしうる行為（最判昭 31・11・30）。

(5) 故意・過失

国家賠償法１条の賠償責任が認められるためには，加害公務員の故意・過失の存在が必要。

・過失…加害公務員の主観的心理状態のみでなく，公務員としての一般的注意義務違反があれば認定される（最判昭 58・2・18）。

(6) 違法性

客観的な法規違反をいう。

「故意・過失」要件の客観化に伴い，違法性と故意・過失を一体化して理解するようになってきている。

(7) 権限の不行使と違法性

権限の不行使が「著しく不合理」とされる場合に，違法性が認定される（最判平元・11・24）。

(8) 公務員の個人責任

国家賠償請求と並行して加害公務員に対して損害賠償請求はできない（最判昭 30・4・19）。

■国家賠償法２条

営造物の設置管理の瑕疵による，損害賠償。

(1) 国賠法上の「公の営造物」概念

公の目的に供される，有体物及び物的施設。

⇒自然公物（河川，海水浴場），動産（公用の車両，拳銃）を含む。

・公の用に供されていない普通財産（国有

【国家賠償法１条「公権力の行使」が争われた事例】

事　項	判例
クラブ活動中の事故	最判昭 58・2・18
指導要綱に基づく開発負担金の寄付	最判平 5・2・18
違法な建築確認の留保	最判昭 60・7・16
教科書検定における文部大臣の改善意見	最判平 9・8・29
宅地建物業務停止処分不行使	最判平元・11・24
薬害と厚生大臣の権限不行使	最判平 7・6・23
ナイフの一時保管懈怠事件の発生	最判昭 57・1・19
不発弾放置による死亡事故の発生	最判昭 59・3・23
立法の不作為	最判昭 60・11・21
裁判行為	最判昭 57・3・12

林など）は，公の営造物とは考えられない。
⇒設置管理主体は，国又は公共団体。

(2) 設置管理の瑕疵

営造物が通常有する安全性を欠いている（最判昭 45・8・20），他人に危害を及ぼす危険性のある状態。瑕疵の存否の判定は，被害発生についての予測可能性の有無と回避可能性の有無（最判昭 50・7・25）によって判断。

■道路管理の瑕疵

物的欠陥があれば責任を認める傾向。
⇒無過失責任，予算抗弁の排除。

・道路に物的欠陥があっても，安全策を講じる余地がないときは管理の瑕疵とはならない（最判昭 50・6・26）。
・道路の物的安全性の欠如に加え，管理者の適切な対応がないとき，管理の瑕疵とした（東京高判平 5・6・24）。

■河川管理の瑕疵　よく出る

同種・同規模の河川管理の一般水準・社会通念に照らして是認できる安全性。瑕疵の有無に際し，財政的要素も考慮（最判昭 59・1・26）。

(1) 未改修河川の安全性

過渡的安全性で足りる（大東水害訴訟：最判上記判例）。

(2) 改修済み河川の安全性

河川の改修，整備の段階に対応する安全性。工事実施基本計画に定める規模の洪水における流水の通常の作用から予測される災害の発生を防止するに足りる安全性（多摩川水害訴訟：最判平 2・12・13）。

■機能的瑕疵

営造物の平常の操業により，周辺住民に騒音等の被害が生じた場合，被害が受忍限度を超えた場合には，営造物には社会的機能的な瑕疵があるとされる。

・航空機騒音による空港周辺住民に対する被害（最大判昭 56・12・16）。
・道路騒音による沿道住民に対する被害（最判平 7・7・7）。

ワンポイント★アドバイス

違法な行政処分によって生じた損害の賠償を求める場合，その処分についてあらかじめ取消し又は無効確認の判決を得ておく必要はなく，直接賠償請求することができる。

出題パターン check!

国家賠償法１条に関する記述のうち妥当なものはどれか。

(1) 国会の立法行為や裁判判決には，国家賠償法１条の適用はない。
(2) 国又は公共団体は，公務員の行為に故意又は過失がなくても損害賠償責任を負う。
(3) 被害者は加害公務員に対し，直接に損害賠償請求できる。
(4) 国家賠償法１条は国又は公共団体の自己責任を規定したものである。
(5) 公務員の行為が純粋の私経済作用である場合には，民法の不法行為が適用されるので国家賠償法の適用の余地はない。

答え（5）

過去５年の出題傾向　★★★★☆

刑法①　構成要件

罪刑法定主義の要請から，あらかじめ法律で国民に示された犯罪類型，つまり違法な行為の類型を解釈することで得られる枠組みのこと。中でも不能犯・未遂犯は頻出事項といえる。

■近代刑法の原則と犯罪論

罪刑法定主義の原則	➡	構成要件
法益保護の原則	➡	違法性
責任主義の原則	➡	有責性

■行為

犯罪とは，国家が個人の内心に過度に干渉しないように，何よりもまず行為でなければならない（行為主義）。行為は「意思によって制御可能な身体の動静」である。絶対的強制下での動作，くしゃみなどは刑法上の行為ではない。

裁判例では，睡眠中に襲われる夢を見た夫が，添い寝していた妻を絞殺した事案で，行為性を否定したものがある。もっともその控訴審では，行為ではなく責任能力（39条1項）が否定された。行為は，意思によって制御可能な身体の「動静」であるから，作為も不作為も，行為である。

■不作為

不作為は，ただ何もしないことではなく，「期待された作為をしないこと」である。多衆不解散罪（107条），不退去罪（130条後段），変死者密葬罪（192条），不保護罪（218条）のように，法が一定の行為を要求している場合にその要求された行為を実行しないという真正不作為犯では，誰にいかなる作為義務が課されているかはハッキリしている。

しかし，法が一定の行為を禁止している場合にその禁止された行為を消極的な動作で実行するという不真正不作為犯では，作為義務の発生根拠が問題となる。

作為義務の発生根拠

法令（例，民法820条に規定される親権者の子供に対する監護義務）
契約・事務管理（例，雇主が雇用契約によって負う保護義務）
先行行為（例，誤って人を自動車で轢いてしまった行為）

判例では，①養父を殺害し，養父が闘争の際に投げた燃木が内庭に積んでいた藁に飛散し燃えているのを罪跡を隠滅するため，あるいは，②神棚で燭台の蠟受（ろううけ）が神符に傾いているのに気づいたが火災保険の保険金を手に入れるため，あるいは，③営業所で火鉢を焚いていたが，別室で仮眠をとったところ，火鉢の側にあった書類などに引火したが自己の失策が発覚するのを恐れて，それぞれ，容易に消火可能であったのにこれを放置し建物を焼損した事案で，不作為による放火を認めたものが有名である（①②では既発の火力を利用する意思が認定されている）。

■実行の着手

犯罪は，通常，予備から「未遂」をへて既遂に至る。しかし，刑法は，全ての予備を処罰しているわけではない。例えば，殺人目的で，出刃包丁を用意すれば，すでに殺人予備にはなる（201条）が，窃盗目的で，網を持って他人の池の周りをうろうろ下見していても，まだ犯罪にはならない。それゆえ，いつまでが予備段階で，いつからが未遂になるのかということが犯罪の成否にとって重要になる。

予備と未遂を画するのが「実行の着手」という概念である（43条）。判例は，以前は，「構成要件に該当する行為ないしはこれと密接する行為の開始」であるとする形式的客観説の立場であったが，「構成要件的な結果発生の実質的な危険がある行為の開始」であるとする実質的客観説の立場に変遷してきた。

間接正犯の実行の着手時期

A	発送時 →	B	到達時 →	C
	利用者標準説		被利用者標準説（判例）	

■不能犯と未遂犯の区別　よく出る

形式的には実行に着手したように見えても，その行為の危険性が極端に低く未遂犯として処罰に値しないものを不能犯といい，これは，犯罪ではない。

判例は，従来，絶対不能・相対不能説を採用し，方法の不能についての相対不能（偶然の事情によっては結果の発生もありえたといえる場合）だけを未遂犯としてきた。しかし，広島高裁は，行為時における行為者にも一般人にも生体と見違えられる被害者に日本刀で切りつけた事案で，殺人未遂を認めた（具体的危険説）。

■因果関係　よく出る

犯罪の実行に着手し，結果が発生しても，その行為と結果との間に，原因＝結果の関係（因果関係）がなければ，その結果について客観的に帰属することはできない。実行行為と結果との間に因果関係があると判断された場合にだけその行為は既遂犯となり，結果が発生したとしても，因果関係がない場合にはその行為は未遂犯に止まる。

判例は，従前から「あれなくばこれなし」という条件関係があれば，刑法上の因果関係を認めてよいとする条件説である。しかし，通説は，条件関係の存在を前提に，社会生活の経験則上相当といえるかを問題とする相当因果関係説をとっている。

このうち，主観説は，行為者が認識し，又は認識しえた事情，折衷説は，一般人が認識しえた事情と行為者が特に知りえた事情，客観説は，行為時に存在する全事情と裁判官が予見可能な行為後に生じた事情を基礎に，経験則上，相当か否かを判断する。

■刑法改正～性犯罪の厳罰化～

従来の「強姦罪」の名称が「強制性交等罪」に改称され，加害者の告訴が不要となり，加害者は男性，被害者は女性という性別規定も撤廃された。2023年より「不同意性交等罪」とさらに改称，同意がない性行為は犯罪になり得ることを明確にした。

出題パターン check!

因果関係に関する記述のうち判例に照らして正しくないものは，次のうちどれか。

（1）暴行を加えた被害者には（誰も知らなかったが）脳梅毒という事情があったため死亡した場合にも，この暴行と被害者の死との因果関係は認められる。
（2）暴行を加え軽傷を負わせたにすぎないのに被害者が天理教信者で神水を塗布したため丹毒症をおこした場合にも，この暴行と丹毒症の結果との因果関係は認められる。
（3）暴行を加え，被害者の頭部に脳出血を伴う瀕死の重傷を負わせた後，第三者が角材でその被害者の頭部を殴打したため，死期が早まったという場合にも，最初の暴行と被害者の死との因果関係は認められる。
（4）自動車を運転中，被害者を撥ね上げ，ボンネットの上に被害者が乗ったが，助手席の者がその被害者を引きずり下ろしたため，被害者を死に至らしめたという場合にも，最初に車で轢いた行為と被害者の死との因果関係は認められる。

答え（4）

過去５年の出題傾向 

刑法 ② 違法性

違法行為の類型である構成要件に該当すれば，原則的に違法であるが，例外的に，法秩序全体の立場から違法性が阻却されることがある。

■違法性阻却事由

①正当業務行為（35 条）
②正当防衛（36 条）
③緊急避難（37 条）

■客観的違法論と主観的違法論

主観的違法論は，「法とは，命令規範であるとし，命令を理解することのできる責任能力者のみが，法に違反すること，すなわち，違法な行為をなしうる」とする立場である。ここでは，責任のない違法という考えは否定され，例えば，責任無能力者の攻撃は，違法行為ではないことになるので，これに，正当防衛で対抗することはできないという不都合がある。

これに対して，客観的違法論は，「犯人の意思，犯人の精神状態，是非弁別の能力など犯人の非難可能性（責任）の存否にかかわらず，客観的に見て法秩序の観点から，刑罰による禁圧を必要とするものと認められる事態」として違法性を把握する立場である。

ただ通説である客観的違法論においても，従来は「違法は客観に，責任は主観に」とされてきたが，現在では，行為者の主観的要素であっても，行為の違法性を与え，または違法性を強める要素の存在（主観的違法要素）が認められるに至っている。

■正当業務行為

法令又は正当の業務によりなしたる行為は罰しないとして，正当行為が規定されて

【違法性の実質】

	行為無価値論	結果無価値論
刑法の任務	社会倫理秩序の維持を通して，個人の利益も保護する	市民の生活利益を保護する
違法性判断	行為者関係的なものを含める	行為者関係的なものを排除
不能犯論	具体的危険説	客観的危険説
因果関係論	折衷的相当因果関係説	客観的相当因果関係説
防衛の意思	防衛の意思必要説	防衛の意思不要説

いる（35条）。

法令による行為とは，例えば，公務員の職務行為，懲戒行為，現行犯逮捕，精神病者の監視などをいう。

正当の業務による行為とは，法令に根拠がなくても社会通念に照して正当とされる行為を業務として行う場合をいい，ボクシングなどの格闘技，各種のスポーツ，あるいは医療行為などによって人に怪我を負わせれば，傷害罪（204条）の構成要件に該当するが，違法性が阻却されるのは，この規定による。

注意すべきは，「業務」といっても，プロに限られるわけではないことである。素人が行ったときにも，行為自体が正当なものであれば，違法性が阻却される。もっとも，素人が業務として医療行為を行えば，傷害罪として処罰されることはなくても，医師法などには違反する。

■正当防衛

急迫不正な侵害に対して，自己または第三者を守るために，やむをえずにした行為は罰しないとして，正当防衛が規定されている（36条）。

これは，ふつう，急迫不正の侵害に直面した者は，自分をまもろうとする本能がはたらくこと（自己保存本能）や，急迫不正の侵害に対して防衛することは，自分や第三者をまもるだけではなく，同時に法秩序もまもられることになる（法秩序の防衛）ということを理由として，認められている。

例えば，自招侵害において，正当防衛が否定されたり，制限されたりするのは，このような者には，法秩序をまもる資格がないことから理由づけられるし，防衛の意思が必要とされるのも，防衛の意思がない者の主観面は，犯罪者と同じであり，自己保存本能や法秩序の防衛という利益が認められないことからも理由づけられる。

■緊急避難

現在の危難に対して，自己または第三者をまもるために，やむをえずにした行為は，避けようとした害がまもろうとした害の程度をこえないときは罰しないとして，緊急避難が規定されている（37条）。緊急避難の本質については，違法性阻却事由なのか，責任阻却事由なのかが争われているが，以下のことなどから違法性阻却事由と解するのが，通説・判例である。

①法益の権衡（つりあい）が要求されていること。

②補充性が要求されていること。

③第三者をまもる緊急救助が認められていること。

ただ，緊急避難に対して正当防衛で対抗することを認めるべきこと，生命対生命などで優劣をきめるべきではないことから，責任阻却の余地を残す二分説も有力である。

重要語解説

●防衛の意思…刑法36条「防衛するため」が必要となる（判例・通説）。かつては，急迫不正の侵害及びこれに対する反撃行為の認識以上のもの（動機・目的）と理解されてきたが，現在は，単に防衛行為の意識ないし認識で足りるとされている。それゆえ必要説の実益は，偶然防衛を正当防衛から排除する点にあるといえる。

出題パターンcheck!

防衛の意思に関する記述のうち判例に照らして正しくないものは，次のうちどれか。

（1）刑法36条は加害行為につき防衛の意思の存在を必要とする。

（2）防衛の意思は，防衛の認識がある場合には，攻撃の意図があっても認められる。

（3）自招防衛においては，防衛の意思は認められない。

（4）侵害の急迫性を欠く積極的加害意図があれば，防衛の意思が認められない。

答え（3）

過去５年の出題傾向 ★★★☆☆

刑法 ③ 責任

構成要件に該当する違法な行為があっても，そのことを，行為者に対して非難できる場合でなければならない。錯誤，中でも事実の錯誤は重要事項である。

■責任能力

行為の是非・善悪を判断し（事理弁識能力），これに基づいて，自己の行為をコントロールする能力（行動制御能力）を「責任能力」という。心神喪失者は，責任無能力であるから，責任がなく，犯罪は成立せず，心神耗弱者は，限定責任能力であるから，犯罪は成立するが，責任が減少しているので，その刑を減軽することにしている。

刑事責任年齢は，14歳以上である（41条）。10歳にもなれば，成人と変わらない是非・善悪の区別ができるようになるという実証的な研究も古くからあったが，外からの影響を受けやすく，その環境やはたらきかけ如何によってよくも悪くもなるという「可塑性」にかんがみて，14歳になるまでは刑法上の責任を問わないということにしている。

なお，飲酒などによる酩酊も複雑酩酊に至れば限定責任能力となり，もはや別人格と見られるほどの病的酩酊にまで至れば責任無能力となる。

■故意

犯罪事実の認識・認容をいう。故意の対象には構成要件該当事実の認識のほか，違法性阻却事由の認識の不存在，違法性の意識の可能性も含まれるというのが多数説である（38条）。

■過失

構成要件的な結果が具体的に予見可能であり（結果予見可能性），その予見に基づいてその結果を回避することができたにもかかわらず（結果回避可能性），誤ってその結果を生じさせてしまった場合には，その結果に対して過失がある。

■錯誤 よく出る

故意が犯罪事実の認識･認容といっても，全ての事実を細部にまで認識することは要求できないが，どの程度まで一致しているかが故意論の問題であり，どの程度くい違いがあれば故意を否定するかが錯誤論の問題である。錯誤には，大別して，事実の錯誤と違法性の錯誤がある。事実の錯誤には，

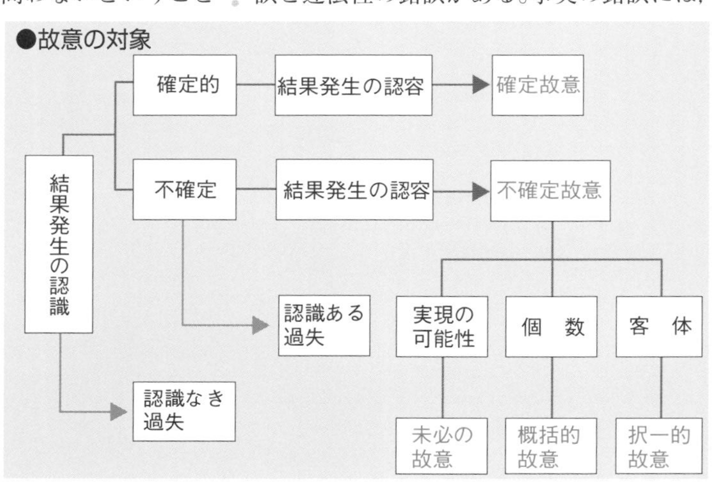

具体的事実の錯誤(同一構成要件内の錯誤)と，抽象的事実の錯誤（異なる構成要件間の錯誤）とがある（38条）。

●具体的事実の錯誤　よく出る

	A殺害のため，発砲したが狙いが逸れ，Bを殺害してしまった場合	A殺害のため，発砲し死亡させたが，実はその人はBであった場合
具体的符合説	Aに対する殺人未遂 Bに対する過失致死	Bに対する殺人既遂
法定的符合説(数故意説)	Aに対する殺人未遂 Bに対する殺人既遂	Bに対する殺人既遂
法定的符合説(一故意説)	Aに対する過失傷害 Bに対する殺人既遂	Bに対する殺人既遂

●抽象的事実の錯誤

		軽い甲罪の意思で，重い乙罪の事実を実現した場合	重い甲罪の意思で，軽い乙罪の事実を実現した場合
法定的符合説		甲罪の故意未遂と乙罪の過失犯の観念的競合（ただし，甲罪と乙罪が法益と行為態様が符合するときは乙罪の故意既遂のみを認める）。	
罪質符合説		甲罪の故意未遂と乙罪の過失犯の観念的競合（ただし，甲罪と乙罪が法益と行為態様が符合するときは乙罪の故意既遂のみを認める）。	
抽象的符合説	宮本説	甲罪の故意未遂と乙罪の過失犯の観念的競合と，乙罪の故意既遂を考え，択一関係により重い方による（ただし，重い乙罪については，38条2項の制限がある）。	
抽象的符合説	牧野説	甲罪の故意既遂と乙罪の過失犯の観念的競合。	甲罪の故意未遂と乙罪の故意既遂を合一して考え，重きに従って処断するも，観念的競合ではない。
抽象的符合説	草野説	甲罪の故意未遂(44条は無害な未遂について明文を要求しているだけなので，有害なものは明文がなくても未遂処罰できる）と乙罪の過失犯の観念的競合。	甲罪の故意未遂（未遂処罰の明文がないときは，乙罪の既遂の刑を限度とするのが44条の立法趣旨を尊重する微意である）と乙罪の過失犯の観念的競合。

●違法性の錯誤

従来は，故意犯と過失犯の法定刑の違いは違法性の意識の有無にあるとされ厳格故意説が有力であったが，常習犯，確信犯，行政犯，激情犯の説明が難しいとされ，違法性の意識ではなく，違法性の意識の可能性を，故意の要素とする制限故意説ないしは責任の要素とする責任説が有力である。判例は，従来，違法性の意識不要説であったが，違法性の意識の可能性に言及するものが現れているし，下級審は，制限故意説によっている。

■中止犯

未遂のうち，自己の意思によって犯罪を中止した場合を，中止未遂といい，その刑は，必ず減軽または免除される（43条但書）。自己の意思によるという任意性は，外部的な事情によるのではなく，自発的な意思による場合に，認められる。実行に着手した後に，犯罪を中止する場合や，法益侵害の結果が生じる危険性をすでに発生させてしまっている場合には，その危険性を除去する真摯な努力をしなければならない。

重要語解説

●確信犯…政治的・宗教的あるいは道徳的な義務の確信を，その決定的な動機としてなされる犯罪。
●法定犯・行政犯…行為の道徳上の善悪に関係なく，国家の政策目的上，その違反行為を罰する犯罪。

出題パターンcheck!

中止犯に関する記述のうち，判例に照らし正しくないものは次のうちどれか。

（1）目的物を発見することができなかったので，窃盗を断念した場合は，もちろん傷害未遂である。
（2）犯行の発覚をおそれて中止した場合，任意性が認められる。
（3）人を短刀で殺そうとし，その流血を見て恐怖して殺害をやめた場合，中止犯ではない。
（4）不同意性交に着手したところ，付近を通過する電車の灯火で被害者の出血を見て驚愕したため姦淫をやめた場合，任意性が認められない。

答え（2）

過去５年の出題傾向 ★★★★☆

労働法 ① 労働基準法（１）

労働法は工場労働者の労働条件規制が前提だったが，相次ぐ労基法改正の趣旨は近年の経済のサービス化やソフト化に対応し，様々な労働者像の規制にシフトしていると理解すれば，複雑な労基法も見通しがきく。

■労基法の公法的効力と私法的効力

労基法は，117条以下の処罰を通じ，使用者に労基法規定の労働条件の遵守を求める。同時に，（過半数代表）労使協定の締結により，使用者が処罰されない工夫もしている（公法的・免罰的効力）。労使協定締結で，例えば，32条の原則にもかかわらず，様々な労働時間制の設定が可能となる。労基法には労使間の労働条件（権利と義務）を設定する効力があり（私法的効力），これには法令・労働協約・就業規則・労働契約の４要素がある。法令は労基法と労基法施行規則などのことであり，就業規則は労働契約のひな型のことである。労働協約は労働組合と使用者との間で団交の結果を文書化したものである。私法的効力の４要素の効力関係は，法令＞労働協約＞就業規則＞労働契約となる。

就業規則について，使用者は，①常時十人以上の労働者を使用する場合，就業規則の作成義務（89条），②労働組合など過半数代表の意見聴取義務（90条），③行政官庁（労働基準監督署長）への届出義務（89条），④常時各作業場の見やすい場所への提示等の方法による周知義務（106条）を課されている。この手続きに違反した就業規則もなお私法的効力を有する（ただし，使用者に対する120条の処罰規定はおかれている）。使用者が労働条件の不利益変更の一手段として就業規則の不利益変更を行うことがある。この点について，最高裁は，原則的に不利益変更は許されないが，それが合理的なものである限り，個々の労働者がこれに同意しないことを理由にその適用を拒否することは許されないとする。

譴責・戒告・減給・出勤停止・懲戒解雇等の懲戒事由は就業規則に記載しなければ，使用者は懲戒処分を行うことはできない。減給処分は「減給は，１回の額が平均賃金の１日分の半額を超え，総額が一賃金支払期における賃金の総額の10分の１を超えてはならない」と規定されている（91条）。

■労基法３条・４条と男女平等法理

使用者は，労働者が女性であることを理由として，賃金について，男性と差別的取扱いをしてはならない（４条）。判例は，

◎就業規則と法令及び労働協約との関係

就業規則は法令又は当該事業場について適用される労働協約に反してはならない（92条１項）。

◎就業規則と労働契約の関係

就業規則で定める基準に達しない労働条件を定める労働契約は，その部分については無効とする。この場合において無効となった部分は，就業規則の定める基準による（93条）。

◎労働協約と労働契約の関係

労組法16条が規定する。

賃金以外の労働条件に関する男女差別である女性結婚退職制・女性若年定年制・男女別定年制を，公序良俗違反（民法90条）により無効とすることで，男女平等法理を進めてきた。

これら裁判例を受けて，男女雇用機会均等法は，女性に対する募集・採用の均等な機会付与や，配置・昇進・教育訓練，福利厚生についての男性労働者との差別的取扱いを禁止する（法的義務）。都道府県労働局長は女性労働者・事業主間の紛争に関して関係当事者の一方又は双方の申し出により，当該関係当事者への必要な助言，指導，勧告をすることができる。厚生労働大臣はこれに従わない使用者の企業名を公表する。

■労働法上の労働者概念

資本主義社会では，労働者は使用者に依存することでしか存在し得ない（従属労働）。労働法上の労働者概念は，①労基法上の労働者…「職業の種類を問わず，事業又は事務所に使用される者で，賃金を支払われる者」（9条）と，②労組法上の労働者…「職業の種類を問わず，賃金，給料その他これに準ずる収入によつて生活する者」（労組法3条）と定義している。比較すると，①が事業又は事業所に使用されるという要件があるだけ②より狭い概念となる。

労使協定

労使協定とは，「当該事業場の労働者の過半数で組織する労働組合があるときはその労働組合，ないときは労働者の過半数を代表するものとの書面による協定」のことであり，貯蓄金管理（18条2項），賃金一部控除（24条1項但書），1カ月単位の変形労働時間制（32条の2第1項），フレックスタイム制（32条の3），1年単位の変形労働時間制（32条の4第1・第2項），1週間単位の変形労働時間制（32条の5），一斉休憩原則の適用除外（34条2項但書），時間外･休日労働（36条1項），事業場外労働（38条の2），専門業務型裁量労働（38条の3），企画業務型裁量労働（38条の4），計画年休（39条5項），標準報酬日額による年休賃金支払い（39条6項）の条文中に見られる。

労働協約と労働契約

労働基準法と労働契約の関係は，「この法律で定める基準に達しない労働条件を定める労働契約は，その部分については無効とする。この場合において，無効となった部分は，この法律で定める基準による」（13条）。労組法16条は，「労働協約に定める労働条件その他の労働者の待遇に関する基準に違反する労働契約の部分は，無効」であり，「無効となった部分は，基準の定めるところによる」とする。労働契約が7時間，協約が6時間ならば，この部分が無効（0時間）となり（強行的効力），協約の6時間が規制する（直律的効力）。労働協約は，団結の力で獲得されることから，労働条件決定要素の中でも最も優先される。強行的・直律的効力は，前述した労基法13条や，就業規則と労働関係における労基法93条にも見られる。

ワンポイント★アドバイス

六法で確認する作業は，条文そのものが頻繁に出題されることからも有効な対策。

出題パターン check!

正しいものは，次のうちどれか。

（1）就業規則の労働条件と労働協約の労働条件が異なっている場合，どちらが有利であるかを問わず，その部分は就業規則が適用される。

（2）使用者が就業規則を労働者に不利益に変更した場合，その変更が合理的なものである限り，これに同意しない労働者もその適用を拒否することは許されない。

（3）使用者は，使用する労働者の人数に関係なく，必ず就業規則を作成し，これを労働委員会に届け出なければならない。

（4）労働者の募集・採用に際して，特定の女性の労働の身体的機能が劣ることを理由に採用を拒否することを男女雇用機会均等法は禁止している。

（5）農業に従事している者は，賃金を獲得して労働をしても労基法の労働者ではない。

答え（2）

過去5年の出題傾向 ★★★★★

労働法 ② 労働基準法（2）

ここでは労働契約の終了，労働契約の中心としての賃金と労働時間について取り扱う。先の項目同様，労働法の分野では重要度の高い内容なのでしっかりと理解しておこう。

■有期契約と無期契約－解雇と雇い止め

よく出る

有期労働契約上限は原則3年だが，一定の事業完了に必要な期間を定めるものは3年を超えることが可能である。また，高度の専門的な知識，技術又は経験を有する労働者との労働契約，60歳以上の労働者との労働契約上限は5年である（14条1項1号，2号）。解雇は，使用者の無期労働者への一方的な労働契約解消の意思表示である。解雇が自由になされ得るかについては，判例法理である解雇権濫用法理により合理的理由のない解雇は制限されてきた。だが，労働契約法16条は，「解雇は，客観的に合理的な理由を欠き，社会通念上相当であると認められない場合は，その権利を濫用したものとして，無効とする」と規定し，この点を明確化した。

有期契約は期間満了により，当然，契約は終了するが，有期契約が反復更新される場合，その雇い止めに解雇権濫用法理が類推適用され，有期労働者の雇用継続への合理的期待を根拠に雇い止めは制限される。使用者は，①労働者が業務上負傷し又は疾病にかかり療養のために休業する期間及びその後の30日間，②産前産後の女性労働者の休業期間及びその後の30日間，労働者を解雇してはならない（19条1項本文）。ただし，使用者が打切補償を支払う場合，又は天災事変その他のやむを得ない事由のため，事業継続が不可能となった場合はこの限りではない（同条1項但書）。この場合，行政官庁の除外認定を要する（同条2項）が，これがない解雇も私法的には有効である。

使用者が労働者を解雇するに際して，少なくとも30日前の予告，あるいは予告手当としての30日分以上の平均賃金の支払いが要求されている（20条1項本文）。ただし，天災事変その他のやむを得ない事由のため，事業継続が不可能となった場合は

◎賃金の支払いの原則

①通貨払いの原則…賃金は通貨（現金）で支払わなければならない。現物給付・手形・株券等の支払いは禁止される。例外は，法令もしくは労働協約に別段の定めがある場合，一定要件下での銀行振込み，銀行保証小切手での退職金支払いの場合である。

②直接払いの原則…賃金は労働者に直接支払わなければならず，第三者や代理人に対する支払いは禁止される。労働者が賃金債権を第三者に有効に譲渡しても使用者が譲受人に賃金を支払うことはこの原則に反する。

③全額払いの原則…使用者は賃金の全額を支払わなければならない。税金・社会保険料等（法令に別段の定めがある場合），過半数代表労使協定の存する場合は，この例外である。ここから，使用者は労働者に対する不法行為あるいは債務不履行に基づく損害賠償債権を自働債権とする賃金債権との相殺は禁止されるが，過払い賃金を清算する場合，その時期と賃金債権時期とが合理的に接着した時期になされ，その額が多額とはならない調整的相殺は許される（判例）。

④定期日払いの原則…賃金は毎月1回以上一定期日に支払わなければならない。例えば，毎月25日は一定期日となるが，毎月第3金曜日はこれにあたらない。

この限りではない（同条1項但書）。

また，日々雇い入れられる者が1カ月を超えて使用される場合などのように予定の期間を超えて雇用される場合，20条が適用される（21条は六法で確認すること）。

■賃金と労働時間

賃金とは，名称を問わず，「労働の対償」として使用者が労働者に支払う全てのものをいう（11条）。賞与・退職金もその支給条件が就業規則・労働協約等で明確であれば，労基法上の賃金である。労基法は賃金の支払方法を規制し，前ページの下の表のような原則がある（24条）。

また，使用者は，労働者が出産・疾病等の非常の場合の費用に充てるために請求する場合，支払期日前でも既往の労働に対する賃金を支払わなければならない（25条）。

労働時間制の原則は，1日8時間，1週40時間（32条）。作業時間＋手待時間（例えば，タクシーの客待時間）＝実労働時間>40時間の場合，実労働時間が法定労働時間を超えており，時間外労働である。32条の原則は，労使協定締結によって例外としての多様な労働時間制設定が可能である。変形労働時間制も，所定労働時間を超えると時間外労働となることは要注意。

労働時間算定が難しい，事業場外労働（38条の2）と，労働時間管理を労働者の裁量にゆだねる専門業務型裁量労働（38条の3）や企画業務型（38条の4）は，両者とも一定の労働時間労働したものとしてみなす労働時間制である（その時間を超えた労働は時間外労働となる）。

■近年の改正点

2018年成立の「働き方改革関連法」での重要な改正点は，時間外労働の上限についてであり，月45時間，年360時間を原則とする（改正法36条4項）というもの。ただし，特別条項付きの労使協定（36協定）を結ぶ場合で「当該事業場における通常予見することのできない業務量の大幅な増加等」があった場合，休日労働を含み年720時間，単月100時間未満，複数月平均80時間を限度に会社は労働者に時間外労働をさせることができる（改正法36条5項）。

フレックスタイム制は見直され，清算期間の上限は1か月から3か月に延長された（改正法32条の3）。高度プロフェッショナル制度も創設。労働者が高度な専門的知識を必要とする業務に従事するケースでは，労働時間，休日，深夜の割増賃金等の規定を適用除外とする（改正法41条の2）。

また，賃金請求権の消滅時効は2020年に改正され，賃金は2年から5年（当分の間は3年），退職金は5年とされた（労基法115条，143条3項）。

ワンポイント★アドバイス

労基法の最後に適用事業が別表で示されている。そこでは，農業・水産業・漁業等，労働法とはおよそ関係のなさそうな事業が掲げられているが，このような産業で賃金を得る者も労基法の労働者となる。短時間のパート労働者・学生アルバイトも賃金をもらっている限り，これに該当する。本文であげたもの以外に，労基法5条・6条・7条・15条・16条・17条・18条は，条文そのものが頻繁に出題されているので確認しておきたい。

出題パターン check!

正しいものは，次のうちどれか。

（1）使用者が労働者に時間外労働を命ずるには，36協定と個別労働者の同意が必要である。
（2）賃金は必ず通貨で支払わなければならず，通貨以外の支払いは一切認められていない。
（3）フレックスタイム制は，日ごとの業務に著しい繁閑の差を生じる事業のみで認められる。
（4）使用者は天災事変のため事業継続が不可能な場合，予告なしで労働者を解雇できる。
（5）試用期間中の者については，解雇予告は必要ない。

答え（4）

過去５年の出題傾向 ★★★★☆

労働法 ③ 労働組合法

労働組合法（労組法）は，労働組合の団結力による自主的な労働条件獲得をめぐる関係について適用される法である。「労使自治」とはどのようなものかイメージをすることが肝要となる。

■労働組合とは

労働組合は，労働者が主体となり「自主的に労働条件の維持改善その他経済的地位の向上を図ることを主たる目的として組織する団体又はその連合団体」であるから（2条），労働条件向上が目的ならば，付随的な政治活動・経済活動・福利厚生活動は可能である。しかし，これらの活動だけを目的とすることはできない。

2条但書1号は利益代表者を規定する。そこで規定される利益代表者が組合に参加する場合，組合の自主性が疑われる。労使紛争下では，役員・上級管理職・中間管理職・秘書や警備員が使用者側につくと考えれば，趣旨が理解されよう（よく出題される電話交換手や受付は労働者側につくからこれに該当しない）。使用者の経費援助を受けることは，組合の独立性が疑われるが，いくつかのケースではこれに該当しない（同条但書2号）。

◇労組法で規定する利益代表者◇

- 役員
- 雇入，解雇，昇進又は異動に関して直接の権限を持つ監督的地位にある労働者
- 使用者の労働関係についての計画と方針に関する機密の事項に接し，そのためにその職務上の義務と責任とが当該労働組合の組合員としての誠意と責任とに直接に抵触する監督的地位にある労働者
- その他使用者の利益を代表する者

組合の独立性が保たれるケース

・就業時間中に労働者の労使協議や団体交渉を認め，その時間を欠勤扱いとせず対応する賃金を控除しない場合。
・福利厚生資金に対して寄付をした場合。
・最小限の広さの事務所を供与した場合。

■不当労働行為と団体交渉，団体交渉の結果としての労働協約 よく出る

不当労働行為は，7条が禁止する使用者による労働者や労働組合に対する団結権侵害等行為である。その救済機関である労働委員会が発する救済命令によって行政上の救済がなされる（27条の12）。類型には，不利益取扱，団体交渉拒否，支配介入がある。

不利益取扱には，正当な組合活動などを理由とするもの，組合への不加入または脱退を雇用条件とする労働契約を締結するもの（黄犬契約），不当労働行為救済手続利用を理由とするもの，争議調整手続に関する言動を理由とするものがある（7条1号～4号）。わが国では，同一事業所内で複数組合併存が認められる（複数組合併存制）。この場合，事業所内に使用者に協調的な多数組合と批判的な少数組合が併存する場合，使用者はその団結権を平等に承認・尊重すべきであり，その運動路線により差別的取扱いはできない（中立保持義務）。しかし，実際にはこれらの組合を平等に取扱うことは困難であり，ここから様々な不

◎協約が組合員以外に適用される２つの例外

①事業場単位の一般的拘束力…一の工場事業場に常時使用される同種の労働者の４分の３以上の数の労働者が一の労働協約の適用を受けるに至ったときは，当該工場事業場に使用される他の同種の労働者に関しても，当該労働協約が適用されるものとする（17条）。
②地域的の一般的拘束力…一の地域において従事する同種の労働者の大部分が一の労働協約の適用を受けるに至ったときは，当該労働協約の当事者の双方又は一方の申立てに基づき，労働委員会の決議により，厚生労働大臣又は都道府県知事は，当該地域において従業する他の同種の労働者及びその使用者も当該労働協約の適用を受けるべきことの決定をすることができる（18条）。

当労働行為が発生する。①唯一交渉団体条項を多数組合と締結し，これとは団交に応じながら，少数組合とは応じない，②団交権限のない者だけを出席させる（誠実交渉義務を果たさない），③第三者委任禁止条項（使用者・組合間で組合員以外に団交を委任しないという協約条項）を理由に団交を拒否する，④義務的団交事項（使用者が法的に団交に応じる義務を負う事項）であるにもかかわらず団交に応じない，といった場合，いずれも，団体交渉拒否の不当労働行為が成立する。

支配介入は，労働組合の結成または運営を支配または介入すること，あるいは経費援助を与えることである（同条３号）。不当労働行為の使用者は明文規定が存せず，解釈で確定される。労働契約関係当事者だけではなく，派遣先会社が「雇用主（派遣元）と部分的とはいえ同視できる程度に現実的かつ具体的に支配・決定することができる地位にある」場合，使用者とされる（判例）。

また，団交の結果は，労働協約に纏められる。協約には，①（個別）労働者の労働条件に関する部分と②労働組合との運営ルールの設定に関する部分があり，①には16条が規範的効力（法律と同様な効力）を付与する。このため，「…労働協約は，書面に作成し，両当事者が署名し，又は記名押印することによつてその効力を生じる」（14条）という厳格な要件が要求される。②には債務的効力のみがあり，これには，ユニオン・ショップ協定や相対的平和義務を定める協約上の条項等が該当する。協約には有期と無期のものがある。協約の効力は当該組合員にのみ及ぶのが原則であるが，２つの例外がある（上記参照）。

重要語解説

●ユニオン・ショップ協定…所属組合に加入しない，組合を脱退した，あるいは組合を除名された労働者を使用者が解雇する義務を負うという条項。
●相対的平和義務…協約当事者が協約の有効期間中，その協約規定事項の改廃目的で争議行為を行わないという義務。一切の事項について争議行為を行わないという義務は絶対的平和義務という。

出題パターン check!

正しいものは，次のうちどれか。

（1）組合運営への経費援助は禁止されているから，使用者が労働組合に事務所を供与することは，労働組合が現実に自主性を失っているか否かに関わりなく，不当労働行為になる。
（2）１つの地域において従業する同種労働者の大部分が１つの労働協約の適用を受けるに至ったときは，その地域で従業する他の同種労働者にもその労働協約が拡張適用される。
（3）病院の労働者が争議行為を行えば患者の治療に支障をきたすのは当然のことであり，患者の生命や身体の安全が脅されたとしても，争議行為の正当性が否定されない。
（4）表現の自由は国民の基本的人権のうちでもとりわけ重要なものであるから，使用者の意見表明として報復や威嚇，利益供与を意味しても，不当労働行為にはあたらない。
（5）唯一交渉団体条項を多数組合と締結し，これとは団交に応じながら，少数組合とは応じない場合，団体交渉拒否の不当労働行為が成立する。

答え（5）

練習問題1

裁判所の法令審査権に関する次の記述のうち，妥当なものはどれか。

（１）司法権を行使する場合における法令の合憲性については，最高裁判所と下級裁判所とを区別する理由はなく，下級裁判所にも法令審査権が認められており，また，行政庁が独自に制定する省令は憲法81条に規定する「法律，命令，規則または処分」に該当しないから省令については下級裁判所自体が合憲性判断に関する終審裁判所になりうる。

（２）ある法律の規定についてそれを違憲とする判決が確定した場合には，その違憲判決によって直ちに当該法律の規定を廃止する効果が生じ，その違憲判決の事後措置を法律の制定者に委ねる趣旨から，裁判所の判決正本が国会に送付される。

（３）条約に裁判所の法令審査権が及ぶか否かについては学説上争いがあるが，条約はそもそも高度の政治性を有するので原則として司法裁判所の審査になじまず，したがって一見明白に違憲無効と認められないかぎりは，裁判所の司法審査権の範囲外とするのが判例である。

（４）裁判所は個々の事件において，問題となっている法令の規定そのものを違憲とする判決を行うことができるだけでなく，法令の規定そのものを違憲とすることなく，当該法令の規定の当該事件への適用を違憲とする判決を行うこともできる。

（５）具体的な法律上の争訟でない場合に裁判所が法令審査権を有するか否かについては，憲法判断の重要性にかんがみ，具体的事件を離れて抽象的に法律，法令等の合憲性を判断する権限を裁判所は有しているとするのが判例である。

練習問題2

刑事司法に関する憲法上の原則に関する次の記述のうち，妥当なものはどれか。

（１）憲法は二重処罰を禁止しているが，ある行為につき無罪の判決が確定しても，後に新たに証拠が発見されたときは，当初無罪とされた行為について，改めて処罰することができる。

（２）自白と不当に長い抑留・拘禁との間に因果関係が存しないことが明らかな場合であっても，そのような自白は証拠能力を有しないとするのが判例である。

（３）捜査または押収のための令状を発する権限は裁判所だけが有するが，逮捕のための令状を発する権限は，裁判官のほか，検察官も有する。

解答・解説

練習問題１　正答／（4）

●解説／

（１）誤り。前半の記述は問題がない。後半の省令も命令の範疇に入り，違憲審査の対象となる。次に，違憲審査の終審裁判所は，最高裁判所。

（２）誤り。違憲判決の効力に関しては，一般的効力説と個別的効力説の２つの学説があげられるが，後者が通説で，当該事件のみに限局され，この規定が直ちに廃止されるようなことはない。

（３）誤り。条約は，高度の政治性を有するかが，本肢の問題点であり，引っ掛け問題である。砂川事件（最大判昭34・12・16刑集13巻13号3225頁），安保条約は高度の政治性を有する，という判旨があるが（安保条約の特殊性），これが，全ての条約をいい表しているのではなく，寧ろ，条約一般は，高度の政治性を有しているとはいえない。

（４）正しい。前半が法令違憲，後半が適用違憲。

（５）誤り。違憲審査は，付随的審査制をとり抽象的審査制はとっていない（警察予備隊違憲訴訟　最大判昭27・10・8民集6巻9号783頁）。

練習問題２　正答／（5）

●解説／

（１）誤り。憲法39条後段を理解していれば（一事不再理の原則），この選択肢の誤りに気付く。旧憲法下においては，刑事政策上十分な理由があることから不利益な再審は認められていた。

（２）誤り。憲法38条２項の理解力を試した問題。自白と不当に長い抑留・拘禁との間に因果関係が存在しなければ，その自白の証拠能力は認められる。（最大判昭23・6・23）。

（３）誤り。前半の記述は問題がない。誤りは，後半の記述。憲法33条と35条を熟読すれば，この選択肢の誤りに気付くことができる。司法官憲とは，裁判官のこと。

（４）誤り。逮捕に伴う捜索・押収は，捜索・押収令状は要らない。この点を，憲法35条１項の条文から読み

（4）捜査機関が被疑者の逮捕の現場で捜索または押収を行うためには，逮捕のための令状とともに，捜索または押収のための令状が必要である。
（5）捜査機関が被疑者を抑留または拘禁しようとする場合には，抑留または拘禁の理由を直ちに告げるほか，直ちに弁護士に依頼する権利を与えなければならない。

練習問題3

外国人の基本的人権の享受に関する次の記述のうち，妥当なものはどれか。

（1）憲法は基本的人権の普遍性を承認し，国際協調主義を採用していることから，外国人の入国の自由および在留する権利は憲法上保障されており，これに対しては，必要最低限の制限を課することができるにすぎない，とするのが判例である。
（2）請願権は官公署等にその職務に関する事項に関して希望を述べる権利であり，外国人にも自己の生活を営む在留国に対して希望を述べうる権利を享有させることに別段の支障がないことから，外国人に請願権を認めることは憲法上禁じられていないと解される。
（3）外国人の財産権に関しては，わが国は，その国籍国が日本国民に同等の保障をするという条件の下でのみ認めることが可能であり，いったんこれを認めた場合は法の下の平等の趣旨を尊重して日本国民の財産権とまったく同等に保障することが憲法上の要請である。
（4）外国人に国会議員の選挙権および被選挙権を付与することは，そのことにより国民主権の原則が侵害される余地はないから，憲法上認められると解される。
（5）外国人は，在留目的として認められた活動に専念するとともに，在留している国の政治に介入せず，政治的中立を保持する義務があるから，外国人の政治活動の自由は憲法上まったく保障されていないとするのが判例である。

練習問題4

最高裁判所が，ある法律の条項が憲法違反であると判断した場合に，その判決の効力をどのように理解すべきかについては，次の2説がある。

Ⅰ説：当該条項は一般的かつ確定的に無効となり，当該条項が失われたのと同様の効果を有する。
Ⅱ説：当該条項はその適用が問題となった事件に限り運用が排除され，違憲判断はあくまで裁判の当事者のみに及ぶ。

解答・解説

込む必要がある。
（5）正しい。身体の一時的な拘束の抑留や，身体の継続的な拘束である拘禁をされる者は，身柄拘束の理由となる犯罪事実の要旨と弁護人依頼権の告知をされなければならない。

練習問題3　正答／（2）

●解説／
（1）誤り。憲法が国際協調主義をとっていることは確か，しかし，外国人の入国および在留の裁量は，国際慣習法上，その国の権利として認められている。また，憲法の理念・趣旨も認めている（最大判昭53・10・4 民集32巻7号1223頁）。
（2）正しい。国は，請願を受理する義務にとどまって，請願の内容に関して審査したり，回答したりする法的義務はなく，外国人にも認められる。
（3）誤り。財産権の保障は，外国人にもおよぶ（原則）。しかし，外国人は，日本国民と異なる制約を受ける場合がある（通説）。弁理士法2条，電波法5条，鉱業法17条・87条，銀行法32条，外国人土地法3条，船舶法3条。
（4）誤り。外国人の参政権（国会議員の選挙権および被選挙権）に関しては，憲法の国民主権原理から認められない（通説）。
（5）誤り。この選択肢の「憲法上まったく保障されていない」に着目して，マクリーン事件の判旨の一部を引用する。「政治活動の自由についても，わが国の政治的意思決定又は，その実施に影響を及ぼす活動等外国人の地位にかんがみこれを認めることが相当でないと解されるものを除き，その保障が及ぶ」（最大判昭53・10・4 民集32巻7号1223頁）。

《留意点》人権の享有主体に関しては，外国人の頻出度が高い。これに関係する重要判例を，理解し覚えておく必要がある。特に，選択肢（5）の，「まったく保障されていない」に関して，マクリーン事件の判旨を理解していなければ，この記述に引きずられてしまう。

練習問題

次のア～カは，上記２説のいずれかの論拠に関する記述であるが，Ｉ説の論拠として妥当なものの組合せはどれか。

ア：憲法第 41 条は，国会は国の唯一の立法機関であると規定している。

イ：憲法第 98 条第 1 項は，憲法は国の最高法規であって，これに反する法律はその効力を有しないと規定している。

ウ：他方の説によれば，法的安定性や予見可能性を損なうこととなる。

エ：行政機関および司法機関と比べて，立法機関は，その構成員たる議員が国民の直接選挙によって選出されるという意味で，最も民主的基盤を有する機関である。

オ：他方の説によれば，憲法第 14 条第 1 項の平等原則に違反するおそれがある。

カ：最高裁判所が憲法判断を行う場合であっても，その判決が通常の訴訟法上の効力以上に特別な効力を有すると考えることは困難である。

（1） イ，エ　　（2） ウ，カ

（3） ア，エ，カ　　（4） イ，ウ，オ

（5） ア，ウ，エ，オ

択一式正誤問題の対策と準備

設問や選択肢の記述は，一字一句正確に読み込むクセをつけておくこと。読解力が求められており，問題によっては行間を読み込むものもある。過去問は，高度なものから低度なものまでできる限り多くあたり独特な表現（言い回し）に慣れておく必要がある。

最後に，これからの出題傾向について触れておく。ここに，例としてあげた練習問題４のような形式である。ある参考書では「論理式問題」と呼称している（至当と考える）が，学説，テクニカルタームの意義，判例等々を組み合わせたものの正誤を問う形式の問題である。この論理式問題では，例えば，学説の場合，通説の他，それ以外の学説まで理解し覚えておかなければならない。要はこれまでの準備の他にさらにもう一歩踏み込んだ準備が求められている。

練習問題５

私権の主体に関する記述として正しいものは，次のうちどれか。

（1） 民法上，自然人の始期は人としての萌芽が存在するに至った時点，すなわち胎児の身体が母体から一部露出した時点である。

解答・解説

練習問題４　　正答／（4）

●**解説**／本問に目を通して，まず，違憲判決の効力，すなわち，一般的効力説と個別的効力説について問うている問題であることに気付く必要がある。このようなタイプの問題は，（1）～（5）の組合せに取り組むのではなく，ア～カの６つの記述を，Ｉ説（一般的効力説）の論拠となるものか，Ⅱ説（個別的効力説）の論拠となるものか，あるいは，Ｉ説の批判となるものか，Ⅱ説の批判となるものかを明らかに（区別）する必要がある。

ア：Ｉ説では，一種の消極的立法作用となって，憲法 41 条に抵触する問題がある。Ｉ説への批判となる。

イ：Ｉ説の論拠となる。

ウ：Ⅱ説では，同じ規定がある場合には無効となったり，有効となったりして法的安定性や予見可能性の問題となる。従って，Ｉ説の論拠となる。

エ：Ⅱ説の論拠となる。

オ：Ⅱ説では，同じ規定がある場合には無効となったり，有効となったりして，法的安定性を欠き，延いては，不公平を生じて憲法の平等原則に反することとなる。従って，Ｉ説の論拠となる。

カ：Ⅱ説の論拠となる。

以上の結果，正解は（4）となる。なお，違憲判決の効力に関して，基本書を熟読して各説の論拠を整理しておくこと。

このタイプの問題は難解なものが多く，時間がかかるので，出題されていたら，まず，従来型の問題を先に解き，余った時間でじっくり取り組むことを勧める。

練習問題５　　正答／（4）

●**解説**／（1）民法上，自然人の始期は「出生」の時点であり，「出生」とは胎児が母体から全部露出した時点であると解されている（全部露出説）。一部露出説は，刑法における通説である。

（2）胎児はあくまで人ではない以上，出生する前から権利を取得したり，義務を負担したりすることはない。
（3）失踪宣告の効果は，宣告を受けた者が生存していると判明した時点から将来に向かって当然に消滅する。
（4）法人は定款で定められた目的の範囲内において権利を有し義務を負う。
（5）「任意後見契約に関する法律」に基づく任意後見制度は，裁判所から選任された任意後見人により代理権が行使されることで，適切に代理権行使が行われることを目的とする制度である。

練習問題6

法律行為に関する記述として正しいものは，次のうちどれか。

（1）法律行為は，民法上定められた方式によらなければ，成立しないとするのが原則である。
（2）法律行為は意思表示を要素として成立するが，この意思表示は原則として，動機，内心的効果意思，表示意思，表示行為の4段階で成立する。
（3）心裡留保と通謀虚偽表示は，いずれも表意者の効果意思と表示行為の不一致（意思の欠缺）の場合であり，法律効果としても差異はない。
（4）錯誤による意思表示は，表意者の効果意思と表示行為の不一致（意思の欠缺）の場合であり，法律行為の目的及び取引上の社会通念に照らして重要な錯誤に該当しても，表意者は意思表示を取消すことができない。
（5）詐欺による意思表示と強迫による意思表示は，いずれも違法不当な動機付けにより行われた瑕疵ある意思表示の場合であるが，詐欺による意思表示の取消しは，これをもって善意無過失の第三者に対抗することができない。

練習問題7

債権の目的に関する記述として正しいものは，次のうちどれか。

（1）債権の目的は，講学上，与える債務となす債務に分類されるのが一般であるが，前者の例としては種類債務が，後者の例としては特定物債務があげられる。
（2）種類債務は，「債権者の同意を得てその給付すべき物を指定したとき」でなければ特定（集中）することができない。
（3）金銭債務は，金銭という物ではなく金銭の有する経済的価値の給付にむしろ意味があることから，種類債務や特

解答・解説

（2）胎児は人ではないが，損害賠償請求権（721条）・相続（886条）・遺贈（965条）の場合は，例外として権利義務の帰属が認められる。（3）失踪宣告の効果は，単に宣告を受けた者が生存していると判明しただけでは消滅せず，失踪宣告の取消しを経なければ消滅しない。（4）正しい（34条）。（5）任意後見人は，任意後見契約の当事者であり，裁判所から選任される者ではない。裁判所から選任されるのは，任意後見人を監督する任意後見監督人である。

練習問題6　正答／（5）
●解説／（1）近代民法の三大原則である私的自治の原則（契約自由の原則）からは，単に当事者の生活関係は当事者の意思表示により定めることができることを宣言するだけでなく，意思表示の方法も当事者に委ねることまで導かれる（方式自由の原則）。（2）意思表示は，内心的効果意思，表示意思，表示行為の3段階で成立するのが原則であり，動機が意思表示の内容となるのは例外である。（3）心裡留保と通謀虚偽表示は，いずれも意思の欠缺の場合であるが，民法上，前者は原則として有効とされる一方（93条），後者は原則として無効であり（94条），法律効果としては差異がある。（4）錯誤による意思表示は，法律行為の目的及び取引上の社会通念に照らして重要な錯誤に該当すれば表意者は意思表示を取消すことができる（95条）。（5）正しい（96条）。

練習問題7　正答／（3）
●解説／（1）種類債務も特定物債務も，財産を債務者から債権者に移転することを給付の内容とすることから，与える債務の例である。（2）民法は特定の方法として「債権者の同意を得てその給付すべき物を指定し」たときと，「債務者が物の給付をするのに必要な行為を完了し」たとき，の2つを定めている（401条）。（3）正しい。（4）制限超過利息の支払いが元本額を超過しない場合は当該超過利息分の支払を

定物債務とは別個に規定が設けられている。

（4）利息制限法に定められた利息の制限を超えて利息が支払われた場合，制限超過利息の支払いが元本額を超過しない場合は当該超過利息分を債権者に対し返還請求できるとするのが判例である。

（5）債権の目的が，選択により定まることはない。

練習問題8

行政行為の概念に関する次の記述のうち，妥当なものはどれか。

（1）人の申請を待って免許を付与する営業免許などは，行政行為に含まれない。

（2）一般的・抽象的な行政立法であってもその対象が特定の範囲の人に向けられた場合には行政行為に含まれる。

（3）国民と行政庁が協議をし，両者の合意によって権利・義務について取り決めた公法上の契約は，行政行為に含まれる。

（4）国等の行政機関相互の協議，同意などの内部行為は行政行為に含まれない。

（5）国民に対し任意協力を求める行政指導であっても，国民の権利義務に事実上の影響を与える場合には，行政行為に含まれる。

練習問題9

行政行為の瑕疵に関する次の記述のうち，妥当なものはどれか。

（1）違法な行政行為があったとしても，当然に無効になるのではなく，違法が重大又は明白であるときに無効となるとするのが判例である。

（2）取消訴訟を提起しても，当該行政行為が無効でなければ，裁判所は当該行政行為を取消すことはできない。

（3）無効な行政行為は初めから法律効果を全く生じないが，当該行政行為の名宛人は，当該行政行為の無効確認判決を得なければ，これに従わなければならない。

（4）違法な行政行為により損害を被った者は，当該行政行為の取消しの判決を得なくても，国家賠償請求することができるとするのが判例である。

（5）法律上，明文で瑕疵ある行政行為を当該行政庁が取消すことができる旨が規定されていなければ，当該行政庁はその行政行為を取消すことはできない。

解答・解説

元本に充当することを認めるのが判例である。また，判例は元本に充当した結果，元本が消滅した上になおも超過払い分がある場合は，その部分の返還請求を認める。（5）民法は，選択債務に関する規定を設け，選択により債権の目的が定まることを認めている（406条）。

練習問題8　正答／（4）

●解説／行政行為の特徴を参照。（1）営業免許の付与は，私人の申請が契機にはなるものの，免許を付与するか否かの判断は，行政庁の一方的判断によるのであり，行政行為である。（2）行政行為とは，国民の権利義務を具体的に決定する行為である。したがって，一般的・抽象的に権利義務を定める行政立法は，行政行為とはならない。（3）行政庁と私人との合意に基づいて法効果を発生させる行為は行政行為に含まれない。（4）正しい。（5）行政行為は，法的効果を発生させることを特質とする。

練習問題9　正答／（4）

●解説／（1）判例は，違法が「重大かつ明白な場合」に無効とする。（2）行政行為を取消すのに，当該行政行為が無効なものである必要はない。（3）無効な行政行為は，法的に何の効果をも生じないので，名宛人も法的に拘束されない。（4）正しい。（5）取消しとは，違法状態にあった状況を是正する活動であるから，原則として職権取消しには，法律の根拠は不要である。ただし，取消しが処分の名宛人にとって不利益となる場合には，制限されることもある。

練習問題 10

行政不服審査法に関する記述のうち，妥当なものはどれか。

（1）処分庁による再調査は，審査請求の裁決を経た上で行う。
（2）審査庁であれば，常に職権による執行停止をすることができる。
（3）審査請求人又は参加人は，証拠書類又は証拠物を提出することができる。
（4）処分に理由があれば，全ての審査庁は変更裁決をすることができる。
（5）許可申請を却下した処分が裁決で取消された場合，当該申請が許可されたとみなされる。

練習問題 11

行政事件訴訟に関する記述のうち，妥当なものはどれか。

（1）「裁決の取消しの訴え」においては，裁決の手続上の違法その他，裁決に固有の違法だけでなく，原処分の違法もあわせて主張することができる。
（2）義務付け訴訟を提起するには必ず国民の申請行為があることが必要である。
（3）差止め訴訟は，処分又は裁決がされることによって重大な損害が生じるおそれがあれば提起することができる。
（4）「当事者訴訟」とは，行政庁の処分により権利・利益を侵害された者が，行政庁を当事者として処分の適否を争う訴訟である。
（5）「無効等確認の訴え」とは，争点訴訟等処分の無効等を前提とする通常の権利主張の手続では救済目的を達成することができないときに認められる。

練習問題 12

国家賠償法２条に関する記述のうち，妥当なものはどれか。

（1）法２条の「公の営造物の設置又は管理」の瑕疵とは，公の営造物が通常有すべき安全性を欠き，他人に危害を及ぼす危険性がある状態をいう。
（2）法２条の「営造物」は，土地の工作物よりも広い概念であるが，動産は含まれない。
（3）法２条の「公の営造物の設置又は管理」の瑕疵が認められるための要件の一つとして，営造物の設置・管理者の過失をあげることができる。
（4）公の営造物の設置・管理というためには，それが法律上の管理権，所有権等の権原に基づくものであることが必要である。

解答・解説

練習問題 10　正答／（3）

●解説／（1）再調査は審査請求をした場合にはすることができない（5条）。（2）職権による執行停止ができるのは審査庁が処分庁の上級行政庁か処分庁である場合だけである（25条）。（3）正しい。（4）審査庁が処分庁の上級行政庁又は処分庁のいずれでもない場合には，変更裁決できない（46条）。（5）申請を却下した処分が裁決で取消された場合，処分庁は裁決の趣旨に従い，改めて申請に対する処分をしなければならない（52条）。

練習問題 11　正答／（5）

●解説／（1）裁決取消訴訟では，裁決固有の瑕疵のみを争うものをいう。（2）義務付け訴訟には国民の申請行為を前提としないものもある。（3）処分又は裁決がされることによって重大な損害が生じるおそれがあり，かつ，損害を避ける他の適切な方法がない場合に提起できる。（4）処分の適否を争う訴訟は抗告訴訟であり，当事者訴訟とは，公法上の権利関係を争う訴訟である。（5）正しい。

練習問題 12　正答／（1）

●解説／（1）正しい。（2）判例では，動産（公用の自動車など）も営造物に含めている。（3）法２条は，無過失責任である。（4）判例は，事実上の管理をしているに過ぎない者も，公の営造物の設置管理者に含めている。（5）営造物の機能的瑕疵と呼ばれるものであり，沿道住民に対する騒音が受忍限度を超えた場合には，国賠法２条により国の賠償責任を認めている。

（5）道路に道路利用者にとって瑕疵がない場合には，沿道住民に騒音等の被害が生じたとしても，法2条の問題としてとりあげることはできない。

練習問題 13

不能犯に関する記述のうち判例に照らし正しくないものは，次のうちどれか。

（1）A女は，内縁の夫Bある身であったが，Cと密通し，Bを殺すことを共謀，2回にわたり，硫黄粉末をみそ汁に混入させ，これをBに飲ませて同人を殺害しようとしたが，腹痛を起こさせえたに止まった場合，A女は，殺人については不能犯である。

（2）甲は，覚せい剤の製造を企てたが，失敗に終わった。それは，主原料が真正の原料ではなかったためであれば，不能犯であるが，触媒として使用した薬品の分量が必要量の2分の1ないし3分の1程度であったためであれば，未遂犯である。

（3）Aは，妻B女を生命保険に入れ，自分を受取人とし，B女を殺害するため，同人の静脈内に合計30～40ccの空気を注射したが，B女は死ななかったという場合，Aは，殺人未遂になる。

（4）Aは，室内に都市ガスを充満させて，無理心中の形で，わが娘BとCを殺害しようとしたが，訪問してきた友人に発見され，目的を遂げられなかったという場合，Aは，殺人については不能犯である。

練習問題 14

具体的事実の錯誤に関する記述のうち，誤っているものは，どれか。

（1）Aは，Bを殺害するため，Bに向かってピストルを発砲したが，狙いが逸れて，CとDを殺害してしまった場合でも，法定的符合説によるかぎり，Aは，Bに対する殺人未遂，CとDに対する殺人既遂となる。

（2）Aは，Bを殺害するため，Bに向かってピストルを発砲したが，狙いが逸れて，CとDを殺害してしまった場合でも，判例の立場によれば，Aは，Bに対する殺人未遂，CとDに対する殺人既遂となる。

（3）甲は，乙を殺害するため，乙に向かってピストルを発砲し，まさにその乙と思われた人物には命中したが，甲が乙だと思っていた人物が実は乙ではなく丙であり，丙が死亡したという場合，具体的符合説によっても，甲は，丙に対する殺人既遂となる。

解答・解説

練習問題 13　正答／（4）

●解説／（1）殺人につき不能犯で，傷害罪になる（大判大正6年9月10日刑録23輯998頁）。（2）判例は，真正の原料でないため製造できなかった事案で不能犯とし（東京高判昭和37年4月24日高刑集15巻4号210頁），製造方法には科学的根拠があったが，薬品の量が足りないために製造できなかった事案で覚せい剤製造の未遂としている（最決昭和35年10月18日刑集14巻12号1559頁）。（3）空気量が致死量（通常300～400cc）以下であっても被注射者の身体的条件その他の事情によって死の結果発生が絶対にないとはいえない（最判昭和37年3月23日刑集16巻3号305頁）。（4）正しくない。都市ガスは天然ガスで，一酸化炭素は含有せず中毒死の恐れはないが，静電気によるガス爆発，酸素欠乏による窒息死の可能性があるので殺人未遂である（岐阜地判昭和62年10月15日判タ654号261頁）。

練習問題 14　正答／（1）

●解説／（1）誤っている。法定的符合説には，数故意犯説と一故意犯説がある。問題の場合，数故意犯説によれば，Bに対する殺人未遂，CとDに対する殺人既遂となるが，一故意犯説によれば，「CかDのいずれか」にしか，殺人の故意を認めないので，「法定的符合説によるかぎり」というのが誤りである。（2）判例は，数故意犯説である（最判昭和53年7月28日刑集32巻5号1068頁）。（3）具体的符合説は，客体への因果経過を支配していたかどうかを問題とし，狙った客体に対してだけ故意を認める。それゆえ，客体の錯誤では，故意を阻却しない。（4）方法の錯誤なので，具体的符合説を一貫させるかぎり，乙の花瓶に対する器物損壊未遂，丙の花瓶に対する過失器物損壊で，犯罪不成立となる。客体の性質によって区別する修正説もあるが一貫性がない。

練習問題 15　正答／（2）

●解説／（1）ロストボールは，回収を予定している場合，占有のみならず，（無主物先占ないし承継取得により）

（4）甲は，乙の花瓶を壊すため，乙の花瓶に向かって投石したが，狙いが逸れて，乙の花瓶の後ろに隠れていた丙の花瓶にあたり，丙の花瓶を壊してしまった場合，具体的符合説を一貫させれば，甲は，犯罪不成立とせざるをえない。

練習問題 15

窃盗罪における占有侵害をめぐる問題の記述のうち，判例に照らし正しくないものはどれか。

（1）Aは，ゴルフ場内にあるロストボール約1,000個を勝手に拾い集めて，自宅に持ちかえったという場合，Aは，ゴルフ場の占有を侵害しているので，窃盗罪になる，というのが判例の立場である。

（2）甲は，乙の旅館に宿泊中，宿泊料の支払いができないため，旅館の丹前などを着用したまま，「ちょっと手紙を出してくる」と偽って逃走したという場合，丹前は客室の什器などと異なり宿泊客個人が身に着けるものであり，客の甲に単独占有を認めるべきであるから，甲は，窃盗罪ではなく委託物横領罪になる，というのが判例の立場である。

（3）A店の店員Bが，夜になって，店の戸締りをする際，店の北側角より 1.5m の地点にある公道上の柱に立てかけられていたA店の自転車を，屋内に取り込むのを忘れていたところ，Cが，翌朝3時頃，この自転車を持ち去ったという場合，Cは，窃盗罪になる，というのが判例の立場である。

（4）村の収入役甲が，納税にきた村人乙が役場事務室内に忘れていった金銭を拾得し，隠したという場合，甲は，窃盗罪ではなく，占有離脱物横領罪になる，というのが判例の立場である。

（5）Aが，誰かが公衆電話機内に忘れた硬貨を拾得したという場合，Aは，占有離脱物横領罪ではなく，窃盗罪になる，というのが判例の立場である。

練習問題 16

詐欺罪をめぐる記述のうち，判例に照らし正しくないものはどれか。

（1）AがBに振り込むべき75万31円を被告人名義の普通預金口座に誤って振り込んでしまったところ，これを知った被告人は，右入金分を含む金額である88万円を右支店窓口において払戻し請求し，窓口受付係員から現金88万円の交付を受けたという場合，詐欺罪になるというのが判例の立場である。

解答・解説

所有権もゴルフ場側にあり，Aは，窃盗罪になる（最決昭和62年4月10日刑集41巻3号221頁）。（2）正しくない。学説上は，横領や詐欺を認めるものも有力であるが，判例によれば，旅館内のほか，その近辺にも旅館の主人の支配が及ぶとされ，丹前を着たままの外出を許可したとはいえ，占有移転に承諾を与えたとまではいえないので，窃盗罪になる（最決昭和31年1月19日刑集10巻1号67頁）。（3）公道であっても，意識的に置かれ，客観的にも誰の所有物かが推知できる場所に置かれていれば，所有者の占有が認められるので，Cは窃盗罪になる（福岡高判昭和30年4月25日高刑集8巻3号418頁）。（4）一般人の立入も可能で，管理者の排他的な実力管理が十分ではない場所では，遺留物が直ちに管理者たる村長の占有に移るわけではないので，窃盗ではなく，占有離脱物横領である（大判大正2年8月19日刑録19輯817頁，同旨−大判大正10年6月18日刑録27輯545頁〔電車内〕，大判大正15年11月2日刑集5巻491頁〔鉄道内〕）。（5）学説は，むしろ占有離脱物横領とするのが多数だが，判例では，電話局長などに占有を認めるので，窃盗罪になる（東京高判昭和33年3月10日裁特5巻3号89頁）。

練習問題 16　正答／（4）

●解説／（1）占有離脱物横領や，引き出すだけなら犯罪不成立という見解もあるが，窓口で引き出せば詐欺罪になるというのが判例（最決平成15年3月12日刑集57巻3号322頁，札幌高判昭和51年11月11日判タ347号300頁）。なお，カードで引き出せば窃盗罪になる（東京高判平成6年9月12日判時1545号113頁）。それゆえ，自動振替機を使って他人の口座に振替送金した場合，刑法246条の2が適用されるであろう。（2）最決昭和30年7月7日刑集9巻9号1856頁によれば，債務の支払を免れたとするには，債権者を騙して債務免除の意思表示をさせる必要がある。ただ，旅館を出る際に，旅館主において被告人の支払を少なくとも一時的に

（2）甲は，乙旅館に宿泊した後，料金の支払を免れようと思い，女中さん丙に，「支払は，土産物を買いに行きたいので，その後にします。今晩には必ず帰ってきます」といって外出し，そのまま逃走したという場合，詐欺罪になるというのが判例の立場である。

（3）Aは，医師あるいは県知事指定の電気医療器販売業者であるかのように装い，一般に市販され容易に入手しうる電気アンマ器（ドル・バイブレーター）を，一般に入手困難な中風や小児麻痺に特効のある新しい特殊治療器で高価なもののように偽り，売買代金等の名義で現金（2,000円）の交付を受けたという場合でも，詐欺罪になるというのが判例の立場である。

（4）甲は，電気計量器の指針を逆回転させた後，そのことを隠して検針員乙にこれを示し，電気料金の一部の支払を免れたという場合，詐欺罪ではなく，電気窃盗になるというのが判例の立場である。

練習問題 17

就業規則に関する次の記述のうち，正しいものはどれか。

（1）使用者が就業規則を作成するためには，当該事業場の過半数組合，又は過半数代表者の同意を得る必要があり，同意を欠く就業規則は無効である。

（2）使用者は，使用する労働者の数にかかわらず，必ず就業規則を作成し，労働委員会に提出しなければならない。

（3）労働協約に反する就業規則は許されない。

（4）懲戒処分としてなされる減給処分は，労働基準法に規定があるから，使用者は，たとえ就業規則に記載しなくとも，労働者に減給処分を行うことができる。

（5）就業規則と労働契約の規定が抵触する場合，労働契約のほうが優先する。

練習問題 18

労働法に関する次の記述のうち，正しいものはどれか。

（1）ハンバーガーショップで継続的にアルバイトをしている女子高生は，労働基準法上の労働者とはいえない。

（2）失業中で雇用保険給付を受けている者も，労働基準法上の労働者といえる。

（3）労働契約を反復更新している臨時工の契約期間満了後，新たな契約を締結するかどうかは当事者の自由であるから，使用者は事前に雇い止めの通知をする必要はない。

（4）経営不振，金融難などの事情が存する場合には，使用者は解雇予告又は予告手当の支払いをしないで労働者を解

解答・解説

猶予する旨の意思を暗黙にでも表示させていれば，2項詐欺罪となる（東京高判昭和33年7月7日裁特5巻8号313頁）。（3）商品の効能などに真実に反する誇大な宣伝があれば，財産上の損害があり詐欺になる（最決昭和34年9月28日刑集13巻11号2993頁）。（4）正しくない。電気窃盗ではなく，詐欺罪になる（大阪高判昭和9年3月29日刑集13巻335頁）。

練習問題 17　　正答／（3）

●**解説**／（1）就業規則の①作成（変更）義務，②労働組合など過半数代表の意見聴取義務，③行政官庁への届出義務，④周知義務，についてはいずれの義務に違反したとしても使用者が処罰されることはあるが私法的効力は発生する。また就業規則の改訂には労働者などの同意は不要である。（2）作成義務は，常時10人以上の労働者を使用する使用者に課されている。（3）正しい。「就業規則は，法令又は当該事業場について適用される労働協約に反してはならない」（労基法92条1項）。（4）使用者は，減給処分であれ，懲戒処分は就業規則に記載することで初めて行うことができる。（5）労働契約が就業規則より有利であれば労働契約が優先し，労働契約が就業規則より不利な場合は就業規則が定める規準によることになる（労基法93条）。

練習問題 18　　正答／（5）

●**解説**／労基法上の労働者は，労基法9条に基づけば，事業に使用される者で，賃金を支払われる者である。事業は，労基法別表第一にサービス業，製造業，水産業，牧畜業，農業，教育等の広範に規定。この適用事業において賃金を支払われる者は労基法の労働者である。（1）はこの要件をみたすから労働者である。（2）は事業から外れているから，労働基準法上の労働者ではない。（3）判例によれば，有期契約といえども，それが反復更新されている常用的臨時工については，その契約は実質的に期間の定めのない契約と異ならない状態となっており，雇い止めには解雇権濫用法理が類推適用される。したがって，使用者は事前の雇い止め通告をす

雇することができる。
（5）解雇は客観的理由を欠き，社会通念上相当と認められない場合は，その権利を濫用したものとして無効である。

練習問題 19

労働法に関する次の記述のうち，正しいものはどれか。

（1）賃金は通貨で支払わなければならないのが原則であるが，小切手は経済的に通貨と同一の機能を有しているから，小切手による支払いは許容される。
（2）36 協定を所定の労働基準監督署長に届け出ることで，使用者は，法定労働時間を超えて労働させた場合の刑事責任を免れることができる。
（3）賃金は既往の労働に対して支払うのが原則であるが，労働者が非常の場合の費用として請求した場合，使用者は特約なく，いまだ労務提供のない期間についての賃金も支払う義務がある。
（4）時間外労働とは，1 日 8 時間の法定労働時間外に行われる労働のことで，どのような形であれ 1 日 8 時間を超えて労働させた場合は，必ず割増賃金を支払わなければならない。
（5）使用者は，過半数組合と 36 協定を締結することができるが，労働組合のない事業場を代表する者と 36 協定を締結することができない。

練習問題 20

労働法に関する次の記述のうち，正しいものはどれか。

（1）使用者が勤務時間中の団体交渉や組合事務所の無償貸与を認めることは，労働組合の自主性や独立性を侵害することになり，原則として不当労働行為に該当する。
（2）不当労働行為の使用者とは，労働契約上の使用者のことである。
（3）労働者の不当労働行為については，使用者側でも救済を求めることが許されている。
（4）労使間の団体交渉によって合意した事項を文書化し，労使双方の代表者が署名又は記名押印をすることによって，労働協約は有効に成立する。
（5）就業規則も労働協約も，それが効力を生じれば当該事業場の全労働者に適用される。

解答・解説

る必要がある。（4）天災事変その他のやむをえない事由のために事業の継続が不可能となった場合は，解雇予告は必要ない(労基法 20 条 1 項但書)。（5）正しい。労働契約法 16 条。

練習問題 19　正答／（2）

●解説／（1）通貨払いの原則から，小切手による支払いは許されない。（2）正しい。この効力を労使協定の免罰的効力という。（3）使用者は，労働者が出産・疾病等の非常の場合の費用に充てるために請求する場合には，支払期日前でも「既往の労働」に対する賃金を支払わなければならない（労基法 25 条）が，いまだ労務提供のない期間についての賃金を支払う義務はない。（4）労働時間は 1 週 40 時間 1 日 8 時間を超えてはならない（労基法 32 条）。しかし，変形労働時間制やフレックスタイム制を導入した場合，変形期間や清算期間において法定労働時間を超えない限り，割増賃金の支払いは必要ない。（5）36 協定は過半数組合か，それが存在しない場合は過半数代表者とのいずれかと締結する。

練習問題 20　正答／（4）

●解説／（1）賃金を失うことなく，労働者が就業時間中に労使協議や団体交渉をすること，および使用者が最低限の広さの事務所の供与を認めることは，経費援助の不当労働行為にはあたらない（労組法 7 条 3 号但書）。（2）不当労働行為の使用者は，労働契約上の使用者に限定されず，例えば一定の条件をみたす派遣先企業や実質上使用者と類似した地位にある社外労働者を受け入れている企業も使用者になる場合がある。（3）日本では，使用者の不当労働行為しか存しない。労働者側の不当労働行為は存しないので注意。（4）正しい。労組法 14 条参照。（5）就業規則は当該事業場の全労働者に適用されるが，労働協約は組合員にだけ適用される。組合費を支払う組合員にだけ及ぶのは当然である。ただし，例外として，労組法 17・18 条があるのでこの条文は本文を参照すること。

出題傾向 基本事項を理解するのに他の科目と比べて難度が高いが，理解できれば得点につなげやすい分野であり，出題数も多いため優先的に学習すべき分野である。中でも経済原論は最重要科目。直近の試験では，全国型で９問，関東型で12問，中部・北陸型で８問，特別区と市役所で10問と，各タイプの試験でかなりの比重を占めている。財政学は各タイプの試験で３～５問出されている。経済政策は関東型と中部・北陸型で２問で出題されており，経済史・経済学史は関東型において１問，経済事情は中部・北陸型で３問出されている。なお，会計学は，東京都の記述式のみでの出題である。

ポイント別・学習法

■経済原論

＜傾向＞経済分野では，最も出題頻度の高い分野である。ミクロ経済学，マクロ経済学ともに，近年は基本的な事項を中心に幅広く出題されている。貨幣需要などの*IS-LM*分析の出題も見られる。図表を用いた問題も多く出題されるため，図表の意味について正確に理解することが重要になる。直近の試験では，需要曲線と供給曲線，*IS-LM*分析，完全競争市場における生産理論，ハロッド＝ドーマーモデルなどが出題されている。

＜学習法＞経済学の基礎となる分野であり，他の経済学分野の問題を解く上でも原論の理解が必須となるため，真っ先に手をつけてほしい分野である。ミクロ・マクロともまんべんなく出題されるため，さしあたり難しいところはとばしてでも，ミクロ・マクロ全般にわたって一通り勉強し，その後わからないところに立ち戻る，という形で勉強したほうが効率的だろう。

◎難易度＝95ポイント
◎重要度＝100ポイント

■財政学

＜傾向＞古典的な原理原則に関する知識から最近の国家財政や地方財政の状況まで，確かで幅広い対応が求められる分野である。とはいえ，一つの研究分野として財政学に臨む訳ではないので，古典的な原理原則については，例えば誰がどういう見解を示したかというような部分が，並列的にでも整理できていれば，大体は対応できるであろう。中でも予算原則，租税はしっかりおさえておきたい。直近の試験では，租税論，国債，地方交付税や国庫支出金といった地方財政論などが出題されている。

＜学習法＞基本的な試験対策としては，網羅的な概説書と問題集的な書物を手元に置いて，偏ることなく勉強を進めればよい。最近の財政事情等については，重要分野であるから，白書や新聞等の記述に常に注意しておくとよいだろう。
◎難易度＝ 90 ポイント
◎重要度＝ 95 ポイント

■経済史・経済学史

＜傾向＞経済史については，世界経済史，日本経済史ともに第一次世界大戦後の経済に関する問題が頻出している。また，世界経済史については，産業革命期の経済に関する問題もよく出題されている。一方，経済学史については，重商主義，重農主義から，現代のマネタリスト，サプライサイドエコノミクスにいたるまで，幅広い分野に関する問題が，まんべんなく出題されている。特に重要となるのは，重商主義と古典派経済学，限界革命，ケインズ経済学であろう。直近の試験では，リストなど古典派・マルクス経済学・歴史学派の学者に関する問題が出題されている。
＜学習法＞基本的には暗記科目である。経済史については，産業革命と第二次世界大戦後の経済史に絞って学習したほうがよい。経済学史については，それぞれの学派の主要な経済学者，学説の概要，主要著書をきちんと覚えることが必要。経済原論の関連する分野と一緒に覚えると効率的だ。
◎難易度＝ 70 ポイント
◎重要度＝ 70 ポイント

■経済政策

＜傾向＞マクロ経済政策に関する問題が出題されており，具体的な政策に関する問題や計算問題など，様々な形で出題される。経済原論を発展させた理論的な問題も出題されるが，原論の内容が理解できていれば十分対応できるだろう。また，日本で実際に実施された経済政策の内容について問う問題も，出題されている。直近の経済政策の出題では，日銀の金融政策や独占禁止法に関する出題どが出題されている。
＜学習法＞経済原論，特にマクロ経済学と深く関連する分野である。理論的な問題は，そのほとんどがマクロ経済学の発展である。よって，まずは，原論をしっかりと勉強してから経済政策分野に取り掛かるほうが，結果として効率よく勉強できる。また，日本において実施された政策に関する問題については，日本経済史とあわせて勉強すると効率的に学ぶことができるだろう。
◎難易度＝ 80 ポイント
◎重要度＝ 80 ポイント

■経済事情

＜傾向＞景気の現状や，税制改革，規制緩和など，現在の経済問題が出題される。経済成長率や失業率，国際収支統計等の基礎的な統計に関する知識を問う問題が出題されることが比較的多い。直近の出題では，消費や財政面における日本経済の現状，実質賃金や男女の給与差の動向などが出題されている。
＜学習法＞新聞等でまめに経済ニュースをチェックすることが必要。また，基礎的な統計に関する知識対策として，『経済財政白書』などの白書にも目を通しておくとよい。
◎難易度＝ 70 ポイント
◎重要度＝ 70 ポイント

■会計学

＜傾向＞記述式での対応ができるよう，企業会計原則に関する基本から応用までをおさえておく必要がある。
＜学習法＞簿記検定２～３級レベルの学習をしておく。
◎難易度＝ 85 ポイント
◎重要度＝ 50 ポイント

過去5年の出題傾向 ★★★★★

経済原論 ① 消費の理論

消費行動を分析する上で重要なツールである無差別曲線・予算線の性質と，消費者均衡がどのように達成されるのか，グラフも含めて理解することがポイントとなる。

■無差別曲線

無差別曲線は，同じ効用（満足度）をもたらす財の組み合わせからなる線分である。消費量が増加するにつれ効用が増大する2財の無差別曲線は，図1のような右下がりの曲線となる。

●図1　無差別曲線と限界代替率

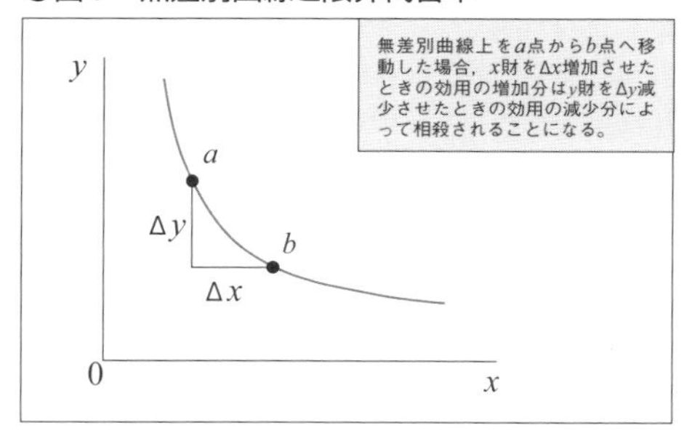

◇無差別曲線の性質

無差別曲線は，次のような性質を持つ。

・無差別曲線上にある点は全て効用が等しい。

・原点から遠い無差別曲線ほど効用は高い。

・無差別曲線は交わらない。

・x財とy財の2財を消費する消費者の無差別曲線の形状は，通常，限界代替率逓減の法則により，原点に対し凸になる。

・限界代替率（MRS）：x財を1単位増やしたときに手放さなければならないy財の量。図1でのa点からb点への移動について考えてみる。x財がΔx増加し，y財がΔy減少したときに，消費者の効用に変化がない（同一無差別曲線上にある）場合，

$$MUx \cdot \Delta x = -MUy \cdot \Delta y$$

が成立する（MUは限界効用）。この式を変形すると，

$$-\frac{\Delta y}{\Delta x} = \frac{MU_x}{MU_y} = MRS \cdots ①$$

となる。ここで$-\frac{\Delta y}{\Delta x}$は，無差別曲線の傾きであることに注意。無差別曲線が原点に対し凸になるということは，限界代替率がyの数量が減少するにつれて逓減するということを意味している。

■需要の決定

◇消費者均衡点 よく出る

消費者は，予算制約の下で，購入可能な財の組み合わせの中からもっとも効用が高くなるように消費を行う。与えられた所得と財の価格の下で，効用を最大にする点（消費者均衡点）は，無差別曲線と予算線が接するb点である（図2）。消費者均衡点では，無差別曲線の傾きと予算線の傾きが一致しているため，限界代替率＝価格比，すなわち，

$$MRS = \frac{P_x}{P_y} \cdots ②$$

が成立する。また，$MRS = \frac{MU_x}{MU_y}$（①式）より，②式は次のように変形できる。

●図2　消費者均衡点

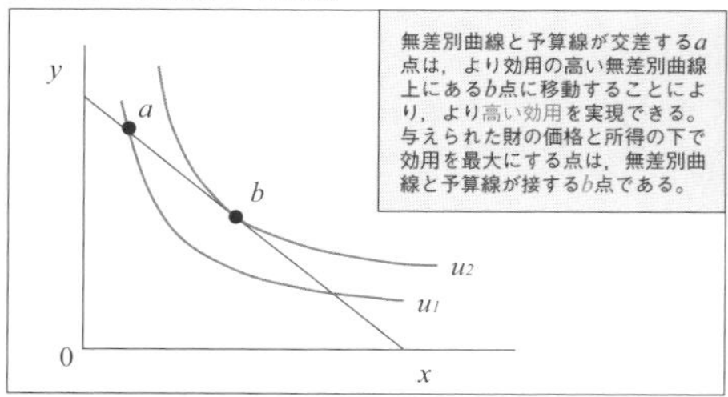

$$\frac{MU_x}{P_x} = \frac{MU_y}{P_y}$$

この式は，効用最大化のためには，x 財と y 財に支出される貨幣１単位あたりの限界効用が互いに等しくならなければならない，ということを示している。この条件のことを加重限界効用均等の条件という。

◇所得消費曲線

消費者の所得が変化すると，消費者均衡点も変化することになる。消費者の所得変化は，図３（a）のように，予算線のシフトとして表すことができる。消費者の所得が増加することにより，消費者均衡点は E_1 から E_2 へ移動する。この E_1 と E_2 を結んだ曲線を所得消費曲線と呼ぶ。

◇価格消費曲線

財の価格が変化すると，消費者均衡点が変化する。x 財の価格変化は，図３（b）のように，予算線の傾きの変化として表すことができる。これにより，消費者均衡点は E_1 から E_2 へ移動する。この E_1 と E_2 を結んだ曲線を価格消費曲線と呼ぶ。

■代替効果と所得効果 よく出る

ある財の価格変化によって引き起こされた需要量の変化は，代替効果と所得効果という２つの効果を通じて生み出される。

◇代替効果

代替効果は，x 財の価格 P_x と y 財の価格 P_y との相対価格の変化に着目した効果であり，代替効果が財の消費量に与える影響は常に一定で，価格変化がその財自身に与える影響は常に負である。例えば，x 財の価格が低下（上昇）した場合，y 財と比較して相対的に安く（高く）なった x 財の需要は増加（減少）する。

●図３　所得消費曲線と価格消費曲線

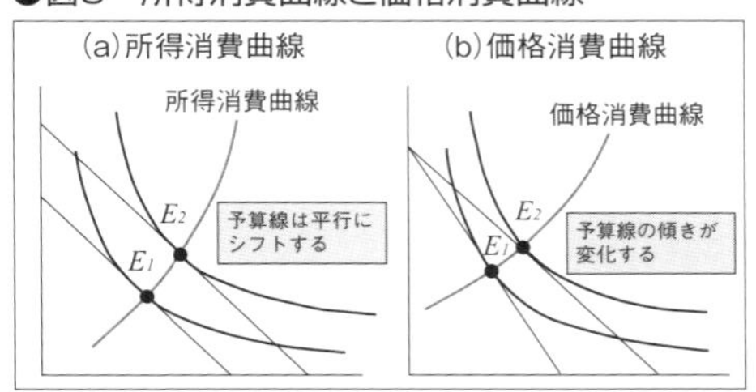

◇所得効果

所得効果は，財の価格変化が消費者の購買力（実質所得）に与える影響に着目した効果である。例えば，ある財の価格の下落は，これまでの所得で購入できる財の数量を増加させるため，消費者の実質所得を増大させる。所得効果が財の消費量に与える影響は，その財の性質によって異なる。

・実質所得が増大（減少）したときに消費量も増大（減少）する財を上級財（正常財）という。
・実質所得が増大（減少）したときに消費量が減少（増大）する財を下級財（劣等財）という。

◇ギッフェン財

通常，代替効果は所得効果を上回るため，価格が下落した際には需要量は増加する。しかし，ごくまれに価格の下落がその財の需要量を減少させる財が存在する。これは下級財の特殊なケースで，所得効果による需要の減少が代替効果による需要の増加を上回り，全体として需要量が減少したためにこうした現象が生じたのである。こうした財のことをギッフェン財と呼ぶ。

出題パターン check!

ギッフェン財の説明として正しいものは，次のうちどれか。

（１）ギッフェン財とは，実質所得が増加したときに消費量が減少する財である。
（２）ギッフェン財とは，実質所得が増加したときに消費量が増加する財である。
（３）ギッフェン財とは，価格が上昇したときに消費量が減少する財であり，所得効果が代替効果を上回っている財のことである。
（４）ギッフェン財とは，価格が上昇したときに消費量が増加する財であり，所得効果が代替効果を上回っている財のことである。
（５）ギッフェン財とは，価格が上昇したときに消費量が増加する財であり，代替効果が所得効果を上回っている財のことである。

答え（４）

過去５年の出題傾向　★★★★★

経済原論 ② 生産の理論

各費用概念を正確に把握した上で，短期の理論と長期の理論の違いを理解することが重要である。計算問題にも対応できるようにすること。

■費用関数　よく出る

◇短期費用関数

総費用＝固定費用＋可変費用

$TC = FC + VC$

・**固定費用**（FC）…産出量とは関係なく発生する一定の費用（設備維持費，家賃等）

・**可変費用**（VC）…産出量に応じて変化する費用（原材料費等）

生産数量を Y とすると，平均費用（AC），平均固定費用（AFC），平均可変費用（AVC），限界費用（MC）は，次のように表すことができる。

$$AC=\frac{TC}{Y}\quad AFC=\frac{FC}{Y}\quad AVC=\frac{VC}{Y}\quad MC=\frac{\Delta TC}{\Delta Y}$$

なお，各費用関数は次のように図で表される（図１）。MC 曲線は，AC 曲線と AVC 曲線の最低点を通ることに注意。

●図１　短期費用曲線

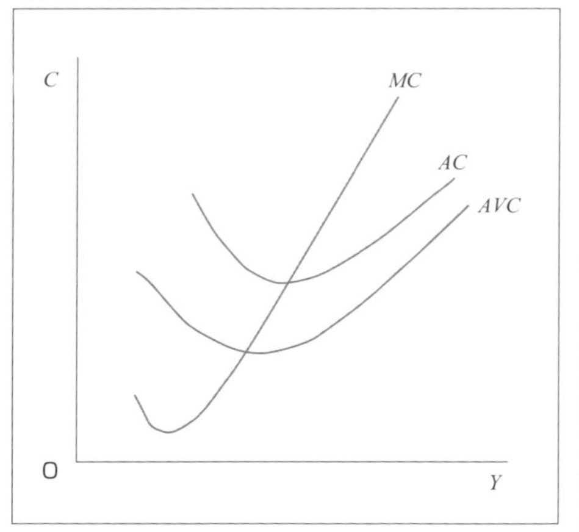

◇長期費用関数

長期分析の場合，固定費用が存在しないことに注意。長期の費用曲線は，次のようにして描くことができる。

・**長期平均費用曲線**（LAC）…短期平均費用曲線（SAC）群の包絡線となる。

・**長期限界費用曲線**（LMC）…LAC 曲線と SAC 曲線が接している産出量（$LAC=SAC$）の短期限界費用（SMC）の値を結ぶことにより描くことができる。長期費用関数の図は次のようになる（図２）。

●図２　長期費用曲線

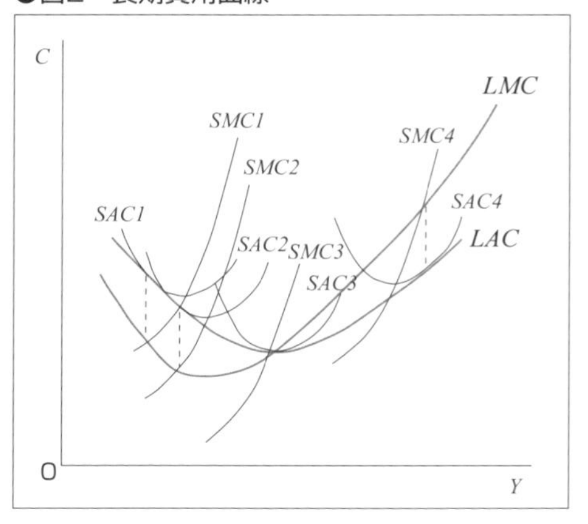

■完全競争均衡　よく出る

◇完全競争均衡

完全競争市場では，企業は $P = MC$ となるように生産することにより，利潤を最大にすることができる。

◇損益分岐点

価格が*AC*曲線の最低点の水準となるとき，費用と収入が等しくなり利益はゼロになる。この点を損益分岐点という（図３）。損益分岐点よりも価格が高いときには企業に利潤が発生し，損益分岐点よりも価格が低いときには損失が発生する。しかし，損失が発生した場合でも，価格が*AVC*曲線の最低点の水準よりも高い場合には，企業は生産に必要な可変費用と固定費用の一部を賄うことができるため，生産を続行した方が有利である。

◇操業停止点

価格が*AVC*曲線の最低点の水準となるとき，企業が得る収入は生産に必要な可変費用と等しくなる。この場合，企業は固定費用を賄うことができなくなるため，生産を続行するメリットがなくなる。この点を操業停止点といい，この水準よりも価格が下落した場合,企業は生産を停止する（図３）。

●図3　損益分岐点，操業停止点

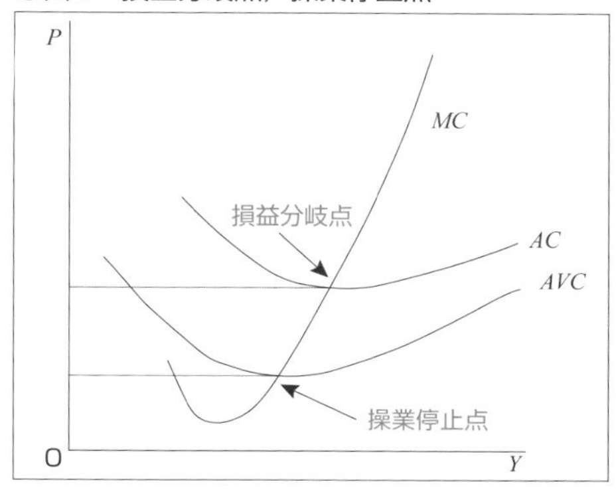

◇長期均衡

長期においては，市場への企業の参入や退出が可能となる。仮に，市場において超過利潤が発生しても，その超過利潤の獲得を目指して他の企業が市場に参入する。この他企業の参入は，市場価格の下落を引き起こす。新規企業の参入は，価格が$MR = LMC = SMC$となる水準まで継続する。$MR = LMC = SMC$となるとき，超過利潤は消滅し，企業の新規参入は停止する。一方，この水準以下に価格が低下した場合，損失が発生する。この損失は，市場からの企業の退出を促進させる。企業の退出は市場価格を上昇させ，$MR = LMC = SMC$となる点で企業の退出は停止することになる。$MR = LMC = SMC$となる価格は，長期均衡価格である。

ワンポイント★アドバイス

生産の理論では，限界概念について理解することが重要である。問題を解くにあたって微分の計算が必要となる場合があるので，数学が苦手な人は復習しておこう。

重要語解説

●コブ＝ダグラス型生産関数…Yを産出量，Kを資本，Lを労働とした場合，以下の生産関数，$Y = A \cdot K^{\alpha} \cdot L^{\beta}$において，$\alpha + \beta = 1$となるような生産関数を，コブ＝ダグラス型生産関数という。なお，Aは技術水準を表す正の定数である。コブ＝ダグラス型生産関数の下で生産を行うと，規模に対して収穫不変となる。ちなみに，$\alpha + \beta > 1$の場合は規模に対して収穫逓増，$\alpha + \beta < 1$の場合は規模に対して収穫逓減となる。

出題パターンcheck!

次の文章のうち，正しいものはどれか。

（１）損益分岐点とは，企業の費用と収入が等しくなる点であり，*AVC*曲線の最低点が損益分岐点となる。

（２）損益分岐点とは，企業の費用と収入が等しくなる点であり，*AC*曲線の最低点が損益分岐点となる。

（３）損益分岐点とは，企業の費用と収入が等しくなる点であり，価格がこの水準よりも低くなった場合には損失が発生するため，企業は生産を停止する。

（４）操業停止点は，企業が操業を停止する価格水準を示しており，このとき，企業の収入は固定費用と等しくなる。

（５）操業停止点は，企業が操業を停止する価格水準を示しており，*AC*曲線の最低点が操業停止点となる。

答え（２）

過去5年の出題傾向 ★★★★★

経済原論 ③ 45度線分析

45度線分析については計算問題もよく出題されているので，45度線図と共に，数式もしっかりと理解することがポイントとなる。

■ 45度線分析の基礎 よく出る

45度線分析は，財市場のみを分析対象とし，総需要と総供給が等しくなる所で均衡国民所得 Y^* が決定する。

◇閉鎖経済…政府部門と海外部門を捨象し，民間部門だけからなる閉鎖経済のマクロモデルを考える。

$Y=C+I$ ………①
$C=C_0+cY$ ……②
$I=\bar{I}$ ……………③

Y：国民所得
C：消費
I：投資
C_0：基礎消費
c：限界消費性向

・**消費**…基礎消費 C_0 は，所得の大きさに依存しない，生存に必要な消費を示す。限界消費性向 c は，所得の変化分に対する消費の変化分（dC/dY）を示し，$0<c<1$ であると仮定される。消費と所得の関係を表す②式を消費関数と呼ぶ。この関係を，縦軸に消費 C，横軸に国民所得 Y をとって図に表すと，傾きが限界消費性向，切片が基礎消費 C_0 の直線になる（図1）。

●図1

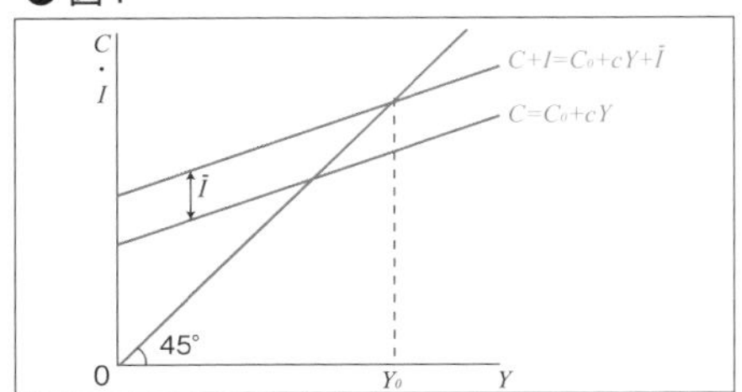

・**投資**…投資 I は，一定の値をとると仮定する。

・**総需要**…投資 $\bar{I}$ は一定の値をとるため，総需要＝消費＋投資は消費関数 $C=C_0+cY$ を投資 $\bar{I}$ だけ平行移動した直線 $C+I=C_0+cY+\bar{I}$ で表される。

・**均衡国民所得**…①式に②式と③式を代入する。均衡国民所得の決定式は，

$$Y=C_0+cY+\bar{I} \qquad Y=\frac{1}{1-c}(C_0+\bar{I})$$

となる。図1では，45度線と $C+I$ を示す線との交点で均衡が達成される。

◇貯蓄と投資の均衡

①式を変形し，$Y-C=\bar{I}$ とすると，

$S=I$
$I=\bar{I}$

S：貯蓄
s：限界貯蓄性向

$S=Y-C=(1-c)Y-C_0=sY-C_0$

となる。ここで，限界貯蓄性向 s は所得の変化分に対する貯蓄の変化分（dS/dY）を示している。所得の増加分は消費か貯蓄のどちらかに回されるため，$s+c=1$，よって $s=1-c$ となる。均衡国民所得 Y^* は，貯蓄と投資が等しくなる水準（$S=I$）で決定される（図2）。

●図2

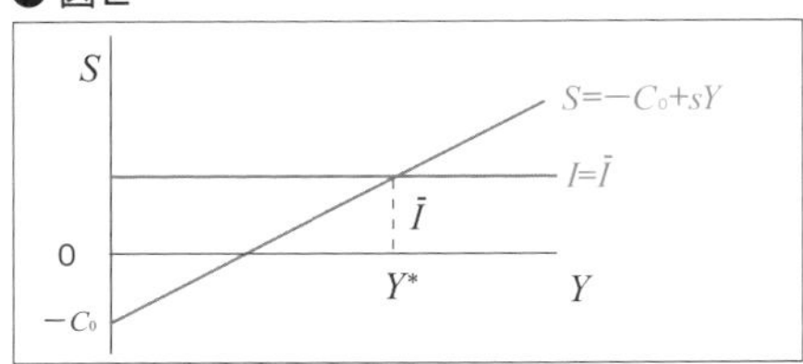

◇乗数理論の基礎

ここで，これまで与件とされてきた投資 I

が変化した場合，均衡国民所得水準がどのように変化するか考えてみる。

投資Iが1兆円増加（ΔI）したとする。これは，所得を1兆円増加させる。一方，この1兆円の所得増加は，それに限界消費性向を掛けた大きさだけ消費を増加させることになる。この消費の増加は，所得をさらに増加させ，再び所得増加に限界消費性向を掛けた分だけ消費を増加させることになる。こうした過程は無限に続く。従って投資の増加分ΔIがもたらす所得増加分ΔYは，

$$\Delta Y=\Delta I+c\Delta I+c^2\Delta I+\cdots=(1+c+c^2+\cdots)\Delta I$$
$$=\frac{1}{1-c}\Delta I$$

となる。すなわち，投資の増加ΔIは，その乗数$1/(1-c)$倍の所得増加をもたらすことになる（乗数理論については，後の項目でより詳細に説明する）。

■政府部門，外国部門を含めた均衡国民所得の決定

◇政府部門を含めた均衡国民所得

先程のモデルに，政府部門を含めると，①～③式はそれぞれ

$$Y=C+I+G \cdots\cdots ④$$
$$C=C_0+c(Y-T) \cdots ⑤$$
$$I=\bar{I} \cdots\cdots ⑥$$

$\{G$：政府支出，T：租税$\}$

となる。ここでGは政府支出である。消費は所得から租税Tを除いた可処分所得$(Y-T)$に依存すると考えられるため，消費関数は⑤式のような形となる。よって，均衡国民所得の決定式は，

$$Y=C_0+c(Y-T)+\bar{I}+G$$
$$=\frac{1}{1-c}(C_0-cT+\bar{I}+G)$$

となる。

◇外国部門を含めた均衡国民所得の決定

さらに外国部門を含めた開放経済モデルを考える。先程のモデルに外国部門を含めると，国民所得の均衡条件は次のように示される。

$$Y=C+I+G+(E-M) \cdots ⑦$$
$$E=\bar{E} \cdots\cdots ⑧$$
$$M=M_0+mY \cdots\cdots ⑨$$

E：輸出
M：輸入
m：限界輸入性向
M_0：所得水準に存在しない基礎輸入分

ここで，⑦式の$(C+I+G)$は国民総生産のうち，国内で吸収される分で，アブソープションと呼ばれ，$(E-M)$は外国によって吸収される分であり，経常収支と呼ばれる。輸出は外国の需要であるため，自国の所得水準とは独立した大きさとなる。一方，輸入は自国の需要であり，その大きさは国民所得の大きさに依存すると考えられるため，$M=M_0+mY$という⑨式で表される。ここで，mは所得が1単位増加したときの輸入の増加分(dM/dY)であり，限界輸入性向と呼ばれる。消費，投資，政府支出が先程のモデルと同様であるとすれば，均衡国民所得の決定式は，

$$Y=C_0+c(Y-T)+\bar{I}+G+\bar{E}-(M_0+mY)$$
$$=\frac{1}{1-c+m}(C_0-cT+\bar{I}+G+\bar{E}-M_0)$$

と表される。

出題パターン check!

消費関数が
$C=0.8Y+500$　$\{C$：消費　Y：均衡国民所得
$I=1000$　　　I：投資$\}$
と示されるとする。投資を200増加させた場合の均衡国民所得として妥当なものは，次のうちどれか。ただし，政府部門および外国との取引は無視するものとする。
(1) 7000
(2) 7500
(3) 8000
(4) 8500
(5) 9000

答え（4）

過去５年の出題傾向 ★★★★★

経済原論 ④ *IS*–*LM* 分析

IS 曲線，LM 曲線の導出方法をきちんとおさえた上で，生産物市場・貨幣市場の両市場の同時均衡がどのように達成されるのか理解すること。

■生産物市場の均衡と *IS* 曲線

◇ *IS* 曲線の導出 よく出る

投資は利子率に依存し，貯蓄は所得に依存するとすると，投資関数 I と貯蓄関数 S はそれぞれ，

$I = I(r)$

$S = S(Y)$

と表すことができる。生産物市場の均衡条件は貯蓄（S）＝投資（I）である。この条件を満たす国民所得（Y）と利子率（r）の組み合わせを示す曲線が *IS* 曲線である（図１）。

●図1

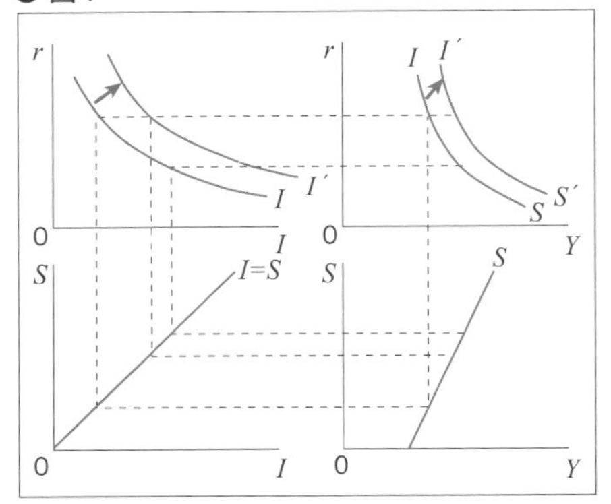

◇ *IS* 曲線のシフト

ここで投資 I が I' へ増加したとする。投資の増加は，*IS* 曲線を $I'S'$ へと右方にシフトさせる（図１）。このように，投資の増大以外にも，総需要を増大させる要因が生じたときには，*IS* 曲線は右方にシフトする。具体的には，政府支出の増大，消費意欲の増大（貯蓄意欲の減退）などがあげられる。一方，総需要を減少させる要因が生じたときには，*IS* 曲線は左方へシフトすることになる。

■貨幣市場の均衡と *LM* 曲線 よく出る

◇ *LM* 曲線の導出

LM 曲線は，貨幣市場における貨幣需要 L と貨幣供給 M/P を均衡させる利子率と国民所得の組み合わせを示す曲線である。貨幣需要は，取引動機に基づく貨幣需要と，投機的動機に基づく貨幣需要に分けられる。

$L_1 = L_1(Y)$　　　$L_2 = L_2(r)$

ここで，L_1 は取引動機に基づく貨幣需要であり，国民所得 Y が増加するにつれ大きくなる。一方，L_2 は投機的動機に基づく貨幣需要であり，利子率 r が低下するにつれ大きくなる。このように，貨幣需要が利子率に依存するという考え方は，流動性選好説といわれる。貨幣需要はこれら２つをあわせたものである。よって，*LM* 曲線とは，

$$\frac{M}{P} = L = L_1(Y) + L_2(r)$$

●図2

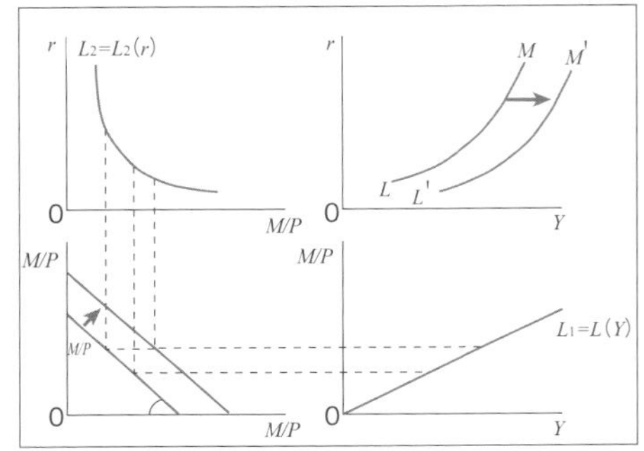

を満たす国民所得（Y）と利子率（r）の組み合わせを示す曲線となる（図２）。

◇*LM* 曲線のシフト

LM 曲線は，貨幣供給量の増大か，貨幣需要の減退が生じる時に右方へシフトする。例えば，図２において，貨幣供給量が増大したとする。貨幣供給量の増大は，M/P 曲線を右上方へシフトさせる。これにより，*LM* 曲線も右方へシフトすることになる。*LM* 曲線を右方へシフトさせる主な要因としては，貨幣当局による名目通貨量 M の増加，物価水準の低下による実質貨幣供給量 M/P の増大，流動性選好の減退による貨幣需要の減少などがあげられる。

■生産物市場と貨幣市場の同時均衡

◇両市場の同時均衡

IS 曲線と *LM* 曲線の交点は，生産物市場と貨幣市場の同時均衡を表している（図３）。この交点に対応する r^* は均衡利子率，Y^* は均衡国民所得と呼ばれる。また，この均衡値は，生産物市場と貨幣市場のそれぞれの均衡条件，

$$I(r) = S(Y)$$

$$\frac{M}{P} = L_1(Y) + L_2(r)$$

を同時に満たす Y と r でもある。

● 図３

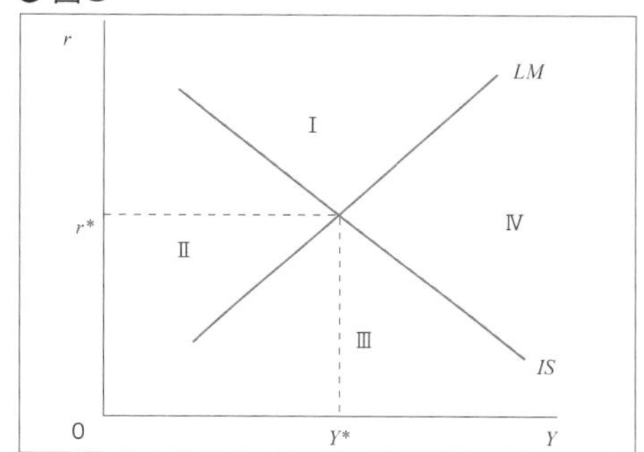

◇均衡への調整過程

経済が *IS*－*LM* 曲線の交点以外にあるときに，生産物市場，貨幣市場でどのようなことが起こっているのかについてまとめておく。

- Ⅰの領域…生産物市場・貨幣市場共に超過供給であり，所得の減少と利子率の低下により均衡が達成される。
- Ⅱの領域…生産物市場では超過需要，貨幣市場では超過供給が生じ，所得の増加と利子率の低下により均衡が達成される。
- Ⅲの領域…生産物市場・貨幣市場共に超過需要であり，所得の増加と利子率の上昇により均衡が達成される。
- Ⅳの領域…生産物市場では超過供給，貨幣市場では超過需要が生じ，所得の減少と利子率の上昇により均衡が達成される。

ワンポイント★アドバイス

IS－*LM* 分析は，関連する問題が経済政策分野でも出題される。ここで，*IS*－*LM* 分析の基礎固めをしておくことにより，経済政策分野の理解が容易になるだろう。

出題パターン check!

IS 曲線と *LM* 曲線に関する次の記述のうち，妥当なものはどれか。

（１）*IS* 曲線は，投資と貯蓄が等しくなるような利子率と国民所得の組み合わせを表す曲線であり，*IS* 曲線上の各点では貨幣市場が均衡している。
（２）*IS* 曲線は，投資と貯蓄が等しくなるような利子率と国民所得の組み合わせを表す曲線であり，*IS* 曲線上の各点では，生産物市場と貨幣市場が同時に均衡している。
（３）*LM* 曲線は，貨幣に対する需要と供給が一致する利子率と国民所得の組み合わせを表す曲線であり，*LM* 曲線上の各点では，生産物市場が均衡している。
（４）*IS* 曲線と *LM* 曲線の交点では，生産物市場と貨幣市場を同時に均衡させる利子率と国民所得の組み合わせが決定される。
（５）*IS* 曲線と *LM* 曲線の交点では，生産物市場と労働市場を同時に均衡させる利子率と国民所得の組み合わせが決定される。

答え（４）

過去５年の出題傾向 ★★★★★

経済原論 ⑤

ハロッド＝ドーマーモデルと新古典派成長理論

ハロッド＝ドーマーモデルと新古典派成長理論という，２つの代表的な経済成長理論について，両者の特徴や違いを正確に理解することが重要である。

■ハロッド＝ドーマーモデル

◇ハロッド＝ドーマーモデルとは

ハロッド＝ドーマーモデルは，現実の成長率（G），保証成長率（G_w），自然成長率（G_n）という３つの成長率を用いて経済成長の理論を体系的に展開したものである。

◇保証成長率

投資は単に所得を増加させるだけでなく，資本ストックを増加させ，それにより生産能力を拡大させるという２つの側面を持つ（投資の二重性）。投資Iは資本ストックKの増加分であるから，

$$I = \Delta K = v\Delta Y$$

｛v：資本係数｝

と表せる。資本係数vとは，１単位の産出量の増加に必要な資本ストックの大きさ（$\Delta K/\Delta Y$）である。一方，貯蓄関数を$S=sY$であるとすると，生産物市場の均衡条件$I = S$が成立するためには，

$$I = \Delta K = v\Delta Y = S = sY$$

が成立しなければならない。この式を整理すると

$$G_w = \frac{\Delta Y}{Y} = \frac{s}{v} \cdots ①$$

が得られる。①式は，資本ストックが成長している経済において，生産物市場の需給均衡を永続的に保証する成長率は，貯蓄性向sと資本係数vの比率に等しいことを示している。この成長率を保証成長率G_wという。

◇自然成長率

ハロッドは，経済そのものが持つ潜在的な成長力の天井を労働の成長率に求めた。労働を完全雇用して達成できる最大可能な成長率を自然成長率G_nと呼ぶ。この自然成長率G_nは，技術進歩を無視するならば，労働の成長率nと等しくなければならない。よって，以下の式が成立する。

$$G_n = n$$

◇均衡成長経路

生産物市場において資本ストックが完全利用されると同時に，労働市場において労働の完全雇用が実現するためには，保証成長率G_wと自然成長率G_nが等しく，さらにそれが現実の成長率$G = \Delta Y/Y$と等しくなること，すなわち，

$$G = G_w = G_n$$

$$\frac{\Delta Y}{Y} = \frac{s}{v} = n$$

が成立しなければならない。これが，均衡成長の条件である。

◇不安定性原理（ナイフエッジ原理） よく出る

ハロッド＝ドーマーモデルにおいては，s，v，nがそれぞれ一定の定数であると仮定されているため，均衡成長の条件$G=G_w=G_n$が成立する必然性は全くなく，これら３つの成長率が同時に一致するのは単なる偶然でしかない。このモデルでは，経済の成長経路がひとたび均衡成長から乖離すれば，その乖離はますます拡大していくとしている。

例えば，現実の成長率が保証成長率よりも大きい，すなわち$G>G_w$となったとする。この状態は，生産物市場において需要が供

給を上回っていることを示しており，結果，企業は投資を増大することになる。それにより現実の成長率 G はさらに上昇し，保証成長率 G_w との乖離はますます拡大していく。このように，ハロッド＝ドーマーモデルにおいては現実の成長率と保証成長率が乖離すると，その乖離がますます拡大していくことになるのである。このモデルにおけるこうした不安定性は，不安定性原理，あるいはナイフエッジ原理と呼ばれている。

■新古典派成長理論　よく出る

◇新古典派成長理論の特徴

新古典派の成長理論では，価格メカニズムの伸縮性と技術の可変性という調整メカニズムが存在している。すなわち，この理論では，資本係数 v が可変的で，資本・労働間の代替が可能であると想定されているのである。よって，新古典派成長理論においては，現実の成長率 G と保証成長率 G_w，自然成長率 G_n の3者が必ず一致し，均衡成長が必ず実現される。

◇新古典派成長理論とは

資本 K と労働 N を投入した場合に得られる産出量を Y とし，この時の投入と産出の関係を表す生産関数が，

$Y = f(K,N)$ …②

で表されるとする。さらに，この生産関数が一次同次（規模に対して収穫不変）であると仮定されるならば，②式には

$\lambda Y = f(\lambda K,\lambda N)$ …③

という関係が成立することになる。ここで λ は任意の値であるから，$\lambda=1/N$ とおけば，③式は，労働1単位当たり産出量 $y=Y/N$ は資本・労働比率 $k=K/N$ によって決定されるという関係，すなわち，

$y = f(k)$

に変形される。さらに，貯蓄率 s が一定で，生産物市場が均衡しているならば，

$I = S = sY$

となり，上記の生産関数の関係から上式は，

$I = sf(k) \cdot N$

と変形することができる。この式の両辺を K で割れば，

$\frac{I}{K} = \frac{sf(k)}{k}$ …④

となる。投資 I は資本ストック K の増分 ΔK にあたるため，④式は資本ストックの成長率を表すと共に，生産物市場の均衡を保証するものである。この成長率を保証成長率と呼び，ハロッド＝ドーマーモデルの保証成長率 s/v に対応している。

一方，労働力はハロッド＝ドーマーモデルと同様に自然成長率 n で増加すると仮定されているため，

$\frac{sf(k)}{k} = n$

もしくは，

$f(k) = \frac{n}{s}k$

が満たされるとき，経済は均衡成長経路にあることになる。

出題パターン check!

成長理論に関する次の記述のうち，妥当なものはどれか。

（1）ハロッド＝ドーマーモデルでは，生産要素の代替が可能であることが前提とされているため，常に均衡成長を実現するとしているが，新古典派の成長理論は均衡成長が達成されるのは単なる偶然であるとしている。
（2）ハロッド＝ドーマーモデルと新古典派成長理論の両者とも，保証成長率 G_w と自然成長率 G_n が一致するのは単なる偶然であると想定している。
（3）新古典派成長理論は，一度保証成長率 G_w と自然成長率 G_n が乖離すると，その乖離がますます拡大していくという「ナイフエッジ原理」を説明するものである。
（4）ハロッド＝ドーマーモデルと新古典派成長理論の両者とも，貯蓄と投資が一致しながら成長する経済を分析している。

答え（4）

過去５年の出題傾向　★★★★★

財政学 ① 財政制度論（予算論）

予算とはそもそもどういうもので，どんな原則で成り立っているのか。古典的原則と現代的原則それぞれの意図を把握するとともに，現実の予算にはどのような問題があるかを考えたい。

■予算の本質

◇財政民主主義と予算の存在理由

財政民主主義とは，財政が国民ないし住民全体の意思に基づき，彼らに対して公開され，その了解と監視の下に展開されなければならないとする考え方である。被統治者が統治者となる民主的市場社会では，被統治者は，予算を通じて，国または地方公共団体が営む経済である財政をコントロールする。本源的生産要素が被統治者において私的に所有され，統治者においてこれを所有しない無産国家は，統治にかかる経費を基本的に租税に依存する租税国家である。そして租税は国民経済に対する強権的介入であるから，財政の民主化，すなわち民主的議会制度を前提とした予算制度の充実なくして，民主主義的政治体制はありえない。

政府が財・サービスを供給するにあたり，なぜ予算という手続きが必要とされるのか。一般にいわゆる「市場の失敗」すなわち競争的市場においても資源の最適配分ができない場合のあることがその理由としてあげられ，公共財の存在，費用逓減産業の存在，そして外部性や不確実性といった要因が指摘される。これらは確かに政府が資源配分に介入する根拠とはなるが，他面，規制や配給等の方法もありえるので，予算制度自体の存在を必然的に導くものではない。また市場の失敗とはいえない分配の不公正なども，予算による諸措置を要請する。やはり予算とは，市場社会において，統治者が被統治者の合意を得て社会的統合を実現するための制度，手続きであるといえよう。

◇古典的予算原則　よく出る

前項のような特性を持つ「予算」は，私企業や家計における予算ないし見積書とは本質的に異なるものである。

したがって財政民主主義の観点から，利潤に具現する経済性や効率性よりも，議会による統制や合法性が重視され，予算に特有の原則が求められることになる。

◇現代的予算原則

古典的予算原則は議会による行政府の統制に重点を置いたものである。これに対して例えばスミス（Harold Smith）やヴィットマン（Waldemar Wittmann）などは，行政府の裁量を拡大したり，単年度主義にもとらわれない時期的な弾力性を主張したりと，要は経済的効率性を重視した原則を主張している。

大衆民主主義のもとで政治が多元化し，政府活動が拡大するにつれ，財政にも経済性や効率性が求められるようになるのは致し方ない。しかし古典的原則を破ってまで現代的原則が貫徹できるかといえば，財政や予算の本旨からすれば無理があろう。

■予算の種類と内容

◇予算会計上の分類

この観点では，予算は①一般会計予算，②特別会計予算，③政府関係機関予算に分

主な予算原則

①予算に計上されない収入や支出がないこと。	完全性の原則，総計予算主義の原則
②特定収入が特定支出に対応する基金が乱立すると，議会による包括的統制は困難になる。安易な財政操作を許さない統一予算が必要である。	統一性の原則，ノン・アフェクタシオンの原則
③議会の予算審議権・議決権は，その適用範囲や期間が明確にされることによって実効性を持つ。その期間は，長すぎず短すぎず，適切なものでなければならない。	単年度主義の原則
④会計年度ごとに予算を編成し，議会の議決を経なければならない。	事前議決の原則
⑤各会計年度の支出は，当該会計年度の収入によって賄う。	会計年度独立の原則
⑥予算計上額を上回る支出を禁じる。	超過支出禁止の原則
⑦予算に計上されていない費目に対する支出を禁じ，他費目の予算の流用も禁じる。	流用禁止の原則（⑤⑥⑦合わせて限定性の原則）
⑧予算は収支の見積もりがはっきり概観でき，合理的数量的表現を伴わなければならない。	明瞭性の原則
⑨予算と決算とが完全に一致することは望めないとしても，懸け離れてはならない。	厳密性の原則
⑩財政に関する情報が議会や国民に対して公開され，自由な批判の対象となる必要がある。	公開性の原則

類される。それぞれが「予算総則」，予算の本体である「歳入歳出予算」，必要度が高く数年度に亘る大規模な事業を完遂するための「継続費」，年度内に支出が終わる見込みのないものを翌年度に繰り越す「繰越明許費」，そして「国庫債務負担行為」によって構成される。国庫債務負担行為とは，船舶の建造や航空機の購入など，契約は年度内であっても支出は翌年度以降といったように，歳出義務の負担とその経費支出との間に時間的なずれが生ずる場合に，あらかじめ国会の議決を要するもののことである。

◇予算審議手続上の分類

この観点では，予算は①本予算，②補正予算，③暫定予算に分類される。①は事前議決の原則に基づいて会計年度開始前に成立する予算。②は本予算決定後，諸々の事由により追加や修正を加えたもの。③は或る年度の予算が当該年度開始前に成立しなかった場合，予算成立までの間に必要な日常的経費の支出を認めるものである。

■原則との背反

◇一般会計，特別会計，政府関係機関

統一性の原則を破って存在するこれら複数の予算の間では，財源の繰り入れ，繰り出しが行われている。

◇その他

財務大臣の承認により可能な行政科目間での財源の融通である「流用」や，既述の補正予算，繰越明許費などは限定性の原則に背反。暫定予算は事前議決の原則に，継続費は単年度主義の原則に，それぞれ背反するものである。

出題パターン check!

次の（1）～（5）のうち，単年度主義の原則・会計年度独立の原則の例外に当たるものの組み合わせとして妥当なものはどれか。

A. 公債費　B. 継続費　C. 繰越明許費
D. 特別会計　E. 予算の流用
（1）AとB　（2）BとC
（3）CとD　（4）DとE
（5）EとA

答え（2）

過去５年の出題傾向　★★★★☆

財政学 ② 経費論

ここでの経費とは，国や地方公共団体が行う広義の支出のことをさす。経費の生産性や経費膨張の見解に加えて，公共財に関する論点も重要なため，しっかりと確認しておきたい。

■経費の生産性

経費を社会経済の維持・発展に貢献するもの（生産的）と見るか，逆にそれを阻害するもの（不生産的）と見るかによって，学説が分かれてきた。

経費の生産性に関する諸学説

①スミス (Adam Smith)	経費は政治的には有用であるが，経済的には不生産的である。⇒「安価な政府」
②リスト (Friedrich List)	法律と制度とは直接に価値を生産するものではないが，それは無形の生産力を生産する。
③ワグナー (Adolf Wagner)	国民経済の発展に不可欠な非物質的財貨を生産するための経費は生産的とみなされる。
④ケインズ (John Maynard Keynes) 等の見解	不況下で生産促進的に作用する不生産的経費もあれば，好況下でインフレを助長させる生産的経費もある。

◇非移転的経費と移転的経費

・人件費や物件費として，要素市場や生産物市場から財・サービスを購入する支出は非移転的経費とされる。これが国内支出であれば直接に有効需要を喚起する。

・内国債元利金，補助金，社会保障給付等，財・サービスの購入ではない対価無しの現金支出は移転的経費とされる。このうちどれだけの部分が消費支出や投資支出に回されるかによって，経済効果は異なる。

■経費膨張に関する諸見解　よく出る

◇ワグナーの「経費膨張の法則」

・政府の活動が従来の機能を内包的に拡充し，かつ新たな機能を外延的に付加するにつれて，経費は膨張する。

・競争により社会的摩擦が激化する中，円滑な市場経済運営のため，「法および権力目的」の経費が増大する。

・教育や社会保障関係事業等に対する「文化および福祉目的」の経費が増大する。

◇ティム (Herbert Timm) の「タイム・ラグ仮説」

・公共サービスに対する需要は，その増加するペースが所得の増加ペースに比べて遅かったり，一定の所得水準到達後に急な増加を示したりする。したがって経費は国民経済の発展とともに一律に膨張せず，段階的に膨張する。

◇ピーコック（Alan T. Peacock）＝ワイズマン（Jack Wiseman）の「転位効果」

・戦争や社会的混乱を機に経費が膨張した後，それらが終息しても経費水準が旧水準に戻らず，高水準が維持される過程が繰り返される。

■公共財（184ページ参照）

◇公共財の概念

・或る人の消費が他の人の消費を妨げない「消費における非競合性」，或る人をその財の消費から排除できない「非排除性」を持つ。このように「共同消費」が可能で「排除原則」がはたらかない財は交換の対象とならず，市場が成立しない。

・国防や治安維持等は社会の全構成員に無差別，無競争的に供給され，共同消費もしくは等量消費がなされる「純粋公共財」。また，消防のように排除原則による料金化を行わないことで必要時に皆がこれを利用し，大きな外部経済が期待されるものも公共財に含まれる。

・教育や地域限定的社会資本等では，受ける便益が人によって異なる。例えば教育が与える利益は，確かにこれを直接受ける人々だけにとどまらず，漸次社会全般の文化教育水準の向上にもつながる。したがって排除性が貫けない「スピル・オーバー（漏出）」という性質を帯びており，この点では公共財的である。しかし他面，教育を享受する人々が独自的恩恵に浴すという性格もあり，その意味では排除性を伴っており「準公共財」と呼ばれる。

・個別報償性原理に対立する一般報償性原理に基づく公共財の供給は，無償かつ強制的な供給ととらえられ，いわゆる「フリー・ライダー（ただ乗り）」や「強制された乗客」の問題をも生じる。

◇公共財の最適供給条件　よく出る

まず公共財だけの世界を考える。図1を援用すれば，公共財の供給による社会の便益とそれにかかる費用との差，すなわち純便益が最大になる x^* が，公共財の最適供給量と考えられる。図2により，x^* においては，公共財の供給における限界費用（MC）と，公共財の供給による社会の限界便益（MB）とが等しくなっていることがわかる。

次に公共財と私的財とが混在する一般的状況を考える。この場合，公共財の限界的な購入とそれに対応した私的財の購入の減少による「効用の増加と減少」が釣り合ったとき，消費者の効用は最大となる。公共財の限界的購入のために犠牲にしてもよいと消費者が考える私的財の量を，公共財と私的財の間の限界代替率（MRS）とすれば，公共財の限界便益はこの限界代替率と考えてよい。他方，公共財の供給に対応して幾ばくかの私的財の供給を諦めるとした場合，公共財の限界費用は，公共財の供給を1単位増やすために私的財を何単位犠牲にしなければならないかを表したものと見なせるので，公共財と私的財の間の限界転換率とされる。以上を総合すると，一般的状況下での公共財の最適供給条件は「公共財と私的財の限界代替率の和＝公共財と私的財の限界転換率」となり，この世界での消費者の数を n とすれば，$\sum_{i=1}^{n} MRSi = MC$ と表せる。これがいわゆる「サミュエルソンの条件」である。

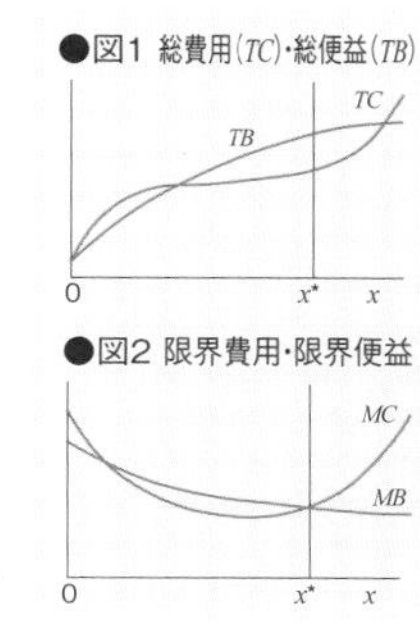

この枠組みの中で均衡条件をいかに達成するかについては諸説がある。例えば「与えられた租税負担等を前提に，消費者が自分の純便益を最大化する公共財の水準を計算し，政府に報告する。政府は，最適水準に関する数多くの報告をもとに，全ての消費者が報告する公共財の最適水準が同じになるまで，各消費者に対する租税負担等を調整する」という考え方が一例としてあげられる。このような調整と交渉の結果得られる均衡を「リンダール均衡」という。

出題パターン check!

公共財の供給に関する「サミュエルソンの条件」に関して，妥当な記述はどれか。

（1）公共財の場合，社会の需要曲線は各個人の需要曲線の水平和で表される。
（2）公共財の供給量は，各個人の公共財と私的財の間の限界代替率が，全ての個人において等しくなるように決められる。
（3）公共財の供給量は，各個人の公共財と私的財の間の限界代替率の総和が，公共財と私的財との限界転換率と等しくなるように決められる。
（4）リンダール均衡が成立しているとき，サミュエルソンの条件は成立しない。

答え（3）

過去５年の出題傾向　★★★★☆

財政学 ③ 収入論（租税論）

財政学における「収入」とはどのようなものか。そしてその重要な部分を占める「租税」については，根拠論，配分原則，課税原則など論点が多いので，きちんと整理しておきたい。

■収入総論

◇収入の内容

「収入」とは，一般に国および地方公共団体の経費の財源となる貨幣等の獲得であるとされ，経費の財源とならない「収納」とは区別される。貨幣「等」となっているのは相続税等において現物による納付が認められているからである。

◇収入の種類

①国や地方公共団体がその経費に充当するために，強制的かつ無償で民間から徴収する財貨である「租税」，②国や地方公共団体が，特定の用役を与えた個人からその実費相当額を徴収する「政務収入」，③国や地方公共団体が事業経営を行うことによる収入である「国公営企業収入」，④国や地方公共団体がその所有する動産および不動産から得る収入である「国公有財産収入」，⑤国や地方公共団体の債務による収入である「公債収入」などがある。

■租税総論

◇租税の特質

基本的に，生産要素が家計によって所有される近代市場経済社会においては，国家は無産国家であるとされる。そのため，政府が公共の財やサービスを無償で供給するためには，政府は要素サービスや生産物の購入に必要な貨幣を無償かつ強制的に調達する。これが租税である。一般報償性原理ないし租税の無償性からすれば，公共の財やサービスに対する請求権は，納税者としてではなく，国民として有するということになる。

◇租税の目的

第一に経費の調達である。そしてこの目的達成を妨げない範囲で第二次的に，産業保護・金融調整・購買力吸収といった経済政策的目的，および分配の不均等の是正等を主眼とする社会政策的目的があげられる。

◇租税根拠論

租税根拠論とは，国や地方公共団体がどのような理由で，国民や住民から租税を賦課徴収するか，換言すれば，国民や住民はなぜ税を納付しなければならないのかとい

租税の根拠に関する諸見解	
①公需説	〔ボダンやユスチ等〕租税を君民共同の福祉増進という目的達成のための公的需要を満たすものと考える。
②応益説（利益説）	〔ワグナーやスミス等〕納税の根拠は国民が国家から社会契約に基づく一般的利益を得るからで，その利益の大きさに応じて納税すべきであると考える。
③新応益説	〔リンダール〕納税は国家対国民の関係をめぐって行われるものではなく，国家を通じた国民対国民の利益享受の相互見返りと考える。
④義務説	〔シェフレ等〕租税は，国家存立に必要な経費を分担するために個人が全体のために払う犠牲であり，市民としての義務であると考える。

う問題，すなわち政府による強制的貨幣調達の正当性を弁じる議論である。

ちなみに日本国憲法でも第30条において義務説に立った文言が見られる。

◇租税負担配分原則論

租税根拠論によって何らかの形で租税の強制性と無償性が弁じられた後の段階として，租税負担の公正さ，すなわちどのような原則に基づいて租税負担を求めるべきかが問われることになる。

租税負担配分の原則には，①根拠論の応益説に基づき，租税は供給された公共サービスによる受益に応じて負担すべきであるとする「応益原則」，②根拠論の義務説および応益説に基づき，租税は納税者の担税能力に応じて負担すべきであるとする「応能原則」，③根拠論の義務説に基づき，社会的に犠牲の大きいもの，すなわち生活必需品に近いものほど低率，他方犠牲の小さいものすなわち奢侈品ほど高率の課税で臨む「社会最小犠牲原則」等の諸説がある。

◇課税原則論 よく出る

前述の租税負担配分の原則を包含した，広く課税一般に際して求められる原則が課税原則（租税原則）である。過去多くの論者によって様々に論じられてきた。

スミスは次の4原則をあげている。

①「公平の原則」…国民は各人の能力にできるだけ比例して，各人が国家から享受する利益に比例して，政府を維持するために納税すべきである。

②「確実の原則」…租税は恣意的に変更できない確実なものでなければならず，納税の時期，方法，税額は明白平易でなければならない。

③「便宜の原則」…租税は納税者にとって最も便利な時期，方法によって納められなければならない。

④「最小徴税費の原則」…徴税費を少なくして国民の租税支払額と実際の国庫の収受額との差をできるだけ小さくしなければならない。

ワグナーの課税原則は4大原則とそれを構成する9つの小原則から成る。

Ⅰ）財政政策的原則…①充分性（租税は経費を賄うだけの充分な収入をもたらすこと），②可動性（経済発展や財政需要の増加に対して弾力的に収入が増えること）

Ⅱ）国民経済的原則…③税源選択の妥当性（国民経済の発展を阻害しない正しい税源を選ぶこと），④税種選択の妥当性（租税はこれを負担する者に確実に帰着するような種類が選ばれること）

Ⅲ）公正の原則…⑤普遍性（政治的・社会的身分で差をつけず，全国民が普遍的に納税すること），⑥平等性（租税は国民がそれぞれの能力に応じて平等に負担すること）

Ⅳ）税務行政上の原則…⑦明確性（租税の仕組みや内容が法律等によって明確に定められること），⑧便宜性（納税の時期や方法が納税者にとってできるだけ便利なものであること），⑨最小徴税費（租税は徴収に要する費用が最小のものであること）

スミスはどちらかといえば応益原則説に重きを置きつつ比例課税を唱えた。他方ワグナーは応能原則説の立場から累進課税を採り入れた。この背景には，ワグナーの時代は貧富の格差の拡大など，資本主義の問題点が顕著になってきていたことがあげられる。

出題パターン check!

スミスの課税原則に含まれるものは次のうちどれか。

（1）便宜の原則
（2）可動の原則
（3）充分の原則
（4）税種選択の妥当の原則
（5）平等の原則

答え（1）

経済原論 財政学 経済史・経済学史 経済政策 経済事情 会計学

過去５年の出題傾向 ★★★★☆

財政学 ④ 収入論（公債論）

「公債」発行にはどのような問題があるか。何に基準をとるかによって見解が対立する分野でもある。公債についての，基本的事項を正確に把握しておきたい。

■公債総論

◇公債とは何か

公債とは，通常，国および地方公共団体の借り入れによる債務の総称で，経費に充当する財源調達のための金銭債務を指し，財政公債とも呼ばれる。この点で，行政活動に伴う公的債務である行政債務とは区別される。

◇公債原則 よく出る

①古典派（スミス）の公債原則

租税は，民間消費に使われるはずの資金を調達して不生産的に使用するに過ぎないが，公債は，民間投資に使われるはずの資金を不生産的に使用するものである。起債自体が民間の資本形成を阻害し，経済発展を阻害することになるので，公債発行は将来世代の負担となる。したがって公債による財政収入は不適切である。

②ドイツ正統派財政学（ワグナー）の公債原則

財政需要を経常的財政需要と臨時的財政需要とに分け，前者は可能な限り租税で賄うこととし，後者の充当に公債を認める。後者をさらに，永続的雇用の基礎であり固定的投資である「資本的経費」と戦費等「狭義の臨時的経費」とに分ける。建設公債原則ともいわれる。経費の使途を基準とした原則である。

③ケインズ派の公債原則

財政措置による有効需要増大を企図する必要がある場合にその財源を起債に求めようとする主張である。景気に関する判断を基準とする原則で，世界恐慌以降支配的となった。

◇公債の種類

借り入れ主体による区分では，「国債」と「地方債」とに分かれる。また，国内の居住者向けの「内国債」と外国の居住者向けの「外国債」にも分けられる。

償還期限による区分では，１年間を基準に「短期債」と「長期債」に分かれるが，わが国では償還期間２年から５年を「中期債」，10年の国債を「長期債」，15年以上を「超長期債」と呼んでいる。

財政法第４条では，経費調達を目的とした財政公債の発行を禁止してはいるが，年度途中に生じた一時的資金不足に対する手当てとしての短期公債，財政公債ではない政府短期証券の発行を禁じてはいない。また，「公共事業費，出資金及び貸付金の財源については，国会の議決を経た金額の範囲内で，公債を発行し又は借入金をなすことができる」と定めている。この但し書きに基づいて発行される公債を「四条公債」（「建設公債」）という。

わが国の財政法においてもワグナー流の公債原則が定着していたことは明らかだが，1975年度以降，四条公債の発行だけでは財政運営に支障をきたすようになり，上記の但し書きの原則をも破る公債発行が要請された。結局，財政法には違反するが，それゆえに当該年度限りのいわゆる財政特例法を年度毎に制定することによって，起債への道が開かれた。これが「特例公債」(「赤字公債」)である。

■公債原則論への批判

◇公債原則への批判や問題提起

・大衆民主主義の下では，既述の財政赤字の正当化，絶えざる公債増発と累積が招来されるという，フィスカル・ポリシー的公債原則への批判（ブキャナン等）。

・公債発行の国民経済的効果に対する疑義。これには「インフレ効果」に関する懸念と「クラウディング・アウト」に関する懸念等がある。

公債負担論<将来世代への負担の転嫁に関する諸見解> よく出る

①リカード	〔中立命題〕合理的な納税者は公債償還のための将来的増税を予想し，その負担を今負う形で貯蓄増加ないし消費削減を行う。したがって起債でも徴税でも経済主体の行動には差がない。
②ラーナーらケインズ派（新正統派）	或る時点で一国内の利用可能な資源量は決まっており，公債（内国債）発行によって私的に使用される資源が減っても一国全体では資源量に変化はない。起債時も償還時も，利用可能な資源量に関しては，公債発行は負担を発生させない。
③ブキャナン	個人の自発的・合理的選択の結果応募されるのであれば，公債は発行時点で効用の低下をもたらさない。その意味で負担は発生しないが，将来の償還時には納税者の効用を低下させる。内国債も外国債も同様。
④ボーウェン，デーヴィス，コップ	租税は，第一世代の消費減少により負担される。公債の場合，発行時の国民は生涯消費の減少という意味での負担を負わないが，償還時の国民にはこの種の負担が生じる。
⑤モディリアーニ	公債は民間の資本蓄積を抑制し，将来の資本ストックが減少するため，経済成長の鈍化，所得減少という形で将来世代に負担が生じる。
⑥バロー	〔中立命題〕現在世代の死後，将来世代への増税で償還が賄われるとしても，遺産や生前贈与等の世代間の再分配があれば，公債は消費行動に影響しない。

出題パターン check!

公債負担に関する次のA～Cの記述について，唱導した学者名または学派名の組み合わせが正しいものはどれか。

A　公債発行は個人の自発的で合理的な行動により応募される限り，発行時点では個人資産の減少という負担は発生しないが，償還時点では納税者から徴収される償還財源分だけの負担が発生する。

B　内国債の発行は，公債を財源とする支出の時点で利用可能な民間資源を減少させるので，その時点で負担が帰着し，将来世代には負担が発生しない。

C　公債発行は，国民が償還のための租税負担増を合理的に予期していれば，公債の償還額と同額の民間貯蓄増加を生じさせるので，負担は将来世代に転嫁しない。

	A	B	C
(1)	バロー	ケインズ派	古典派
(2)	ケインズ派	ブキャナン	新正統派
(3)	ブキャナン	ケインズ派	バロー
(4)	ブキャナン	新正統派	リカード
(5)	ケインズ派	古典派	バロー

答え（4）

過去５年の出題傾向 

財政学 ⑤ 地方財政論

地方財政論は近年「三位一体改革」などといわれ，議論も盛んな分野である。「地方公務員」試験として，かなり細かいところを問われる場合もあるので，深い知識を得ておきたい。

■地方財政の特性

◇課税最低限

国籍の変更は困難だが，どの地方公共団体に属するかは随意である。基本的に「国民」とは先天的なもので，「住民」とは一団体への後天的な任意参加者と見なされる。

一般に財政の役割としては，①資源の最適配分のための公共財の供給，②所得格差是正のための所得再分配，③景気変動の悪影響の防止ないし緩和すなわち経済安定化などがあげられるが，地方財政に関しては，法制化された任意共益団体が地方公共団体であるとの見方に基づき，上記②と③の機能は果たす必要がないと考えられている。

以上のことは，地方税である住民税の課税最低限と，国税である所得税のそれとの比較において端的に例証される。住民税においては扶養控除や基礎控除等の所得控除額が所得税に比べて低いため，所得税よりも課税最低限が低い。これは住民税においてより低い所得層まで，より多くの個人が租税を負担していることを意味する。地方税の趣旨は任意共益団体の経費調達に限定されており，所得税のように国の経費を賄うのみならず所得再分配等に関する考慮も求められる租税とは，性格や役割が異なるのである。要するに，任意共益団体への参加に際して，その一員としての責を果たすことが重要であって，貧富の格差是正などに関わる必要はないと考えられているわけで，団体からの受益に対する負担の広汎な分任が，優先されている。

◇地方経費とナショナル・ミニマム

外交や国防などの純粋公共財の便益が国全体に及ぶのに対して，道路，港湾，公園，上下水道など一定地域の住民のみに便益が及ぶ公共の財・サービスがある。後者の必要経費を前者と同様に国民全体の負担で賄うと，他の地域住民の犠牲へのただ乗りが生じる。したがって地方公共団体の経費については，当該住民による受益者負担が基本的なあるべき姿とされる。

地理的・経済的特徴等を反映し，地方公共団体の財政力や提供されるサービスは多様である。他面，国民の最低限の文化生活水準を維持するのに必要な，最低限の行財政水準すなわちナショナル・ミニマムの確保も求められる。その公表と実現のために策定されるのが「地方財政計画」である。

◇財源構成

〔一般財源〕

地方税，地方交付税，地方譲与税

〔特定財源〕

地方債，国庫支出金（国庫負担金，国庫補助金，国庫委託金）

◇地方税

地方財政の諸特性を踏まえ，地方税には国税とは異なる租税原則が存在すると考えられてきた。

地方税の体系は次の通りである。

〔道府県税〕

〈普通税〉…道府県民税，事業税，地方消

費税，不動産取得税，道府県たばこ税，ゴルフ場利用税，自動車税（種別割），自動車税環境性能割，軽油引取税，鉱区税，狩猟者登録税，道府県法定外普通税，固定資産税（特例分）
〈目的税〉…狩猟税，水利地益税，道府県法定外目的税
〔市町村税〕
〈普通税〉…市町村民税，固定資産税（国有資産等所在市町村交付金），軽自動車税（種別割），市町村たばこ税，鉱産税，特別土地保有税，市町村法定外普通税
〈目的税〉…入湯税，事業所税，都市計画税，水利地益税，共同施設税，宅地開発税，国民健康保険税，市町村法定外目的税
・地方税は歳入の30～40%を賄うに過ぎない。

◇地方債

わが国では自主財源である地方税に対する中央政府からの統制が強く，税率の変更や新税の創設は容易でない。また地方自治法により地方政府が地方債を起債することは可能であるが，従来これに対しても財務大臣の許可が必要であるなど，統制が厳しかった。ただし2006年には許可制から事前協議制へ移行した。

■財政調整制度 よく出る

◇地方交付税（一般補助金）

概要としてはまず，法定普通税と一部の目的税を標準税率で課税した場合の税収見込額に，基準税率（75%）を乗じ，これに地方譲与税を加えたものを基準財政収入額とする。他方，基準財政需要額を「単位費用×測定単位の数値×補正係数」として求め，収入額＜需要額である地方公共団体に交付される。約1750ある地方公共団体のうち，都道府県で唯一の東京都を含めた不交付団体は77団体に過ぎない（令和5年度）。
・交付税（総額）の原資は法定5税分〔所得税の33.1%，酒税の50%，法人税の33.1%，消費税の19.5%，地方法人税の100%〕プラス特例加算分である。
・地域間の財政力格差を是正する財政調整機能のみならず，地方税を補完して標準的行政を可能にする財源保障機能も持つ。

◇国庫支出金（特定補助金）

地方交付税とは異なり，使途が特定された補助金である。自治体の自主性よりも画一的なナショナル・ミニマム実現に主眼を置く性格のものである。90年代以降，地方歳入の約15%で推移している。

地方税原則・租税の根拠に関する諸見解

①応益性原則	政府の規模が小さければ小さいほど応益原則が妥当する。（ワグナー）
②安定性原則	地方財政のように小規模な財政ではとくに景気変動等の影響を受けにくく安定した税収をもたらす租税が望ましい。
③地域的普遍性原則	経済力の豊かな地域に税収が偏らず，税源が全国規模で普遍的に存在すること。
④負担分任原則	中央政府が行う強制力に基づく社会統合よりも，地域の共同体的性格に基づく社会統合が図られる地方財政システムでは，必要経費を当該団体の構成員が広く分担し合うことが望ましい。
⑤自主性原則	地方自治の本旨および地域的財政需要の変動への弾力的対応等の観点から，地方公共団体は租税収入を自主的に調整できることが望ましい。

出題パターン check!

次の税のうち，市町村税であってかつ目的税であるものはどれか。
（1）事業税
（2）自動車税環境性能割
（3）固定資産税
（4）軽油引取税
（5）都市計画税

答え（5）

過去５年の出題傾向　★★★★☆

経済史
経済学史

① 古典派・マルクス経済学・歴史学派

経済学史は，古典派から現代の経済学にいたるまで幅広く出題されるため，それぞれ主要な経済学者，学説，著書をおさえることがポイントとなる。

■古典派経済学　よく出る

18 世紀後半～ 19 世紀前半にかけて，スミス，リカードを中心に形成された学派で，労働価値説に基づいた経済学を展開した。また，重商主義を批判し，自由放任・自由主義を唱えた。

【主要学者と著書】

・A・スミス（1723 年～ 1790 年）

スミスは富を年々の労働生産物の合計であると規定し，国富を増大させる条件は，労働生産力と，生産的労働に従事する人口の比率（労働者数）であるとした。そして，労働生産力は分業の発展により増大し，それにより資本が蓄積され，国富が増大していくと考えた。このような議論に基づいて，重商主義を批判した。ただし，スミスの労働価値論は，投下労働価値説と支配労働価値説が並行して論じられており，若干の混乱が見られる。スミスは経済学を体系的に論じた初めての学者であり，彼の経済学は古典派のみならず，後に続く全ての学派の源流となった。

⇒主な著書…『道徳情操論』，『国富論（諸国民の富）』

・リカード（1772 年～ 1823 年）

リカードはスミスの経済学を継承，発展させた。彼は，投下労働価値説に基礎をおき，地主・労働者・資本家の三階級の間で生産物がどのように分配されるのかを長期的・動態的に分析した。また，穀物法論争においては，穀物法の維持を主張したマルサスに対し，穀物法の撤廃と自由貿易の推進を主張した。

⇒主な著書…『経済学および課税の原理』

・マルサス（1766 年～ 1834 年）

マルサスは，人口は幾何級数的に増加するのに対し，食料は算術級数的にしか増加せず，そのために過剰人口による貧困が必然的に発生し，長期的には人口は食料によって制限されると主張した。

また，投下労働価値説に基礎をおいたリカードに対し，支配労働価値説を発展させ，需要と供給の原理によって価格が決定されると主張した。また，過剰生産の可能性を認め，不況の原因が市場における需要不足にあると論じた。この考え方は，後にケインズによって有効需要の原理として引き継がれることになった。

⇒主な著書…『人口論』

・セイ（1767 年～ 1832 年）

供給は，常にそれ自らが需要を生み出すと説き，一般的に供給過剰になることはありえないと主張した。この考え方を，セイの法則と呼ぶ。こうした議論から，マルサスの需要不足によって不況が発生するという議論を批判した。

⇒主な著書…『経済学概論』

■歴史学派

19 世紀半ばに，産業革命の開始が遅れ後発資本主義国となったドイツにおいて展開された学派。イギリスの古典派経済学を批判し，ドイツ産業資本の立場を代弁する保護関税政策を主張した。

【主要学者と著書】

・リスト（1789 年～ 1846 年）

リストは，古典派経済学が主張する自由貿易主義を批判し，後発国においては関税による保護政策が必要であるとする，重商主義的・保護主義的な議論を展開した。また，経済は，狩猟→牧畜→農業→農・工業→農・工・商業へと段階的に発展していくと考え，それぞれの段階の特徴を分析した。

⇒主な著書…『経済学の国民的体系』

・ヒルデブランド（1812 年～ 1878 年）

経済発展の段階を，流通手段をもとに現物経済・貨幣経済・信用経済の三段階にわけて分析した。

・シュモラー（1838 年～ 1917 年）

シュモラーは，新歴史学派の中心人物として活躍した経済学者である。新歴史学派は，私有財産制度を否定する社会主義的変革に反対しながらも，古典派的な自由放任主義も否定し，国家の積極的な介入によって社会問題を解決しようとする点に特徴がある。シュモラーは社会的中間層の保護・育成を通して階級対立の解決を目指そうとした。また，シュモラーとオーストリア学派のメンガーとの間で起きた「方法論争」もよく知られている。

■マルクス経済学

社会主義者マルクスによって，資本主義体制批判の科学として体系化された経済学。ドイツ古典哲学と古典派経済学，およびフランス社会主義を批判的に継承して唯物史観を確立し，資本主義的生産様式を歴史的・過渡的なものとして把握した。

◇剰余価値論

マルクスは古典派の労働価値説をさらに発展させ，労働の二重性により生産過程において剰余価値が発生し，その剰余価値が資本主義体制では等価交換によって労働者から搾取されると主張した。このように，マルクスは剰余価値論を用いて資本主義体制では搾取が存在するとして資本主義を批判した。

◇経済の発展段階

マルクスは唯物史観に基づき，経済が生産手段の所有形態の違いにより，原始共同体⇒古代奴隷制⇒封建制⇒商業資本主義⇒独占資本主義⇒社会主義・共産主義へと発展していくと主張した。こうした考え方に基づき，資本主義体制を過渡的なものと考え，経済が社会主義・共産主義に移行していくと論じた。

【主要学者と著書】

・マルクス（1818 年～ 1883 年）

⇒主な著書…『資本論』

・ヒルファーディング（1877 年～ 1941 年）

⇒主な著書…『金融資本論』

・レーニン（1870 年～ 1924 年）

⇒主な著書…『帝国主義論』

出題パターン check!

次の記述のうち，正しいものはどれか。

（1）スミスは貨幣そのものを富の源泉とみなす重商主義を批判し，分業の進展による労働生産力の増進によって国富が増大すると主張，国家の経済への介入を否定し，自由主義・自由貿易を主張した。

（2）スミスの経済学を継承したリカードは，支配労働価値説を基礎において地主・資本家・労働者の三階級間の生産物の分配問題を論じた。

（3）マルサスは，主著『人口論』の中で，人口の増加に対し食料の増産が追いつかないことが貧困の原因であると主張し，穀物法を撤廃すべきであると論じた。

（4）リストは古典派経済学が主張する自由貿易主義を批判し，重商主義的・保護貿易主義的な議論を展開する一方，メンガーとの「方法論争」において歴史学派の中心的論者として活躍した。

答え（1）

過去５年の出題傾向 ★★★☆☆

経済史
経済学史

② 限界革命以降の経済学（限界革命・ケインズ経済学・現代経済学）

限界革命以降，現在にいたる経済学の学派の学説，学者，著書をおさえ，それぞれの学派の主張を正確に理解することがポイントとなる。

■限界革命 よく出る

1870年代，主観的価値概念に基づく経済学の理論体系がワルラス，ジェボンズ，メンガーによって打ち立てられた。この3人は，それぞれ別個に理論体系を打ち立てたのだが，彼らの理論は①投下労働価値説にかわって主観価値を価格決定の要因とした，②経済学の手法に限界分析を導入した，といった共通点を持つ。彼らによって達成された新しい経済学体系の確立のことを限界革命と呼ぶ。

◇オーストリア学派

限界効用論を展開。

【主要学者と著書】

・メンガー（1840年～1921年）

方法論的個人主義を採用し，主観価値説を構築した。また，ドイツ歴史学派のシュモラーとの「方法論争」も有名。

⇒主な著書…『国民経済学原理』

・ベーム＝バヴェルク（1851年～1914年）

メンガーの理論を踏襲し，迂回生産の理論を展開した。

⇒主な著書…『資本および資本利子』

◇ローザンヌ学派

一般均衡理論を展開した。

【主要学者と著書】

・ワルラス（1834年～1910年）

加重限界効用均等の法則を用い，市場メカニズムを一般均衡理論によって分析した。

⇒主な著書…『純粋経済学要論』

・パレート（1848年～1923年）

無差別曲線を用いて，消費者と生産者の均衡を論じ，「パレート最適」の概念を提示した。

⇒主な著書…『経済学綱要』

◇ケンブリッジ学派（新古典派）

部分均衡分析を展開した。

【主要学者と著書】

・ジェボンズ（1835年～1882年）

最終効用（ジェボンズは限界効用をこう呼ぶ）に基づく交換理論を中心とした経済学を展開した。また，太陽黒点説による景気循環論でも知られる。

⇒主な著書…『経済学の理論』

・マーシャル（1842年～1924年）

限界原理を用いて，それまでの古典派までを含めた経済学を集大成した。

・ピグー（1877年～1959年）

マーシャルの経済学を継承しつつ，ケンブリッジ型の厚生経済学を完成させた。

⇒主な著書…『厚生経済学』

■ケインズ経済学 よく出る

1929年の世界大恐慌とそれに続く1930年代の不況は，市場メカニズムに全幅の信頼を置くそれまでの経済学に対する懐疑を生んだ。

ケインズは，有効需要と流動性選好の概念を中心に据え，当時の慢性化する不況や失業問題に対して従来とは異なった視点から分析する新しい経済学を展開した。高すぎる賃金を失業の原因とする古典派経済学を批判し，失業は有効需要の不足によって発生すると主張した。

現実の経済においては，有効需要が完全雇用を実現する水準以下にとどまってしまう可能性があり，非自発的失業が発生する恐れがある。そこで，財政政策や金融政策によって有効需要を創出し，完全競争を実現する政府の裁量的な政策が必要であると主張した。ケインズの経済学は，国民所得や雇用量を扱うマクロ経済学を発展させた。

【主要学者と著書】

・ケインズ（1883年～ 1946年）

⇒主な著書…『貨幣論』，『雇用・利子および貨幣の一般理論』

・ハロッド（1900年～ 1978年）

ケインズの理論を動学化し，経済成長論を展開した。彼の成長論はハロッド＝ドーマーモデルとして知られている。

⇒主な著書…『動態経済学序説』

・サミュエルソン（1915年～ 2009年）

ケインズ学派と新古典派の理論を統合する「新古典派統合」を提唱した。

■現代経済学

◇マネタリスト

フリードマン（1912年～ 2006年）を中心とするマネタリストは，ケインズ的な有効需要管理政策は短期的には効果があるものの，長期的には無効であると主張した。また，政策当局による通貨供給量の操作を抑制するため，通貨供給量の増加率を一定に保つべきであるとするK%ルールの設定を提唱した。

◇サプライサイド・エコノミクス（サプライサイダー）

フェルドシュタイン，ラッファーらによって提唱された。サプライサイド・エコノミクスは，経済の供給面（サプライサイド）を重視する経済学であり，租税や社会保障負担，インフレにより生産力の基礎である労働と資本の供給が阻害されると主張した。

したがって，政府は減税や社会保障を切り下げることにより，経済を供給面から活性化することができると主張した。

彼らの主張は，1981年に登場したアメリカのレーガン政権における経済政策（レーガノミクス）の理論的根拠となった。

◇合理的期待形成学派

ルーカス，サージェント，バローらを中心とする学派。企業と家計は情報の完全利用を行い，合理的な行動をとり得ると主張した。

その結果，政府の裁量的経済政策は長期的にも短期的にも無効であり，有害なものとなると主張した。

出題パターンcheck!

次の記述のうち，正しいものはどれか。

（1）ワルラスは，加重限界効用均等の法則を用いて市場メカニズムの一般均衡分析を展開し，ドイツ歴史学派との「方法論争」を展開した。

（2）メンガーは主著『純粋経済学要論』において，方法論的個人主義に基づく主観価値論を構築し，限界革命の一翼をになった。

（3）ジェボンズは，太陽黒点の増減が景気変動に影響するという，太陽黒点説を展開した。

（4）ケインズは主著『雇用・利子および貨幣の一般理論』において，有効需要の不足による失業の発生メカニズムを明らかにし，あわせて動学的な経済成長論を展開した。

（5）マネタリストは，ケインズ型の裁量的な経済政策を批判し，政府による有効需要管理政策は，長期的にも短期的にも無効であると主張した。

答え（3）

過去5年の出題傾向 ★★★☆☆

経済史 経済学史 ③ 日本経済史（戦後の日本経済）

公務員試験では，戦後の日本経済史がよく出題されるため，終戦直後の日本経済や高度成長，石油ショックにいたる経済状況をよく理解することが重要である。

■終戦直後の日本経済

◇経済民主化政策

終戦後，民主化を推し進めていたGHQ（連合国軍総司令部）は，経済においても民主化を推進することが必要だとして，経済民主化政策を遂行した。この経済的な民主化改革の中心となったのが，財閥解体，農地改革，労働改革である。

・財閥解体

持株会社を禁止し，戦前大きな力を持っていた財閥を解体した。

・農地改革

地主制を解体し，自ら土地を所有して耕作する自作農を増やすことを目標とした。

・労働改革

労働者の権利を擁護するために，労働関係の法を整備した。1945年に労働組合法，46年に労働関係調整法，47年に労働基準法が制定された。

◇復興期の経済政策 よく出る

生産減退の打開策として，「傾斜生産方式」を採用。また，その後のインフレを収束させるため，ドッジ・ラインが実施された。

・傾斜生産方式

限られた資源を鉄鋼などの基幹産業に集中的に投下することにより，生産減退を打破する（図1参照）。

また，復興金融金庫が傾斜生産方式を資金的に支えた。しかし，復興金融金庫の大量の融資や財政赤字は，インフレーションを招くことになった。

●図1　傾斜生産方式

輸入重油を鉄鋼生産へ投入
↓
生産された鋼材を炭鉱へ集中投入
↓
採掘された石炭を鉄鋼生産へ投入

・ドッジ・ライン

インフレを収束させるために，アメリカから特命公使としてドッジが来日。①単一為替レートの採用，②超均衡財政を実施し，復金融資を停止する等のデフレ政策（ドッジ・ライン）を実施した。結果，深刻な不況となったが，1950年に朝鮮戦争が勃発，それによる特需によって経済は回復した。

■高度経済成長

◇神武景気（1954年11月～57年6月）

白黒テレビ，電気冷蔵庫，電気洗濯機が「三種の神器」と呼ばれ，消費の牽引役となった。1955年，鳩山内閣は日本最初の経済計画である「経済自立5カ年計画」を策定し，経済の自立と完全雇用をその目的とした。56年の経済白書は，「もはや戦後ではない」という表現で，日本経済が戦後の混乱期から完全に脱却したことを宣言した。

◇岩戸景気（1958年6月～61年12月）

「投資が投資を呼ぶ」と表現されるほど激しい投資競争が行われ，経済を牽引した。また，1960年には，池田内閣が「所得倍増計画」を発表した。具体的には，1961年から70年までの10年間で所得水準を倍増させるため，年7.2%の経済成長を目標とすることを提唱した。

◇オリンピック景気と40年不況（1962年10月〜64年10月）

東京オリンピックによる建設ブームと好調な輸出に牽引された好景気。しかし，オリンピック開催後急速に景気が後退し，「(昭和) 40年不況」に陥っていく。大手証券会社が破綻するなど金融不況が深刻となり，証券会社救済のために日本銀行は戦後初めて日銀特融を実施した。

◇いざなぎ景気（1965年10月〜70年7月）

1966年から70年までの実質GDP成長率は約11%。68年には日本のGDPは西ドイツを抜き，アメリカに次いで資本主義国第2位となった。3C（自動車，クーラー，カラーテレビ）と呼ばれる耐久消費財が人気を集めた。なお，戦後最長の景気拡大は2002年1月〜2007年10月のいざなみ景気である。

■安定成長期

◇石油ショック

1973年，第四次中東戦争勃発をきっかけとして，OPEC（石油輸出国機構）は原油の生産制限と原油価格の大幅引き上げを行った。次いで78年，イランの政変をきっかけとして原油価格が上昇した。この2度にわたる石油ショックにより，日本経済は大きな打撃を受けた。

特に，73年の第一次石油ショックの影響は大きく，日本では狂乱物価が生じ，消費者物価指数は20%を超えた。さらに，エネルギー資源の不足から生産活動が停滞し，深刻な物資不足を招いた。また，根拠のないうわさからトイレットペーパー，洗剤などを買い占める動きが消費者の間に広まり，人々の生活も混乱した。74年には戦後初めて経済成長率がマイナスとなり，以後安定成長期を迎えることになった。

◇プラザ合意　よく出る

1985年，過度のドル高に苦しんでいたアメリカの呼びかけにより，アメリカ・ニューヨークのプラザホテルで先進5カ国（米，英，仏，西独（当時），日＝G5）蔵相・中央銀行総裁会議が開かれた。ここで，当時のドル高是正のために各国が協調することで合意し，各国が為替市場に協調介入を行うことになった（プラザ合意）。これ以降，急激に円高が進行し，日本に深刻な不況（円高不況）をもたらした。また，プラザ合意以降の円高は日本企業の国際競争力を低下させた。その対策として，日本企業は海外への直接投資を積極的に行うようになった。さらに，円高は輸入の増加をもたらし，日本の貿易収支の黒字は急速に縮小していった。

主要年表

1950年	朝鮮戦争勃発（1951年特需景気）
1955年	経済自立5カ年計画発表
1956年	経済白書「もはや戦後ではない」
1960年	所得倍増計画発表
1965年	戦後初めて日銀特融を実施
1968年	日本のGDPが資本主義国第2位になる
1973年	第一次石油ショック
1979年	第二次石油ショック
1985年	プラザ合意

出題パターンcheck!

戦後の日本経済に関する次の記述のうち，妥当なものはどれか。

(1) 戦後のインフレーションは，ドッジによる超均衡予算によって急速に収束し，物価安定に伴い日本経済は好景気になった。
(2) 傾斜生産方式では食料品の増産に重点がおかれ，資本が農業に重点的に投下された。
(3) 神武景気では，カラーテレビ，クーラー，自動車の3Cが消費の牽引役となり，景気が拡大していった。
(4) 1956年の経済白書は「もはや戦後ではない」と宣言し，この年に日本のGDPは資本主義国第2位となった。
(5) 1973年の石油ショックにより日本では狂乱物価が起こり，経済が混乱した。また，この影響で74年は戦後初めてのマイナス成長となった。

答え（5）

過去５年の出題傾向 ★★★☆☆

経済史 経済学史

④ 世界経済史（産業革命と第二次世界大戦後の国際経済体制）

世界経済史の分野からは，産業革命と第二次世界大戦後の世界経済に関する問題が頻出しており，まずこの２点を重点的に学習することが必要である。

■産業革命

産業革命とは，蒸気機関や紡績機の発明・改良により生産用具が道具から機械に置き換わり，工場制手工業から工場制機械工業へと生産方式が根本的に変革されたことをさす。また，産業革命により，資本主義経済体制の確立や都市への人口集中による急速な都市化といった社会変革がもたらされた。さらに，資本家と労働者という新しい階級分化が起こるなど，工業化に伴い経済・社会に大きな変革がもたらされた。

◇イギリスの産業革命 よく出る

産業革命は，18 世紀後半から 19 世紀前半にかけて，イギリスにおいて起こった。イギリスが世界に先駆けて産業革命を実現させたのには，次のような要因がある。

・早くからギルド制や農村の共同体規制が取り払われており，18 世紀の植民地争奪戦に勝利して資本の本源的蓄積が行われていたこと。イギリスでは 16 世紀後半にはすでに産業資本化によるマニュファクチュア（工場制手工業）が成立していた。

・労働力の蓄積が進んでいたこと。牧羊地拡大のための第一次囲い込み（16 世紀）や穀物生産のための第二次囲い込み（18 世紀）などの農業改革を通じ，自営農民が没落し，農業労働者（小作人）が都市に流入して工場労働者になった。

・イギリスは広大な植民地を保有していたため，工場で大量に生産された製品の市場が確保されていた。

イギリスの産業革命は，綿工業から始まった。1733 年，ジョン・ケイによって飛び杼（ひ）が発明され，織布技術が向上した。さらに，1764 年，ジェニー紡績機が発明され，1785 年には蒸気機関を利用した力織機が発明され，品質，生産量共に向上していった。

これらの技術開発により，綿工業は手作業による小規模生産から機械による大量生産へと変貌していった。こうした綿工業の発達は，関連産業の発展を促した。鉄鋼業や石炭業が発達し，鉄と石炭が工業の基礎としての地位を確立する。

また，産業革命による大量生産により，製品や原料を大量かつ高速に輸送する必要が出てきた。そのため，19 世紀にはいると，交通にも蒸気機関を利用した運輸交通機関の改良（交通革命）が進められるようになった。1830 年にはマンチェスターとリバプールの間に商業鉄道が開通し，1840 年代以降イギリス全土に鉄道網が拡大していった。こうして，イギリスは世界最大の工業国となり，世界の工場と呼ばれるようになった。

◇産業革命による社会への影響

産業革命は，工業だけではなく社会全体にも大きな影響を与えた。工業都市の出現は，深刻な環境問題を引き起こし，また，都市部への人口集中とそれによる社会の変化をイギリスにもたらした。また，資本家と労働者の階級分化が進み，産業資本主義が確立されていった。一方で工場ではたらく労働者の待遇はきわめて劣悪で，多くの労働問題を引き起こした。

■第二次世界大戦後の国際経済体制

◇IMF体制 よく出る

1944年7月，連合国44カ国がアメリカ・ニューハンプシャー州のブレトン・ウッズに集まり，連合国通貨・金融会議が開かれた。ここでブレトン・ウッズ協定が調印され，短期的な資金を援助するIMF（国際通貨基金）と長期的な資金を援助するIBRD（国際復興開発銀行＝世界銀行）の設立が決定された。また，1948年にはGATT（貿易及び関税に関する一般協定）が成立した。この体制をIMF体制，またはブレトン・ウッズ体制と呼ぶ。

◇IMF体制のポイント

・金とドルの交換比率を1オンス＝35ドルで固定し，金とドルの交換を保証した。さらに，各国の通貨をドルとリンクさせ，ドルを基軸通貨とする固定相場制度を採用。
・外貨不足をきたした国にIMF加盟国間で資金を融通しあう制度であるSDR（IMF特別引出し権）を創設した。外貨不足をきたした国は，IMFの指定する国にSDRを引き渡すことにより，指定された国から通貨を引き出すことができるようになった。

◇ニクソン・ショックとスミソニアン体制

アメリカの国際収支赤字による金流出やインフレにより金価値保証ができなくなったことから，1971年8月，アメリカのニクソン大統領は金とドルの交換停止を一方的に発表した。これにより，為替相場は一時パニック状態に陥った。その後1971年12月に，アメリカのスミソニアン博物館で先進10カ国蔵相会議が開催され，ドルの切り下げと変動幅の拡大が決定された。これにより，ドルは1オンス=35ドルから38ドルへと切り下げられ，円は1ドル=360円から308円になった。この固定相場制をスミソニアン体制と呼ぶ。

スミソニアン体制により，固定相場制が一時的に維持されたものの，アメリカやイギリスの国際収支の悪化は改善されなかった。その後，ポンドが変動相場制に移行したのをきっかけとして，1973年には主要国の通貨が相次いで変動相場制へ移行し，スミソニアン体制は崩壊した。

主要年表

1944年	連合国通貨・金融会議（アメリカ・ブレトン・ウッズ）
1946年	IMF（国際通貨基金）設立
1948年	GATT（貿易及び関税に関する一般協定）成立
1971年	金・ドル交換停止（ニクソンショック）（8月） 先進10カ国蔵相会議（アメリカ・スミソニアン博物館）（12月）
1973年	各国通貨が変動相場制へ移行
1985年	先進5カ国蔵相・中央銀行総裁会議（プラザ合意）
1995年	WTO（世界貿易機関）設立
1997年	アジア通貨危機

出題パターンcheck!

第二次世界大戦後の国際通貨体制に関する次の記述のうち，妥当なものはどれか。

（1）1944年の連合国通貨・金融会議において，為替レートの安定と国際貿易の推進を目的とし，長期資金を融通するIMFの設立が決定された。
（2）SDRは外貨不足をきたした国に必要な資金を融通する制度であり，外貨不足をきたした国はIMFの指定する国にSDRを引き渡すことにより，被指定国から資金の融資を受けることができる。
（3）IMF体制下ではドルを基軸通貨とする固定相場制度が採用され，1オンス＝38ドルの交換比率で金とドルの交換が保証された。
（4）1971年のニクソンショックによりスミソニアン体制が崩壊し，この年から主要各国は変動相場制へと移行した。
（5）IMFが融資を実施する際，コンディショナリーと呼ばれる経済調整プログラムが策定されるが，これはあくまで努力目標であり，融資を受ける国は必ずしもコンディショナリーを受け入れる必要はない。

答え（2）

過去５年の出題傾向 

経済政策 ① 金融政策

中央銀行の金融政策の手段とその効果を理解し，さらに，近年の金融政策の方針変更についてもきちんとおさえておくことが重要である。

■金融政策の手段

中央銀行は，金融市場を通じて市場に流れる資金の量や，金利に影響を及ぼし，通貨および金融の調整を行う。中央銀行は，マネーサプライ（貨幣供給量）を操作し，景気をコントロールする。こうした中央銀行の金融政策の手段には，公開市場操作，支払準備率操作などがある。金融政策を行うことで，国民経済の基盤となる物価を安定させることが，金融政策の目的となる。

◇公開市場操作（オペレーション） よく出る

公開市場操作とは，中央銀行が金融機関に対して債券（国債など）や手形を売買して，マネーサプライに影響を与える政策のことである。短期金融市場の資金量を調節することで，短期金利を目標へと誘導する。これは，オペレーションとも呼ばれ，大きく分けて，①中央銀行が金融市場に資金を供給するためのオペレーション（買いオペレーション）と②中央銀行が金融市場から資金を吸収するためのオペレーション（売りオペレーション）がある。

・買いオペレーション（買いオペ）

中央銀行が金融機関から債券や手形などの有価証券を買い入れるオペレーションのこと。中央銀行は，有価証券の購入代金を金融機関に支払うため，その分マネーサプライが増加する。

・売りオペレーション（売りオペ）

中央銀行が金融機関に有価証券を売却するオペレーションのこと。金融機関は有価証券の購入代金を中央銀行に支払うため，その分のマネーサプライが減少する。

◇支払準備率操作（法定準備率操作）

市中銀行は，受け入れている預金の一定比率以上の金額を日本銀行（日銀）に預け

●日本銀行の政策

日本銀行政策委員会（金融政策決定会合）

政策運営の基本方針（金融市場調節方針）の決定

↓

日本銀行金融市場局 ⇄ 金融機関

（短期金融市場）

金融機関同士が資金を融通

金融機関 ⇄ 金融機関

オペレーションによる資金供給・吸収

↓

短期金融市場における資金の需要関係に影響

↓

金融市場調節方針に沿った金利誘導

入れることが法律で義務付けられている。この比率のことを支払準備率（法定準備率）といい，日銀は，この比率を操作することにより，マネーサプライを調整する。

・支払準備率の引き下げ

支払準備率を引き下げると，市中銀行が中央銀行に預け入れる預金の割合が減少するため，その分マネーサプライが増加。

・支払準備率の引き上げ

支払準備率を引き上げると，市中銀行が中央銀行に預け入れる預金の割合が増加するため，その分マネーサプライが減少。

◇基準貸付利率

基準貸付利率（公定歩合）とは，中央銀行が市中銀行に貸付を行う際に適用される基準金利のこと。不況時にはこの利率を引き下げ，好況時には引き上げて景気を操作する。近年，市中銀行がコール市場などからの資金調達への依存度を高めており，基準貸付利率の効果はほぼない。

■中央銀行（日本銀行）の金融政策

◇ゼロ金利政策

日銀が，銀行間同士でお金を貸し借りする際のコール市場に資金を大量に供給することで，無担保コール翌日物（無担保で翌日には返済する超短期のやり取り）の金利をほぼゼロに近い状態にまで低くする政策。

◇量的緩和政策

金融市場調整の目標を，政策金利を上げ下げするのではなく，資金量（日本銀行当座預金残高）におくこと。民間金融機関から国債や手形を買い取って通貨供給量を増やすことで，金融市場の資金量を増やす政策。

●ゼロ金利政策と量的緩和政策の経緯

1999年2月	デフレ対策としてゼロ金利政策を導入。のちに解除するが金利を低めにする政策は継続。
2001年3月	金利政策の限界より量的緩和政策を導入。金利も実質ゼロに。
2006年3月	景気回復より量的緩和政策解除。
2006年7月	ゼロ金利政策を解除。短期金利の誘導目標引き上げ。
2008年9月	リーマンショック。以降，段階的に利下げ。
2010年10月	実質的なゼロ金利政策を復活。
2013年4月	量的・質的金融緩和を実施。

◇近年の日銀の金利政策

2013年4月より黒田東彦総裁のもと，「量的・質的金融緩和」を実施し，2016年にはマイナス金利も導入。2021年，日銀は大規模な金融緩和策の維持，および金融機関の気候変動対応の投融資を促す新制度の骨子案を発表した。2023年4月，植田和男新総裁が就任し，新体制が発足，学者出身の総裁就任は初めてとなった。2024年3月，日銀の金融政策決定会合でマイナス金利政策の解除を決定。政策金利を引き上げるのは17年ぶりとなった。同時に長短金利操作（イールドカーブ・コントロール）の撤廃も決め，2013年に開始した大規模緩和は事実上終了することになった。

出題パターン check!

日本銀行の金融政策に関する次の記述のうち，妥当なものはどれか。

（1）インフレーションを抑制するためには，買いオペレーションを実施すればよい。
（2）近年のデフレ経済への対策として，日本銀行はコールレートの金利を政策目標とする量的緩和を実施している。
（3）支払準備率操作とは，中央銀行が金融機関に対して債券（国債など）や手形を売買して，マネーサプライに影響を与える政策のことである。
（4）近年，市中銀行は市場での資金調達が中心となっているため，基準貸付利率操作の効果は失われている。
（5）ゼロ金利政策とは，好景気の際に行われる政策のことを指す。

答え（4）

過去５年の出題傾向　★★★★☆

経済政策 ② 市場の失敗と政府の市場への介入

市場の失敗が発生するケースの代表的なものとして，外部効果がある場合と，公共財があげられる。この場合，政府が市場に介入することになる。

■市場の失敗

完全競争市場では，市場での競争を通じて効率的な資源配分が達成される。しかし，完全競争の条件が満たされない場合，資源配分は非効率的なものとなる。現実経済においては，完全競争の条件が満たされることはほとんどない。市場が効率的な資源配分を実現できないケースを市場の失敗と呼ぶ。

■外部効果（外部性）

ある経済主体の行動が，市場を経由しないで他の経済主体に影響を与えることを外部効果（外部性）があるという。外部効果には，他の経済主体に好ましい影響を与える外部経済と，好ましくない影響を与える外部不経済がある。

・外部経済の例

無償のボランティア活動，美しい庭が隣人に与える満足，等。

・外部不経済の例

騒音，排気ガス等の環境汚染。

◇外部経済の内部化　よく出る

外部不経済が存在するとき，生産量を１単位増加させるのに必要な社会的限界費用は，私的限界費用に市場を経由しない費用である限界外部費用を足したもの，すなわち，

私的限界費用＋限界外部費用
＝社会的限界費用

となる。

●図1　外部経済

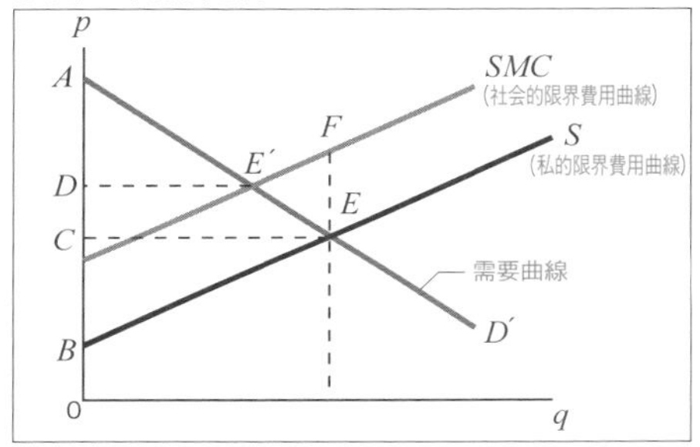

これを図で表すと図１のようになる。

市場の均衡点は E 点であるが，この点は社会的に最適な点ではない。生産者余剰と消費者余剰の合計は△ AEB で表されるが，同時に△ $E'FE$ で表される社会的損失が発生している。この場合，社会的に適切な均衡点は E' である。このとき，政府が社会的なコストを企業に負担させるために外部不経済の分だけ税金（従量税）を課せば，市場の均衡点は社会的限界費用曲線 SMC と需要曲線の交点 E' で決定され，社会的に最適な資源配分が達成される。

このように，課税政策等により，限界外部費用を私的限界費用化することを外部経済の内部化という。

■公共財（166ページ参照）

人々が必要とするが，市場メカニズムだけではうまく供給されない財として，公共財があげられる。公共財は非排除性と非競合性という性質を持つ財である。

◇公共財の性質

非排除性とは，その財の利用に際して，対価を払わない人々を排除することが困難であることを指す。非競合性とは，誰もが同じ財を同時に利用できることである。国防や警察，一般道路や公園などの公共財は，費用を払わない人の利用を排除することは難しく，他の人が利用しているからといって他の人が利用できないわけではない。

一方，通常の財は私的財と呼ばれ，競合性と排除性を持つ。なお，競合性の有無と排除性の有無で，財を４つの種類に分類することができる（表１）。非競合性と非排除性を持つ財のことを純粋公共財と呼ぶ。

また，非競合性，あるいは非排除性どちらか一方の性質を持つ財を準公共財と呼ぶ。例えば，一般の道路の場合，対価を払わない人を排除することはできないが，利用者が多く混雑している場合には，競合性があるといえる。また，有料道路は，料金を払わない利用者を料金所で排除することが可能である。

●表１　公共財と私的財

	非競合性	競合性
非排除性	・純粋公共財 警察，国防	・準公共財 道路（混雑している場合）
排除性	・準公共財 有料道路	・私的財

公共財は私的財とは異なり，市場で供給することは困難である。公共財には非排除性が存在するために，対価を払わずに公共財を利用しようとするフリー・ライダーが現れる可能性がある。全ての人がフリー・ライダーになれば，誰も公共財に対して対価を払わなくなり，公共財は全く供給されなくなる。また，公共財は非競合性を持つため，いったん供給されると対価を払った人はもちろん，対価を払わない人に対しても便益をもたらすことになる。結果，公共財の供給は過小なものとなる。

◇公共財の供給　よく出る

公共財もまた，市場によって効率的に供給することが困難な財である。したがって，政府などの非市場的なシステムにその供給をゆだねなければならない。公共財の最適供給条件は次のようになる。

社会的限界便益（私的限界便益の合計）
＝社会的限界費用

公共財の追加供給は，社会的限界費用を発生させる。また，公共財の追加供給は，社会の全ての人に対して便益を与えるため，公共財が与える社会的限界便益は，社会における全ての個人の私的限界便益の合計となる。この両者が等しくなるとき，公共財の最適な供給が実現する。

出題パターン check!

「市場の失敗」に関する次の記述のうち，妥当なものはどれか。

（１）ある財の生産について外部不経済がある場合，政府は企業に従量税を課して外部経済を内部化することにより，最適な資源配分が達成される。
（２）企業間に外部不経済がある場合，損害を受ける企業と利益を受ける企業が同時に存在するため必ずしも経済全体の厚生は減少しない。
（３）公共財は，対価を払わずに当該財を利用しようとするフリー・ライダーが発生する可能性があるため，財の供給が過大になるおそれがある。
（４）ある財の生産に外部不経済がある場合，限界外部費用を生産者が負担しないために，財の供給が過小になるおそれがある。
（５）公共財は，いったん市場に供給されれば最適な資源配分が実現されるが，フリー・ライダーが存在するために個人間に不公平が発生する。

答え（１）

過去５年の出題傾向 ★★★★★

経済政策 ③ 乗数理論

財政乗数，均衡予算乗数，租税乗数等の効果がなぜ異なるのかを考えながら，いくつかの財政政策の選択肢を比較検討してみよう。頻出している内容だけに，しっかりと理解しておく。

■投資の乗数効果 よく出る

◇政府部門を含めた均衡国民所得

民間部門だけからなる閉鎖経済のマクロモデルを考える。

$Y=C+I$ ……①

$C=a+cY$ ……②

$I=\bar{I}$ …………③

（Y：国民所得、C：消費、I：投資、a：基礎消費、c：限界消費性向）

このモデルに，政府部門を含めると，①～③式はそれぞれ

$Y=C+I+G$ ……④

$C=a+c(Y-Td)$ …⑤

$I=\bar{I}$ ………………⑥

（G：政府支出、Td：直接税）

となる。

消費は所得から直接税 Td を除いた可処分所得（$Y-Td$）に依存すると考えられるため，消費関数は⑤式のような形となる。よって，均衡国民所得の決定式は，

$$Y=a+c(Y-Td)+\bar{I}+G$$

$$=\frac{1}{1-c}(a-cTd+\bar{I}+G)$$

となる。

◇インフレギャップ・デフレギャップと総需要管理政策

これまでの議論で注意しなければならないことは，均衡国民所得水準は完全雇用の所得水準であるとは限らないということである。図１において，総需要が D_0 の水準にあるとき，均衡所得は Y_0 に決定される。ここで，完全雇用の国民所得を Y_f とすると，ここでの均衡所得 Y_0 は完全雇用水準を下回るため，不完全雇用均衡となる。このとき，ab の大きさのデフレギャップが存在しており，政府がこのデフレギャップに相当する分だけ政府支出 G を増加することにより，完全雇用 Y_f を達成することができる。一方，総需要が D_2 の水準にあるとき，完全雇用供給を上回る需要が存在するため，インフレーションが生じる。このとき，bc の大きさのインフレギャップが存在しており，政府がインフレギャップに相当する分の政府支出 G を削減することにより，インフレーションを回避し，同時に完全雇用 Y_f を達成することができる。

●図１

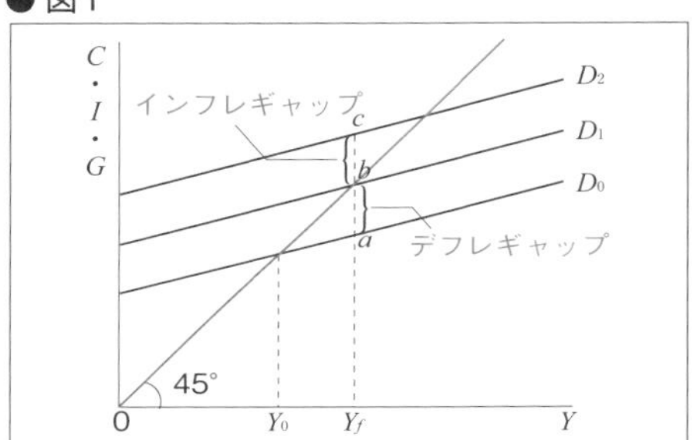

■財政乗数（財政支出乗数，政府支出乗数）

◇財政を考慮した場合の均衡国民所得

財政を考慮した場合の均衡国民所得モデルは，需要側に財政支出 G を含んだ財市場の需給均衡条件式 $Y=C+I+G$ として表せる。消費関数は，租税を考慮すれば $C=a+c(Y-Td)$ と表せる。Td は直接税で $Y-Td$ は可処分所得である。この直接税について，所得水準と無関係な部分（T_0）と所得水準に依存して徴収額が変わる部分（tY）とからなっているとすれば，$Td=$

T_0+tYとなる。ただしtは$\frac{\Delta Td}{\Delta Y}$で，限界税率である。以上を踏まえると先の需給均衡条件式は$Y = a+c(Y-T_0-tY)+I+G$と表せることになる。ここで差し当たり投資と財政支出の水準をそれぞれI_0，G_0として，均衡国民所得水準を求めるために式を整理すると，$Y=\frac{1}{1-c(1-t)}(a+I_0+G_0-cT_0)$となる。

◇財政支出の変化と国民所得の変化

上述の均衡状態から独立的支出に変化が生じて，なお需給の均衡が保たれている場合，$\Delta Y = \Delta C+\Delta I+\Delta G$が成立する。消費の変化は可処分所得の変化に依存するので$\Delta C = c(\Delta Y-\Delta Td)$である。租税の変化は$\Delta Td = t\Delta Y$である。以上を先の$\Delta Y = \Delta C+\Delta I+\Delta G$に代入すると$\Delta Y = c(\Delta Y-t\Delta Y)+\Delta I+\Delta G$となり，これから$\Delta Y$を求めると，$\Delta Y = \frac{1}{1-c(1-t)}(\Delta I+\Delta G)$となる。これは独立的支出の変化が$\frac{1}{1-c(1-t)}$倍または$\frac{1}{s+ct}$倍の所得の変化をもたらすことを意味している（$s$：限界貯蓄性向）。この乗数$\frac{1}{1-c(1-t)}$または$\frac{1}{s+ct}$を財政乗数と呼ぶ。投資乗数と財政乗数を比較したとき，$0 < c < 1$，$0 < s < 1$，$0 < t < 1$とすれば，$\frac{1}{1-c} > \frac{1}{1-c(1-t)}$，または$\frac{1}{s} > \frac{1}{s+ct}$であるから，乗数効果としては財政乗数の方が投資乗数よりも小さい。例えば限界消費性向を0.8，限界税率を0.25とした場合，投資乗数は，$\frac{1}{1-0.8} = 5$であるが，財政乗数は$\frac{1}{1-0.8(1-0.25)} = 2.5$である。

■均衡予算乗数

財政支出の増加を全て増税で賄う均衡予算を考える。国民所得の増加に伴う税の増収については限界税率$t = 0$を仮定して$t\Delta Y = 0$とすれば，$\Delta Td = \Delta G$が均衡予算の条件である。需給均衡条件式は$\Delta Y = \Delta C+\Delta I+\Delta G$であるが，消費の増加分$\Delta C = c(\Delta Y-\Delta Td)$は$\Delta C = c(\Delta Y-\Delta G)$と表せる。また，財政支出の効果を見るために$\Delta I = 0$とすれば，$\Delta Y = c\Delta Y-c\Delta G+\Delta G$となる。$\Delta Y$について整理すると$(1-c)\Delta Y = (1-c)\Delta G$すなわち，$\Delta Y = \Delta G$となる。

以上のことから，財政支出の増加がそれに等しい増税を伴い，財政赤字を出さない場合でも，財政が国民経済に与える影響は中立的でないことがわかる。均衡予算下の財政支出の増加はそれに等しい国民所得の増加（乗数効果1）をもたらすのである。なお実際には，所得の増加につれて増加する税収$t\Delta Y$があるので，これを考慮すると均衡予算の乗数効果は1よりも小さくなる。

■減税の効果（租税乗数）

◇所得水準に依存しない一定額の減税

均衡国民所得水準は，$Y=\frac{1}{1-c(1-t)}(a+I_0+G_0-cT_0)$で表されるが，ここでは減税分である$\Delta T_0$だけ，可処分所得が増加する。したがって$Y = \frac{1}{1-c(1-t)}c\Delta T_0 = \frac{c}{1-c(1-t)}\Delta T_0$である。$\frac{1}{1-c(1-t)} > \frac{c}{1-c(1-t)}$なので，乗数効果としては減税の方が財政支出よりも小さい。減税の効果のみに注目して$t = 0$とし，所得の増加分が全て家計によって支出されるとすれば，$Y = \frac{c}{1-c}\Delta T_0$となる。この場合財政支出の効果も$\Delta Y = \frac{1}{1-c}\times\Delta G$となるので，同じ額で比べたとき，やはり減税の乗数効果の方が小さい。

◇所得水準に影響を与える減税

前項のような一定額の減税ではなく，限界税率の変更による減税が行われる場合は，税率の引き下げによる可処分所得の増加と，可処分所得の増加による消費の増加が継起することで，国民所得が増加する。

出題パターンcheck!

限界消費性向を0.8とし，5兆円の減税が行われたときの国民所得の増加額はいくらか。

（1）5兆円　（2）10兆円
（3）15兆円　（4）20兆円
（5）25兆円

答え（4）

過去５年の出題傾向　★★★★☆

経済政策 ④ IS−LM分析と公債発行の効果

政府が行う財政政策と，中央銀行が行う金融政策により，*IS* 曲線と *LM* 曲線がどのように変化するのか，国民所得や利子率がどう変化するのか正確に理解しよう。

■財政政策の効果

財政政策とは，政府支出と租税の増減を通じて，*IS* 曲線そのものをシフトさせようとするものである。

政府支出を増加するときの資金調達源として公債を利用する場合，公債の市中消化と，公債の中央銀行引受けとが考えられる。後者の場合，公債と引き換えに貨幣が中央銀行から政府に引き渡され，貨幣供給量は増加する。

◇公債の市中消化　よく出る

公債を市中消化した際の政府支出の効果については，ケインジアンとマネタリストで見解が異なる（図１参照）。

・ケインジアン

政府支出の増加により，*IS* 曲線は右方にシフトする。この際，もし利子率が変化しないとすれば，経済は E_0 から E_1 へ均衡点を移動させ，乗数効果により国民所得は Y_0 から Y_1 に増加するはずである。しかし，公債の市中消化によって利子率が r_0 から r_1 に上昇するため，民間部門の投資を圧迫して，経済は E_0 から E_2 に均衡点を移動させることになる。その結果，国民所得は Y_2 にまでしか増加しない。このように，政府活動が民間部門の活動を抑圧してしまう現象をクラウディング・アウトという。この利子率上昇のメカニズムはヒックス・メカニズムとも呼ばれている。

・マネタリスト

これに対し，フリードマンは，資産効果を導入して，公債の市中消化による政府支出の増加が，クラウディング・アウトによって必ずしもケインジアンによって期待される国民所得増大効果を持っていないことを示している。資産効果が貨幣需要関数に導入される場合，民間の主体は，公債の保有が増えるにつれて資産の構成バランスを保つために貨幣の保有を増やそうとする。そのため，*LM* 曲線は *LM* から *LM′* へと左方にシフトする。この場合，ケインジアンのケースと比べて国民所得の増加は小さく，クラウディング・アウトが大きくなる。

●図1

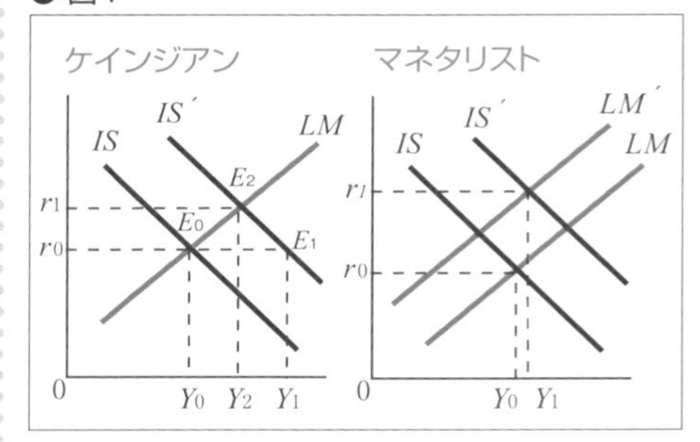

◇中央銀行による公債引受け

政府が発行した公債が中央銀行によって引き受けられる場合，貨幣供給が増加することになる。貨幣供給の増加は *LM* 曲線を右方にシフトさせる。これにより，公債が市中消化されるケースと比較して国民所得増大効果が大きく，利子率変化は小さくなる。

■金融政策の効果

金融政策とは，公開市場操作，支払準備

率操作などを通じて実質貨幣供給量を増減させ，*LM* 曲線をシフトさせようとするものである。

◇金融政策の効果

買いオペ，支払準備率の引き下げ等の金融緩和政策により，貨幣供給量が増大すれば，図2に示されているように，*LM* 曲線は右側にシフトする。*LM* 曲線がシフトしたことにより，国民所得が Y_0 から Y_1 へ増加し，利子率は r_0 から r_1 へ低下する。反対に，中央銀行が，売りオペ，支払準備率の引き上げ等の金融引締政策を行った場合，*LM* 曲線は左側にシフトし，その結果，国民所得は Y_0 から Y_2 へ減少し，利子率は r_0 から r_2 へ上昇する。

●図2　金融政策の効果

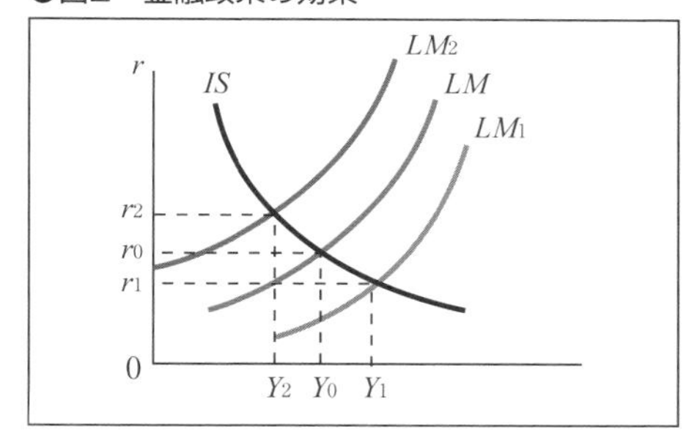

◇金融政策が無効になるケース

通常，貨幣供給量の増減は国民所得と利子率の両方を変化させるが，こうした金融政策が無効になる特殊なケースが考えられている。

ここでは，金融政策を無効にする2つの極端なケースについて説明する。

・流動性のわな

経済が流動性のわなに陥ると，金融政策は無効になる。この場合，貨幣供給量を増加させて *LM* 曲線を右側にシフトさせても，均衡点は変化せず，利子率も国民所得も変化しない。このケースでは，*IS* 曲線を右側にシフトさせるような財政政策をとる必要がある（図3）。

・投資が利子率に対して完全に非弾力的であるケース

投資が利子率に対して完全に非弾力的である場合，*IS* 曲線は垂直な線となる。このケースにおいて，金融政策によって *LM* 曲線をシフトさせた場合，利子率は変化するものの，国民所得は変化しない（図3）。

●図3　金融政策が無効なケース

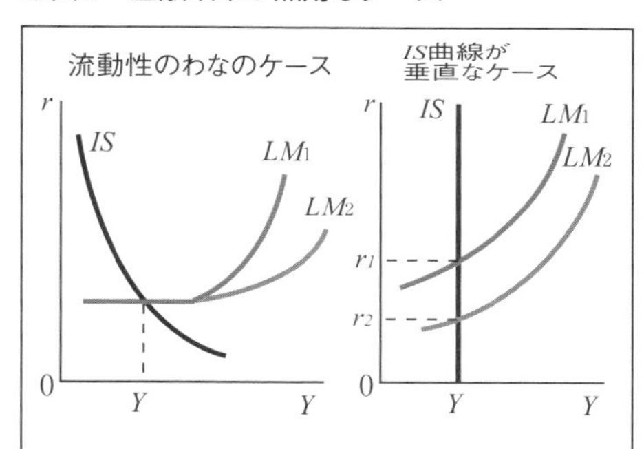

出題パターン check!

IS-LM 曲線と金融政策に関する次の記述のうち，妥当なものはどれか。

（1）買いオペレーションによる貨幣供給量の増加は *LM* 曲線を右側にシフトさせ，その結果，国民所得は増加し，利子率は上昇する。
（2）*LM* 曲線を右方にシフトさせる貨幣供給の増加は，公債が市中消化されるケースと比較して国民所得増大効果が小さく，利子率変化は大きくなる。
（3）支払準備率を引き下げると，貨幣供給量は増加し，*LM* 曲線は右側にシフトする。その結果，国民所得は増加し，利子率は低下する。
（4）流動性のわなに経済が陥った場合，*LM* 曲線をシフトさせる財政政策は無効となり，金融政策が有効な経済政策となる。
（5）投資が利子率に対して完全に非弾力的である場合，*LM* 曲線は垂直線となり，財政政策が無効となる。

答え（3）

過去５年の出題傾向　★★★★☆

経済事情 ① 日本経済の現状

世界経済の緩やかな回復に支えられて，日本経済も回復過程にはあるものの，ロシアによるウクライナ侵攻，円安といった国際情勢の激変が，日本経済に影を落としている。

■近年の日本経済

2012年12月から始まった景気の回復局面は，2018年10月に終わりを告げ，日本経済は景気後退期に入った。その拡大期間は71ヵ月にとどまり，結局は2002年から2008年まで73ヵ月続いた「いざなみ景気」の戦後最長記録を超えることはなかった。加えて経済格差の拡大が問題視されるなど，まさに「実感なき景気回復」となった。

2014年4月，消費税率が従来の5%から8%に引き上げられたことで，2014年度の実質GDP成長率はマイナス0.4%と，5年ぶりのマイナス成長を記録した。しかし，2015年の実質GDP成長率は1.7%とプラスに転じ，2016，17年度には0.8%，1.8%を記録するなど，緩やかながらも景気の拡大は続いていた。

だが，2019年10月には消費税率が8%から10%に引き上げられ，その後，新型コロナ感染症が拡大したことで，2019年度の実質GDP成長率は5年ぶりのマイナス成長となるマイナス0.8%を記録した。

■コロナ禍とその後の経済動向

2020年初頭から世界的に新型コロナ感染症が拡大しはじめたことで，日本では短期的な業況判断が，2008年のリーマンショック時を凌ぐ下落となった。

その後は，大規模な財政出動と緩和的な金融措置による総需要の下支えもあり少し好転したものの，2020年度を通じた実質GDP成長率はマイナス3.9%と，2008年のマイナス3.6%を上回る戦後最大の景気後退となった。

2021年には，大企業製造業が欧米や中国で需要を持ち直し，為替の円安傾向を背景に大幅に業績を改善するとともに，大企業非製造業も厳しいながらも改善に向かうなど，実質GDP成長率は3年ぶりにプラスに転じて，3.1%を記録した。

2022年に入ると，新型コロナ感染症の拡大に伴う世界経済の収縮や物流の停滞などにより，物価水準が高騰しはじめた。さらに，同年2月にロシアがウクライナに侵攻したことに端を発したエネルギーや食料などの輸入急減と価格高騰，また日米間の金利差による円安・ドル高に伴う輸入物価の高騰といった要因による，コストプッシュ型インフレが高進するようになった。

この結果，2022年度の消費者物価指数は，前年度比3.0%の上昇となり，41年ぶりの高水準を記録。こうした急速なインフレは，コロナ後を睨んで上向きつつあった景気を抑制することとなり，2022年度の実質GDP成長率は，前年度比1.5ポイント減の1.6%となった。

◇2023年度の動向

その流れは2023年度になっても続き，日本経済は，経済正常化やデフレ脱却につながる重要な変化が見られ，資源価格の一服感が出てきたものの，GDPの約半数を締める個人消費の回復が弱く，企業の設備投資の回復も相対的に緩やかなものにとどまっ

（1）1.0　（2）1.5　（3）2.0　（4）2.5　（5）3.0

練習問題4

消費関数が，

$C = 0.7Y + 500$　$\left\{ \begin{array}{ll} C：消費 & Y：均衡国民所得 \\ I：投資 & \end{array} \right\}$

$I = 800$

で表されるとする。投資を200増加させたときの均衡国民所得として妥当なものはどれか。ただし，政府部門および外国との取引は無視するものとする。

（1）4,500　（2）5,000　（3）5,500　（4）6,000　（5）6,500

練習問題5

IS–LM 分析に関する次の記述のうち，正しいものはどれか。

（1）消費者の貯蓄意欲が増加し，消費意欲が減退した場合には，*IS* 曲線は右にシフトする。このとき，均衡国民所得は増加し，利子率は低下する。

（2）投資が増加した場合，*IS* 曲線は右にシフトする。このとき，均衡国民所得は増加するが，均衡利子率は低下する。

（3）物価水準が低下した場合，*LM* 曲線は左側にシフトする。このとき，均衡国民所得は減少し，利子率は増加する。

（4）経済が流動性のわなに陥った場合，縦軸に利子率，横軸に国民所得をとるとすると，*LM* 曲線は縦軸に対して水平な直線となる。

（5）貨幣供給量が増加した場合，*LM* 曲線は右にシフトする。このとき，均衡国民所得は増加し，均衡利子率は低下する。

練習問題6

ハロッド＝ドーマーモデルに関する次の記述のうち，正しいものはどれか。

（1）自然成長率とは，資本ストックが成長している経済において，生産物市場の需給均衡を永続的に保証する成長率のことを指し，貯蓄係数を s，資本係数を v とすると $G = s/v$ で表される。

（2）ハロッド＝ドーマーモデルでは，価格メカニズムの伸縮性と技術の可変性という調整メカニズムが存在しており，資本係数 v が可変的で，資本・労働間の代替が可能であると想定されている。

（3）不安定性原理とは，経済そのものが持つ潜在的な成長率が労働力の成長率に制約され，その結果，経済成長が妨げられることである。これが，ハロッド＝ドーマーモデルが不安定な原因である。

解答・解説

練習問題4　正答／（2）

●解説／

政府部門と外国との取引を無視した場合の国民所得の均衡条件は，

$Y = C + I$

である。よって

$Y = 0.7Y + 500 + (800 + 200)$

$\therefore Y = 5{,}000$

となり，正答は（2）となる。

練習問題5　正答／（5）

●解説／

（1）消費者の貯蓄意欲の増加（消費意欲の減退）は，*IS* 曲線を左側にシフトさせる。

（2）*IS* 曲線が右側にシフトした場合，均衡国民所得は増加し，均衡利子率は上昇する。

（3）物価水準の低下は，*LM* 曲線を右側にシフトさせる。

（4）流動性のわなのケースでは，*LM* 曲線は横軸に対して水平（縦軸に対して垂直）な直線となる。

（5）正しい。

練習問題6　正答／（5）

●解説／

（1）これは保証成長率の説明である。自然成長率は，労働を完全雇用して達成できる最大可能な成長率のことである。

（2）これは新古典派の成長理論の説明である。ハロッド＝ドーマーモデルでは，資本係数 v は定数であると仮定されている。

（3）不安定性原理（＝ナイフエッジ原理）とは，経済の成長経路がひとたび均衡成長から乖離すれば，その乖離はますます拡大していくというモデルの不安定性のことを指している。

（4）これは自然成長率の説明である。

（5）正しい。

（4）ハロッド＝ドーマーモデルにおいて，現実の成長率 G_n は，労働を完全雇用して達成できる最大可能な成長率のことであり，技術進歩を無視すれば，労働の成長率を n とすると，$G_n = n$ で表される。

（5）ハロッド＝ドーマーモデルにおいては均衡成長の条件 $G = G_w = G_n$ が一致することは単なる偶然でしかなく，現実の成長率と保証成長率が乖離すると，その乖離がますます拡大していくことになる。こうした不安定性のことを，ナイフエッジ原理と呼ぶ。

練習問題7

財政投融資または財政投融資計画に関する記述として正しいものはどれか。

（1）財政投融資とは，財投債などで調達した資金を，民間では実現が難しい大規模・超長期プロジェクトの実施や長期資金の供給を可能とする投融資のことであるが，財政基盤が脆弱な地方公共団体については融資対象となっていない。

（2）郵便貯金事業の民営化により，郵便貯金の預託義務は廃止されているものの，年金積立金の預託義務についてはいまだ存続している。

（3）財政投融資計画とは，財政融資，産業投資，政府保証による資金供給について，個別の財投機関ごとに一覧表にしたものであり，一般会計などの予算と共に策定され，法律に基づいて国会に提出されることになっている。

（4）財政投融資には機動的・弾力的に資金供給を行うことで景気を調整する機能があり，令和5年度の財政投融資計画額は前年度に比べて増加した（当初予算）。

（5）令和5年度の財政投融資計画額のうち，長期リスクマネーを供給する産業投資は7,718億円で，前年より減少した（当初予算）。

練習問題8

アダム・スミスが『諸国民の富』（『国富論』）の中で述べた租税原則に関する記述のうち，妥当なものはどれか。

（1）最小徴税費の原則とは，国庫に帰する租税の純収入額と国民の納税額との差をできるだけ少なくすることをいう。

（2）明確の原則とは，租税の支払い時期，支払い方法，金額および使途が国民にとって明白であることをいう。

（3）便宜の原則とは，租税は国家にとって最も都合のよい時期と方法により徴収されるべきであることをいう。

（4）国民経済上の原則とは，国民経済の発展を阻害しないよ

解答・解説

練習問題7　正答／（3）

●解説／

（1）地方公共団体も融資対象となっている。

（2）郵便貯金，年金積立金ともに預託義務は廃止されている。

（3）正しい。

（4）令和5年度の財政投融資計画額は14兆2,580兆円で，前年度に比べて24.5%減と縮小した。

（5）財政投融資計画額のうち，長期リスクマネーを供給する産業投資は，前年より4,456億円増加（136%増）している。

練習問題8　正答／（1）

●解説／

（1）正しい。

（2）明確の原則（確実の原則）では，租税の使途については触れられていない。

（3）納税者にとって都合のよい時期と方法である。

（4）これはワグナーの見解である。

（5）特権階級の税を免除することなく，所得に応じて税金を負担することである。

うに正しい税源の選択をすべきであることをいう。
（5）公平の原則とは，所得税について特権階級の税を免除し，他の納税者からの税額を等しくすることをいう。

練習問題9

公債負担論に関する次の記述のうち，妥当なものはどれか。

（1）モディリアーニは，公債がクラウディング・アウト効果を有し，民間の資本蓄積を阻害することで将来世代の所得減少や経済成長の鈍化につながると考えたが，課税による経費調達と比較すれば，公債のクラウディング・アウト効果の方が小さいとした。
（2）ボーウェンによれば，第一に，現在世代は保有する公債を将来の世代に売却することによって，生涯消費という意味での負担を回避できる。第二に，将来世代も政府から償還を受けるので負担が生じない。したがって公債による負担はないと結論付けた。
（3）リカードは，公債は将来の課税によって償還されるので，現在世代が合理的にそれに備えて貯蓄を増やし，消費額と投資額の比率が等しくなる傾向を持つといういわゆる「等価定理」を発見した。
（4）ラーナーら新正統派は，ある時点で一国内の利用可能な資源量は決まっており，内国債発行によって私的に使用される資源が減っても一国全体では資源量に変化はないため，起債時も償還時も，利用可能な資源量に関しては，公債発行は負担を発生させないと考えた。
（5）バローによれば，現在世代は遺産や贈与等によって自己の消費を抑え，将来世代の負担を回避させようとするので，結局現在世代の行動は，自己の生涯において償還が行われるときと同様のものとなる。したがって公債負担は将来に転嫁されないから，公債に依存した積極財政が展開されるべきであるとされた。

練習問題 10

政府の経費膨張に関する次の記述のうち，正しいものはどれか。

（1）ワグナーは「タイム・ラグ仮説」を唱え，経費は国民経済の発展とともに一律に膨張するのではなく，段階的に膨張すると主張した。
（2）ワグナーは，政府の活動が従来の機能を内包的に拡充し，かつ新たな機能を外延的に付加するにつれて，経費が膨張すると主張した。

解答・解説

練習問題9　正答／（4）

●解説／
（1）公債のクラウディング・アウト効果の方が大きいとされた。
（2）将来世代には償還と利払いのための課税という負担が生じるとされた。
（3）民間経済に与える影響について租税と公債発行との間で差がないと考えるのが等価定理である。
（4）正しい。
（5）民間経済への影響について課税による経費調達と公債によるものとで差がないことから，公債による財政政策を否定した。

練習問題 10　正答／（2）

●解説／
（1）これはティムの主張である。
（2）正しい。
（3）これはワグナーの主張である。ティムは「タイム・ラグ仮説」を唱え，経費が段階的に膨張すると唱えた。
（4）彼らの主張は，戦争や社会的混乱による政府の経費膨張が，それが

（３）ティムは競争により社会的摩擦が激化する中，円滑な市場経済運営のため，「法および権力目的」の経費が増大すると主張した。
（４）ピーコックとワイズマンは，戦争や社会的混乱は政府の経費を膨張させるが，それらが収束すれば経費水準は元に戻ると主張した。
（５）ティムは，公共サービスに対する需要の増加するペースは所得の増加ペースとほぼ一致しており，その結果，経費は国民経済の発展とともに一律に膨張すると主張した。

解答・解説

収束した後も元の水準に戻らず，高水準が維持される過程が繰り返されるというものである。
（5）ティムは，公共サービスに対する需要は所得水準の増加スピードとは一致せず，経費は段階的に増加すると主張した。

練習問題 11

わが国の租税制度に関する次の記述のうち，妥当なのはどれか。

（１）会計年度とは収入と支出を区分して，その対応関係を明らかにするために設けられた期間であり，通例１年をもってその期間としている。わが国の会計年度は，アメリカ合衆国と同様に，４月１日から翌年の３月 31 日までの１年間である。
（２）租税は大きく分けて所得税等の直接税と消費税等の間接税に分けられる。そのうち，直接税には個人が年間を通じて得た所得に課される単純比例税である所得税や，法人の所得に課される定額税である法人税がある。
（３）国債を償還期間別に分類する場合，一般に償還期間が１年以内のものを短期国債，２～５年程度のものを中期国債，10 年程度のものを長期国債という。また，国債を債権形態別に分類する場合，利付国債や割引国債などがあり，そのうち前者は償還期限まで定期的に利払いを約束するものである。
（４）地方交付税は，地方公共団体が等しくその行うべき事務を遂行することができるよう国が地方に交付するものであり，その使途については国によって一定の制限が付けられている。地方交付税は，国の一般会計から交付税及び譲与税配布金特別会計を通じて，地方公共団体へ交付されている。
（５）財政投融資は，国の信用に基づいて調達した資金等を用いて，民間で困難な大規模・超長期のプロジェクトの実施等，国の政策目的実現のために行う政府の金融的手法による活動を総称したものである。財政投融資の原資は，財政融資，産業投資，政府保証，財投機関債から構成されている。

練習問題 11　　正答／（3）

●解説／
（1）わが国の会計年度は，4月1日から翌年の3月31日までの1年間であるが，アメリカの会計年度は10月1日から9月30日までである。
（2）所得税は累進税であり，法人税は比例税である。
（3）正しい。
（4）地方交付税は，その使途に制限が付けられない一般財源である。
（5）財投機関債は，財投機関が自ら発行する政府保証のない債券であり，財政投融資の原資ではない。

練習問題 12

ある経済においてマクロ経済モデルが次式で示されているとする。完全雇用を達成する国民所得水準が400である場合，政府支出だけを変化させることにより完全雇用を達成するために必要となる政府支出の増加額として，正しいものはどれか。ただし，国際貿易や租税は存在しないものとし，物価水準は一定とする。

$C=0.75Y+20$ …①　　$I=100-1{,}000r$ …②

$L=175+0.25Y-1{,}000r$ …③

$M=200$ …④　　$G=15$ …⑤

（ただし Y：国民所得，C：消費，I：投資，G：政府支出，r：利子率，L：貨幣需要，M：貨幣供給）

（1）10　（2）20　（3）30　（4）40　（5）50

練習問題 13

日本経済の現状に関する次の記述のうち，正しいものはどれか。

（1）2024年度の国の一般会計予算は，総額112兆717億円となり，当初予算としては12年ぶりの増額となった。

（2）2024年度の国の一般会計予算で，有事の備えと位置付ける予備費は，コロナ対策などとして増額されていた前年度当初の5兆円から1兆円に縮減した。

（3）2024年度の国の一般会計予算で，新規国債発行は34兆9,490億円と3年連続の増額となり，公債依存度は31.2%と前年度から改善していない。

（4）資源価格の一服感が出てきたことから，2023年度の実質GDP成長率は，前年度比0.8ポイント増の2.4%にまで上昇した。

（5）財務省は2030年の財政健全化目標として，国・地方を合わせたプライマリーバランス（PB）の黒字化，そして債務残高対GDP比の引下げを掲げている。

練習問題 14

次の記述のうち，正しいものはどれか。

（1）スミスは，投下労働価値説に基づき，貨幣そのものを価値の源泉とみなす重商主義者を否定した。また，スミスは支配労働価値説を否定した。

（2）リカードは著書『純粋経済学要論』において，地主・労働者・資本家の3階級の間で生産物がどのように分配されるのかを長期的・動態的に分析した。

解答・解説

練習問題 12　正答／（4）

●解説／求める政府支出の増加分を ΔG とすると，完全雇用を達成するときの政府支出額 G' は，

$G'=15+\Delta G$ …⑥

である。

このとき国民所得の均衡式 $Y=C+I+G$ に⑥および①，②を代入すると，

$Y=(0.75Y+20)+(100-1{,}000r)+15+\Delta G$

$0.25Y=135-1{,}000r+\Delta G$ …⑦

⑦は IS 曲線である。

次に貨幣市場の均衡式 $L=M$ に③および④を代入すると，

$0.25Y=1{,}000r+25$ …⑧

⑧は LM 曲線である。

⑦，⑧を辺々足し合わせて r を消去すると，

$0.5Y=160+\Delta G$

$Y=320+2\Delta G$

したがって $Y=400$ となるためには，

$2\Delta G=80$

$\Delta G=40$

正解は（4）である。

練習問題 13　正答／（2）

●解説／

（1）2024年度の国の一般会計予算は，総額112兆717億円となり，12年ぶりに減額となった。

（2）正しい。

（3）2024年度の国の一般会計予算で，新規国債発行は34兆9,490億円と3年連続の減額となった。

（4）個人消費の回復が弱く，企業の設備投資の回復も相対的に緩やかなものにとどまり，2023年度の実質GDP成長率は前年度比0.8ポイント減の0.8%にまで下落した。

（5）財務省は，財政健全化目標を達成する年を2025年としている。

練習問題 14　正答／（4）

●解説／

（1）スミスの労働価値説は，投下労働価値説と支配労働価値説が並行して論じられており，若干の混乱が見られる。

（2）リカードの著書は，『経済学および課税の原理』である。『純粋経済

（3）マルサスは，投下労働価値説に基づき議論を展開し，過剰生産の可能性を認め，不況の原因を市場の需要不足であると論じた。
（4）セイは，供給それ自らが需要を生み出すと主張し，不況の原因を市場の需要不足であると主張するマルサスを批判した。また，セイのこの主張は「セイの法則」と呼ばれている。
（5）リストは，経済が生産手段の所有形態の違いにより，原始共産体⇒古代奴隷制⇒封建制⇒商業資本主義⇒独占資本主義⇒社会主義・共産主義へと発展していくと主張した。

練習問題 15

次の記述のうち，正しいものはどれか。
（1）メンガーは著書『経済学綱要』の中で，方法論的個人主義に基づく主観価値論を展開した。
（2）ワルラスは，加重限界効用均等の法則を用い，部分均衡理論によって市場メカニズムを分析した。
（3）ハロッドは，ケインズの理論を動学化し，後にハロッド＝ドーマーモデルとして定式化される成長理論を展開した。
（4）合理的期待形成学派は，ケインズ的な裁量的経済政策は短期的には有効であるものの，人々の合理的な期待形成によって長期的には無効となると論じた。
（5）マネタリストは，経済の供給面を重視し，政府は減税や社会保障を切り下げることにより，経済を供給面から活性化することができると主張した。

練習問題 16

イギリスの産業革命に関する次の記述のうち，正しいものはどれか。
（1）イギリスでは，18 世紀に牧用地確保のための第二次囲い込み運動が起こり，これにより労働力の蓄積が進んだ。
（2）産業革命は，産業資本家によるマニュファクチュアによって進展していった。
（3）産業革命は綿工業から始まり，やがて製鉄業や石炭業へと波及していくことになった。
（4）産業革命では工場制機械工業による大量生産が実現したが，イギリスの交通機関は産業革命期を通してほとんど発展しなかったため，様々な問題を引き起こした。
（5）産業革命により，工業都市に労働者や工場が集中するようになったが，政府の適切な政策により，都市問題や環境問題はほとんど発生しなかった。

解答・解説

学要論』はローザンヌ学派のワルラスの著書である。
（3）マルサスは，支配労働価値説に基づき議論を展開した。
（4）正しい。
（5）生産手段の所有形態の違いにより経済が原始共産体から社会主義・共産主義へと発展していくと論じたのはマルクスである。リストは，経済が狩猟⇒牧畜⇒農業⇒農・工業⇒農・工・商業へと段階的に発展していくと論じた。

練習問題 15　正答／（3）
●解説／
（1）メンガーの著書は『国民経済学原理』である。『経済学綱要』はパレートの著書である。
（2）ワルラスは一般均衡理論によって市場メカニズムを分析した。
（3）正しい。
（4）合理的期待形成学派は，人々の合理的な行動の結果，裁量的経済政策が長期的にも短期的にも無効になると主張した。
（5）これは，サプライサイド・エコノミクスの主張である。マネタリストは，政策当局による通貨供給量の操作を抑制するため，通貨供給量の増加率を一定に保つべきであるとするK% ルールの設定などを主張している。

練習問題 16　正答／（3）
●解説／
（1）18 世紀の第二次囲い込みは穀物生産のために行われたものである。牧用地確保のための囲い込みは，16 世紀の第一次囲い込み運動の際に行われた。
（2）産業革命は，工場制手工業（マニュファクチュア）が機械化して工場制機械工業となったことにより進展した。
（3）正しい。
（4）産業革命は，イギリスの交通機関の発達をもたらしている。
（5）産業革命による労働者や工場の集中は，様々な都市問題や環境問題を引き起こした。

練習問題 17

日本経済に関する次の記述のうち，正しいものはどれか。

（1）傾斜生産方式と復興金融金庫の融資により，日本経済はインフレなき経済成長を達成し，急速に復興していった。
（2）1956 年の経済白書は「もはや戦後ではない」という表現で，日本経済が戦後の混乱から脱却したことを宣言した。
（3）1973 年，イラン革命をきっかけとして第一次石油ショックが起こり，日本経済は狂乱物価と呼ばれる急激な物価上昇を経験した。また，翌 74 年には経済成長率が戦後初めてマイナスとなった。
（4）1985 年のプラザ合意により，先進 5 カ国は行き過ぎたドル安を是正するための協調介入を行うことで合意した。その後，円高が急速に進行し，日本経済は円高不況に陥った。
（5）岩戸景気では，「投資が投資を呼ぶ」と表現されるほどの投資が行われ，経済を牽引していったが，その後急速に景気が悪化，「40 年不況」と呼ばれる深刻な不況へと突入した。

解答・解説

練習問題 17　正答／（2）

●解説／
（1）復興金融金庫による大量の融資は，その後のインフレの原因となった。このインフレを抑えるために，ドッジ・ラインが実施された。
（2）正しい。
（3）第一次石油ショックのきっかけとなったのは，第四次中東戦争である。イラン革命は第二次石油ショックのきっかけとなった。
（4）プラザ合意によって決定されたのは，ドル高是正のための協調介入である。
（5）40 年不況は，オリンピック景気の後に続く不況である。

練習問題 18

日銀の金融政策決定会合に関する次の記述のうち，正しいものはどれか。

（1）金融政策決定会合は，金融政策について審議・決定を行うための会合であり，原則として四半期に 1 回程度開催される。
（2）この会合には日銀の総裁，副総裁及び審議委員のほかに，政府から財務大臣及び経済財政政策担当大臣（置かれていないときは内閣総理大臣）も出席することが出来る。
（3）この会合では，預金準備制度の準備率や無担保コールレート，金融市場調整について審議・決定が行われるが，金融政策を判断する基礎となる経済，金融情勢に対する見解については，日銀の通常会合で審議される。
（4）金融政策決定会合に出席する政府関係者は日銀の出席者と同様議決権を持ち，金融政策に対する政府の見解を述べ，それを日銀の政策に反映させる役割を持つ。
（5）金融政策決定会合で決定された内容については，これを公表すると金融市場に大きな影響を与えることが懸念されるため，外部には一切公表しない。

練習問題 18　正答／（2）

●解説／
（1）金融政策決定会合は，年 8 回開催されている。
（2）正しい。
（3）金融政策の基礎となる経済，金融情勢に対する基本的な見解についても，金融政策決定会合の議事事項である。
（4）金融政策決定会合に出席する財務大臣，経済財政政策担当大臣は議決権を持たない。
（5）決定内容については，会合終了後直ちに，議事要旨については次回の決定会合（例外あり）で承認の上，その 3 営業日後に公表することになっている。

練習問題 19

IS–LM 分析に関する次の記述のうち，正しいものはどれか。

（1）投資の利子弾力性がゼロの場合，IS 曲線は横軸に対して垂直な線となり，財政政策が有効な政策となる。
（2）流動性のわなのケースでは，LM 曲線が横軸に対して垂直な線となり，金融政策が有効な政策となる。
（3）ケインジアンは，公債の市中消化による財政支出の増加は，資産効果によって LM 曲線を左方へシフトさせ，クラウディング・アウトが大きくなると論じている。
（4）公債が市中消化される場合，マネーサプライが増加するため，LM 曲線は右方へシフトし，公債が中央銀行に引き受けられるケースよりも国民所得の増加が大きくなる。
（5）公債が中央銀行に引き受けられた場合，マネーサプライが減少し，LM 曲線が左方にシフトするため，公債が市中消化されるケースと比較すると国民所得の増加は小さくなる。

練習問題 20

次の記述のうち，正しいものはどれか。

（1）自動車の排出ガスを削減するためには，自動車の購入に補助金を与え，外部不経済を内部化すればよい。
（2）公園などの公共財は，非排除性と非競合性を持つため，財が過小に供給される傾向がある。
（3）公共財には競合性がないため，政府が介入しなくとも財が効率的に供給されるが，財の利用に関して不平等が生じる可能性がある。
（4）高速道路などの有料道路は，競合性はあるものの排除性のない準公共財である。
（5）外部性が存在する場合，社会的限界費用は限界外部費用と等しくなるため，最適供給条件は「限界外部費用＝社会的限界便益」となる。

練習問題 21

近年の日本の金融政策に関する次の記述のうち，正しいものはどれか。

（1）展望レポートとは，企業から見た景気動向を調べるため，日銀が 1957 年から 3 カ月ごとに行っているアンケート調査のことであり，景気の状況や先行きについて，「よい」と答えた企業の割合から「悪い」とした企業の割合を引いた業況判断指数を算出したりする。
（2）2006 年 3 月の金融政策決定会合において，量的緩和政策の解除が決定されたが，ゼロ金利政策については導入さ

解答・解説

練習問題 19　正答／（1）

●解説／
（1）正しい。
（2）流動性のわなのケースでは，LM 曲線は横軸に対し水平な線となる。この場合，金融政策は無効となり，財政政策が有効な政策となる。
（3）公債を市中消化したときの資産効果による LM 曲線の左方シフトを論じたのは，ケインジアンではなくマネタリストである。
（4）マネーサプライが増加するのは，公債が市中消化されたときではなく，公債が中央銀行に引き受けられたときである。
（5）公債が中央銀行に引き受けられた場合，マネーサプライは増加する。そのため，LM 曲線は右方にシフトする。

練習問題 20　正答／（2）

●解説／
（1）排出ガスによる外部不経済を内部化するためには，自動車保有やガソリンなどに従量税を課すことが必要である。自動車保有に補助金を与えても，外部不経済を内部化することはできない。
（2）正しい。
（3）政府の介入がない場合，公共財の供給は非効率的になる恐れがある。
（4）有料道路は，混雑していない限り競合性はない。しかし，料金を払わない利用者を料金所で排除することができるため，対価を払わないものを排除可能である。
（5）外部性が存在する財の社会的限界費用は，「私的限界費用＋限界外部費用」である。よって，最適供給条件は，「私的限界費用＋限界外部費用＝社会的限界便益」となる。

練習問題 21　正答／（5）

●解説／
（1）これは「日銀短観」の説明である。「展望レポート」とは，日銀が 1 月，4 月，7 月，10 月に公表する「経済・物価情勢」の通称。先行きの経済・物価情報の展望を見通しなどを示す

れた1999年以来，2023年8月現在まで継続中である。

（3）日本の金融政策を決定する金融政策決定会合は，政策委員会の10人のメンバーにより，月に1，2回開催される。

（4）2024年3月の金融政策決定会合では，マイナス金利政策の解除は見送られた。

（5）2024年3月の金融政策決定会合で，長短金利操作（イールドカーブ・コントロール）の撤廃を決め，2013年に開始した大規模緩和は事実上終了することになった。

練習問題22

国際収支統計に関する次の記述のうち，正しいものはどれか。

（1）2023年度はモノの輸出が不調であったが，それ以上に資源高が一服したことより輸入が減少し，貿易赤字は過去最大だった前年度の17兆7,869億円から大幅に縮小している。

（2）近年の経常収支は，資源高が影響して黒字幅を縮小する傾向にあり，2023年度の経常収支も前年度の流れを汲み黒字幅を縮小させている。

（3）経常収支は，貿易・サービス収支，第一次所得収支，第二次所得収支，資本移転等収支の4収支を合算したものから，金融収支の黒字を差し引いた値である。

（4）2023年度のサービス収支は，旅行収支が黒字幅を拡大したが，デジタル赤字が過去最大レベルで拡大した影響から，サービス収支は2兆4,504億円の赤字となった。

（5）国際収支統計の金融収支では，資金の流出入に着目し，資金の流出がプラス（＋），流入がマイナス（－）として計上される。

練習問題23

近年の労働市場に関する記述のうち，正しいものはどれか。

（1）景気の緩やかに拡大に合わせて雇用者数は回復しつつあり，2023年は平均で6,076万人と，前年比で35万人の増加となった。

（2）2023年平均の完全失業者数は178万人と，前年に比べて1万人増加し，2年連続の増加となった。

（3）完全失業率については，2023年平均の完全失業率は2.6%と前年と同率だったが，前年に比べて男性は若い層で上昇し，女性は比較的高年齢層で上昇している。

解答・解説

もの。

（2）無担保コールレートを0%近くに誘導するいわゆるゼロ金利政策は，2006年7月の金融政策決定会合において一旦，解除されている。

（3）委員会のメンバーは，日銀総裁と2人の副総裁，6人の審議メンバーの計9人。年に8回開催される。

（4）2024年3月の金融政策決定会合では，マイナス金利政策が解除された。

（5）正しい。

練習問題22　正答／（4）

●解説／

（1）2023年度はモノの輸出が堅調で，前年度に比べ2.1%増の101兆8,666億円，輸入は10.3%減の105兆4,391億円となった。その結果，貿易赤字は3兆5,725億円と前年比で大幅に縮小している。

（2）2023年度の経常収支は，25兆3,390億円の黒字と，前年度から約2.8倍に増加し，過去最高を記録した。

（3）経常収支は，貿易・サービス収支，第一次所得収支，第二次所得収支の3収支を合算したものである。

（4）正しい。

（5）金融収支では，資産と負債に着目し，資産・負債の増加がプラス（＋），減少がマイナス（－）となる。

練習問題23　正答／（1）

●解説／

（1）正しい。

（2）2023年平均の完全失業者数は178万人で，前年に比べて1万人減少と，2年連続の減少となった。

（3）完全失業率について，年齢階級別に見ると，前年に比べて男性は55～64歳と65歳以上の比較的高年齢の層で上昇し，女性は15～24歳と25～34歳の若い層で上昇している。

（4）勤め先や事業の都合などの「非自発的な離職」は，2023年平均

（４）求職理由について，勤め先や事業の都合などの「非自発的な離職」は2023年平均で43万人と，前年に比べて３万人の増加となり，「自発的な離職」は75万人と３万人の減少となった。

（５）2024年は，「2024年問題」として，特に物流業界における低賃金が要因となり，労働力不足が顕著な問題になった。

練習問題24

キャッシュ・フロー計算書に関する次の記述のうち，正しいものはどれか。

（１）キャッシュ・フロー計算書とは，企業の一会計期間における経営成績を報告するために作成する財務諸表である。

（２）キャッシュ・フロー計算書の区分は，「営業活動によるキャッシュ・フロー」，「投資活動によるキャッシュ・フロー」，「財務活動によるキャッシュ・フロー」の区分に分けられる。

（３）「営業活動によるキャッシュ・フロー」の区分には，営業損益計算の対象となった取引のみを記載する。

（４）「投資活動によるキャッシュ・フロー」の区分には，商品及び役務の販売による収入や商品及び役務の購入による支出などを記載する。

（５）「財務活動によるキャッシュ・フロー」の区分には，資金調達及び返済によるキャッシュ・フローを記載するほか，営業活動及び投資活動以外の取引によるキャッシュ・フローを記載する。

練習問題25

引当金に関する次の記述のうち，正しいものはどれか。

（１）引当金は，発生の可能性が低くとも，その金額を合理的に見積もることが可能であれば，設定することができる。

（２）将来の火災の発生に備えて，引当金を設定することは妥当である。

（３）引当金は，評価性引当金と負債性引当金に分類することができ，負債性引当金の代表例として，貸倒引当金をあげることができる。

（４）引当金の設定要件の一つとして，「その発生が当期以前の事象に起因する」ということがあげられる。

（５）貸借対照表上，引当金は全て，負債の部に計上される。

解答・解説

で43万人と，前年に比べて３万人の減少となり，「自発的な離職」は75万人と３万人の増加となった。

（５）「2024年問題」は物流業における「働き方改革関連法」の施行に伴う労働時間削減を要因として，労働力不足の深刻化を招いた。

練習問題24　正答／（２）

●解説／

（１）キャッシュ・フロー計算書は，企業の一会計期間における経営成績ではなく，キャッシュ・フローの状況を報告するために作成する財務諸表である。

（２）正しい。

（３）「営業活動によるキャッシュ・フロー」の区分には，営業損益計算の対象となった取引のほか，投資活動及び財務活動以外の取引によるキャッシュ・フローを記載する。

（４）「投資活動によるキャッシュ・フロー」の区分には，固定資産の取得及び売却，現金同等物に含まれない短期投資の取得及び売却によるキャッシュ・フローを記載する。

（５）「財務活動によるキャッシュ・フロー」の区分には，資金調達及び返済によるキャッシュ・フローのみを記載する。

練習問題25　正答／（４）

●解説／

（１）引当金は，発生の可能性が高くなければ，設定することができない。

（２）将来の火災の発生は，発生の可能性が高いといえず，また，その金額を合理的に見積もることはできないので，引当金を設定することはできない。

（３）貸倒引当金は，評価性引当金である。

（４）正しい。

（５）評価性引当金は，貸借対照表上，資産の部に計上される。

第二章

教養試験

一般知能

社会科学

人文科学

自然科学

出題傾向 公務員試験対策で避けて通れないのが一般知能分野である。この分野を克服するには，とにかく数多くの問題に接することが大切である。重要分野だけに出題数も多い。数学的素養が必要となる数的推理，判断推理だけでも，全国型と中部・北陸型で16問，関東型で11問，直近で出題されており，独自問題を採用する東京都と特別区でも空間把握も含めて14問出されている。資料解釈は，東京都と特別区で4問，それ以外は1問程度出されるにすぎない。一方，文章理解はすべてのタイプで8問以上出題されている。なお，市役所（A日程）の教養は，難度の低いB，C日程と同様の出題となる。

ポイント別・学習法

■数的推理

<傾向>近年は，場合の数，比・割合，仕事算，流水算，正多面体などの出題が多く見られる。直近の試験では，比と割合，不等式，濃度，速さ・距離・時間の問題などが出題されている。

方程式の応用問題は濃度，速さのような2量の関係について十分な理解が大切である。複雑で高度な式になる場合が多く，苦手ならば，中学2年相当の連立方程式の文章題項目からの復習が必要となる。

場合の数，確率も必須問題である。基本となるサイコロやコインを利用した問題や人を様々な条件で選ぶ問題は，どのような形式で出題されても必ず解けるようにしておくこと。苦手な受験生は高校1年の数学の問題集・参考書から復習するとよい。

図形では，主に立体図形，面積比，相似，三平方の定理，円の性質の複合問題が出題される。

<学習法>上記3ポイントは順にクリアーしていくことが大切で，得点効率および学習能率が高い。特に初めて学習する受験生にとっては方程式・図形のハードルは高いが，数的推理では必須である。後回しにせず，繰り返し解くことを念頭に学習計画をたてることである。

◎難易度＝90ポイント
◎重要度＝90ポイント

■判断推理

<傾向>近年は，論理，対応関係，順序関係，位置関係が定番の問題となっている。条件文から位置，順位を定める問題は，条件をいかにわかりやすく表や記号でまとめることができるかが肝要である。全国型，関東型，中部・北陸型の試験が最も難易度が高く，以下東京都・特別区と続く。表現は異なる

ものの，出題傾向は一定している。

図形分野では，展開図，軌跡，平面図の変形，立体図形の切断が高出題率である。問題用紙は平面であるのは当然であるが，そこから立体を想像していくのに慣れない者も多い。また，いかに平面の状態でわかりやすく書き留めておけるかにかかっている。自宅学習では時に実際に消しゴムを切断したり，展開図を組み立てたりすることも必要である。

直近の試験では，論理，位置関係，移動・回転・軌跡，立体図形，平面図形，展開図，対応表などが出題されている。

＜学習法＞最も知能分野らしい問題である。得点力になり，試験対策を疎かにした者との差も開きやすい。クイズや知恵の輪を解くつもりで手がけてみよう。

◎難易度＝ 85 ポイント
◎重要度＝ 95 ポイント

■資料解釈

＜傾向＞出題数は東京都と特別区で４問出題されているが，それ以外は１問のみの出題で，直近では複合グラフ，構成比，指数，増減率による出題などが見られた。近年は例年グラフの問題が出される傾向にあるので，しっかりとグラフを読み取れるようにしておく。試験では後半に印刷されているため，試験の準備が足りていない受験生は資料解釈まで手が回らなくなるので注意したい。

東京都や特別区のように複数題が出題されている場合，１問は必ず難易度が高いものが含まれる傾向が見られる。

＜学習法＞資料解釈は統計学と異なり複雑な公式はない。また，時代背景や考察のある選択肢は必ず誤りである。主にある年代とある年代の比較（差や割合）や増加量（率）を求める。よって四則演算と割合が確実にできることである。また，そのときには必ず有効数字を考慮して計算すべきである。言い換えれば，概数の計算で十分正解を導き出すことができる。資料の出典は主に白書などからである。しかし，事前に資料を確認しておく意味は全くない。正解に至るまで時間がかかるが，数的処理の分野では最も解法の技術を必要としない分野であるので，試験時間を有効に使い，是非とも解いてもらいたい。

◎難易度＝ 75 ポイント
◎重要度＝ 85 ポイント

■文章理解

＜傾向＞現代文と英文が中心。英文の出題比率は現代文よりも多く，近年は英文５問に対して，現代文は３問となっている（全国型，関東型，中部・北陸型）。

現代文・英文ともに評論・新聞や雑誌の記事，エッセイなど様々な文章が課題文として出題される。読解問題でも選択肢の記述に明らかな誤りを含むタイプの問題は減り，全ての選択肢が課題文に対応している中で，どの選択肢が最も本文の主旨に合致するかを問う問題が中心となる。

＜学習法＞現代文は過去問や予想問題で，実践的な読解力を身につけていく方が効率的。課題文の枝葉末節にこだわらず，基本的な主張を確実に把握しよう。

英文は高校までに学習した単語・熟語・構文・文法事項を復習しておくこと。時間的余裕がなくても，せめて単語だけは確認しておこう。単語さえわかっていれば，正確な全文読解ができなくても，正解できる問題が毎年何問かは含まれている。

また，一問につき５分～10分で処理できるように，時間をはかりながら練習問題を解く習慣も身につけておこう。

◎難易度＝ 90 ポイント
◎重要度＝ 95 ポイント

過去５年の出題傾向 ★★★★★

数的推理 ① 確率と場合の数

条件が複雑であるが，整理して確実に場合の数を求められること。力まかせの計算では，かえって無駄が多くなり混乱を招く。選択肢の場合の数が少ない場合，書き出してみるのも一案。

■和と積の法則

事柄Ａ，Ｂは同時に起こらないとする。

（１）和の法則

Ａの起こる場合の数が p 通り，Ｂの起こる場合の数が q 通りなら，どちらかが起こる場合の数は $p+q$ 通り。

（２）積の法則

Ａの場合の数が p 通りあり，その各々についてＢの場合の数が q 通りあるとき，ＡとＢがともに起こる場合の数は，$p \times q$ 通り。※なお，和と積の法則は３つ以上の事柄でも成立する。

■順列

異なる n 個のものから r 個取りだし１列に並べる順列。　${}_nP_r = n! \div (n-r)!$　$(r \leqq n)$

【計算例】

１～６の６枚のカードから３けたの数字をつくると何通りできるか。

◇解き方◇

${}_6P_3 = 6! \div 3! = 6 \times 5 \times 4 = 120$ 通り

■円順列・じゅず順列・重複順列　よく出る

（１）円順列

異なる n 個のものを円形に並べる。

$(n-1)!$

【計算例】

５人が円卓を囲む場合，座席の位置は何通りか。ただし，方角は無視する。

◇解き方◇

$(5-1)! = 4 \times 3 \times 2 \times 1 = 24$ 通り

（２）じゅず順列

異なる n 個のものを輪（じゅず・ネックレス）に並べる。　$(n-1)! \div 2$

（３）重複順列

異なる n 個のものから重複を許して r 個取る順列。　n^r

（４）同じものを含む場合

【計算例】

Ａ，Ａ，Ａ，Ａ，Ｂ，Ｂ，Ｂ，Ｃ，Ｃの９文字を並べ替えると何種類できるか。

◇解き方◇

$9! \div (4! \times 3! \times 2!) = 1260$ 通り

■組合せ

異なる n 個のものから r 個取る組合せ。

${}_nC_r$　$(r \leqq n)$

${}_nC_r = {}_nP_r \div r!$

【計算例】

Ａ誌～Ｇ誌の７種類の雑誌から３誌選んで購読する。何通りの購読方法があるか。

◇解き方◇

${}_7C_3 = 7 \times 6 \times 5 \div (3 \times 2 \times 1) = 35$ 通り

■確率

確率＝（求めようとする条件の場合の数）÷（起こり得る全ての場合の数）

【計算例】

２個のサイコロを同時に振ったとき，和が５となる確率を求めよ。

◇解き方◇

求める条件：(1，4)，(2，3)，

◎図形は計算でかぞえる
下図に長方形は何個あるか。

縦となる辺は5本から2本選び，横は4本から2本選んで囲まれた部分が長方形となる。${}_5C_2 \times {}_4C_2 = 60$ 通り

(3，2)，(4，1) の4通り。また，サイコロを2個振った場合の起こり得る場合の数は $6 \times 6 = 36$ よって $\frac{4}{36} = \frac{1}{9}$

例題1

7枚のコインが袋に入っている。その中の3枚のコインには両面に数字が書かれている。残る4枚のコインには片面が数字で片面に文字が書かれている。この袋から1枚を取り出して投げ，次にそのコインを戻し，もう一度1枚コインを取り出して投げた。2回の動作でコインの表が共に数字である確率として正しいものはどれか。

（1）$\frac{10}{49}$　（2）$\frac{15}{49}$　（3）$\frac{20}{49}$　（4）$\frac{25}{49}$　（5）$\frac{36}{49}$

解説

1度投げて，両面とも数字のコインを取り出す確率は $\frac{3}{7}$ である。残る4枚を取り出す確率は $\frac{4}{7}$ であるが，そのうち数字の面がでる確率は，その $\frac{1}{2}$ であるので，$\frac{4}{7} \times \frac{1}{2} = \frac{2}{7}$ である。よって1回の動作で数字の面が出る確率は $\frac{3}{7} + \frac{2}{7} = \frac{5}{7}$ である。連続して同じ操作を繰り返すので，$\frac{5}{7} \times \frac{5}{7} = \frac{25}{49}$ である。　答え（4）

例題2

図のような碁盤目のような道があるが，一部には斜めの道がある。また一部には大きな建物があり，道路がない。いま，AからBまで最短距離で移動するには，何通りの方法があるか。ただし，第1通りと第2通り，第2通りと第3通りの間隔は等しい。また，図の横に通る道の間隔は等しいこととする。

第1通り　第2通り　第3通り　第4通り　第5通り

（1）20通り　（2）25通り　（3）30通り
（4）35通り　（5）40通り

解説

右の図のように，左上から右下にかけて順に数を加えていく。第1通りと第2通りの斜めの道か第2通りと第3通りの斜めの道のどちらかは必ず通るところに注意して計算すること。同様に第4，5通りの斜めの道もどちらか通ることとして計算する。

答え（2）

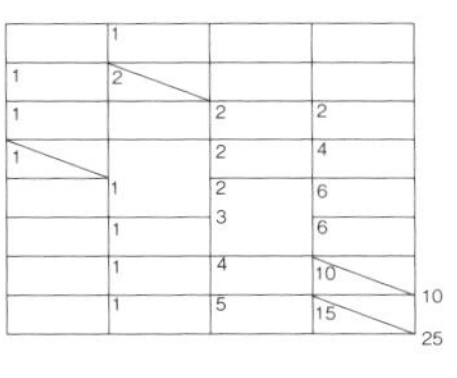

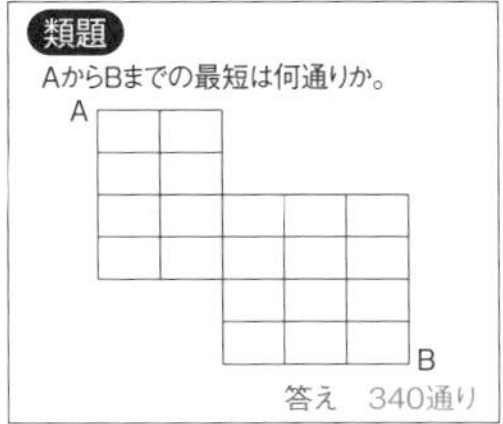

例題3

図のように，途中のヒモの様子が見えない箱があり，2組の親子の親が左のヒモを，子が右のヒモを引くとき，少なくとも1組の親子が同じヒモを引く確率として正しいものはどれか。

（1）$\frac{1}{4}$
（2）$\frac{1}{3}$
（3）$\frac{2}{7}$
（4）$\frac{5}{12}$
（5）$\frac{5}{18}$

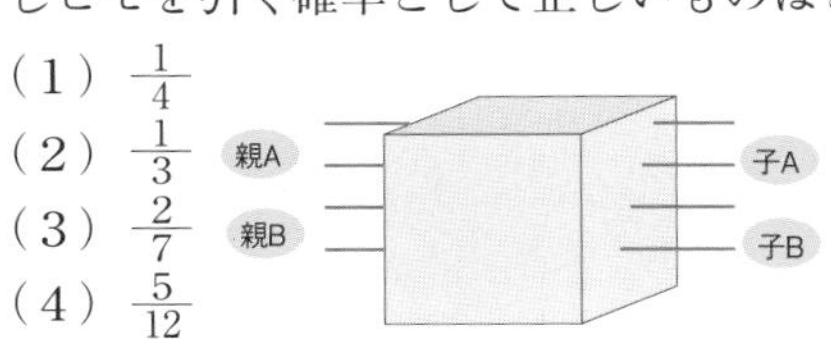

解説

親Aが最初に持つヒモは4通り，子Aが最初に持つヒモは4通り。よって16通り。次に親Bが持つヒモは残る3通り，子Bが持つヒモは残る3通り。よって9通り。2組の親子が引くので $16 \times 9 = 144$ 通り。「少なくとも」とあるので，「1－（2組とも同じヒモを引かない確率）＝（少なくとも1組は同じヒモを引く確率)」と考える。親Aが子Aの持っていないヒモをひくのは3通り。よって4つのヒモが同様となるので $4 \times 3 = 12$ 通り。2組目はパターンを検証すると7通りとなるので $12 \times 7 = 84$ 通り。

よって　$1 - \frac{84}{144} = \frac{60}{144} = \frac{5}{12}$　答え（4）

過去５年の出題傾向　★★★★☆

数的推理 ② 割合と濃度

地方公務員での出題は定番となっている。特に得意不得意の差が顕著に表れやすい。方程式で解く方法が一般的だが，高度な問題は反比例（天秤の応用）で手早く処理する。

■定価・値引き

（定価，売値，利益を用いて式をたてる）

・定価：原価×（１＋利益の割合）＝定価

・売値：定価×（１－値引きの割合）＝売値

（注）割合に単位は無く，歩合や百分率では分数や小数に単位を直すこと。また，上記の式を連続して利用する場合がしばしばある。

■濃度（食塩水の濃度）

常に食塩の重さを，求められることが大切である。また，「混合前の食塩の重さ」と「混合後の食塩の重さ」が，常に等しいことに着目する。

◇濃度に用いる２式

$$濃度（\%）=\frac{食塩の重さ}{食塩水の重さ}\times 100$$

$$食塩の重さ=\frac{食塩水の重さ\times 濃度(\%)}{100}$$

【計算例】

20％の食塩水100gに24％の食塩水300gを混ぜると何％の食塩水になるか。

	20%の食塩水	24%の食塩水	混合後の食塩水
食塩水の重さ	100g	300g	100+300=400g
食塩の重さ	$100\times\frac{20}{100}$=20g	$300\times\frac{24}{100}$=72g	20+72=92g

上記表より $\frac{92}{400}\times 100=23$　答え　23％

例題１

容器Aには10％の食塩水100 g，容器Bには22％の食塩水が300 g入っている。今，容器AとBから同時に食塩水を１：３の割合で汲み出して空の容器Cに入れた。次に容器Cに水を750 g加えたところ，容器Cの濃度は４％となった。最初に容器Bから汲み出した食塩水は何gか。

（１）120 g　（２）150 g　（３）180 g

（４）240 g　（５）270 g

解説

天秤の応用で濃度の差が12％で食塩水の重さが１：３なので濃度は３：１に分けたことになる。

$10+12\div 4\times 3=19\%$

容器Ｃは水と19％の食塩水で４％となったので，もう一度天秤から考える。混合した濃度ともとの濃度の差は４：15なので水と19％の食塩水の重さの比は逆比の15：４である。いま水の重さは750 gと明らかなので，19％の食塩水の重さをxとすると，$750:x=15:4$，$x=200$ g　19％の食塩水はA：B＝１：３からできていたので，Bから汲み出した重さは$200\times\frac{3}{1+3}=150$　となる。　答え（２）

Point

天秤を応用した濃度の計算

濃度差と食塩水の重さは逆比（反比例）

※混合液の濃度19％の場合

(%)
10　③　19　①　22

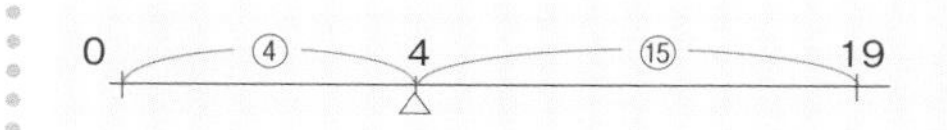

ワンポイント★アドバイス

天秤を応用する濃度の問題は速く解けるが，万能ではない。水を蒸発させる問題では，非常に考え方がわかりにくくなる。

例題2

果汁10%のオレンジジュースがある。これに天然水を加え，果汁６％のオレンジジュースとした。次に，その６％のオレンジジュースに果汁４％のオレンジジュースを500 g加えたところ，果汁５％のオレンジジュースとなった。天然水を加える前の10%のオレンジジュースは何gあったか。

（1）210 g　（2）240 g　（3）270 g　（4）300 g　（5）330 g

解説

反比例（天秤の応用）で再び解く。６％と４％のジュースを混ぜて５％になった。これを天秤で表すと図１のようになる。５％から２つの濃度差は等しい。ということは，加えたジュースの重さも等しいとわかる。よって，６％のジュースも500 g。次に10%のジュースと天然水（濃度０％）で６％のジュースができた，という条件から再度天秤を使って表す（図２）。濃度差は6：4＝3：2　よって重さは２：３となる。６％のジュースが500 gできたのだから，200 gと300 gである。　答え（4）

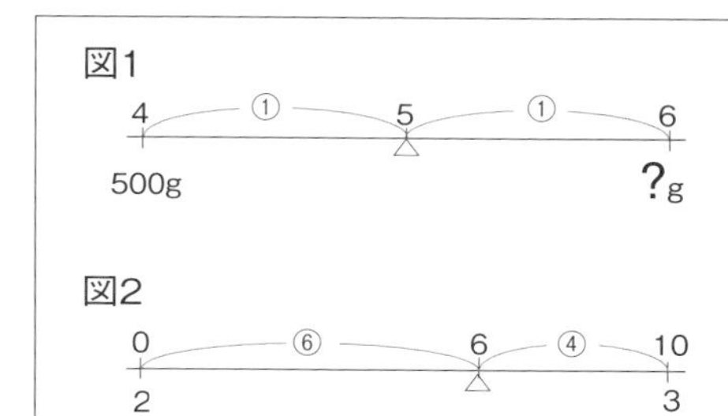

別解

10%のジュースの重さをx，天然水の重さをyとする。方程式では，混ぜる前の溶質（この場合は果汁）の重さの和＝混ぜた後の混合物になってからの溶質（この場合は果汁）が常に成り立つ。第一は２つを混ぜて６％になった。

$$\frac{10}{100} \times x + 0 = \frac{(x + y) \times 6}{100} \cdots ①$$

次に４％のジュース500 gと先にできた６％のジュースから５％のジュースができた，という条件を式にする。

$$\frac{4}{100} \times 500 + \frac{6}{100}(x + y) = (500 + x + y) \times \frac{5}{100} \cdots ②$$

①式は$2x - 3y = 0$　とまとまる。また，②式は100倍してまとめると，$x + y = 500$　となる。この２式を解いて

$x = 300,\ y = 200$

答え（4）

例題3

ある商品の販売単価を値下げすると，販売個数は増加し，販売個数の増加率は販売単価の値下げ率の2.5倍となる。売上金額が値下げ前の1.2倍になるように販売単価を値下げするときの最小値下げ率として，正しいものはどれか。

（1）10%　（2）15%　（3）20%　（4）25%　（5）30%

解説

売値や個数が明らかでない場合，未知数を用いても解くことはできるが，結果的に消去されてしまうので，最初から適当な数値を利用した方がわかり易い。今回は，最初の単価を100円，最初の販売個数を200個として考える。値下げ率をx%とすると，

$$100 \times \left(1 - \frac{x}{100}\right) \times 200\left(1 + \frac{2.5x}{100}\right) = 100 \times 200 \times 1.2$$

〈単価〉×〈値引き〉×〈売れた個数〉＝〈もとの売上額の1.2倍〉

$(100 - x)(200 + 5x) = 24000$

$20000 + 500x - 200x - 5x^2 = 24000$

$-5x^2 + 300x - 4000 = 0$

$x^2 - 60x + 800 = 0$　　$(x - 20)(x - 40) = 0$

$x = 20,\ 40$　題意より最小の値下げ率を選ぶ。解答は20%

答え（3）

ワンポイント★アドバイス

適当な数値を利用する場合，式全体がどのようになるかを最初から予想して決めることが大切である。一般には，比較的大きな値を選ぶ方が解き易い。濃度や百分率を利用する方程式の場合は100の倍数を適当な数値とすることが望ましい。

過去５年の出題傾向 ★★★★☆

数的推理 ③ 整数の性質

整数の性質は，出題率も高いので重要であり，選択肢を絞る際にも大変有効なので数的処理を速く解くための基本ともなる。確率や場合の数などとの複合問題も最近の傾向である。

■倍数の性質の基本

【計算例】

次の計算式を６で割ったときの余りは下の１～５のうちのどれか。

$10 \times 11 \times 12 \times 13 \times 14 \times 15 \times 16 \times 17 \times 18 \times 19 \times 20 - 21$

（１）余り１　（２）余り２　（３）余り３　（４）余り４　（５）余り５

◇解き方◇

$\underline{10\times11\times12\times13\times14\times15\times16\times17\times18\times19\times20} - 21 = \underline{6n} - 21 = \underline{6n - 6\times4} + 3 = \underline{\underline{6m}} + 3$

下線部の公約数には６があるので，６の倍数ということがわかる。次に21を引くが，６の倍数24を引き，３を加えることで結果は等しくなる。二重下線の部分は再び６の倍数となる。全体の計算をせずとも，値は６の倍数に３を加えた値なので，６で割ると３余る。

答え（3）

■公倍数

公倍数を単純に利用するだけでなく，あまりのある数の処理に注目する。

【計算例】

４で割ると１余り，５で割ると２余る３桁の自然数の和はいくつか。

◇解き方◇

例の場合は右のアドバイスのアに相当する。すなわち，20の倍数－３である。具体的には，$20 \times 1 - 3 = 17$，$20 \times 2 - 3 = 37$，…，$20n - 3$となる。

$20n - 3 \geqq 100$　　$n \geqq 5.15$

よって最小は $20 \times 6 - 3 = 117$

最大は，$20n - 3 < 1{,}000$，$n < 50.15$

よって $20 \times 50 - 3 = 997$

$117 + 137 + \cdots + 997 = (117 + 997) \times 45^{※} \times 1/2 = 25{,}065$　　※（$50 - 6 + 1 = 45$）

確認

６の倍数は $6n$ と表す
６で割り切れる数も $6n$ と表す

ワンポイント★アドバイス

○２の倍数／一の位が０，２，４，６，８
○３の倍数／各位の数の和が３の倍数。
（6063⇒和は15，よって３の倍数）
○４の倍数／十と一の位に注目し，４で割れれば４の倍数。
（352⇒52÷４＝13　よって４の倍数）
○５の倍数／一の位が０，５
○６の倍数／２の倍数であり，３の倍数でもある。
○９の倍数／各位の数の和が９の倍数。
（6075⇒６＋０＋７＋５＝18　よって９の倍数）

公倍数の扱い

○割り切れる場合／割る数の公倍数。
○あまりが同じ数の場合／
割る数の公倍数＋あまり。
○あまりが異なる場合／
ア…不足で考えて不足が等しい。
⇒割る数の公倍数－不足
イ…上記以外の場合
⇒いくつか規則がわかるまで書き並べる。

等差数列の和＝（初項＋末項）×項数× 1/2

■ N 進数

① 三進数 2,012 を十進数に直せ。
② 十進数 87 を三進数に直せ。
③ 共に四進数 132 + 222 を計算せよ。ただし，答えは四進数のままとする。

◇解き方◇

① $3^3 \times 2 + 3^2 \times 0 + 3^1 \times 1 + \underline{3}^0 \times 2$
$= 54 + 0 + 3 + 2 = 59$

大切！ $x^0 = 1$

答え　十進数では 59

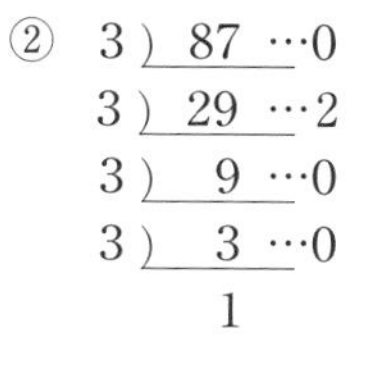

割り切れたら余りは0

答え　三進数では10,020

③ 132
+ 222
1,020

ア　2に2を加えると10となる。
イ　3に2を加え，かつ繰り上がった1も加えると12となる。
ウ　1に2を加え，繰り上がりの1も加え10

+2で繰り上げ

0　1　2　3　10　11　12

答え　1,020

例題 1　よく出る

200 未満の自然数のうち，6 で割ると 5 あまり，8 で割ると 7 あまる自然数は何個あるか。

（1）5 個　（2）6 個　（3）7 個　（4）8 個　（5）9 個

解説

6 で割ると 5 あまる数は 5，11，17 のように $6n+5$ と表すことができるが，あまりが異なる場合は，もう一つの方法で表す。すなわち，$6n-1$。同様に 8 で割ると 7 あまる数も $8n+7$ でなく，$8n-1$ とする。よって減らす値が等しくなったので，6 と 8 の最小公倍数－1 が求める自然数である。よって $24n-1$ となる。

$24n-1<200$　$n<8.375$，$n=8$　8 個

答え（4）

例題 2

365 を 9 で割ると 5 余る。365 を 2 倍してから 9 で割ると 1 余る。さらに 2 倍してから 9 で割ると 2 余る。これを何回繰り返しても，9 で割ったときの余りとならない数の和はどれか。

（1）9　（2）10　（3）11　（4）12　（5）13

解説

365 = 360 + 5 よって 9 の倍数 + 5　よって余り 5
また，その 2 倍の 730 =（360 + 5）× 2 と表されるので，9 の倍数 + 10 よって 10 ÷ 9 = 1 余り 1　このことをまとめると，常に 9 の倍数に，5，10，20，40，80，160，320，640 と加えることになるので，その数の余りを考えればよい。その余りをまとめると，5, 1, 2, 4, 8，7，5，1…と循環する。よって余りとならない値は 3 と 6 である。よって和は 9 である。

答え（1）

ワンポイント★アドバイス

公約数は約分，長方形から正方形を切り取る場合，虫食い算を利用する。素数で割っていくのが一般的だが，わかりにくいときは，差を見るとよい。$\frac{51}{68}=\frac{3}{4}$（68 － 51）＝ 17 は分母分子を割り切れる）

例題 3

下の計算は共に十進数とは異なる同じ記数法で計算されている。下の式の左の計算を参考に右の計算をせよ。

〈参考〉73 + 21 = 114　　334 + 526 =

解説

7 + 2 = 11 から八進数とわかる。4 + 6 = 12　3 + 2 + 1 = 6　3 + 5 = 10

答え 1062

過去５年の出題傾向 ★★★☆☆

数的推理 ④ 旅人算・速さ

移動する２つの物体における,「方向，物体の長さ」について注意する。また，速さの単位は様々な表記があり，注意する。方程式では「時間や距離の和や差」について式をたてる。

■旅人算（幅のない２物体が移動し，「追いつく」「出会う」）

①追いつく／出発点から移動した２物体の距離が等しい。

②出会う／２物体の移動距離の和が２出発点との距離と等しい。

③到着／遅い物体がかかる時間－速い物体がかかる時間＝到着の遅れ。

【計算例】

家から駅まで兄が分速120mで歩く場合と弟が分速80mで歩く場合では５分の差となる。家から駅までの距離は何mか。

◇解き方◇

$\frac{x}{80}-\frac{x}{120}=5 \quad x=1{,}200$ 答え 1,200m

■通過算（幅のある物体が通過する場合）

①通過／（列車の長さ＋ホームや鉄橋などの長さ）＝速さ×時間

②追越し／（列車Ａの長さ＋列車Ｂの長さ）＝速さの差×時間

③すれ違い／（列車Ａの長さ＋列車Ｂの長さ）＝速さの和×時間

ポイント▶通過算は秒速□mで解く
列車やホームは□mでまとめる

■流水算（川を上る場合・下る場合）

①上る／川上から川下までの距離＝（船の静水時の速さ－川の速さ）×時間

②下る／川上から川下までの距離＝（船の静水時の速さ＋川の速さ）×時間

■時計算（針が重なる・直角になる）

「1分間に長針は短針に5.5度ずつ近付き，追い越していく」ことがポイントとなるが，方程式を用い，旅人算のように求めていく場合もある。

【計算例】

２時から３時の間で針が重なるのは２時何分か。小数第２位まで求めよ。

◇解き方◇

２時では短針と長針が60度離れている。

$\frac{60}{5.5}\fallingdotseq 10.91$ 答え２時10.91分

別解

時計の12の位置を基準に角度で考える。２時では針は60度離れており，短針は１分に0.5度動き，長針は１分に６度動く。重なるまでの時間をt分とすると，

$60+0.5t=6t$（12からの角度が共に等しくなったと考える）$t\fallingdotseq 10.91$

例題１

Ａ，Ｂ，Ｃの３人兄弟の歩く速さは，おのおの毎分80 m，100 m，120 mである。いま，Ａが駅に向かって出発してから，５分後にＢも駅に向かって出発した。また，ＣもＢの５分後に同様に出発した。Ａが途中Ｂに追い越されるが，それから何分後にＡはＣに追い越されるか。

（１）５分後　（２）10分後
（３）15分後　（４）20分後
（５）25分後

解説

Ｂに追い越されるのは，80×5÷（100－80）＝400÷20＝20分後。よってＡが出発してからは，

25分後である。また，Cに追い越されるのは80×10÷（120－80）＝800÷40＝20分後。よってAが出発してからは30分後である。
よって30－25＝5分後　答え（1）

例題2

時速54kmで走る急行列車が，駅員の前を通過するのに6秒かかった。この列車がトンネルにさしかかってから完全に通り抜けるのに1分かかったとすると，トンネルの長さは何mか。

（1）990 m　（2）900 m　（3）810 m
（4）720 m　（5）630 m

解説
列車の長さは15m/s×6秒＝90 m　トンネルを抜けるまでに進んだ距離＝列車の長さ＋トンネルの長さ＝15m/s×60秒＝900m　900－90＝810 m
答え（3）

ワンポイント★アドバイス

速さは以下の倍数が常識。
秒速5 m＝時速18km，秒速10 m＝時速36km

例題3

静水では時速10kmで航行する船がある。いま，時速2kmで流れる川を川下Aから川上Bに向かってその船が上っていたが，途中で30分間エンジンが故障したため，AからBまで故障の時間を含めて2時間かかった。AB間の距離は何kmか。

（1）10km　（2）11km　（3）12km
（4）13km　（5）14km

解説
川を上る速さは時速8kmになる。8×（2－0.5）＝12km　ただし，30分間川下に流されているので，2×0.5＝1km戻されている。その距離を含めて12kmなのでAB間は11km　答え（2）

例題4

周囲が2,700mある湖の湖畔に家がある。いま，湖の周囲を兄弟2人がジョギングをする。弟が出発した5分後に兄が同じ方向に出発し，その3分後に兄は弟を最初に追い越した。また，弟が1周して家に到着したとき，兄はちょうど2周して家に着いた。兄が最初に弟を追い越したのは，家から何m走った地点か。なお，二人の速さは一定で，同じコースを走ったこととする。

（1）1,080 m（2）1,440 m（3）1,690 m
（4）1,960 m（5）2,040 m

解説
追いつくとは，2人が同じ距離を進んだことである。その間に弟は8分，兄は3分走った。では，兄が弟の2倍の距離を走るならば，弟が8分，兄は6分かかることになる（もちろん，4：3なので他の時間も考えられる）。いま，出発する時間差は5分なので，家に到着するのに20分と15分が妥当である。最初に追い越されたのは弟が走り始めて8分後なので，1周の$\frac{8}{20}$の位置である。2,700×$\frac{8}{20}$＝1,080　答え（1）

例題5

A，B，Cの3人が甲乙間を往復した。3人は同時に甲を出発し，乙に着いたならば直ちに甲に戻った。Aは乙で折り返してから，乙から2kmの地点でBとすれ違い，さらに，2.4km進んだ地点でCとすれ違った。また，Bが甲に到着したとき，Cは乙を折り返し，甲まで8.8km地点を歩いていた。このことから甲乙間の距離は何kmだったか。ただし，A，B，Cの3人の速さは一定とする。

（1）20km　（2）22km　（3）24km
（4）26km　（5）28km

解説

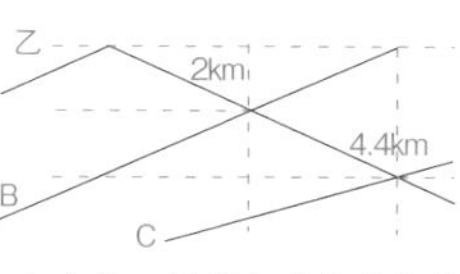

Bが甲に戻ったとき（往復したとき），Cとの差は8.8kmであった。ならば，Bが乙に着いたとき（片道を歩いたとき）のCとの差は4.4kmとなる。このときはAとCがすれ違ったところでもある。なぜなら，問題文から2km進み，さらに2.4km進んだ地点とあり，その距離は2＋2.4＝4.4kmだからである。同じ時間に進む距離の比は一定なのだから，甲乙の距離を$x$kmとし，A，Bの進む距離を比にする。

$x+2：x-2=x+4.4：x$　$8.8=0.4x$　$x=22$
答え（2）

数的推理
判断推理
資料解釈
文章理解

過去５年の出題傾向 ★★★★☆

数的推理 ⑤ 図形の性質

解法には定理，性質を確実に覚えておくことが最低限の条件である。しかし意味もわからず覚えても役には立たない。問題を解き，実践的に身につけていこう。

■相似の利用

①相似の利用

辺の長さを求める場合，第一に三角形の相似を考える。三角形の相似条件は3つあるが，多くは「２角がそれぞれ等しい」ところから比を利用して辺の長さを求める。そのためには角度が求められることが重要である。

②三平方の定理

直角三角形では，斜辺の長さの平方（２乗）＝他の２辺の平方の和に等しい。しかし，この公式を使う前に，まずは相似を疑い，次に代表的な直角三角形の辺の比を思い出し，その辺の比を利用できるか考える。それでも駄目ならば，三平方の定理を利用する。

③面積とその割合 よく出る

１．底辺が等しい三角形では，高さの割合が面積の割合に等しい。

２．高さが等しい三角形では，底辺の割合が面積の割合に等しい。

３．高さの割合と底辺の割合の積は面積の割合に等しい。

■円の性質

円は任意の平面上の点から距離が等しい点の集合である。すなわち，中心から円周までの距離は等しい。円の問題の補助線は中心から円周へ引くことが基本である。

例題１

図のように，同じ半径の円を４個接するように描き，その中に４つの円に接するように小さな円を描いた。小さな円の面積は，５個の円の合計の面積のどれだけの割合となるか。

（１）$\dfrac{7-4\sqrt{2}}{42}$

（２）$\dfrac{3-2\sqrt{2}}{5}$

（３）$\dfrac{13-8\sqrt{2}}{41}$

（４）$\dfrac{15-9\sqrt{2}}{43}$

（５）$\dfrac{2-2\sqrt{2}}{11}$

解説

大きな円の半径を１とすると，対角上の円の中心までの距離は，$2\sqrt{2}$となる。よって，小さな円の直径は$2\sqrt{2}-2$となり，半径は$\sqrt{2}-1$となる。５個の円の面積の合計は，$1^2\pi\times4+(\sqrt{2}-1)^2\pi$，小さな円の面積は$(\sqrt{2}-1)^2\pi$である。これを分数で表し，分母の有理化をしてまとめる。　答え（3）

例題２

１辺がaの正方形がある。図のように各辺と頂点を中心とした扇形を描き，囲まれた部分の面積を求めよ。ただし，円周率はπとする。

（1）$\left(1-\sqrt{3}+\frac{\pi}{3}\right)a^2$

（2）$\left(2+\frac{\sqrt{3}}{4}-\frac{2}{3}\pi\right)a^2$

（3）$\left(\sqrt{2}-\frac{\pi}{3}\right)a^2$

（4）$\left(1-\sqrt{2}+\frac{\pi}{4}\right)a^2$

（5）$\left(1+\frac{\sqrt{3}}{4}-\frac{\pi}{3}\right)a^2$

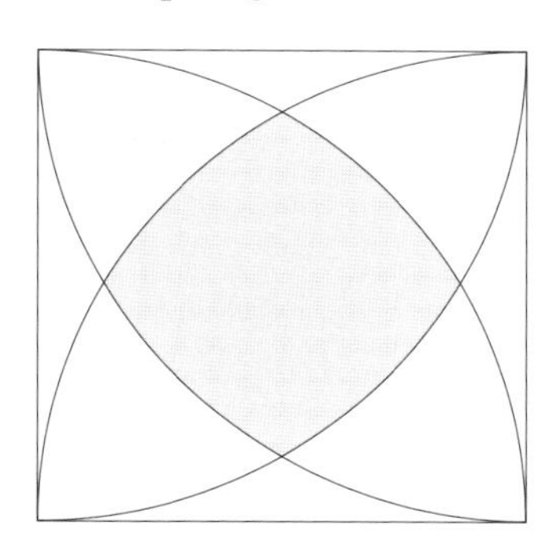

解説

①半径a，中心角60°の扇形から正三角形の面積を引き，葉を半分にした形の面積を求める。

$$\pi a^2\times\frac{60}{360}-a\times\frac{\sqrt{3}}{2}a\times\frac{1}{2}$$

②半径a，中心角30°の扇形から①で求めた面積を引くと，銀杏の葉のような形の面積が求まる。

$$\pi a^2\times\frac{30}{360}-\left(\pi a^2\times\frac{60}{360}-a\times\frac{\sqrt{3}}{2}a\times\frac{1}{2}\right)$$

$$=\frac{\sqrt{3}}{4}a^2-\frac{1}{12}\pi a^2$$

③1辺がaの正方形から②で求めた部分の面積の4倍を引くと正答が求められる。

$$a^2-4\left(\frac{\sqrt{3}}{4}a^2-\frac{1}{12}\pi a^2\right)$$

$$=a^2-\sqrt{3}a^2+\frac{\pi}{3}a^2$$

$$=\left(1-\sqrt{3}+\frac{\pi}{3}\right)a^2$$

答え（1）

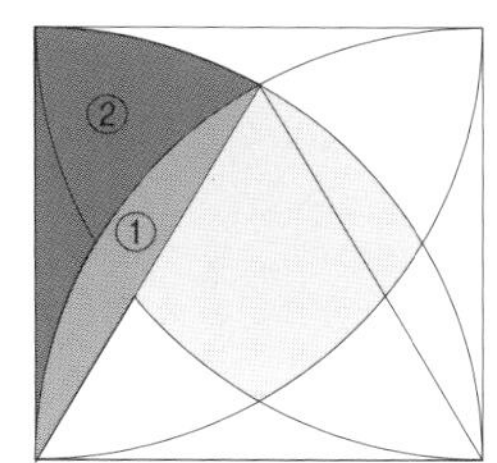

例題3

図のように，底辺の長さがaである三角形ＡＢＣの面積を８等分して，B_1C_1の長さを表すとき，正しいものはどれか。

（1）$\frac{35}{192}a$　（2）$\frac{32}{175}a$

（3）$\frac{28}{169}a$　（4）$\frac{27}{152}a$

（5）$\frac{18}{147}a$

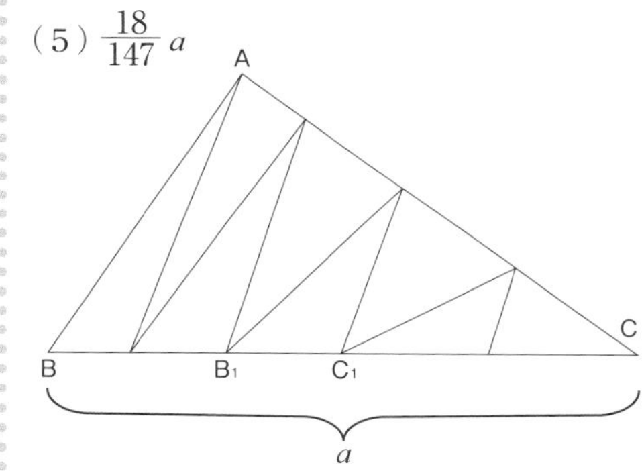

解説

Ｃの方から順に，三角形ＡＢＣ内の三角形を△a，△b，△c，△d，△e，△f，△g，△hとする。また，ＢＣと線分の交点を順にＣ，C_0，C_1，B_1，B_2，Ｂとする。△aと△bは高さが等しいのでCC_0：C_0C_1＝1：1

次に△（a，b，c）と△dは高さが等しいので，B_1C_1：C_1Ｃ＝1：3。このように順にＢＣ間を比で表すと，左から順に48：56：70：105：105となる。よってB_1C_1の長さは，

$$\frac{70}{48+56+70+105+105}a$$

となる。よって$\frac{70}{384}a=\frac{35}{192}a$

答え（1）

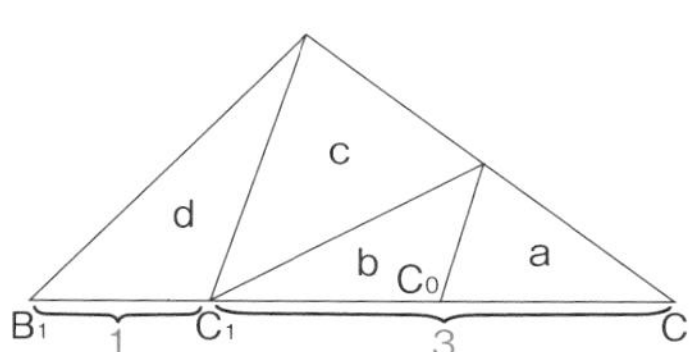

過去５年の出題傾向　★★★★★

判断推理 ① 条件を表にして解く

到着時間，訪問先など，条件文から解く問題は，表に整理すると解法の糸口が見える。正解は，表を埋めていく最後の段階で得られる結論である場合が圧倒的である。

■基本的な解き方

①条件文を表にまとめる。
②本文を最初から読む（必ず，空欄の一部は埋まる）。
③②で得た結果で新たな空欄が埋まる。
④②を繰り返す。一部に空欄が残ることも可能性としてはある。
⑤設問の言葉に注意して正解を求める。

設問の言葉
Ａ　確実にいえるもの
Ｂ　ありえるもの
Ｃ　ありえないもの

例題１

ある高校が京都へ修学旅行に行った。全参加生徒数は99人で１組，２組，３組ともに生徒数は等しかった。京都では，見学希望で各組とも，京都御所，金閣寺，清水寺の３グループに分かれた。以下の条件Ａ～Ｆから１組について確実にいえるものはどれか。ただし，参加生徒は全員どこかのグループに属していることとする。

Ａ）京都御所，金閣寺，清水寺の見学者の各々の合計は等しかった。
Ｂ）１組の金閣寺見学者数が金閣寺を見学するグループの中で最も少なかった。
Ｃ）２組では，京都御所を見学する生徒は，清水寺を見学する生徒のちょうど半分だった。
Ｄ）どのグループも６人以上のグループである。
Ｅ）１組の清水寺を見学するグループは３組の清水寺を見学するグループより１人多い。
Ｆ）全てのグループの人数は，全て異なった。

（１）京都御所を希望した生徒は13人である。
（２）清水寺を希望した生徒が一番多い。
（３）金閣寺を希望した生徒は９人である。
（４）金閣寺を希望した生徒は10人である。
（５）最も希望者の多いグループと最も少ないグループの人数差は７人である。

解説

条件Ｃより２組のグループは，［京，金，清］＝［6, 15, 12］［7, 12, 14］［8, 9, 16］［9, 6, 18］のどれかとなる。条件Ｂに１組の金閣寺が最低で，なおかつ条件Ｄの６人以上があるので［9, 6, 18］は外れる。次に清水寺に注目する。２組の清水寺の見学者は12, 14, 16人のいずれかである。ならば，条件Ａ，Ｅから，33－12＝21　よって１組の清水寺は11人，３組の清水寺は10人。他に33－14＝19より１組の清水寺10人，３組の清水寺９人，33－16＝17より１組９人，３組８人となる。しかし，最後の結果は，２組の京都御所や金閣寺の参加者と同じ数になり，条件Ｆから外れる。よって２組の清水寺は12人か14人となる。

①２組の清水寺が12人のとき，１組の清水寺11人，２組の京都御所６人，金閣寺15人，３組の清水寺10人で，残る４つの未知の人数の可能性のうち，金閣寺は１組７人，３組11人などがある。すると同じ人数となるので適当でない。

②２組の清水寺が14人のとき，１組の清水寺10人，２組の京都御所７人，金閣寺12人，３組の清水寺９人となる。残る未知の金閣寺の１組と３組の組合せは６人と15人，８人と13人となる。前者では，３組の京都御所と清水寺が共に９人となり，適当で

ない。よって残る組合せの8人と13人が正しい。
［京，金，清］は1組［15，8，10］となり，（5）が正しい。

答え（5）

例題2

新装開店の最初の5日間は駐車場が混雑すると見込まれるので，A～Eの5人の正社員も駐車場の整理をアルバイトの職員に加わって手伝うこととした。5人のうち2人が必ず駐車場の整理をした。以下の条件がわかっているとき，2人の社員の組合せとして有り得るのはどれか。

条件1／1日目：Aは整理の手伝いをしたが，Eはしなかった。
条件2／2日目：Bは整理の手伝いをしたが，Cはしなかった。
条件3／3日目：Dは整理の手伝いをしたが，Aはしなかった。
条件4／4日目：Eは整理の手伝いをしたが，Bはしなかった。
条件5／A～Eは全員2日間働いた。
条件6／5日間のうち2日間連続して業務についた者はいない。

（1）1日目にAとB　（2）2日目にBとD
（3）3日目にCとE　（4）4日目にAとD
（5）5日目にBとC

解説

①条件1～6を表にまとめる。②2日間連続勤務はないという条件から空欄を埋めてみる。③一部が空欄（どちらかわからない）となるので，条件に気をつけながら○×（×○）を書き込む。5日目にBとCは確実とは言えないが手伝いをした可能性がある。

答え（5）

①	1	2	3	4	5
A	○		×		
B		○		×	
C		×			
D			○		
E	×			○	

②	1	2	3	4	5
A	○	×	×		
B	×	○	×	×	
C		×			
D		×	○	×	
E	×		×	○	×

③	1	2	3	4	5
A	○	×	×	○	×
B	×	○	×	×	○
C	×○	×	○	×	○×
D	○×	×	○	×	×○
E	×	○	×	○	×

例題3

1組から5組の5チームがサッカーのリーグ戦（総当たり戦）を行ったところ，その結果は以下のようになった。このことから確実にいえることは次のどれか。

①1組は3組に敗れたが優勝した。
②4組は3組に勝ったが，5組には敗れた。
③2，3，5組の勝率は同じであった。
④引き分けはなかった。

（1）1組は3勝1敗であった。
（2）2組は3組に敗れた。
（3）3組は5組に勝った。
（4）4組は同率で2位であった。
（5）5組は1勝3敗であった。

解説

1. まず，①～④の条件を入れる。
2. 勝敗の反対を加える（図1）。
3. 1組はすでに1敗しているので優勝するには，3勝1敗が考えられる。仮に2勝2敗で優勝すると，2，3，5組は1勝3敗となり，負け数は10を超えてしまう（合計10試合なので勝敗の合計は10勝10敗）。

	1	2	3	4	5
1	＼		×		
2		＼			
3	○		＼	×	
4			○	＼	×
5				○	＼

（図1）

	1	2	3	4	5
1	＼	○	×	○	○
2	×	＼		**○**	
3	○		＼	×	
4	×	**×**	○	＼	×
5	×			○	＼

（図2）

したがって，この時点で選択肢（1）が正しいことが判明する。ここでは，念のため続けて作表してみる。

4. 1組は3勝1敗として，勝敗の反対を加える（図2）。勝率を整理すると1組以外の勝敗の合計は7勝9敗である。2，3，5組が同率なので，共に2勝2敗（残る4組は1勝3敗）か，1勝3敗（残る4組は4勝0敗となり条件①②に反するので不可）。このことから図2の4組は2組に負ける（2組は4組に勝つ）を加えることができる（太字の○と×）。それ以外は不明である。これらより，（2）と（3）の選択肢は有り得るが確実とはいえない。（4）4組は5位である。（5）5組は2勝2敗である。答え（1）

ワンポイント★アドバイス

誌面の関係上，計算式や表が大変小さくなってしまっているが，試験本番の問題は，B5又はA4サイズで1ページに1題，多くて2題。計算式や表は大きくて見やすいものになっている。

過去５年の出題傾向　★★★★★

判断推理 ② 着席・位置・順位

パズルのように互いに矛盾のないように組み合せていく問題である。例年１題は出題されるので必ず解けるようにすること。最初は時間がかかるが略図を描き，まとめていくことが大切。

■着席・位置

Ａ～Ｄの４人の運転手が，道路沿いの駐車場にトラックを横付けして休憩をとることにした。以下の４つの条件から確実にいえるものはどれか。

駐車場
[ ] [ ] [ ] [ ]
道路

条件１／Ｂのトラックは，Ａの前方に駐車している。
条件２／Ｂのトラックは，Ｂの２台後ろのトラックとは同じ方向を向けて駐車している。
条件３／Ｃのトラックは，Ｃのすぐ後ろのトラックとは反対の向きで駐車している。
条件４／Ｄのトラックの前方には，Ｄと同じ向きに駐車しているトラックが２台ある。

（１）ＡとＢのトラックは同じ方向で駐車している。
（２）ＡとＢのトラックは連続して駐車している。
（３）ＢとＣのトラックは連続して駐車している。
（４）ＣとＤのトラックは同じ方向で駐車している。
（５）ＤのトラックはＣのトラックの後方に駐車している。

◇解き方◇

条件２より

[>] [ ] [B>]　[<B] [ ] [<] となる。

次に条件４と条件２から以下の６組が求まる。

① [D>] [>] [ ] [B>]　[<B] [ ] [<] [<D]

② [ ] [D>] [>] [B>]　[<B] [<] [<D] [ ]

③ [D>] [ ] [B>] [ ]　[ ] [<B] [ ] [<D]

条件３の図は下の２通りが考えられる。

[<] [C>]　[<C] [>]

これを先の６組に重ねて見ると以下のようになる。

① [D>] [>] [<C] [B>]　[<B] [C>] [<] [<D]

② [<C] [D>] [>] [B>]　[<B] [<] [<D] [C>]

③ [D>] [<C] [B>] [>]　[<] [<B] [C>] [<D]

条件１よりＢのトラックはＡの前方に駐車するので，③は適さない。

よって①②からＡとＢのトラックは同じ方向で駐車している。

答え（1）

ワンポイント★アドバイス

位置の問題では，「隣り，向かい，横」という曖昧な言葉が条件として書かれている。そのことで，いくつかの状態が考えられるので，思い込みに注意すること。

■順位

例題１

Ａ～Ｈの８人が前期試験を受けた。40点分はレポートで全員が提出していた。残る60点が１題10点の前期試験となった。以下の発言から確実にいえるものはどれか。ただし，前期試験の筆記試験では0点はいなかった。また，部分点もなかった。

A／「私は5題解けたが，最高点ではなかった」
B／「私は4題解けたが，6題全て解けた者が2人いた」
C／「私は2題解けたが，1題しか解けない人がいた」
D／「同じ得点の者が2人ずつ，3組いた」
E／「自分と同じ点の者はいなかった」
F／「私はBよりも解けなかったが，一番悪い点ではなかった」
G／「私はHよりも高得点だった」
H／「私と同じ得点の者がいた」

（1）Aの得点はレポート点を含めて80点である。
（2）筆記試験で50点の者は2人いる。
（3）Fは筆記試験では2題解けた。
（4）Dは筆記試験で20点だった。
（5）レポート点を含めると60点となった者は1人だけである。

解説

B，Cの発言から6題できた者が2人，1題できた者は少なくとも1人いるとわかる。Dの発言から合計が1～6題の正解のうち，どれか無いものが1つある。Eの発言から，2，4，5，6題以外とわかる。Fの発言からは，2または3題の正解，G，Hの発言からはGの正解は1題ではなく，Hの正解は6題ではないとわかる（下図）。

表にすると6題できたのはD，Gの2人であることがわかる。ここで，Fの解けた問題数を3題とすると，Eは1題解けたことになるが，それではDの発言に反する。よって，Fの解けた題数を2題とすると，Eは1題，Hは4又は5題となり，3題の正解者はいない。

	A	B	C	D	E	F	G	H
1	×	×	×			×	×	
2	×	×	○		×			
3	×	×	×					
4	×	○	×		×	×		
5	○	×	×		×	×		
6	×	×	×		×	×		×

答え（3）

例題2

ある会社で昨日の退社時間を上司がA～Eの5人の部下に尋ねたところ，次のように答えた。この中で最後に退社した者だけが，嘘をついているとすると，Aは何番目に退社したか。ただし，同時に退社した者はいないこととする。

Aの発言／「私はBよりも早く，Cよりも早く退社した」
Bの発言／「私はCとDよりも遅くまで残ったが，最後ではない」
Cの発言／「私が帰るときにはすでに2人が先に退社していた」
Dの発言／「私が一番先に退社した」
Eの発言／「私は4番目に退社した」

（1）1番目　（2）2番目　（3）3番目
（4）4番目　（5）5番目

解説

5人の発言が全て正しいとすると，Dは1番目，Cは3番目，CとBの発言からBは4番目，そしてAは2番目となる。Eの発言が嘘ならば，矛盾はなくなり，Eは5番目となる。よってAは2番目に退社したことになる。Eが正しくBが嘘であっても，Aは2番目に退社したことになる。

答え（2）

■真偽

例題

学校の窓ガラスを，A～Eの生徒の誰かが割った。生徒の一人一人に尋ねたところ，5人のうち2人が嘘をついていたが，ガラスを割った生徒がわかった。窓ガラスを割ったのは誰か。

A／「私でも，Bでもありません」
B／「私ではありません。割ったのはEです」
C／「私ではありません。AかDです」
D／「私ではありません。BかCです」
E／「窓ガラスはAかCが割りました。私ではありません」

（1）A　（2）B　（3）C　（4）D　（5）E

解説

真偽の問題は表にするとわかりやすい。「□は割っていない。⇒□以外は割った。」として空欄には，必ず，○（割った）か×（割らない）の印をつけること。

3人が本当のことを言ったのだから，3人に割ったと言われている生徒が，窓ガラスを割ったことになる。よってC。

答え（3）

割った＼発言	A	B	C	D	E	計
A	×	×	○	×	○	2
B	×	×	×	○	×	1
C	○	×	×	○	○	3
D	○	×	○	×	×	2
E	○	○	×	×	×	2

過去５年の出題傾向 

判断推理 ③ 平面図形

数的推理との境界領域の問題である。軌跡の形のみを問うのが空間把握で，その長さを求めると数的推理である。年々軌跡の難易度は上昇しているので要注意。

■軌跡

例題

図のように，１辺３cmの正方形が，半径３cmの円内をすべることなく矢印の方向に回転するとき，正方形の頂点Ｐ及び頂点Ｑが描く軌跡として正しいものはどれか。

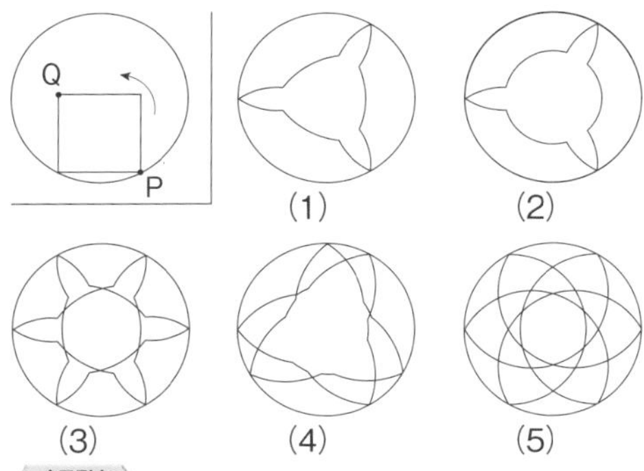

解説

頂点Ｐ及び頂点Ｑは，円との接点と向かい合うときは正方形の対角線を半径として描かれ，接点に隣り合うときは正方形の１辺を半径として描かれる。

答え（1）

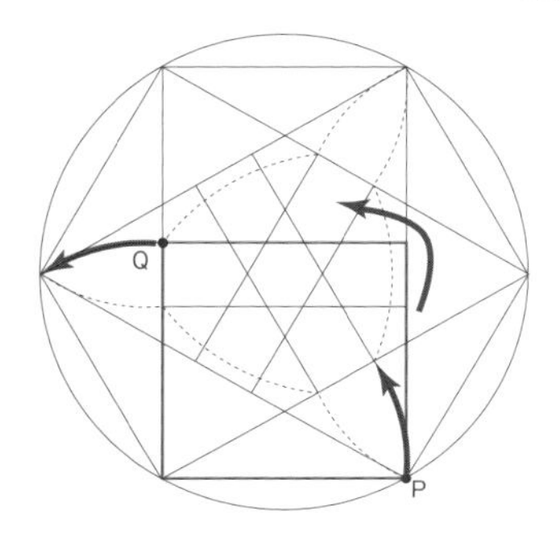

ワンポイント★アドバイス

- 多角形の移動による軌跡：主に扇形の集合体となる。
- 円の移動による軌跡：直線やなめらかな曲線（扇形でない）となる。

■図形の変形

図は，ゴムひもを結び合わせ，平面の板に結び目をピンで留めてつくった図形であり，線はゴムひもを，点は結び目を表している。

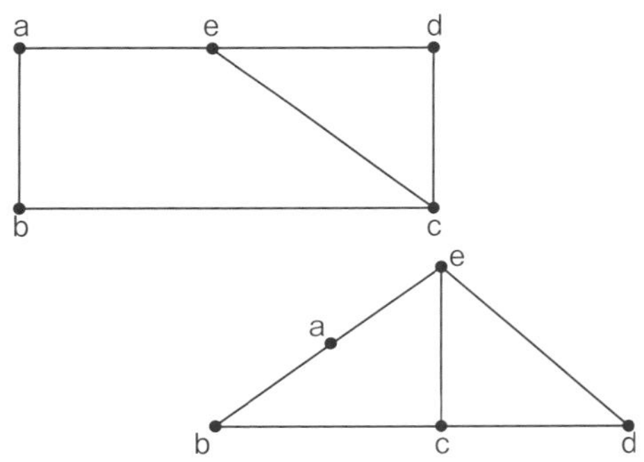

この２つの図形は形は変形したが，ゴムの伸びが変わり，ピンで留める位置が変わっただけであり，同じゴムとピンからできている。

例題

結び目をピンとともに動かしたときできる図形として妥当なものはどれか（次ページ図）。ただし，ピンは他のピンと同じ位置又はゴムひもの上に動かさず，ゴムひもは他のゴムひもと交差しない。

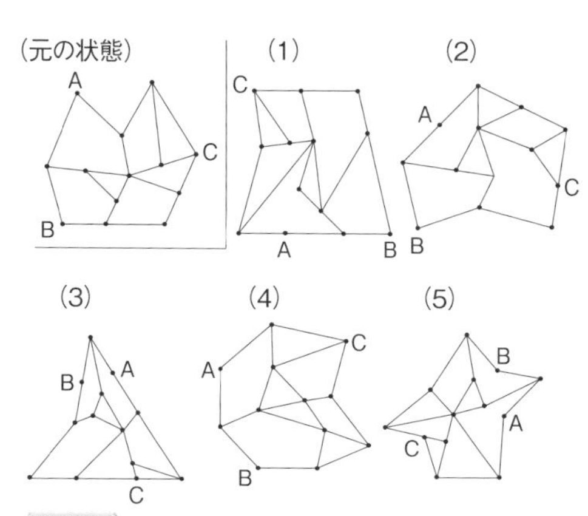

解説

明らかに誤りである図形を探す。元の図形の周囲にA，B，Cがあるので，その間の結び目の数を数えてみる（右表）。このことから，選択肢の（1）及び（2）と（4）は明らかに元の図と異なることがわかる。また，B→Cのルートには3点あり，3点からのゴムひもの出方で（5）も異なるとわかる。

	AB	AC	BC
元	1	2	3
1	1	2	3
2	1	3	2
3	1	2	3
4	1	1	3
5	1	2	3

答え（3）

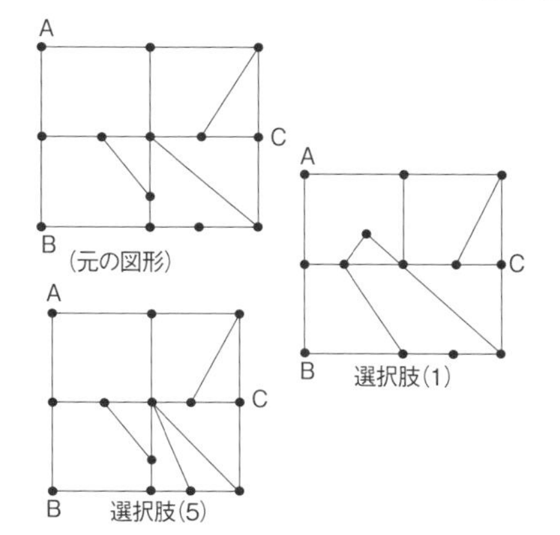

■一筆書き

例題

次のA～Eのうち，一筆書きができるものを選んだ組合せはどれか。

（1）A，C　（2）A，D　（3）B，D
（4）B，E　（5）C，E

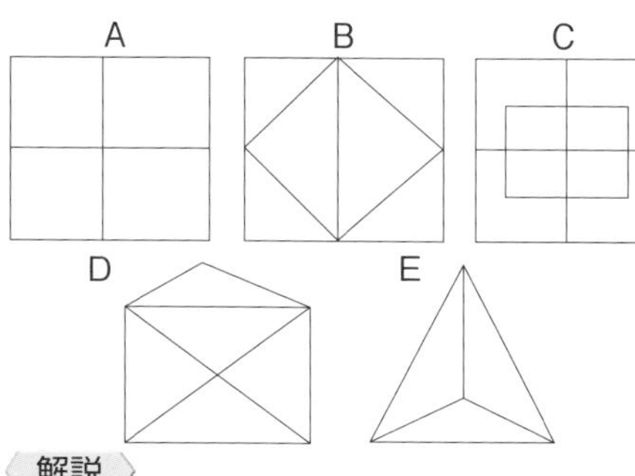

解説

一筆書きができるかどうかは書いてみる方法もあるが，一筆書きができる規則さえ知っていれば間違いはない。

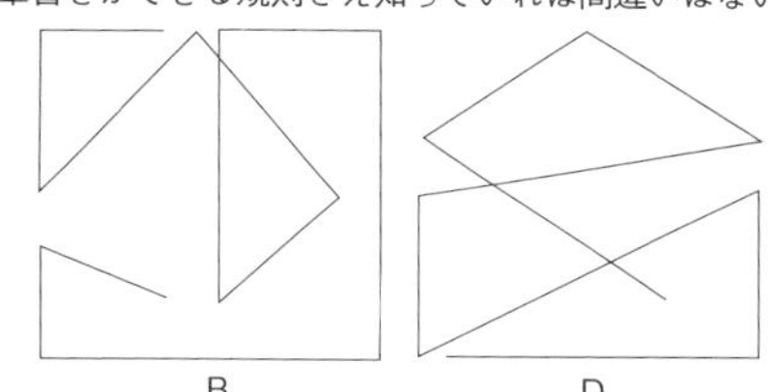

一筆書きができるかを調べる公式を利用する。奇数位が0または2の場合のみできる。

これでは意味がわからないので，先の選択肢を利用して説明する。

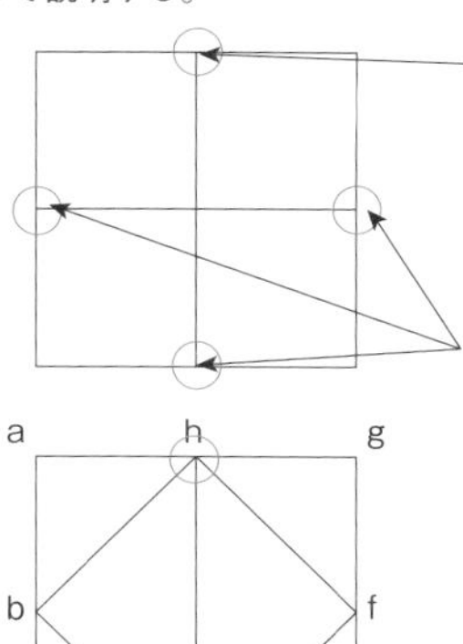

Aの図形の矢印で示した交点は3本の線がまとまってできている（縦と横の2本の線が交わると考えない）。3本という奇数からなるので，奇数位といい，4箇所あるので一筆書きはできない。

Bの図形では，a，c，e，gは2本，b，fは4本が交わり，d，hは5本が交わる。すなわち，奇数位は2である。よって一筆書きができる。

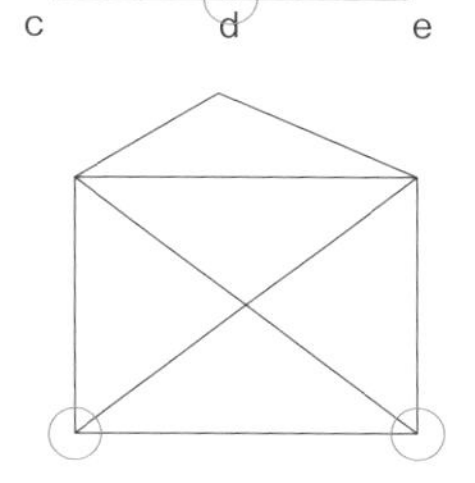

Dの図形は家のような形をしている。土台の部分の2箇所が3本の奇数位である。よって，一筆書きができる。

答え（3）

過去５年の出題傾向　★★★★★

判断推理 ④ 立体図形

空間把握能力が試される大切な問題で，想像力が要求される。以下の３項目の１題は必ず出題される。立体の問題を平面でまとめきれない場合も多く，実際につくってみることも大切。

■立方体の集合

例題

六面の全てが黒く塗られた立方体と六面の全てが白い立方体が図のように，ずれないように重なっている。黒く塗られた立方体が10個，白い立方体が35個のとき，黒く塗られた立方体と２面が接している白い立方体は何個か。

（1）10個　（2）11個　（3）12個
（4）13個　（5）14個

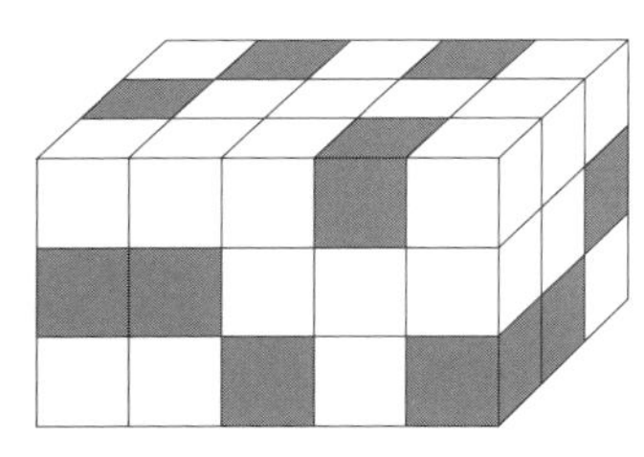

解説

そのまま数えるとわからなくなる。上の段から順に１段ずつ丁寧に数えていく。

答え（4）

2	黒	2	黒	2
黒	2	0	2	0
2	1	1	黒	1

上段

0	1	0	2	黒
2	1	0	0	2
黒	黒	2	1	1

中段

0	0	0	0	2
0	0	1	1	黒
1	2	黒	2	黒

下段

■立体の切断

例題

図のように，立方体から底面の直径と高さが立方体の１辺の長さと等しい円錐をくり貫いた立体がある。図を平面で切断したときの切断面の形状の組合せとして，妥当なものはどれか。

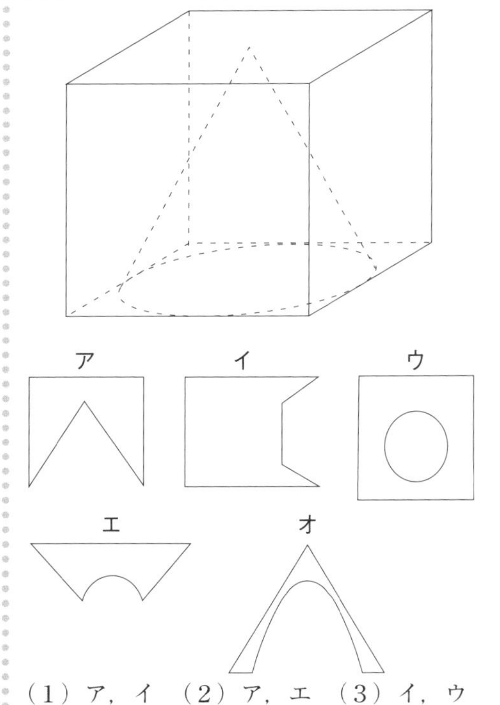

（1）ア，イ　（2）ア，エ　（3）イ，ウ
（4）ウ，オ　（5）エ，オ

解説

円すいの切断面には，次の５種類があるので，把握しておくとよい。ウは，だ円となるように切断すれば，周囲の四角形は長方形となる。オは，立方体の底面の対角線と，立方体の上面の頂点を結んだ面で切断するとできる。なお，立方体，円柱の切断面も覚えておくとよい。

答え（4）

ワンポイント★アドバイス

◎円すいの切断面

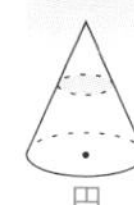
円
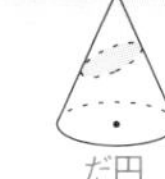
だ円

二等辺三角形
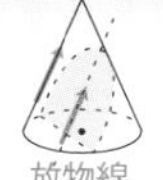
放物線
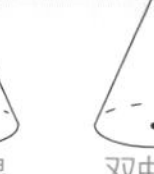
双曲線

◎立方体の切断面

正三角形

二等辺三角形
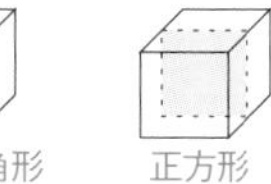
正方形
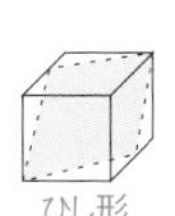
ひし形

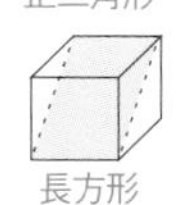
長方形

等脚台形
平行四辺形

正六角形

◎円柱の切断面

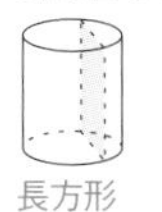
長方形
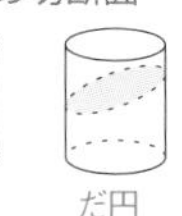
だ円
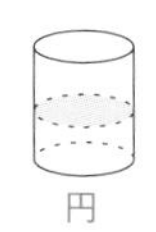
円

だ円の一部

■展開図

例題 1

図のような正八面体の２つの頂点付近が三角形に塗りつぶされている。この立体の展開図として，正しいものはどれか。

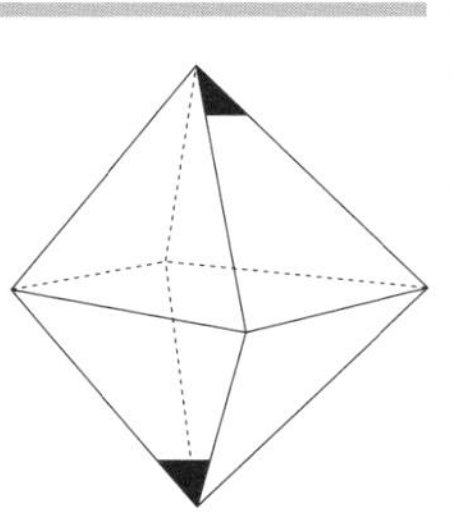

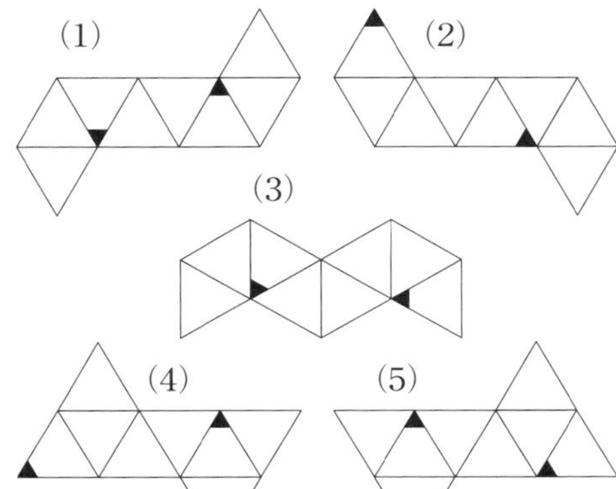

解説

図のように，辺を結んで考える。　答え（5）

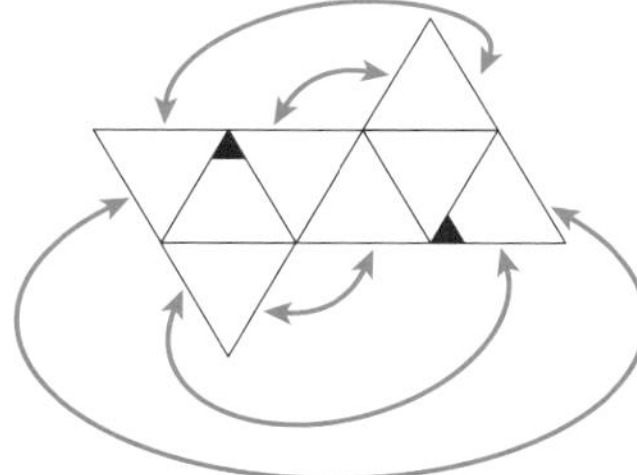

例題 2

図は正二十面体の展開図である。これを組み立てたときに，確実にいえることはどれか。

（1）頂点 a と頂点 t は重なる。
（2）頂点 b と頂点 s は重なる。
（3）頂点 c と頂点 e は重なる。
（4）面Dと面Qは平行になる。
（5）面 R と面 B は平行になる。

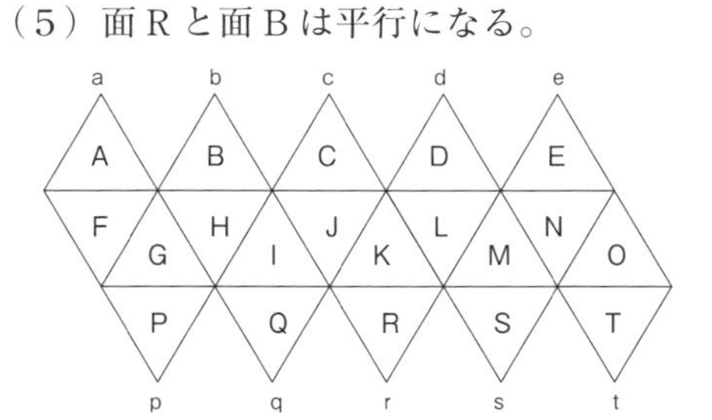

解説

どの辺が重なるかを結んでみるとよい。a，b，c，d，e の５個の頂点は重なる。また，p，q，r，s，t の５個の頂点も重なる。面A，面Rが，面B，面Sが，面C，面Tが，面D，面Pが，面E，面Qが，面F，面Kが，面H，面Mが，面J，面Oが，面L，面Gが，面N，面 I が互いに平行（10 組）である。　答え（3）

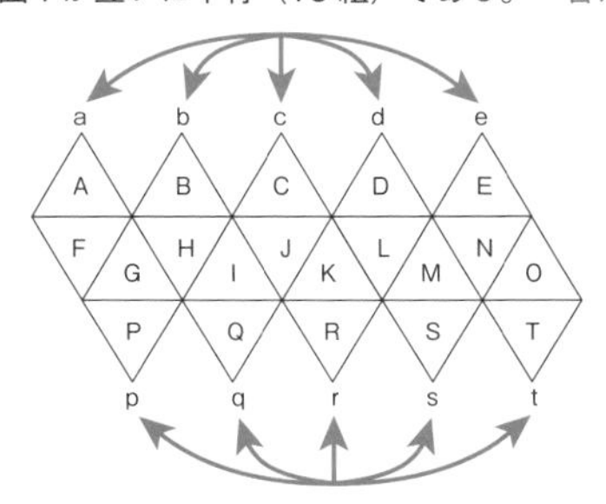

過去5年の出題傾向 ★★★★☆

資料解釈 ① 表（実数と割合）

計算をせずになるべく楽に答えを導くことを心がける。複雑な計算が必要となる選択肢は後回しにして正答を見つけよう。最初は電卓を使ってもよいが，そのことに頼り過ぎない。

■表の実数型

例題１

以下の表は，ある市の高校生の進学希望アンケートを２回（１年次と２年次）にわたり追跡調査した結果である。次の記述のうち，妥当なものはどれか。

2年次 2回目 ＼ 1年次 1回目			4年制大学 公立 理系	4年制大学 公立 文系	4年制大学 私立 理系	4年制大学 私立 文系	短大・専門学校	就職・その他
4年制大学	公立	理系	22	7	74	5	0	1
		文系	8	45	15	21	1	2
	私立	理系	45	12	156	17	1	2
		文系	12	113	32	560	4	5
短大・専門学校			3	6	11	41	83	7
就職・その他			2	3	8	24	11	9

（注）このアンケートは2回とも提出した者だけをまとめたものである。

（１）２回とも進学希望アンケートを提出した高校生は1,386名である。
（２）２回とも４年制の公立大学を希望した生徒は，２回とも４年制の私立大学を希望した生徒の１割以下である。
（３）１回目の進学希望アンケートと２回目のそれと異なる希望を提出した生徒は，このアンケート提出者のうちの約３割である。
（４）長引く不況で理系の就職率が高いため，２回目の進学希望アンケートでは理系を希望する高校生が増加した。
（５）１回目の進学希望アンケートで４年制大学を選び，２回目のそれで４年制大学以外を選んだ者は98名である。

解説

（１）表の値を全て加えれば求まるが，時間がかかるので後回しとする。（２）２回とも公立大学を希望した者は22＋8＋7＋45＝82（名） また，２回とも私立大学を希望した者は156＋32＋17＋560＝765（名） よって82÷765＝0.107…よって１割以上であるので誤り。765名の１割は76.5名なので82名は１割以上と計算しなくともわかる。（３）この選択肢は，（１）の計算と，１回目と２回目の異なる希望者を全て加える必要があり，時間がかかるので保留とする。（４）選択肢の前半の記述は資料からは明らかにならないので誤りである。（５）正しい。 3＋6＋11＋41＋2＋3＋8＋24＝98（名） このように実戦的に解くことが大切である。ちなみに，（１）は全て加えると1,386名でなく1,368名である。（３）１回目と２回目が異なる数値を求めるより，同じ進学を選んだ高校生の人数を求める方が容易である。それは，表の斜め左上から右下の対角線の値の和となる。22＋45＋156＋560＋83＋9＝875（名） 先に合計は1,368名とわかっているので，875÷1,368≒0.64 よって1－0.64＝0.36 およそ３割でなく４割が正しい。 答え（５）

例題２

次の表は，１週間の「家事労働と育児」に費やす時間についての平均時間を，曜日，男女，仕事の有無についてまとめたものである。以下の記述で妥当なものはどれか。

（１）女性全体では，１週間の「家事労働と育児」に費やす合計時間は12時間44分である。
（２）男性の，土曜日の「家事労働と育児」に費やす時間からだけで計算すると，この資料での無職者は，男性全体の約27%に相当すると計算できる。
（3）男性と女性をまとめた，日曜日の「家事労働と育児」に費やす時間の平均時間は，3時間9分30秒である。
（4）男性全体では，毎日の「家事労働と育児」に費やす平均時間は1時間46分である。
（5）女性の有職者は誰もが1週間のうちで日曜日に最も「家事労働と育児」に時間を費やす。

		月〜金の1日当たりの平均	土曜	日曜
男性	有職者	1時間29分	1時間50分	2時間14分
	無職者	2時間21分	2時間20分	2時間 8分
	有職者＋無職者＝全体	1時間47分	1時間58分	2時間13分
女性	有職者	3時間14分	3時間21分	3時間42分
	無職者	5時間27分	5時間21分	4時間32分
	有職者＋無職者＝全体	4時間19分	4時間19分	4時間 6分

（注）有職者は正社員，契約社員，アルバイト，パートを含む。

解説

（1）誤り。月曜から金曜の1日当たりとあるので，正しくは，4時間19分×5＋4時間19分＋4時間6分を計算しなければならない。（2）男性の合計人数を100人，有職者をx人，無職者をy人とすると，1時間50分×x＋2時間20分×y＝1時間58分×100…① $x+y=100$…② ①②より，$x \fallingdotseq 73.33$ $y \fallingdotseq 26.67$ よって100人の男性に対して26.6人なので正しい。（3）男性と女性の各々の人数はわからないので，単純に日曜日の時間を加えて2で割っても平均は求まらない。よって誤り。（4）平均は，必ず最大値と最小値の間に存在する。1時間47分が最小値なので，平均が1時間46分は有り得ない。よって誤り。（5）有職者の平均は日曜日の値は最大だが，誰もが最大とは限らない。よって誤り。　答え（2）

例題3

以下の表は，男性の衣料などの購入に必要な労働時間を比較したものである。以下の記述で妥当なものはどれか。

（1）B国で革靴を1足購入するための労働時間とA国で靴下を1足購入するための労働時間は等しい。
（2）ワイシャツ1着を購入するのに3時間以上労働しなければならないのはA国とC国である。
（3）日本で資料の5項目の品物各々1組を購入するための労働時間の合計とA国でのそれとの労働時間の合計では日本の労働時間の方が多い。
（4）C国でのネクタイ1本を購入するための労働時間は靴下1足を購入するための労働時間の約4.7倍である。
（5）ネクタイを1本購入するとき，A国とD国ではD国の方が2分間多くはたらかなければならない。

	日本=100	A国	B国	C国	D国
ワイシャツ 1枚	2時間18分	125	110	285	110
スーツ 1着	32時間	78	70	240	100
ネクタイ1本	3時間30分	220	115	160	222
革靴 1足	5時間24分	240	170	390	125
靴下1足	15分	170	260	480	230

（注）どの衣料も自国で日本と同じ品質の製品を得るために必要な労働時間を日本の労働時間を基準として計算した値である。

解説

（1）指数は170と等しいが基準の労働時間が異なるので誤りである。（2）3時間÷2時間18分≒1.304すなわち，3時間は指数では130.4となる。よってC国（285）だけが3時間以上となる。よって誤り。（3）日本は43.45時間。A国は48.92時間となる。よって誤り。（4）きちんと労働時間を求めてもよいが，日本でのネクタイと靴下の労働時間は14：1である。C国での労働時間は1：3である。よって，14×1：1×3＝14:3　14÷3≒4.66(4.7倍)。よって正しい。（5）指数の差は2であるが，3時間30分×（2.22－2.20）＝4.2（分）である。よって誤り。　答え（4）

ワンポイント★アドバイス

平均値は必ず最小値と最大値の間に存在する。

過去５年の出題傾向 ★★★★★

資料解釈 ② グラフ（実数と割合）

基本的な解き方は表と同じ。グラフのポイントは図で数量が表現され，円グラフの角度，帯グラフの長さは比例関係が成り立つので上手に利用し，誤った選択肢を排除していくことである。

例題１

以下の資料は，百貨店の商品別売上高の構成比の推移を表したものである。以下の記述で妥当なものはどれか。

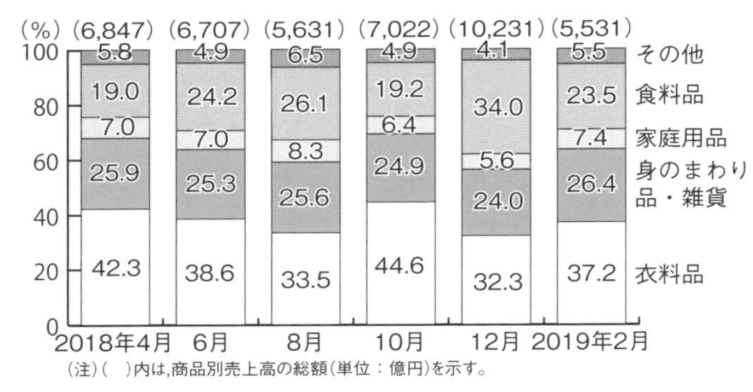

（注）(　)内は,商品別売上高の総額（単位：億円）を示す。

（１）2018年４月から2019年２月までの期間を２か月ごとに見ると，商品売上高の総額に占める食料品及び衣料品の売上高の合計の割合は，いずれの月も６割を上回っている。

（２）2018年４月から2019年２月までの期間を２か月ごとに見ると，食料品の売上高が最も大きいのは2018年12月であり，次に６月である。

（３）2018年６月から2019年２月までの期間を２か月ごとに見ると，家庭用品の売上高が２か月前に比べて減少した月は，いずれの月も身のまわり品・雑貨の売上高は２か月前に比べて減少している。

（４）2018年８月に対する10月の衣料品の売上高の増加額は1,500億円を上回っている。

（５）2018年12月に対する2019年２月の売上高の比率について見ると，身のまわり品・雑貨の比率は，商品別売上高の総額の比率を下回っている。

解説

（１）2018年８月の食料品と衣料品の合計は59.6％で，６割を上回っていない。よって誤り。（２）正しい。2018年12月の食料品の商品別構成比も最大で，売上高も最大であるので12月が最も大きいということは計算しなくともわかる。以下の月は概数で計算してみる。４月は6,800億×0.19＝1,292億，６月は6,700億×0.24＝1,608億，８月は5,600億×0.26=1,456億，10月は7,000億×0.19で暗算すれば1,400億には満たない。翌年の２月は総売上高も構成比も６月に届かないので，当然６月より小さな値となるはずである。（３）８月と10月を計算すると，家庭用品は18億円の売上減であるが，身のまわり品・雑貨は1,442億に対し，1,748億となるので増加している。よって誤り。（４）2018年８月は1,886億で10月は3,132億である。1,886億＋1,500億＝3,386億となるので，差が1,500億まで届かない。よって誤り。（５）2018年12月の身のまわり品･雑貨は2,455億。2019年２月では，1,460億と40％の減少であるが，総額は10,231億から5,531億と46％減少している。よって下回っているのでなく，上回っている。よって誤り。

答え（２）

ワンポイント★アドバイス

「いずれも」という記述がある場合には，６割程度はどこかに誤りが潜んでいる。特に全ての項目に対して計算をしたり，確認をしなければならないので，その選択肢は後回しにすること。

例題２

次の資料は，ある国における外国人留学生数及びその専攻分野別構成比の推移である。以下の記述で正しいものはどれか。

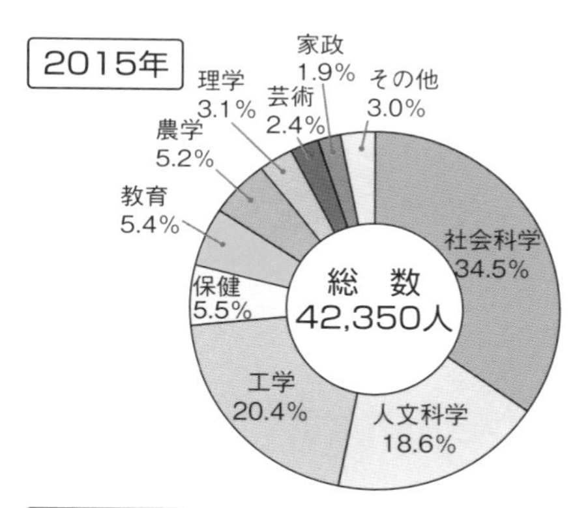

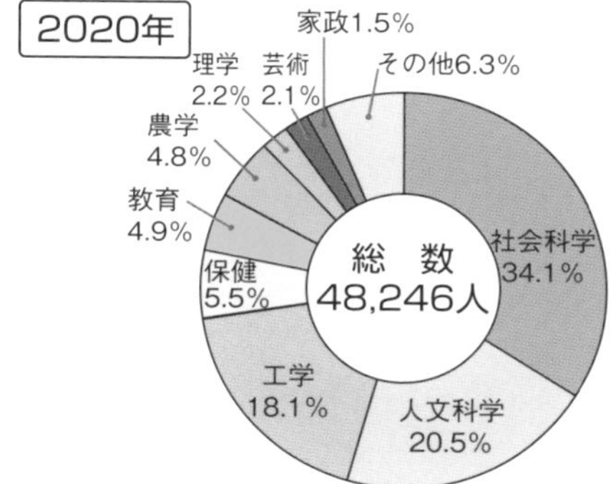

（１）2020 年の理学の外国人留学生数は2015 年のそれと比較して２割以上減少した。

（２）2015 年の家政の外国人留学生数を 100 としたときの 2020 年のそれの指数は 93 を上回っている。

（３）社会科学の外国人留学生数の 2015 年に対する 2020 年の増加率は，保健の外国人留学生数の増加率よりも小さい。

（４）2020 年における教育の外国人留学生数は，2015 年における工学の外国人留学生数の 25%を下回っている。

（５）人文科学の外国人留学生数の 2015 年に対する 2020 年の増加数は，農学の外国人留学生数のそれの 15 倍を下回っている。

解説

（１）2020 年の理学の留学生は 48,246 × 0.022 ＝ 1,061 人で，2015 年のそれは 1,313 人である。1,061 ÷ 1,313 ＝ 0.808　よって 19.2％の減少で２割以上ではない。よって誤り。（２）2015 年は 42,350 × 0.019=805 人。2020 年のそれは，724 人。724 ÷ 805=0.899　よって，100 に対して 89.9 となるので 93 を上回っていない。よって誤り。（３）社会科学の外国人留学生数の構成比は 34.5% から 34.1% へと減少しているが，保健の外国人留学生数の構成比は変わらないので増加率は社会科学の外国人留学生の方が少ないといえる。計算では，保健が 2,329 人から 2,654 人で，14.0％の増加率であり，社会科学では 14,611 人から 16,452 人と 12.6％の増加率である。よって社会科学の外国人留学生の増加率は小さいので正しい。（４）2020 年の教育の留学生は 48,246 × 0.049 ＝ 2,364 人。これに対して 2015 年の工学は 42,350 × 0.204 ＝ 8,639 人。2,364 × 4 ＞ 8,639　よって 25％を上回っている。よって誤り。（５）人文科学の留学生は 7,877 人から 9,890 人と 2,013 人増加している。農学では，2,202 人から 2,316 人と 114 人の増加である。2,013 ÷ 114 ＝ 17.7 倍。よって 15 倍を上回っているので誤りである。

答え（３）

ワンポイント★アドバイス

資料解釈では，割合を求める際に，なるべく割り算をしないことが大切である。例えば，「6 は 20 の 25%より大きい」という場合，確かに 6 ÷ 20 ＝ 0.3　と求めるが，25％は 1/4 であり，6 の 4 倍は 24 であるから明らかに 6 は 20 の 25％より大きくなる。簡単な数値ではこのような計算はしないが，数が大きくなる場合には有効である。また，掛け算の計算の際には資料にある数値をそのまま計算するのでなく，概数（一般的には上から 3 桁目を四捨五入した値）を利用する。

過去５年の出題傾向 ★★★☆☆

資料解釈 ③ 対前年度比（増加率）

対前年度比が最も解き難い問題である。変化のみを問われるだけならば比較的容易であるが，数値の比較は計算力が要求される。まず，誤った選択肢を除外していくことが大切。

■対前年度のグラフの見方

3か国におけるオートバイの新車登録台数の
対前年増加率の推移

国名	2016年	2017年	2018年	2019年	2020年
A	① 5	① 5	−4	−8	2
B	② −3	② −3	−4	−2	5
C	3	5	③ 0	③ 6	③ −6

（単位 %）

上記の表では，実際にどのような変化となるか理解できなければ解くことはできない。例えば，2015年のAの登録台数を100とすると，2016年は5%の増加であるので，105となる。2017年は，その105の5%増加となるので，110.25となる。2018年は4%減少であるので，前年の96%となる。よって，110.25 × 0.96=105.84である。2019年は8%減少なので，前年の92%となる。よって，105.84 × 0.92 ≒ 97.37である。2020年は97.37 × 1.02 ≒ 99.32となる。このように，2015年を100として残る2か国の変化を表すと以下の表となる。

3か国におけるオートバイの新車登録台数の
2015年を100としたときの推移

国名	2016年	2017年	2018年	2019年	2020年
A	①105	①110.25	105.84	97.37	99.32
B	② 97	② 94.09	90.33	88.52	92.95
C	103	108.15	③108.15	③114.64	③107.76

特徴をまとめてみると，

① Aの2015年から2016年では前年から5%増加で，翌年も5%増加である。どちらも5%増加であるが，2015年から2017年を比較すると，10%以上増加している。値が同じでも2015年を基準にして考えると増加率は異なる。

② Bの2015，2016，2017年を比較すると，前年から3%ずつ減少しているが，2015年から2017年を比較すると，6%（3 + 3）までは減少していないことがわかる（5.91%）。

③ Cの2018年は前年と同じである。2020年は2019年に6%増えた後に6%減少したから，2018年と同じになるかと思うが，そうではない。2018年より減少している。

例題１

以下の資料は，全世界及び西ヨーロッパにおける男女別海外在留邦人数の対前年増加率の推移をまとめたものである。次の記述で妥当なものはどれか。

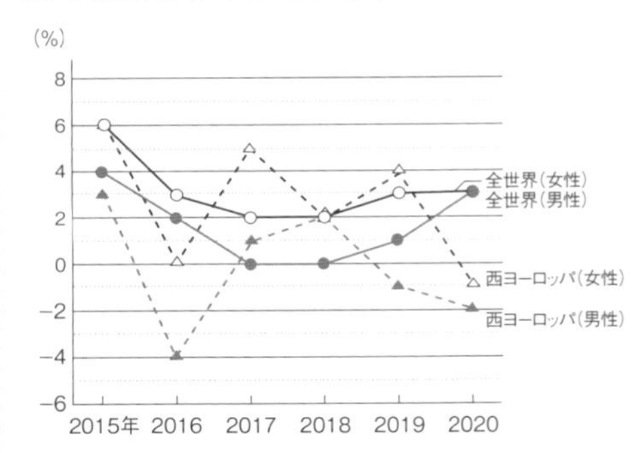

（１）全世界の男性の海外在留邦人数に占める西ヨーロッパの男性の海外在留邦人数の割合について見ると，2020年は2016年を上回っている。

（２）2014年における西ヨーロッパの女性の海外在留邦人数を指数100としたと

き，2019 年の指数は 120 を上回っている。

（3）2015 年から 2020 年までの各年における全世界の海外在留邦人数について見ると，男性に対する女性の比率が最も小さいのは 2020 年である。

（4）2016 年から 2020 年までのうち，全世界の男性の海外在留邦人数が最も多いのは 2020 年であり，最も少ないのは 2019 年である。

（5）2016 年から 2020 年までの各年における西ヨーロッパの海外在留邦人数について見ると，女性が前年に比べて減少した年は，男性も前年に比べて減少している。

解説

（1）全世界の男性は 2016 年を 100 とすると，2020 年はおよそ 104 である。それに対して西ヨーロッパの男性は 2016 年を 100 とすると，2020 年はおよそ 100 となる。よって 2020 年は全体が 2016 年から指数は 4 増しているが，西ヨーロッパでは，ほとんど変化していないので，上回っていない。よって誤り。（2）順に割合をかけていくと，およそ 118.1 になり，120 を上回らない。よって誤り。（3）男性に対する女性の比率が最も小さいのは 2015 年である。（4）2019 年の全世界（男性）の対前年増加率は 101 であり，2018 年よりも海外在留邦人数は増えている。よって 2019 年が最少というのは誤り。（5）女性が前年より減少したのは 2020 年のときだけである（グラフの白い△が 0 より下）。このとき，男性（赤の△）も 0 より下にある。よって正しい。

答え（5）

例題 2

次の資料は，男女別労働人口の対前年増加率の推移をグラフ化したものである。以下の記述で正しいものはどれか。

（1）2006 年から 2015 年までのうち，女性の労働力人口が最も多いのは 2011 年であり，最も少ないのは 2013 年である。

（2）2006 年から 2015 年までのうち，男性の労働力人口が前年に比べて減少した年は，いずれの年も女性の労働力人口は前年に比べて減少している。

（3）2006 年の男性および女性の労働力人口を，それぞれ指数 100 としたとき，2015 年までの各年とも，男性および女性の労働力人口の指数は，いずれも 100 を上回っている。

（4）2009 年から 2011 年までの各年について見ると，男性の労働力人口に対する女性の労働力人口の差は，いずれの年も前年を上回っている。

（5）2009 年に対する 2012 年の男性の労働力人口の比率が，2012 年に対する 2015 年の男性の労働力人口の比率を下回っているのは，景気の停滞が原因である。

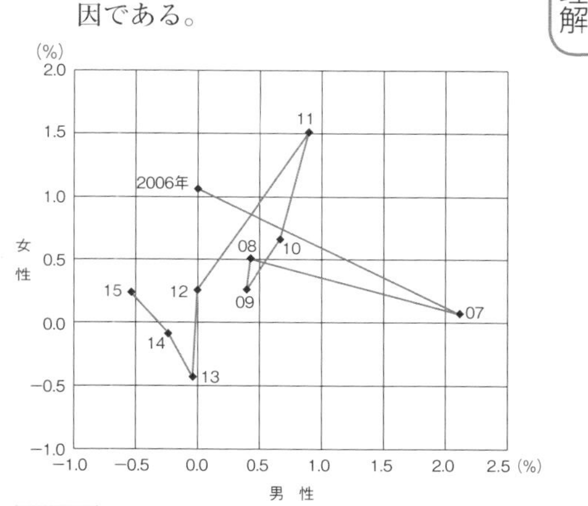

解説

（1）2006 年から 2012 年までは全て女性の増加率は 0.0 よりも上に推移している。よって 2012 年の女性の労働人口が最多である。よって 2011 年が最も多いという記述は誤り。（2）2013 年から 2015 年までは全て男性の労働人口は前年を下回っている。グラフの 0.0 よりも左に位置しているのでわかる。女性は 2013 年，2014 年の 2 年間だけ前年を下回っているので，「いずれの年も」という記述は誤り。（3）男性は 2013 年から増加率はマイナスだが，5 年間のプラス幅を考慮すると 2013 年以降も 100 を上回る。また，女性も 2 年間のマイナスがあるが，その前年までのプラス幅を考慮すると，いずれも 100 を上回る。よって正しい。（4）比率は求められるが実数は求められない。よって誤り。（5）資料からは原因はわからない。よって誤り。

答え（3）

過去５年の出題傾向　★★★★★

文章理解 ① 現代文（1）

現代文の文章理解は，文章の主旨を判別する問題が中心になる。課題文の重要部分を判別するためにIT（インデックス・ターム）を活用しよう。

文章の中には，重要な部分とそれほど重要ではない部分とがある。その軽重の区別をせずに読んでいっても，文章全体の主旨を把握するのは難しい。文章中には，内容の軽重判断をするために利用できる語句が存在する。そうした文中の大切な箇所を判別するために活用できる語句をインデックス・ターム（index term=IT）と呼ぶことにしたい。主なITには次のようなものがある。

■A　接続表現

①AしかしB　　（類：だが・しかしながら・それにもかかわらず）
②AつまりB　　（類：すなわち・ということは）
③AそれゆえB　（類：だから・そういうわけで・〜なので）

■B　強調表現

①これこそ〜　まさに〜　まことに〜　きわめて〜　etc.
②問題は〜　重要なのは〜　忘れてはならないのは〜　etc.

■C　総括表現

①結局〜　要するに〜　etc.
②言い換えると〜　別の言い方をするならば〜　etc.

〈例１〉接続表現「AしかしB」型

私たちは，私たちの親の世代の視野の狭さに反感を覚えることもあるだろう。しかし，私たちは親の肩の上に乗った上で，初めて親の世代を超えていくことが出来るのである。
⇒この文章の重点は「しかし」以降にある。上の世代を一方的に否定するのではなく，私たちのどのような進歩も上の世代の人々が築き上げてきた土台の上になりたつものだ，というのである。

〈例２〉接続表現「AつまりB」型

文学作品の中で描かれる人物や事件はたいていの場合現実のものではない。つまり作家は彼の想像力を使って，架空の人物や事件を創り上げたのである。
⇒この文章では「つまり」以降に重点が置かれている。筆者が強調したいのは，文学作品の中の人物や事件が架空のものだということではなく，そうした架空の創作物を生み出したのは作家の「想像力」だということである。「つまり」は単なる「同義・同等」を意味するものではないので気をつけよう。

■D　当為・義務・必要・可能の表現

①〜するべきである。〜するべきではない。
②〜しなければならない。〜してはならない。

③〜する必要がある。〜する必要はない。
④〜することができる。〜することはできない。

〈例〉現在を楽しむということも大切である。**しかし**，素晴らしい人生を得たいのであれば，いまある楽しみに流されず，理想的な仕事を探すために，現在を耐え忍ぶことも**必要**だ。

⇒「しかし」と「必要」という２つのITによってサンドイッチ状態になっている部分がキーセンテンスである。つまり，この文の筆者は「人生全体の向上のためには，楽しみを犠牲にするべきときもある」といいたいのだ。

■E　反語表現

〈例〉一昔前までは，独創的な人々は私たちのすぐ身近なところにも大勢いた。しかし，いまのこの日本の中で，彼らは一体どこにいるのだろうか。

⇒この文章の筆者は「独創的な人間はどこにいるのか？＝いまどこに行けばあえるのか？」と尋ねているというよりも，「いまの日本には，真に独創的な人間はいなくなってしまった」と言いたいのである。反語として述べられている部分を単純な疑問の意味にとらえることのないように気をつけよう。

出題パターンcheck!

次の文章の主旨として，最も妥当な選択肢はどれか。

「感動」は上達の根源的なパワーである。感動とあこがれが根底に出発点としてあれば，自分にとって苦手なことでも耐えることができる。逆に感動やあこがれがなければ，上達の普遍的な論理を追求する意欲は湧かない。しかし，この「感動」という言葉は，漠然としすぎていて，今一つリアリティが明らかではない言葉だ。

例えば，感動すると言葉を失うと言われる。こう言われると，感動したときには頭が止まって空っぽの状態のように思える。しかし，感動している瞬間は，ボーとしているのではなく，むしろ意識は高速回転しているのではないだろうか。感動にも様々な種類がある。大自然を目の前にして安らかな感動に包まれるときには，たしかに意識が高速回転しているというわけでは必ずしもないかもしれない。しかし，心情的にも知的にも全身が揺さぶられるような衝撃を受けるような感動もある。こうした感動の場合は，脳のシナプスを電流が駆けめぐっている感じがする。

こうしたインパクトのある感動体験を言葉にできないとすれば，自分の言語化能力が現実の意味の大きさに対応しきれないということなのではないだろうか。一瞬に凝縮されている意味があまりにも豊富なので，その場では処理しきれない。そうした一種の脳の飽和状態が，ある種の感動体験にはある。

例えば，棟方志功がゴッホの絵に出会ったときの感動は衝撃的なものであった。この場合の感動は，意味が大きすぎてその場では処理しきれず，一生をかけてその意味を追究するような性質のものであった。自分の仕事をゴッホに導かれて追究していく過程において，その感動の意味が徐々に明らかになってくるという性質の感動体験である。

知的に分析しようとする態度だけで臨めば，感動は逃げていく。しかし，脳が知的な活動をしていること自体は，感動を妨げるものではない。そこにエモーショナルな興奮が結びついているときに，感動は深くなる。つまり脳の一部だけではなく，右脳も左脳も，あるいは古い古皮質や脳幹部までもが全体として興奮する。集中した感動は，全脳的な体験ではないか。

齋藤孝『「できる人」はどこがちがうのか』より

（1）「感動」は上達のための根源的なパワーではあるが，この言葉にはリアリティがあまりない。
（2）心情的にも知的にも全身が揺さぶられるような衝撃を受けた時は，頭が高速回転している。
（3）棟方志功がゴッホの絵に出会ったときの感動はあまりにも衝撃的なもので，一生をかけてその意味を追究するような性質のものであった。
（4）脳が知的な活動をし，さらにエモーショナルな興奮が結びついているときに，感動は深くなる。
（5）知的に分析しようとする態度だけで臨めば，感動は逃げていく。

答え（4）

過去５年の出題傾向　★★★★★

文章理解 ② 現代文（2）（三分割法）

文章には重要な場所と重要ではない場所とがある。三分割法を活用して，効率的に文章全体の主題を判別しよう。課題文の８割は「尾括型」か「双括型」なので結論部に注目。

■A　三分割法

文章には，重要な場所とそれほど重要ではない場所とがある。そして重要度の高い場所を重点的に読み込むことで，効率的に精度の高い読解をすることができる。

①尾括型

［序論・本論・結論］［起・承・転・結］［事例・解説・総括］［理由１・理由２・結論］などの構成を取る文章はここに入る。課題文全体の８割はここか，③の双括型に入る。**結論部＝筆者の基本的主張。**

②頭括型

［主張・事例］［主張・理由１・理由２］［主張・事例・解説］などの構成を取る文章はここに入る。課題文全体の２割はここに入る。**文頭＝筆者の基本的主張。**

③双括型

［主張・事例・解説・結論（＝主張の繰り返し）］［主張・理由１・理由２・結論（＝主張の繰り返し）］などの構成を取る文章。**前＝後＝筆者の基本的主張。長文の課題文に多い。**

④中括型

［事例・主張・事例］［一般論・反論（＝主張）・理由］などの構成を取る文章。全体の比率は非常に少ない。主張部分にはITが伴う場合が多い。**中＝筆者の基本的主張。**

	①尾括型	②頭括型	③双括型	④中括型
A（文頭）	2	1	1	3
B（中盤）	3	3	2	1
C（文末）	1	2	1	2

課題文をＡ～Ｃと三分割した場合，図の数字の順番に重要度が高い。例えば①の尾括型の場合は，Ｃが最も重要で次に重要なのがＡ，Ｂ部分はあまり重要ではないということになる。また出題される文章の７割は①の尾括型に属するので，実践的には大半の問題ではＣの部分に注目すればよいということになる。

■B　三分割法の実践的活用法

①基本的用法

文中にITなどの重要部分を指示する語句がない場合はC部の記述に注目し，C部の文意に最もよくあてはまる選択肢を選ぶ（尾括型＋双括型。問題全体の8割を占める）。

②頭括型の文章

C部に具体例や体験談などが書かれている文章は，頭括型だと考えてよい。その場合はA部に注目し，A部の文意に最もよくあてはまる選択肢を選ぶ。

③中括型の文章

A部にもC部にも明確な主張が述べられておらず，B部に「私が言いたいのは～」「重要なのは～」「つまり～」などの強調・総括ITが存在する場合，B部に筆者の基本的な主張が示されていると判断できる。この場合はB部の表現に最もよくあてはまる選択肢を選ぶ。

④ITが複数ある文章

課題文の重要度が最も高い場所にあるITに注目する。

⑤重要部の複数の記述が選択肢に該当している場合

尾括型の問題文で，後部にある複数の文が，異なった選択肢の内容にそれぞれ該当していた場合は，最も文末に位置する文と対応する選択肢が正解になる。ただし，文末に具体的事例や単なる形式的な結びの一文があるような場合は，それらは主旨にはならない。文章の主旨とは，筆者の基本的な主張や判断，価値観を示すものである。

出題パターン check!

次の文章の主旨として，最も妥当な選択肢はどれか。

こういう文化が存在しているかどうかは知らないが，われわれには不合理で間違っていると思える「魔術的」論理を正しいとしている文化があるとすれば，その文化に属する人の精神は，たぶん幼児期においては，その「魔術的」論理以前の論理に基づいて形成されるであろうが，成長し社会化された大人の段階では，「魔術的」論理に基づいて構造化されているであろう。そして，われわれには「魔術的」と見える論理も，その文化においては合理的論理であろう。合理性とはある文化において一般的に通用する共同幻想だからである。

様々な文化において，大人と子供の区別があるが，ある文化の大人とは，その文化において正しいとされている論理で精神を形成した人のことである。ある文化における正しい論理が別の文化では子供じみた馬鹿げた論理とされているかもしれないのだから，ある文化の大人が別の文化では子供じみていると見られることもあり得るのである。動物においては，幼獣がそのまま自然に成長して成獣になるのであるが，人間の大人は，人間の正常な性欲や現実感覚と同じく，不自然なつくりものなのである。

岸田秀『唯幻論物語』より

（1）「魔術的」論理を正しいとしている文化があるとするなら，大人の段階で「魔術的」論理に基づいて構造化されているはずである。
（2）人間は，自然に成長する動物に比べると不合理である。
（3）合理性や論理とはある文化において一般的に通用する共同幻想のことである。
（4）ある文化の大人とは，その文化において正しいとされている論理で精神を形成した人のことである。
（5）ある文化の大人が別の文化では子供じみていると見られることもあり得る。

⇒難解な文面だが，より主旨に近いと思われる選択肢を選び出す。全編通して主張されているのは，論理構造であることに着目。　答え（3）

過去５年の出題傾向　★★★★★

文章理解 ③ 英文

英文の文章理解でも現代文の文章理解と同様に，IT と三分割法を活用すれば効率的に主旨の把握が可能。「A but B」型の逆接表現や need，should，must などの助動詞には気をつけたい。

■ IT（インデックス・ターム）

① but，however など（逆接表現）
　パラグラフとパラグラフが but でつながれていた場合にも後ろに来るパラグラフの内容が重視される。
② truly，very，exactly など　（強調表現の類）
③ need, should, must など（必要・当為・義務などを意味する助動詞類）
④ the most 〜など（最上級表現）
⑤ 〜 er than …… など（比較級表現）
　最上級表現と比較級表現は，筆者が何を好んでいるのか・嫌っているのか，重視しているのか・軽視しているのかを判断する重要なカギになる。一般の表現よりも大事な点を明確に示すのに適した表現なので，評論などの論理的正確さを重視する文章ではよく用いられる。
⑥ important , necessary など　（重要・必要を意味する語）

〈文例〉

Ⅰ）Logic indeed is necessary for science but it is far from sufficient.
⇒「indeed 〜 but ……」（もちろん〜ではあるが，しかし…）の構文で，but 以降に重点が置かれている。つまり「科学においては論理だけでは不十分だ」という点を，筆者は強調したいのである。仮にこの構文を知らなくても，ともかく but が出てきたらその後ろの方に注意しておくとよい。

Ⅱ）Don't think — just listen to your inner voice.
⇒上記の文は「You must not think — you need listen to your inner voice.」と同じ意味である。つまり，命令文は need, should, must などの IT がある文と同様に扱う必要がある。

Ⅲ）The girl would have stayed even when we played poker, if I'd let her.
⇒反実仮想の文にも注意。読者の注意を引き付けようとする箇所で，書き手は仮定法を用いるのである。上記の例文では，その少女がもしも許されるならば，ポーカーをしているところにもずっと居たがっていたのだという点を把握しておく必要がある（少女の心情とそれが許されなかった事情とを確認しておこう）。

■三分割法

　英文でも，現代文と同様に文章全体を「前・中・後」の３つの部分に分割して，各部分の重要度を判別することができる。英文の場合，文末で明確に自分の主張を示す尾括型にあてはまる課題文が現代文よりも多い。それゆえ，前半で文章全体の論点を確認したら，真ん中辺りにわかりにくい語句や構文があっても気にせずに，後半から文末にかけての文章内容の読解に的を絞った方が効率的である。また，現代文と同様に，「後部」にITがあった場合は，その前後の文が最重要キー・センテンスになる。

実践テクニック

①仮定法

事実とは反対のことを仮定して述べる表現形式を仮定法という。あえて，特別な表現を用いることで，自分の気持ちや願望を強調するものである。それゆえ，仮定法の表現がでてきたら，IT と同様に注意しておく必要がある。特に，三分割後部や文末で仮定法が用いられている場合は，その文がキー・センテンスであると考えてもよい。

直説法：I wish to be a bird. 単に「鳥になりたい」という願望。

仮定法：I wish I were a bird. 自分が鳥にはなれないことを残念に思いながら，それでもなお「自分が鳥だったらいいのに」と渇望している。

② would と should の特別用法

この２つの語には特殊な用法がある。特に次の用法には気をつけよう。

would：①過去の不規則な習慣「よく～したものだった」
②現在の希望や願望（＝ want to ）

should：① if と一緒に用いられて「万が一～するならば」
What would you do, if your mother should be taken ill?
万が一お母さんが病気になったら，君はどうするのか？

出題パターン check!

次の文章の主旨として，最も妥当な選択肢はどれか。

Under certain circumstances there are few hours in life more agreeable than the hour dedicated to the ceremony known as an afternoon tea. There are circumstances in which, whether you partake of the tea or not — some people of course never do, — the situation is in itself delightful. Those that I have in mind in beginning to unfold this simple history offered an admirable setting to an innocent pastime. The implements of little feast had been disposed upon the lawn of an old English country-house, in what I should call the perfect middle of a splendid summer afternoon. Part of the afternoon had waned, but much of it was left, and what was left was of the finest and rarest quality. Real dusk would not arrive for many hours; but the flood of summer light had begun to ebb, the air had grown mellow, the shadows were long upon the smooth, dense turf. They lengthened slowly, however, and the scene expressed that sense of leisure still to come which is perhaps the chief source of one's enjoyment of such a scene at such an hour. From five o'clock to eight is on certain occasions a little eternity; but on such an occasion as this the interval could be only an eternity of pleasure.

（1）ある状況の下では，午後のお茶という名前で知られるセレモニーに費やされる時間より心地よい時が，人生においてたくさんある。
（2）一部の人々は決してお茶に加わることはないが，それに加わるかどうかにかかわらず，その雰囲気自体が心を浮き立たせるという状況もある。
（3）ある古いイギリスの豪邸の芝生の上に，豪華なお茶の会を催す道具が並べられている。
（4）午後に入って時は過ぎ，夕闇が訪れるまであまり時間がないが，この残された時間こそ，最高のまたとない時間なのである。
（5）5時から8時までは，間延びした時間であり，いつまでも永遠に続く愉悦の時間とはなり得ない。

⇒後部の記述に対応する選択肢は（4）と（5）。しかし（5）は問題文の記述に反している。

答え（4）

練習問題1

十の位を四捨五入すると1,000になる自然数がある。また，その数を12で割っても21で割っても8余るという。それでは，その数を11で割ったとき余りの数として正しいものはどれか。

（1）余り4　（2）余り5
（3）余り6　（4）余り7
（5）余り8

練習問題2

A，B，Cの3個の鐘がAは3秒間隔，Bは5秒間隔，Cは6秒間隔，各々90回鳴る。最初に同時に鳴ったとすると，全ての鐘が鳴り終えるまでに何回鳴ったように聞こえるか。ただし，同時に鳴った場合は1回聞こえたこととして数える。

（1）198回　（2）201回　（3）204回
（4）207回　（5）210回

練習問題3

A君は時計を持たずに10時10分に家を出発し，コンビニエンスストア（以下コンビニ）に10時16分に着いた。コンビニで用事を済ませ，次に銀行に向かい，そこに10時44分に着いた。銀行で預金を下ろし，11時7分に銀行を出発した。11時10分に再びコンビニに着いた。ここで再び用事をし，自宅には11時37分に戻った。コンビニでの2回の用事の合計時間は10分である。また，歩く速さは一定とし，往復の経路も等しいとする。くわえて，家と銀行の時計が正しいとすると，コンビニの時計は何分遅れているか。

（1）10分　（2）9分　（3）8分
（4）7分　（5）6分

解答・解説

練習問題1　正答／（1）

●解説／12で割っても21で割っても8余るので，12と21の公倍数に8を加えた数ということがわかる。すなわち，84の倍数に8を加えた数である。また，十の位を四捨五入して1,000となるには，950以上1049以下ともいえる。この2つの条件が成立する数が，その自然数となる。

$950 \leqq 84n + 8 \leqq 1{,}049$　$n = 12$のみ成り立つ。

よって，

$84 \times 12 + 8 = 1{,}016$　$1{,}016 \div 11 = 92 \cdots 4$

練習問題2　正答／（2）

●解説／0～269秒までに，$14 \times 9 = 126$回の鐘が鳴る。270～449秒までに，$10 \times 6 = 60$回の鐘が鳴る。450～539秒までに，$5 \times 3 = 15$回の鐘が鳴る。よって計201回となる。

	0	3	5	6	9	10	12	15
A　3秒間隔	○	○		○	○		○	○
B　5秒間隔	○		○			○		○
C　6秒間隔	○			○			○	
0～269秒	1	2	3	4	5	6	7	8
270～449秒	1		2	3		4	5	6
450～539秒	1			2			3	

	18	20	21	24	25	27	29	
A　3秒間隔	○		○	○		○		
B　5秒間隔		○			○			
C　6秒間隔	○			○				
0～269秒	9	10	11	12	13	14		
270～449秒	7	8		9	10			
450～539秒	4			5				

練習問題3　正答／（2）

●解説／文章をまとめると以下のようになる。

10:10発→　10:16着（　）発→　10:44着

自宅（正しい時刻）　コンビニ（計10分）　銀行（正しい時刻）

11:37着←　（　）発11:10着　←11:07発

[帰りの用事は3分なので11:13発となる]

行きは34分，帰りは30分かかっている。この差の4分はコンビニで用事をした時間差である。また，合計が10分であることから，行きは7分，帰りは3分の用事とわかる。自宅からコンビニ，コンビニから自宅までかかる時間は等しいのに，行きは6分，帰りは24分となる。コンビニの時計の遅れをxとすると，

$6 + x = 24 - x$　$x = 9$

練習問題4

図において，円Oは直角三角形ＡＢＣのＢＣの延長上とＢＡの延長上と接している。また，ＡＣも円Oと接している。ＡＢ＝ 14cm，ＢＣ＝ 10cm のとき，円Oの直径は何 cm か。

（1）$4+4\sqrt{5}$ cm
（2）$4+4\sqrt{6}$ cm
（3）$6+4\sqrt{2}$ cm
（4）$6+4\sqrt{3}$ cm
（5）$4\sqrt{10}$ cm

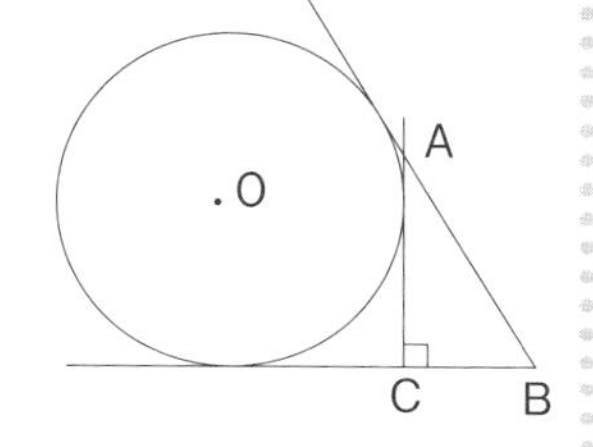

練習問題5

子供は毎日定時に最寄駅に到着し，その時間にちょうど駅に着く母が運転する自動車で帰宅していた。ある日，定時より早く駅に着いた子供は，母の運転する自動車が通る道を家に向かって歩き始めたところ，ある地点で気づかずにすれ違った。ここで気づけばいつもより 40 分早く帰宅できたが，そこからさらに 45 分歩いて，駅からすぐに引き返して来た母の運転する自動車に乗り，結局はいつもと同じ時間に帰宅した。母の運転する自動車の速さは子供の歩く速さの何倍か。ただし，歩く速さや自動車の速さは一定とし，歩く道と自動車の走る道は同じとする。

（1）5倍　（2）6倍　（3）7倍
（4）8倍　（5）9倍

解答・解説

Point

遅れている時計の場合
正しい時計を見る⇒（移動）⇒遅れている時計を見る：２つの時計の時間差＋遅れ
遅れている時計を見る⇒（移動）⇒正しい時計を見る：２つの時計の時間差－遅れ
なお，進んでいる時計の場合は反対になる。

練習問題４　正答／（2）

●解説／三角形ABCは直角三角形であるので，第一にACを求める。$14^2 = 10^2 + AC^2$　よってAC $= 4\sqrt{6}$ cm。次に円との接点をD，Eとすると，BD＝BEとなる。また，ACと円Oとの接点をFとする。いま，CF＝x，AF＝yとすると，$x+y=4\sqrt{6}$，$14+y=10+x$　この２式を解くと，$x=2+2\sqrt{6}$　xは円Oの半径とも等しいので，直径は２倍の $4+4\sqrt{6}$ cm

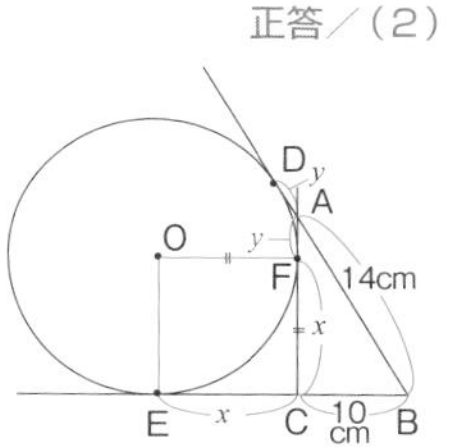

Point

円と接線の関係は，円外の１点と接点までの距離が常に等しいことを忘れないようにする。BD＝BE以外でも，AD＝AF，CF＝CEという関係を忘れないようにする。

練習問題５　正答／（5）

●解説／速さはグラフで解くと容易に解けることがある。帰りの自動車の速さは同じなので，傾きは同じとなる。ならば，そのまま 40 分を垂直方向に平行移動すると下の拡大図のようになる。すなわち，同じ距離を歩きで 45 分，自動車では５分で移動している。よって距離が等しい場合，時間と速さは反比例するので９倍とわかる。

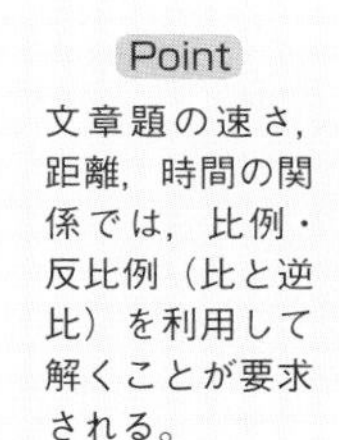

Point

文章題の速さ，距離，時間の関係では，比例・反比例（比と逆比）を利用して解くことが要求される。

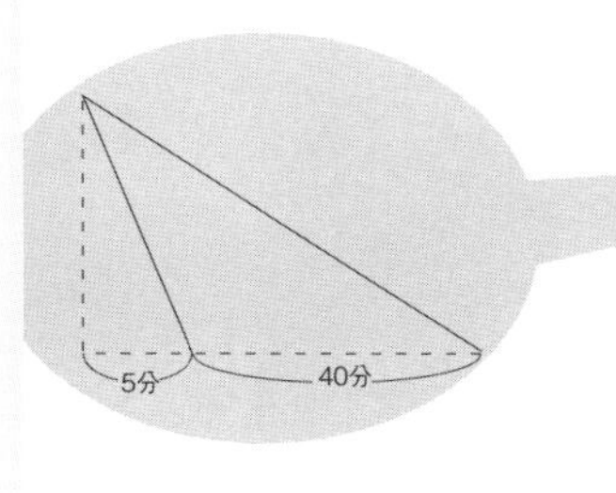

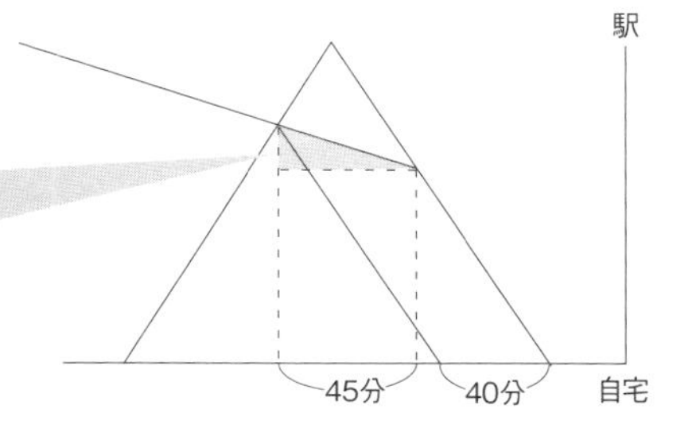

練習問題6

ある牧場で牧草地の一部に牛を3頭放牧したところ牧草は18日間でなくなった。先と同じ条件の牧草地に5頭の牛を放牧したところ，今度は10日間で牧草はなくなった。同様の条件で6日間で牧草がなくなるとすれば，牛は何頭放牧されたか。ただし，牧草の生長する速さは一定で，牛が牧草を食べる量も同じ条件とする。

（1）8頭　（2）9頭　（3）10頭
（4）11頭　（5）12頭

練習問題7

ある時間に時計の長針と短針がちょうど重なった。その時間から2本の針が3度目に重なるのは何分後か。最も近い値を選べ。ただし，短針は12時間で文字盤を1周し，長針は1時間で1周する一般的な時計とする。

（1）180分　（2）193分　（3）196分
（4）199分　（5）202分

練習問題8

あるトンネルを掘削するのに，A，B2台の機械を利用して両側から掘削すると，ある日数で貫通する。Aだけで片側から掘削すると，A，B2台で掘削するより18日遅れて貫通する。同様に，Bだけで掘削すると，A，B2台で掘削するより32日遅れて貫通する。Bだけで掘削する場合の工期は何日か。

（1）24日　（2）36日　（3）48日
（4）52日　（5）56日

練習問題9

図のように1階も2階も6部屋で，2階には周囲に廊下があり，ドアは廊下側にあるため，互いの部屋は1，2階の部屋共々壁で隣り合っている独身寮にア～シの12人が住んでいる。このうち，以下の5人の発言から，サの真上に住んでいると思われる者の組合せとして正しいものはどれか。

イの発言…「隣りのウの部屋に向かって立つと

解答・解説

練習問題6　正答／（1）

●解説／1日に牧草の増える量をx，1頭の牛が1日に牧草を食べる量をy，最初の牧草の量をzとする。3頭が18日間で食べ尽くすには，18日間に増える量と最初の牧草を食べて初めてなくなることになる。これを式にすると，

$18x + z = 3 \times 18 \times y$…①

同様に，5頭でも式にする。

$10x + z = 5 \times 10 \times y$…②

この②式のzを消去する（①から②を引く）。

$8x = 4y$

よって$x:y = 1:2$　となる（このような問題を通称「ニュートン算」といい，連立方程式が2つしかできないので，値は求まらない）。$x = 1$，$y = 2$とし，2式のどちらか一方に代入すると，$z = 90$となる。これらの値から，6日間の状態を再度求める。牛の頭数をtとすると，

$6 \times 1 + 90 = t \times 6 \times 2$　　$t = 8$

練習問題7　正答／（3）

●解説／短針は1分で0.5°，長針は1分で6°移動する。すなわち，1分で2本の針は5.5°ずつ離れていく。その差が360°となれば再び重なることになる。3度目ならば，360°×3＝1080°と考えればよい。

$1080 \div 5.5 \fallingdotseq 196.36$分

練習問題8　正答／（5）

●解説／A，B2台での工期をx日とすると，Aだけでの工期は$x + 18$，Bだけの工期は$x + 32$となる。A，B2台で1日にする仕事量は全体の仕事を1とすると，$\frac{1}{x}$。Aの1日だけの仕事量は$\frac{1}{x+18}$，Bの1日だけの仕事量は，$\frac{1}{x+32}$となる。よって$\frac{1}{x} = \frac{1}{x+18} + \frac{1}{x+32}$となる。式の展開とまとめに時間がかかるので注意して解く。

$\frac{1}{x} = \frac{(x+32)+(x+18)}{(x+18)(x+32)}$

$(x+32)(x+18) = x(2x+50)$　　$576 = x^2$

$x = 24$　Bの工期は32日遅れるので，56日となる。

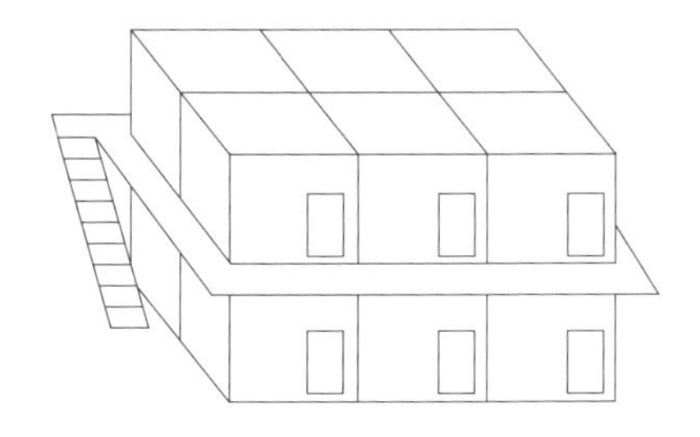

私の右隣りにオの部屋がある」
キの発言…「私はアの真下に住んでいる」
ケの発言…「隣りのクの部屋に向かって立つと，
私の右隣りにシの部屋がある」
コの発言…「隣りのキの部屋に向かって立つと，
私の左隣りにサの部屋がある」
シの発言…「私の真上にはカが住んでいる」
（1）アとウ　（2）イとウ　（3）ウとエ
（4）イとエ　（5）エとオ

練習問題 10

春子，梅雨子，夏子，秋子，冬子の５人がマラソン大会に出場した。その結果について，１位，３位，５位となった者は本当のことを言い，残る２人が嘘をついている。このことから確実に言えるものを以下から選べ。

春子の発言…「私は梅雨子より遅く着いた」
梅雨子の発言…「私は３位である」
夏子の発言…「私は秋子より先に着いた」
秋子の発言…「私は２位である」
冬子の発言…「私は春子より遅く着いた」
（1）春子は嘘をついている
（2）梅雨子は本当のことを言っている
（3）夏子は２位である
（4）夏子は１位である
（5）冬子は５位である

練習問題 11

図のように半径 6cm，中心角 90°の扇形が２個ある。いま，一方を固定し，もう一方がすべることなくその周囲を一周したとき，移動する中心Oが描いた軌跡に囲まれた部分の面積を求めよ。ただし，円周率はπとする。

（1）$54\pi cm^2$
（2）$72\pi cm^2$
（3）$88\pi cm^2$
（4）$96\pi cm^2$
（5）$108\pi cm^2$

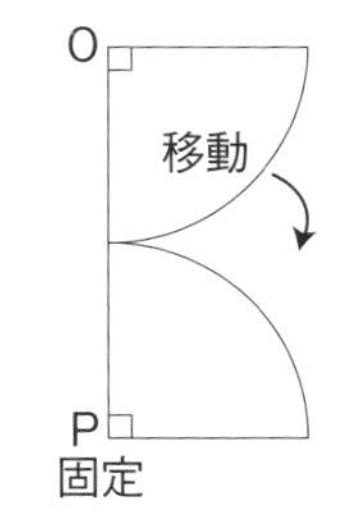

解答・解説

練習問題９　　正答／（2）

●**解説**／イ，ケ，コの発言から，各々３部屋の住人の位置がわかる。ただし，回転が可能なので，他の条件と重ねるときに気をつける。また，キ，シの発言から，アは２階，キは１階，カは２階，シは１階に住んでいる。まとめると下の図のようになる。２階の４部屋はウ，イ，オのＬ字型が回転して入り，２通り考えられる。

よって，サの真上はイ，ウが考えられる。

練習問題 10　　正答／（4）

●**解説**／残る２人である２位と４位が嘘をついている。２位は嘘をついているので，自分が２位である，とは言わない。すなわち，秋子は嘘つきである。よって秋子は４位となる。あとは特定できないので，２位が春子，梅雨子…と順に仮定してみる。春子が２位ならば，順に，夏子，春子，梅雨子，秋子，冬子となる。次に梅雨子が２位ならば，夏子，梅雨子，春子，秋子，冬子となる。２位が夏子は成立しない。２位が冬子ならば，夏子，冬子，梅雨子，秋子，春子となる。よって常に夏子が１位である。

練習問題 11　　正答／（2）

●**解説**／共に弧が接している間はＯＰ間の距離は変わらないので，半径が 12cm，中心角が 90°の扇形となる。弧の端同士が接しているとき，そこを中心に倒れこむように，半径 6cm，中心角 180°の扇形となる。次に，再び同じ弧をＯは描く。

$$12 \times 12 \times \pi \times \frac{90}{360} + 6 \times 6 \times \pi \times \frac{180}{360} \times 2$$
$$= 36\pi + 36\pi$$
$$= 72\pi \ cm^2$$

練習問題 12

２桁どうしの掛け算を行ったところ，■は７または８になり，他の部分はそれ以外の数となった。このとき，積として妥当なものはどれか。

```
  □□
×□□
────
  □□
□■
────
■□□
```

（１）710　（２）714

（３）732　（４）804　（５）812

練習問題 13

正方形の折り紙を５回折り，最後にできた多角形の頂点を図のように底辺と平行に切り落として再び開いたとき，正しい形はどれになるか。

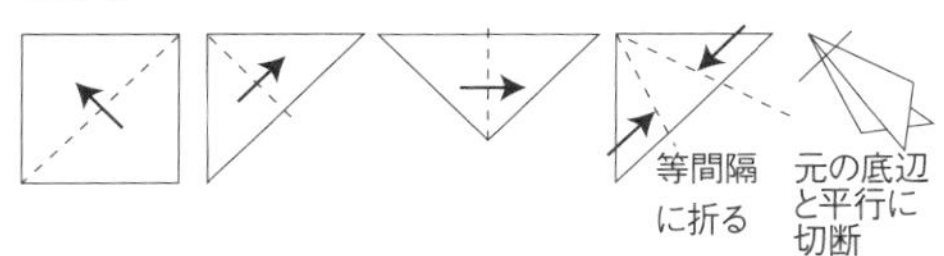

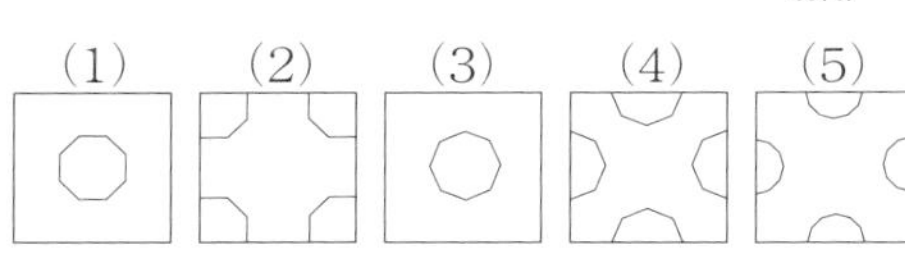

練習問題 14

図のように１辺が 4cm の正８面体に球が内接している。このときの球の半径の平方の値を求めよ。

（１）$\frac{8}{3}$　（２）$\frac{4}{3}$

（３）$\frac{1}{4}$　（４）$\frac{12}{5}$

（５）$\frac{14}{9}$

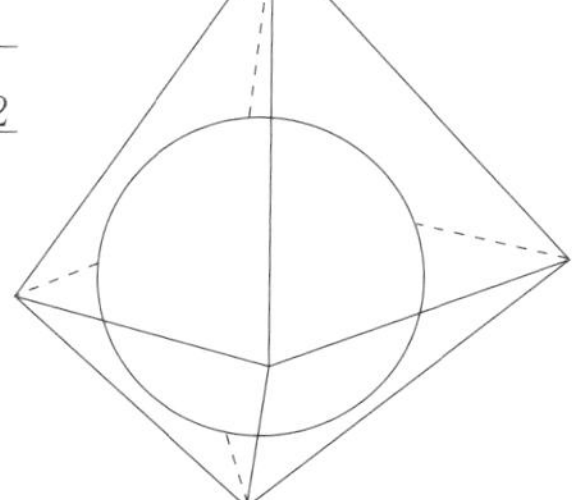

練習問題 15

ある暗号によると「伊東（いとう）」は「壱尼飼誤市山」で表され，「柏（かしわ）」は「似市蚕荷絨壱」と表すことができる。では，「弐午質市子餐」で表される都市は何県にあるか。

（１）長野県　（２）新潟県　（３）富山県

（４）石川県　（５）福井県

解答・解説

練習問題 12　　正答／（２）

●解説／選択肢の値（積）を素因数分解して，掛ける数と掛けられる数を見つける。（１）710＝2×5×71＝10×71　となる。掛ける数にも掛けられる数にも７はあってはならないので誤りである。（２）714＝2×3×7×17＝34×21とする。　34×2＝68（■）で満足する。（３）同様に732＝61×12では，最初の筆算で61×2＝122と３桁となるので誤り。（４）804＝2×2×3×67＝12×67と７があるので誤り。（５）812＝2×2×7×29＝14×58＝28×29とどちらも８があり誤り。

練習問題 13　　正答／（５）

●解説／順に切り落としていった図形を小さい方から書き込んでみる。折り曲げた線が対称軸であることを忘れずに書き表すこと。また，どちら側に折り曲げているか注意する。なお，実際に折り紙を使って切断して，感性を養うことも大切である。

練習問題 14　　正答／（１）

●解説／正８面体の体積を四角錐が２個重なっていると考えて体積を求める。四角錐の底面の対角線は $4\sqrt{2}$ cm。次に底面からの高さをhとし，三平方の定理より

$h^2+(2\sqrt{2})^2=4^2$　より，$h=2\sqrt{2}$ cm

よってこの四角錐２個（正８面体）の体積は，

$4\times4\times2\sqrt{2}\times\frac{1}{3}\times2=\frac{64}{3}\sqrt{2}\text{ cm}^3$　となる。

次に，各々の三角形８面を底面とし，球の中心までの距離（半径）を高さとする三角錐の体積の和と先の $\frac{64}{3}\sqrt{2}$ とは等しくなる。よって球の半径を x とすると，

$4\times2\sqrt{3}\times\frac{1}{2}\times x\times\frac{1}{3}\times8=\frac{64}{3}\sqrt{2}$　となる。

$x=\frac{2}{3}\sqrt{6}$ よって平方は $\frac{8}{3}$

●留意点●　２つ以上の円，球の問題での補助線は，本数も多く，その場で考えつくことは困難。しかし一般的な補助線を知っていれば役立つ。

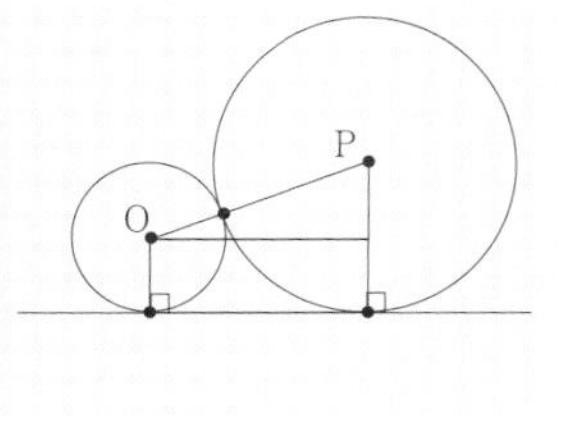

練習問題 15　　正答／（４）

●解説／読み方が数字となる。伊東（いとう）は，壱いち・尼に，飼し・誤ご，市いち・山さん，（１２），（４５），（１３）で表され，柏（かしわ）は，似に・市いち，蚕さん・荷に，絨じゅう・壱いち（２１），（３２）（10 １）と表すことができる。五十音図で十の位は行，

練習問題 16

下の表はある国の大手自動車会社５社の国内生産台数の推移を2014年を100とした指数で示したものと，2019年の国内生産台数の構成比を示したものである。この資料から確実にいえるものはどれか。

国内生産台数の推移

年	A社	B社	C社	D社	E社
2014	100	100	100	100	100
2015	120	154	96	130	72
2016	136	160	50	145	85
2017	140	124	72	150	54
2018	142	170	68	156	38
2019	125	178	48	162	42

2019年の国内生産台数の構成比

A社	15%
B社	18%
C社	12%
D社	28%
E社	10%
その他	17%

（１）2014年において，Ｅ社の国内生産台数はＡ社のそれよりも３倍以上であった。

（２）2015年において，Ｃ社の国内生産台数はＤ社の国内生産台数よりも少ない。

（３）2016年のＡ社の国内生産台数は，2015年のＤ社の国内生産台数にほぼ等しいといえる。

（４）2018年のＡ社の国内生産台数は，2017年のＣ社の国内生産台数のおよそ半分である。

（５）2017年の国内生産台数において，Ｂ社はＤ社の半分以下である。

練習問題 17

以下の資料はＡ，Ｂ２社の従業員のある月の賃金支払い状況を賃金階級別に表したものである。この資料から確実にいえることは次のどれか。

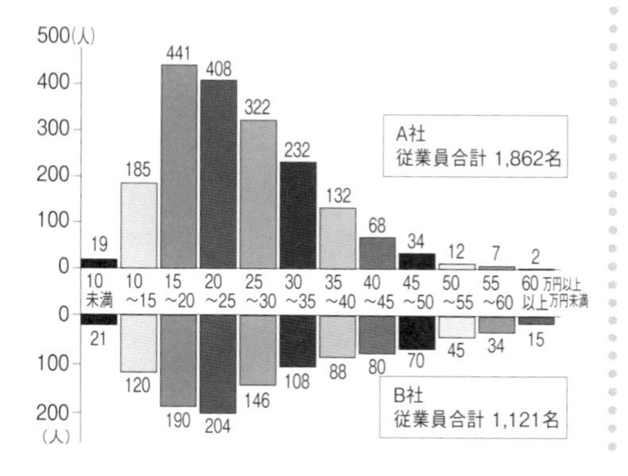

解答・解説

一の位は段である。弐午質市子餐は（２５），（７１），（４３）で小松（こまつ）で，石川県にある。

練習問題 16　　正答／（５）

●解説／指数だけの資料では他社と比較できないが，今回は，2019年の国内生産台数の構成比があるので，他の年も比較できる。仮に2019年の国内生産台数を計1,000台とすると，以下の表の最下段のように書くことができる。計算自体は比例や割合で求まる。そこから，選択肢を確認するための数値を求めていく。

年	A社	B社	C社	D社	E社
2014	①120台=100				①238台=100
2015			②240台=96	②③225台=130	
2016	③163台=136				
2017		⑤125台=124	④180台=72	⑤259台=150	
2018	④170台=142				
2019	150台=125	180台=178	120台=48	280台=162	100台=42

（１）①の計算結果から３倍に達していないとわかる。238 ÷ 120=1.98倍　で誤り。（２）②の計算結果からＣ社はＤ社よりも多い。よって誤り。（３）およそ0.72倍であるので誤り。（４）およそ94%であるので誤り。（５）125台の２倍は250台なので，125台は259台の半分以下である。よって正しい。

練習問題 17　　正答／（３）

●解説／（１）賃金の最も少ない従業員数の差は２名，賃金が最も多い従業員数の差は13名である。その差は11人であるので誤り。（２）確かに計算すれば求めることはできるが，試験では間に合わない。Ａ社の最頻値は15～20万の階級で，Ｂ社は20～25万である。また，45万以上はＢ社の従業員の方が従業員の合計が少ないのに度数（人数）は多いのでＢ社の方が高賃金だと思われる。（３）Ａ社の従業員の真ん中は（1,862＋１）÷２＝931.5（931,932）番目，Ｂ社は（1,121＋１）÷２＝561番目となる。Ａ社は賃金が安い順に加えていくと，20万円未満が645番目までで，931,932番目は次の階級であるので，Ａ社は正しい。同様にＢ社は25万円未満が535番目までで，561番目は次の階級である25万円以上30万円未満に属する。よって正しい。（４）人数がほぼ同じ（185人と190人）であるが，従業員数がおよそ1.7倍と異なるので，同じ割合にはならない。よって誤り。（５）確かにＡ社は7%，Ｂ社は22%で合計は

（1）賃金の最も少ない階級の従業員数の差と，最も多い階級の従業員数の差を比較すると，差は 10 人以下である。

（2）両社の平均賃金を比較するとB社の方がA社よりも低賃金である。

（3）賃金の安いものから順に数えてちょうど真ん中の従業員は，A社では 20 万円以上 25 万円未満の階級に属するが，B社は 25 万円以上 30 万円未満の階級に属する。

（4）B社の，賃金階級が 15 万円以上 20 万円未満である従業員の割合とほぼ等しいA社の階級は，10 万円以上 15 万円未満の階級である。

（5）賃金が 40 万円以上の従業員は，A，B社全体では 29%を占める。

練習問題 18

以下の資料は，埋立処分場の残余容量とその残余年数（今後何年で処分場が満杯になるかを予想した年数）の推移を表したものである。次の記述のうち，正しく推察できるものはいくつあるか。ただし，残余容量は年度末の測定である。また，残余年数＝埋立処分場の残余容量÷その年度に出たごみの量，という関係式で求めた。

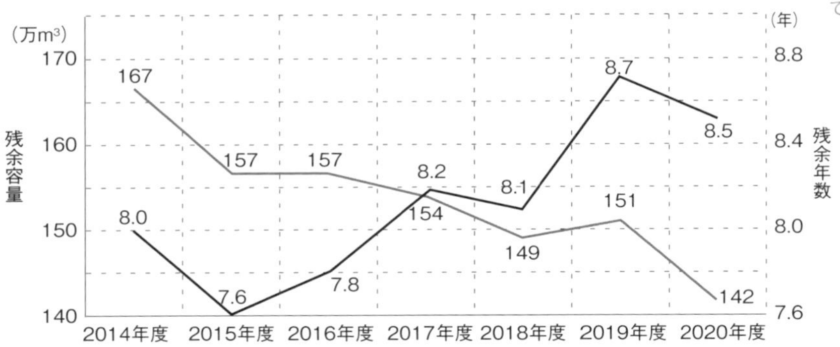

A）2019 年度を除けば，埋立処理場の残余容量は減少しているので，景気は回復していなくとも消費自体は確実に伸びているといえる。

B）2015 年度に出たごみの量は約 20.7 万 t である。

C）埋立処分場の残余容量は，2019 年度を除けば減少しており，このままだと 2020 年度の 10

解答・解説

29% となるが，この計算方法は誤りである。正しくは，(68 + 34 + 12 + 7 + 2 + 80 + 70 + 45 + 34 + 15) ÷ (1,862 + 1,121) × 100 = 367 × $\frac{1}{2,983}$ × 100 = 12 (%) となる。よって誤り。

練習問題 18　正答／（4）

●解説／A）景気とごみの出る量に相関関係はあると考えられているが，この資料からでは確実とはいえない。B）単位が誤りである。C）予想した年数であり，確実とはいえない。D）2016 年度のごみの量は 157 万m^3 ÷ 7.8 年＝ 20.1 万m^3　2017 年度は 154 万m^3 ÷ 8.2 年＝ 18.8 万m^3　よって減少しているので正しい。E）同様の計算で他の年度も求めると，2014 年度から順に 20.9，20.7，20.1，18.8，18.4，17.4，16.7（万m^3）で正しいといえる。F）先の数値より，正しいことがわかる。よって，D，E，Fが正しいので3つである。

年後には必ず満杯となる。
D）2017年度のごみの出た量は2016年度より減少した。
E）2014年度から2020年度までに毎年出るごみの量で20万m^3以上だった年度は2014年度から2016年度までである。
F）2015年度から2020年度までに毎年出るごみの量は前年度より減少している。
（1）なし　（2）1つ　（3）2つ
（4）3つ　（5）4つ

練習問題 19

次の表は，ある国の発電所の総数と最大出力の計，動力別の発電所数とその最大出力の資料である。以下の記述で正しいものはどれか。

※最大出力：単位=100万kW

年度末区分		2005年度	2010年度	2015年度	2018年度	2020年度
水力発電	発電所数	1,629	1,682	1,712	1,700	1,712
	最大出力	34	38	43	45	46
火力発電	発電所数	979	1,829	2,559	2,281	2,581
	最大出力	110	125	142	159	167
原子力発電	発電所数	16	17	18	18	18
	最大出力	25	32	41	45	45
計	発電所数	2,624	3,528	4,289	3,999	4,311
	最大出力	169	195	226	249	258

（1）調査したいずれの年度も，全ての発電所に対して，原子力発電所の占める割合は，減少し続けている。
（2）水力発電所の最大出力は，調査したいずれの年度も火力発電所の最大出力の30%以上である。
（3）2018年度の原子力発電所の1基当たりの最大出力は，同年の水力発電所の1基当たりの最大出力の100倍を超えている。
（4）2010年から2018年の3回の調査では，毎回とも前回の原子力発電所1基当たりの最大出力と比較すると増加している。
（5）2015年度以降，原子力発電所の数が増加していないのは，廃棄物処理の問題が解決していないためである。

解答・解説

練習問題19　正答／（4）

●解説／（1）原子力発電所の占める割合は，05年度は0.61%，10年度は0.48%，15年度は0.42%，18年度は0.45%，20年度は0.42%である。18年度は一旦は増加しているので誤り。（2）05年度は31%，10年度は30%，15年度は30%，18年度は28%，20年度は28%である。よって18年度，20年度は30%未満であるので誤り。（3）原子力発電所1基の最大出力は45÷18＝2.5（100万kW）　水力発電所1基では，0.0265（100万kW）であるので94倍である。よって誤り。（4）05年度は25(100万kW）÷16＝1.56（100万kW）。10年度以降同様な計算をすると，1.88，2.28，2.50（100万kW）となり，増加している。よって正しい。（5）資料からはわからないので誤り。

練習問題 20

次の文の主旨として最も妥当なものはどれか。

歴史には進むべき一定の方向はない。個人の生涯を動かすのが個人的自我であるのと同じく，歴史を動かす最強の要因は，幻想としての国家や民族の集団的自我である。史的唯物論においては，この要因が抜け落ちていたから，その歴史の説明は，無理なこじつけをしても，ちぐはぐなものにしかなり得なかったのである。

個人の場合も集団の場合も，自我を支え，守ることがおのれの存在の第一の前提であるから，人間は，物質的，現実的利害が損なわれたときよりも，自我が傷つけられるとか，脅かされるとか，自我が何らかの危機に瀕したときに，自我の安定を取り戻そうとして最も過激に活動する。歴史上の大征服，大事業，大活躍の背後には，必ず，王朝，民族，国家などの共同体の集団的自我の危機がある。自我の危機，すなわち，劣等感や屈辱感を克服しようとする動機が，個人および集団を行動へと駆り立てる最大の動機である。

早い話が，近代ヨーロッパが世界征服に乗り出し，アフリカ，アメリカ，アジアの大陸の多くの民族や国家を侵略し，植民地化した動機は，ヨーロッパ民族の劣等感と屈辱感の克服であったことは明らかであるし，規模ははるかに小さいが，19 世紀の半ばにはアジアの東の端の弱小国であった日本が，結局は挫折したとは言え，百年足らずのあいだに軍事大国となり，大東亜共栄圏を築こうとするに至った動機も，ペリーに強姦された屈辱を雪ぐためであったことは，わたしがつとに指摘するところである。ヨーロッパ人が，近代を通して，ヨーロッパ民族の優秀性を繰り返し繰り返し執拗に強調し続けていることや，日米戦争において日本軍の作戦や戦闘が，現実的勝利よりも，むしろプライドを守ることに重点をおいていたことからも，幻想の自我を守ることが民族や国家の最重要の目的であることに疑問の余地はない。

人間は，個人としても集団としても，自我という幻想を守るために生きているのである。人間の歴史は幻想の歴史である。

岸田秀『唯幻論物語』より

（1）個人であれ集団であれ，自我を支え，守ることがおのれの存在の第一の前提であり，そこに危機が及んだ時に最も過激に活動する。
（2）幻想の自我を守ることが民族や国家の最重要の目的であり，歴史を動かす一番の要因となる。
（3）史的唯物論では，国家や民族の集団的自我という考え方が抜け落ちていたため，歴史の説明はちぐはぐなものにしかなり得なかった。

解答・解説

練習問題 20　正答／（2）

●**解説**／公務員試験の文章理解に出題される文章の多くは「尾括型」であり，筆者の最も重要な主張は文章の後半部分にあるのが普通である。しかし，本問は冒頭と後半で筆者の重要な主張が語られている「双括型」に近い構成であると考えられる。そのような観点より，以下選択肢ごとに検証していく。

（1）の記述は２段目の第１文に対応したものである。自我の重要性を訴えた内容ではあるが自我全般がいかに重要なものであるかを補足した内容にすぎないため，主旨とはいえない。
（2）「幻想の自我を守ることが民族や国家の最重要の目的」とは，最後から２番目の段に対応する内容であり，インデックス・ターム（IT）といえる。「疑問の余地はない」という強調した言葉の存在からも主旨であることがわかる。「歴史を動かす一番の要因」は冒頭の段での記載に対応する。
（3）史的唯物論の欠陥を指摘した内容であるが，集団的自我の重要性を発展させた内容であり，主旨ではない。
（4）劣等感や屈辱感を克服しようとする自我の危機が植民地政策の根本にあった，という筆者の主張ではあるが主旨でない。
（5）日米戦争における事実のある側面を語っているものであり，主旨とはいえない。

（4）劣等感や屈辱感を克服しようとすることが，個人および集団を行動へと駆り立てる最大の動機であって，先進国で植民地政策がとられることとなった最大の原因である。
（5）日米戦争において日本軍の作戦や戦闘は，戦争に勝利することよりも，プライドを守ることに重点がおかれていたことは疑いようがない。

練習問題 21

次の英文の記述と一致するものとして，最も妥当なのはどれか。

“Convenience stores literally features service. Although American in origin, they have blended themselves into the Japanese lifestyle. More than that, konbini culture may be transforming the everyday lives of Japanese.

The items that sell well at convenience stores are said to be drinks and food. Especially, rice balls, a leading traditional snack of this country, seem to be among their best. Perhaps the success they scored in making rice balls that have that homemade taste, but are nevertheless unique, marked a watershed for their prosperity.

A famous athlete has made an interesting comment on konbini food culture. As quoted by sports journalist Dai Fujiyama, he said Japanese sports were suffering from that culture. Because of a sense of security due to the fact that food is available anywhere, anytime, he said, players do not take eating meals seriously enough — a phenomenon that had the effect of eroding their concentration during matches.

※ watershed…重大な分岐点／ erode…失わせる

（1）コンビニは，アメリカ生まれでありながら，日本人の生活様式をアメリカ人の間に浸透させた。
（2）コンビニ文化は，アメリカ人の生活様式を変えた以上に，日本人の日常を変えるものにはなっていない。
（3）コンビニで売られる商品は，わが国の伝統的な飲食店で人気のあるメニューから開発される。
（4）コンビニはおにぎりを自家製の味でありながら，独特の味に仕立てることで成功を収めた。
（5）ある有名なスポーツ選手は，コンビニ食文化について，いつでもどこでも食べられる安心感が日本のスポーツを強くしていると言った。

解答・解説

練習問題 21　正答／（4）

●解説／

（1）「日本人の生活様式をアメリカ人の間に浸透させた」という記述が誤り。課題文には，Although American in origin, they have blended themselves into the Japanese lifestyle とある。「アメリカで生まれたものではあるが，コンビニは日本人の生活様式の中に浸透した」という意味。they は convenience stores である。
（2）コンビニが「アメリカ人の生活様式」に与えた変化と「日本人の日常」に与えた変化の度合いを比較する記述はない。第一段落中の More than that の that は，直前の Although American in origin, they have blended themselves into the Japanese lifestyle 全体を指す。
（3）日本の a leading traditional snack である rice ball（おにぎり）はコンビニのベストセラー商品だ，という趣旨の記述が第二段落にあるが，この選択肢のような記述はない。
（4）正解。第二段落の後半 Perhaps the success they scored in making rice balls that have that homemade taste, but are nevertheless unique, marked a watershed for their prosperity の記述に対応している。score は「獲得する」, prosperity は「（金銭上の）成功」の意。
（5）課題文と反対の記述。第三段落にはコンビニ食文化が，結果的に選手の concentration during matches を失わせていると述べられている。

5 教養試験 社会科学

出題傾向 地方上級採用試験における教養試験の社会科学の分野は，政治･法律，経済，社会に大別することができる。直近の試験では，政治･法律は，全国型と関東型で４問，中部・北陸型で３問出題されている。経済については，全国型と中部･北陸型で２問，関東型で３問出題されている。また，社会は全国型で６問，関東型で７問，中部・北陸型で５問出されている。独自問題の東京都と特別区では，政治，経済，社会の出題比重は東京都３問，特別区５問と少ないが，そのぶん時事からなる社会事情の出題が，東京都で５問，特別区で４問が加わるため，時事対策も十分に行っておく必要がある。

ポイント別・学習法

■政治・法律

＜傾向＞地方上級採用試験における政治分野は「法学」「日本国憲法」「政治学」「国際政治」と出題範囲が広く，的が絞りにくい分野といえる。

試験型別に出題傾向を見てみると，全国型では「基本的人権」「統治機構」からの出題が多く，関東型は全国型との共通問題での出題が見受けられる。また，中部・北陸型は「基本的人権」に加えて「地方自治」からの出題が多い。政治学の出題もあるので，専門科目の「政治学」を見直しておきたい。

直近の試験では，地方自治制度，生存権や表現の自由といった憲法，司法制度，国内の法制度などが出題されている。

＜学習法＞各項目の基本的事項や重要語を整理・暗記することは言うに及ばず，必ず練習問題を解く作業を通じて，知識の定着を図って欲しい。また，「日本国憲法」の分野は，専門科目の学習とあわせて実施することが可能であるが，専門科目の「憲法」の出題と教養科目の「日本国憲法」とはレベルおよび視点が異なるため，知識の整理を行いながら必ずそれぞれの練習問題や過去問を数多く解いておこう。

なお，本書では「基本的人権」の項目において，単にその性格・歴史・分類のみならず，一歩進めて「判例の立場」にも言及しておいた。教養科目の「日本国憲法」を扱った書籍としては特徴的であるが，今後の出題の可能性と，判例の立場を排除した「基本的人権の分類」のみの学習では，上級公務員試験受験者としての物足りなさを考慮し，あえて一項目を割いた次第である。

なお，時事問題と憲法とを融合させた出題も見られるので要注意。また,「国際政治」に関しては，〈社会〉に分類して記述してある。
◎**難易度＝ 85 ポイント**
◎**重要度＝ 90 ポイント**

■経済

＜傾向＞経済分野は「ミクロ経済学」「マクロ経済学」「財政学」「経済事情」に分類される。教養科目としての経済分野とはいえ，きわめて専門科目に近似した出題が多く，難易度の高い問題が頻出する傾向にある。とくに「ミクロ経済学」「マクロ経済学」の分野に関して理論を問うものが多く，(経済学を専攻した学生を含め）受験生を泣かせる要因となっている。

だからこそ専門科目にしても教養科目にしても，「経済」分野は，専門科目の学習と関連付けてきちんと学習し理解した受験生にとって，他の受験生と差をつける得点源となることを忘れてはならない。

出題傾向を見ると，「ミクロ経済学」や「マクロ経済学」などの経済理論系の問題から時事も含む「経済事情」など幅広いのが特徴である。直近の試験では，ブレトン・ウッズ体制といった国際経済体制の変遷，近年の日銀の金融政策などが出題されている。

＜学習法＞

教養科目の経済分野は，たとえ理論問題といえども，専門科目のそれと異なり，経済数学の公式を用いて計算を必要とする問題はなく，各種理論をきちんと整理し，グラフから読み取れる現象を正確に理解することで正答を導き出せる。なお，学習に際して，練習問題を解きながら知識を整理することは必須である。

本書では，各分野において比較的出題頻度が高く，専門科目の経済を学習する上でもその基礎となりうるような項目を厳選して取り上げている。
◎**難易度＝ 95 ポイント**
◎**重要度＝ 95 ポイント**

■社会

＜傾向＞社会分野では，その年々に話題となっている諸問題から出題され，範囲は多岐にわたる。東京都や特別区で「社会事情」として出題されている時事として扱う内容も本書では含める。

近年取り上げられているテーマは，年金問題を含めた「社会保障」，社会保障と密接に関連する「少子・高齢問題」，「労働事情」，子孫に対する今生きているわれわれの責務でもある地球規模での「環境問題」「エネルギー問題」，情報技術の高度化に関連する「科学技術」，その他「家族」「女性」に関するものがある。また，国際関係（政治）に関するテーマも本分野に含まれ，中国情勢やアメリカの政治など，その時々で話題になったテーマが取り上げられる傾向にある。直近の試験では，ウクライナ情勢といった国際情勢，公的年金制度，資源エネルギー，国連，また，時事問題としては試験の前年に成立した旧統一教会被害者救済法，Ｇ７広島サミットなどが出題されている。

＜学習法＞日頃から，自分の専門分野に限らず，様々な社会事象に関心を持ちながら生活をすることに尽きるだろう。

「日本経済新聞」では，一面リードに関連した「きょうのことば」が役に立つ。これを切り抜いて，分野に関係なく時系列でノートに貼り，何回も見直してみよう。

中央官庁の白書からの出題もよく見られる。したがって白書の参照やインターネットによる関連省庁へのアクセスも，気晴らしを含めて習慣化することをお勧めする。
◎**難易度＝ 80 ポイント**
◎**重要度＝ 85 ポイント**

過去５年の出題傾向　★★★★★

政治 ① 憲法が保障する基本的人権の体系

基本的人権の性格，さらに保障内容拡大の歴史，そして日本国憲法が保障している基本的人権の体系と各規定が保障しようとする内容など，基本事項の整理をまずは目指そう。

■基本的人権の性格

（　）内の数字は憲法の条項を示す。

◇日本国憲法の基本的人権に対する考え方

基本的人権

人類の多年にわたる自由獲得の努力の成果

① その享有を妨げられない権利（11）
② 侵すことのできない永久の権利（97・11）
③ 現在及び将来の国民に対する権利（97・11）

◎ 立法その他国政の上で，最大の尊重を必要とする権利（13）

① 国民の不断の努力によって保持しなければならない権利（12）
② 権利の濫用の禁止（12）
③ 公共の福祉のために利用する責任（12）

⇒「公共の福祉」：権利と権利が衝突した際の調整原理。ワイマール憲法（1919年）によって初めて規定。

■人権概念の変遷と拡大の歴史と背景

自由権　18世紀的基本権

請願権・参政権
制限選挙 ➡ 普通選挙&女子への参政権の拡大

平等権
形式的平等の実現 ➡ 実質的平等の実現

社会権　20世紀的基本権

国家活動の制限 ― 市民的自由確保　　社会的弱者増大 ― 国家の積極的救済

夜警国家観（立法国家・消極国家）

福祉国家観（行政国家・積極国家）

■日本国憲法が保障する基本的人権の分類

よく出る

◇包括的基本権（14条以下の規定が優先適用）

・個人の尊重（13条）
・幸福追求権（13条）

｝憲法に明文規定のない新しい人権の根拠となる。

◇平等権

・法の下の平等（14条）
・男女の本質的平等（24条）
・選挙権の平等（44条）

⇒法の下の平等，①法の適用と内容の平等，②条文列挙事由は例示，③実質的平等を実現，④合理的区別を許容。

◇自由権

●精神的自由

・思想・良心の自由（19条）
・信教の自由（20条）
・言論・出版その他一切の表現の自由（21条－1）
・集会・結社の自由（21条－1）
・検閲の禁止・通信の秘密（21条－2）
・学問の自由（23条）

●身体的自由

・奴隷的拘束・苦役からの自由（18条）
・法定手続の保障（31条）
・不当逮捕の禁止（33条）
・不当な抑留・拘禁の禁止（34条）
・住居の不可侵・不当な捜索・押収の禁止（35条）
・拷問・残虐刑の禁止（36条）
・不利益な供述強要の禁止・自白の証拠能力（38条）
・刑罰法規の不遡及・二重処罰の禁止（39条）

⇒刑事被告人の諸権利：①公平な裁判所の迅速な公開の裁判を受ける権利，②証人審問権，③弁護人依頼権

●経済的自由

・居住・移転・職業選択の自由（22条－1）
・外国移住・国籍離脱の自由（22条－2）
・財産権の不可侵（29条）

⇒居住・移転・職業選択の自由は「公共の福祉」に反しないことが条件。また，財産権の内容は「公共の福祉」に適合するように法律で定めるとしている。

◇社会権

・生存権（25条）
・教育を受ける権利（26条）
・勤労者の団結・団体交渉・団体行動権（28条）

◇参政権

・公務員の選定・罷免権（15条）
・普通選挙・秘密選挙の保障（15条－3，－4）
・選挙権・被選挙権（15条，44条，93条）
・最高裁判所裁判官国民審査権（79条）
・特別法制定同意権（95条）
・憲法改正国民投票権（96条）

⇒最高裁判所裁判官国民審査：任命後初めて行われる衆議院議員総選挙の際，およびその後10年を経過した後，初めて行われる衆議院議員総選挙の際に審査され，投票者の多数が罷免を可とする場合に罷免される。

⇒憲法改正国民投票：衆参各議院の総議員の3分の2以上の賛成で国会が発議し，国民投票によって過半数の賛成を必要とする。

◇請求権

・請願権（16条）
・国家賠償請求権（17条）
・裁判請求権（32条）
・刑事補償請求権（40条）

◇新しい人権

憲法に規定のない，社会の変遷に伴い社会的に認められるようになった人権。最高裁判所が正面からその存在を認めた事例はプライバシーの権利に限定。←根拠条文：13条幸福追求権

・プライバシーの権利（肖像権を含む）
・環境権・日照権・通風権
・知る権利（情報入手権・情報利用権・情報修正権・アクセス権）

重要語解説

●検閲…最高裁は憲法が定める「検閲の禁止」を，公共の福祉を理由とする例外の許容を認めない絶対的禁止とした上で，「検閲」の定義を行政権が主体となって，思想内容等の表現物を対象とし，その全部または一部の発表の禁止を目的とする。対象とされる表現物につき網羅的，一般的に発表前にその内容を審査した上，不適当と認めるものの発表を禁止するもので，国外発表後の税関検査は検閲に当たらないと判示（S59.12.12）。

ワンポイント★アドバイス

国民「全体の奉仕者（15条－2）」である公務員を目指す者にとって，基本的人権の考え方，その性格や分類に関しては基本中の基本。憲法の条文を参照しながら整理しよう。

出題パターン check!

基本的人権の歴史に関する次の記述のうち，妥当なものはどれか。

（1）19世紀には市民社会を成立させるため平等権を，さらに20世紀に入ると労働者の地位向上のため自由権を重視した。
（2）20世紀には公共の福祉による制約はあるものの，市民的自由の確保のため平等権の保障が重視された。
（3）19世紀には参政権の保障が重視されたが，社会的弱者の拡大とその保護のため，20世紀に入ると参政権は自由権に取って代わられた。
（4）18世紀的な平等の観念は市民的自由の確保のため実質的平等を目指すものであった。
（5）社会権は社会的・経済的弱者の保護という認識に立ち，国家の積極的な活動を要求する権利である。

答え（5）

過去５年の出題傾向 ★★★★★

政治 ② 基本的人権保障と判例の立場

近年，基本的人権分野において代表的な判例の立場（判旨）を問う出題が多く見受けられる。ここでは出題頻度の高いと考えられる判例の立場をまとめておく。

■基本的人権の享有主体 よく出る

◇外国人の人権保障

・権利の性質上，日本国民のみを対象とすると解されるもの以外，在留外国人にも保障は及ぶ（最大判 S53･10･4）。

・わが国の政治的意思決定またはその実施に影響を及ぼす活動（国政・都道府県レベルの参政権）などを除き保障が及ぶ（最大判 S53･10･4）。

・憲法 93 条 2 項の住民は日本国民を意味し，在留外国人に地方参政権を保障したものではないが，在留外国人のうち永住者等に対し，法律で地方選挙権（市町村レベル）を与えることを禁止するものではない（最判 H7･2･28）。

・入国の自由（最大判 S32･6･19），再入国の権利は否定（最判 H4･11･16）。

・出国の自由は肯定（最大判 S32･12･25）。

・社会保障上の施策における在留外国人への処遇については特別の条約の存しない限り，立法府の裁量の範囲（最判 H1･3･2）。

◇法人の人権保障

・性質上可能な限り，内国の法人にも適用されるべき（最大判 S45･6･24）。

⇒認められない人権（自然人固有の人権）：奴隷的拘束・苦役からの自由（18 条），不当な抑留・拘禁の禁止（34 条），選挙権・被選挙権（44 条）など。

■憲法の私人間効力

基本的人権規定は，国や地方公共団体の統治行動に対する個人の自由や平等の保障を目的とし，もっぱら国や地方公共団体と個人との関係を規律し，私人相互の関係を直接規律しない。また私人間における憲法の理念適用は，公序良俗など民法の一般条項（民法 90 条）を媒介するとした間接適用説を採用（最大判 S48･12･12，最判 S49･7･19，最判 S56･3･24）。

■プライバシーの権利 よく出る

・憲法 13 条は国民の私生活上の自由が国家権力の行使から保護されるべきことを規定。警察官が正当な理由もなく個人の容貌を撮影するのは違憲（最大判 S44･12･24）。

・住民基本台帳ネットワークシステムによって管理・利用等される本人確認情報は個人の内面に関わるような秘匿性の高い情報とはいえないため憲法 13 条に違反しない（最判 H20･3･6）。

・市区町村長が弁護士会の照会に応じ，前科などを報告することは，公権力の違法な行使にあたる（最判 S56･4･14）。

・前科などにかかわる事実が，私人の著作物で実名使用にて公表された場合，それを公表されない法的利益が公表する理由に優越するときは公表で被った精神的苦痛の賠償を求められる（最判 H6･2･8）。

■法の下の平等

・在外邦人の有権者が裁判官の国民審査に投票することは，選挙権と同じように平等に保障される（最大判 R4･5･25）。2023 年，在外邦人も最高裁の裁判官の国民審査の在外投票ができる法改正が施行。

・非嫡出子の相続分を嫡出子の相続分と同等にする（最大判 H25·9·4）。その後，非嫡出子法定相続分が嫡出子の2分の1との民法の規定（旧 900 条 4 号但し書きの前段部分）は，法改正により削除された。
・合理的根拠に基づき各人の法的取り扱いに区別を設けることは憲法 14 条に違反せず，民法 733 条（女性の再婚禁止期間）はその立法趣旨（父性推定の重複回避）から違法ではない（最判 H7·12·5）。なお，「100 日を超える禁止期間は憲法に違反する」とした 2015 年の最高裁判決を受け，離婚した女性の再婚禁止期間は 100 日に短縮され，2022 年 12 月成立の民法改正で再婚禁止期間は廃止された（2024 年 4 月より施行）。
・憲法が各地方公共団体に条例制定権を認める以上，地域によって行為の扱いに差別を生じることは当然予想されたことで違憲ではない（最大判 S33·10·15）。
・選挙人の投票価値の不平等が，一般的に合理性を有すると考えられない程度に達しているとき，国会の合理的裁量の限界を超え，不平等を正当化すべき理由が示されない限り違憲。しかしこれによって直ちに議員定数配分規定を違憲とすべきではなく，人口変動の状態をも考慮して合理的期間内の是正が憲法上要求されていると考えられるのに行われない場合に初めて違憲となる（最大判 S58・4・27）。
・議員定数配分規定は本件選挙当時違憲と断定するほかはないが，事情判決の制度により右選挙の違法を宣言するにとどめ選挙は無効としない（最大判 S60・7・17）。

■政教分離原則

・憲法 20 条が禁止する国及びその機関の宗教的活動は，行為の目的が宗教的意義を持ち，効果が宗教に対し援助，助長，促進，圧迫，干渉等となる行為。地鎮祭は世俗的であり宗教的活動にあたらない（最大判 S52・7・13）。
・神社がその境内で挙行する祭祀に際して地方公共団体が玉串料等を奉納することは，宗教的活動にあたり違憲（最大判 H9·4·2）。

■職業選択の自由

・公衆浴場法の適正配置規制は浴場の偏在や濫立を避け，衛生設備の低下を防ぐために必要で違憲ではない（最大判 S30·1·26）。
・薬事法（現・薬機法）に定める薬局の適正配置規制は，消極的・警察的目的の規制で，薬局の偏在に伴う過当競争による不良医薬品供給の危険性は観念上の想定で，公共の利益のため必要かつ合理的規制とはいえず違憲（最大判 S50·4·30）。
・酒税法における酒類販売の免許制に関し，租税法の定立は総合的な政策的・専門技術的判断を必要とし，立法府の裁量的判断を尊重せざるを得ず，本法における立法府の判断が，政策的，技術的裁量の範囲を逸脱し，著しく不合理とは断定しがたい（最判 H4·12·15）。

重要語解説

●嫡出子と非嫡出子…嫡出子とは法律上婚姻関係にある男女を父母として生まれた子で，非嫡出子とは法律上の婚姻関係にない男女間に生まれた子をいう。非嫡出子に対する母子関係は，分娩の事実によって当然発生する（最判 S37·4·27）が，父子関係やその他の母子関係は認知によって発生（民法 779 条）。

出題パターン check!

日本国憲法が保障する基本的人権の保障に関し，判例の立場として妥当なものはどれか。

（1）外国人は憲法の定める基本的人権の享有主体ではないが，保障の及ぶ場合がある。
（2）基本的人権は歴史的に自然人を対象としたものであり，法人は享有主体とはなりえない。
（3）個人の私生活上の自由の一つとして，何人も許諾なくみだりにその容ぼうを撮影されない権利を有する。
（4）ある行為の取締りに関する罰則を条例で定めることは，法の下の平等に反するとするのが判例の立場である。

答え（3）

過去５年の出題傾向 ★★★☆☆

政治 ③ わが国の統治機構

国会と内閣の関係を表す議院内閣制，内閣と内閣総理大臣の権能，議院の権限，衆議院の優越，国会議員の特権，裁判官の任免と違憲立法審査権を整理しておこう。

■議院内閣制

（1）定義：内閣が国会の信任の下に存立

（2）憲法に規定される議院内閣制

①内閣総理大臣は国会議員の中から国会の議決で指名される（67条）。

②内閣総理大臣が任命する国務大臣はその過半数が国会議員でなければならない（68条）。

③内閣は国会に対し連帯責任を負う（66条）。

④衆議院が内閣不信任の決議をした場合，10日以内に総辞職するか衆議院を解散しなければならない（69条）。

■内閣の総辞職と衆議院の解散

（1）内閣が総辞職する場合

①内閣不信任決議後，10日以内に衆議院を解散しなかった場合。

②衆議院議員総選挙後，初めて国会を召集したとき。

③内閣総理大臣が死亡や国会議員の議席を失うなどで欠けた場合。

④内閣自身の判断で任意に総辞職する場合。

（2）内閣が衆議院を解散させる方法

①衆議院が内閣不信任の決議を行い，内閣が10日以内に総辞職を選択しなかった場合に解散を行う（69条解散）。

②内閣が閣議決定により天皇の衆議院を解散する国事行為（７条３号）に対して助言と承認を与えて解散を行う（７条解散）。

■内閣の職務権限

（1）内閣の職務と権限（73条）

①条約の締結（事前，事後の国会承認が必要）。

②予算の作成と国会への提出。

③政令の制定。

（2）内閣総理大臣の権限

①国務大臣の任免，閣議の主宰。

②国務大臣に対する訴追同意権。

■議院の権限

①自律権（58条）　②国政調査権（62条）

■衆議院の優越 よく出る

（1）機能面での優越

①予算先議権（60条）

②内閣不信任決議権：参議院には問責決議権があるが，可決による内閣の総辞職や参議院の解散はできない（69条）。

（2）議決面での優越

①法律案の議決（59条）

ア）衆議院で可決し，参議院でこれと異なった議決をした場合。

イ）衆議院が可決した法律案を参議院が受け取った後，国会休会中を除き60日以内に議決をしない時。

⇒ア)・イ）とも衆議院で出席議員の３分の２以上の多数で再可決されれば法律となる（再議決前に両院協議会を開いてもよい）。

②予算の議決と条約の承認（60条，61条）

ア）参議院で衆議院と異なる議決をした場合。

⇒必ず両院協議会を開催，意見が不一致。

イ）衆議院可決後，参議院が国会休会中を除き30日以内に議決をしない時。

⇒ア)・イ）とも衆議院の議決が国会の議決。

③内閣総理大臣の指名（67条）

ア）衆議院と参議院が異なる議決をした場合。

⇒必ず両院協議会を開催，意見が不一致。
イ）衆議院の指名議決後，参議院が国会休会中を除き10日以内に議決をしない時。
⇒ア)・イ)とも衆議院の議決が国会の議決。

■国会議員の特権その他 よく出る

①不逮捕特権：全国民の代表者として国会への出席を確保（50条）。
・会期中逮捕されない。
・会期前に逮捕されても議院の要求で釈放。例外）院外での現行犯の場合など。
②免責特権：議院での演説・討論・表決に関して免責をうける（51条）。
・議員の職務として行われたものであれば議院（国会内）に限定されない。
・免責＝刑事責任・民事責任を問われない。
※国会議員であっても，国務大臣としての職務に関して特権の適用はない。
③兼職禁止：衆議院および参議院議員を兼務することはできない（48条）。

■裁判官の任免

(1) 裁判官の任命（79条，80条）

①最高裁判所長官:内閣の指名，天皇の任命。
②その他最高裁判所裁判官：内閣の任命。
③下級裁判所裁判官：最高裁の指名名簿から内閣が任命。

(2) 裁判官の罷免（78条，79条）

①裁判所による罷免（分限裁判）：心身故障による職務不能の場合。
②国会による罷免(弾劾裁判)：ア)著しい職務義務違反，イ）甚だしい職務懈怠，ウ）裁判官の威信を失う非行が認められる場合。
③最高裁判所裁判官に対する国民審査。

■違憲立法審査権 よく出る

(1) 定義

一切の法律，命令，規則又は処分が憲法に適合するかしないかを決定する権限。

(2) 違憲立法審査権の主体

・最高裁判所と全ての下級裁判所。

(3) 違憲立法審査の対象

・あらゆる国家行為が対象。条約は「一見きわめて明白に違憲無効であると認められない限り」違憲判断をすべきではない（判例）。

(4) 付随的違憲審査制の採用と効力

・具体的事件との関連でのみ，当該事件に適用される法令の審査が行われ，違憲とされた法令は，争われた事件に限り無効。

●国会の種類

種類	召集時期	会　期	主要議案
常　会	毎年1回,1月中	150日（延長1回可）	次年度予算審議
臨時会	内閣またはいずれかの議院の総議員の4分の1以上の要求により召集	両議院一致の議決によって決定（延長2回可）	予算や外交その他国政上必要な事項
特別会	衆議院解散後の総選挙の日から30日以内に召集	同　上	内閣総理大臣の指名
参議院の緊急集会	衆議院解散中,国に緊急の必要が生じたとき,内閣が集会を要求	不　定	国政上緊急に必要な事項

※1:緊急集会での議案は,内閣が集会を要求した議案およびそれに付随する議案に限定。
※2:緊急集会でとられた措置は,次の国会開会後10日以内に衆議院の同意がなければ,それ以降効力を失う。

重要語解説

●議院の自律権…衆議院，参議院が他の国家機関および他の議院から干渉を受けず，組織構成や運営について自律的に決定できる権能。①会期前に逮捕された議員の釈放要求，②議員の資格争訟裁判権，③役員先任権，④議員規則制定権，⑤議員懲罰権がある。
●国会の会期…国会は会期ごとに独立。原則として会期中議決できなかった議案は次の国会に継続しない。ただし，各議院の議決で特に付託された案件は国会閉会中も審査され，次の国会に継続する。

出題パターン check!

国会・内閣・裁判所に関する次の記述のうち，妥当なものはどれか。

(1) 国会議員は，不逮捕特権を有するので，法律でその例外を定めることはできない。
(2) 国会議員は，議院の議決によりその資格を奪われることはない。
(3) 予算案が衆議院で可決され参議院で否決され，両院協議会を開いても意見が一致しない場合，衆議院の議決が国会の議決となる。
(4) 法律案を国会に提出できるのは内閣だけが持つ権限である。
(5) 行政事件は高度に政治性を有するので，一見きわめて明白に違憲無効と認められない限り違憲立法審査権は及ばない。

答え（3）

過去５年の出題傾向 ★★☆☆☆

政治 ④ 地方自治

本項では，地方自治の本旨，組織および権能，住民の直接請求権，地方分権一括法や三位一体の改革による地方分権をめぐる近年の動向などを整理する。

■地方自治の本旨

（1）憲法と地方自治

・地方公共団体の組織及び運営に関する事項は，地方自治の本旨に基づいて，法律でこれを定める（憲法 92 条）。

（2）地方自治の本旨

①団体自治

・地方の行政は，国から独立した地方公共団体の機関が行う。

②住民自治

・地方の行政は，住民が直接または代表者を通じて行う。

■地方公共団体の組織

（1）執行機関

①首長

・都道府県知事，市町村長。

・住民の直接選挙で選出，任期４年。

②行政委員会

・地方行政の民主化，政治的中立確保のため首長から一定程度独立して存在する合議制の機関。

・都道府県には公安委員会，地方労働委員会，教育委員会，選挙管理委員会，人事委員会，収用委員会などがある。

（2）議決機関

①地方議会

・都道府県議会，市町村議会。

・一院制，住民の直接選挙で議員を選出。

・任期４年，解散あり。

（3）補助機関

・都道府県では副知事，市町村では副市町村長を，首長が議会の同意を得て任命。

■議会と首長の関係 よく出る

（1）議会の首長に対する不信任決議

・議員の３分の２以上の出席で４分の３以上が賛成した場合，首長に対する不信任が成立。その際，首長は 10 日以内に議会を解散しない場合，辞職しなければならない。

（2）首長の拒否権

・首長が拒否権によって議会に対し再議決を求めた場合，議会は出席議員の３分の２以上で再可決すれば，議会の決定通りとなる。

■地方公共団体の権能

（1）自治行政権

・財産の管理，事務の処理，行政の執行。

（2）条例制定権

・法律の範囲内で制定。自治立法の権限。

■地方分権の推進

（1）地方分権一括法の制定

・2000 年４月，地方分権一括法施行。

・2007 年４月，地方分権改革推進法施行。

（2）地方分権一括法制定の効果

①国と地方自治体の役割の明確化

ア）国の重点的役割

・国際社会における国家の存立に関わる事務。

・全国的に統一して定めることが望ましい国民の諸活動もしくは地方自治に関する基本的な準則に関する事務。

・全国的な視点に立って遂行しなければならない施策および事業の実施。

イ）地方自治体の役割

・住民の福祉の増進を図ることを基本とし

て地域の行政を自主的かつ総合的に実施。

（3）地方公共団体の事務

①機関委任事務の廃止

・機関委任事務＝国が地方自治体の首長などを出先機関として事務を代行させ，指揮監督権を行使。

・地方自治体の事務は機関委任事務を廃止し，自治事務と法定受託事務の2区分となった。

②自治事務

・地方自治体が自らの判断と責任で実施。

・都市計画の決定，飲食店営業の許可など。

③法定受託事務

・国の役割を法に基づいて自治体が引き受ける事務。

・パスポートの交付，国政選挙，生活保護の実施の決定，国道の管理など。

（4）国の関与見直し

・国による地方自治体への関与に関し，法令の根拠が必要。

・自治事務，法定受託事務ごとに国の関与の基本類型を定める。

・「通達」の廃止。

（5）第14次地方分権一括法

地方分権推進のための法改正を行うことを定めたもの。2024年6月より施行された同法（第14次）では，妊産婦の里帰り先と住所地の市町村間での情報提供を可能にし，大規模災害時の建築物の審査・検査等での変更が盛り込まれた。

なお，毎年の地方分権一括法案等を国会に提出しているのは，地方分権改革推進本部である。この組織は，本部長を内閣総理大臣とし，地方からの提案を受けて，地方公共団体への事務・権限の移譲，義務付け・枠付けの見直し等を推進している。

■地方自治と外国人

（1）永住外国人の地方参政権

（2）日本在住外国人である地方公務員

・わが国に在住する外国人を，これに任用することは国民主権の原理に反するものではなく，「職業選択の自由」「法の下の平等」の保障が及ぶ（東京高裁H9・11・26）。

■地方自治法上の直接請求権 よく出る

住民自治に基づいて民意を直接反映させる制度。

請求の種類	必要署名数	請求先	請求成立後
条例の制定・改廃（イニシアティブ）	有権者の50分の1以上	首長	首長が20日以内に議会にはかり，結果を公表。
監査請求	有権者の50分の1以上	監査委員	監査し，結果を公表。
議会の解散（リコール）	有権者の3分の1以上（有権者数が40万を超える場合，その超える数に6分の1を乗じて得た数と40万に3分の1を乗じて得た数とを合算して得た数）	選挙管理委員会	住民投票（レファレンダム）の実施。過半数の賛成で解散及び解職。
首長・議員の解職（リコール）		選挙管理委員会	住民投票（レファレンダム）の実施。過半数の賛成で解散及び解職。
副知事・副市町村長等役員の解職（リコール）		首長	総議員の3分の2以上の出席する議会で，出席議員の4分の3以上の賛成で解職。

※住民投票（レファレンダム）：一地方自治体のみに適用される特別法の制定に関し，当該地方自治体の住民投票においてその過半数の同意を得なければ，法律が制定できない制度。リコール時も投票が行われる。

ワンポイント★アドバイス

地方自治分野からの出題はそれほど多いとはいえないが，基本的人権との関連で定期的に出題されているので侮れない。

重要語解説

●地方自治体への国の関与の基本類型…法定受託事務：助言および勧告，資料の提出要求，協議，同意，許可・認可・承認，指示，代執行。自治事務：助言および勧告，資料の提出要求，協議，是正の要求。

●通達…通達は上級行政機関から下級行政機関に対して行われる。地方分権一括法は国と地方自治体との関係を対等と位置づけるので，通達は廃止となった。

出題パターンcheck!

地方公共団体に関する次の記述のうち，違憲の疑いの強いもの1つを選びなさい。

（1）条例により，永住外国人に当該地方公共団体の議会議員の選挙権を付与する。

（2）条例により，当該地方公共団体が法律に定めのない税金を住民から徴収する。

（3）条例により，他の地方公共団体では処罰されない行為を処罰の対象とする。

（4）条例により，地方公共団体の長の被選挙権を当該地方公共団体の住民以外の者にも与える。

（5）条例により，当該地方公共団体の全ての公務員の職から，在住外国人を排除する。

答え（5）

過去５年の出題傾向 ★★★★☆

経済① 需要と供給

ミクロ経済学の第一歩。需要と供給の概念を整理する。需要曲線および供給曲線のシフト原因，需要の価格弾力性の意義，弾力性と収入・支出額の関係など地方上級試験では要注意。

■需要曲線のシフト原因 よく出る

（1）需要曲線の定義

・価格と需要量の関係を表す曲線。
・価格が上昇すれば需要量は減少するので，右下がりの曲線となる。

（2）需要曲線のシフト

・価格に変化がなく需要量が増大すると，需要曲線は右へシフトし，減少すると左へシフトする。

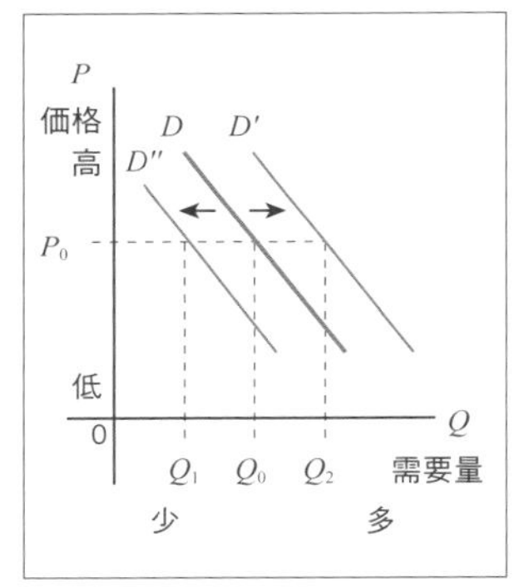

（3）需要曲線の右へのシフト要因

①市場内の人口増加。
②需要者（消費者）の所得増加。
③購買意欲の拡大。
④代替財の価格の上昇。
⑤補完財の価格の下落。
⑥嗜好，流行の変化や財の必要性を高める気候の変化。
（左へのシフト要因はこれらの逆）

（4）代替財の価格と需要量

・X財の代替財であるY財の価格上昇は，Y財自体の需要量を減少させるが，代わってX財の需要量を増大させる。
・例）X：ビールとY：発泡酒

（5）補完財の価格と需要量

・X財の補完財であるY財の価格下落は，Y財自体の需要量を増大させ，伴せてX財の需要量をも増大させる。
・例）X：ゲームソフトとY：ゲーム機

（6）需要曲線が右上がりになる場合

①デモンストレーション効果：友人が所有する財を自分も所有したいと考え，価格や所得に関係なく財を需要する現象。
②ヴェブレン効果：見栄から高価な財ほど購入欲求が高まり需要量が増加する現象。
③依存効果：広告を見てつい購入したくなる。
④ギッフェン財：価格が上昇しても需要量の増加をもたらす財。オイルショックの際の石油製品。

■供給曲線のシフト原因 よく出る

（1）供給曲線の定義

・価格と供給量の関係を表す曲線。
・価格が上昇すれば供給量は増加するので，右上がりの曲線となる。

（2）供給曲線のシフト

・価格に変化がなく供給量が増大すると，供給曲線は右へシフトし，減少すると左へシフトする。

（3）供給曲線の左右へのシフト要因

・供給曲線は生産費の変化によってシフトする。生産費

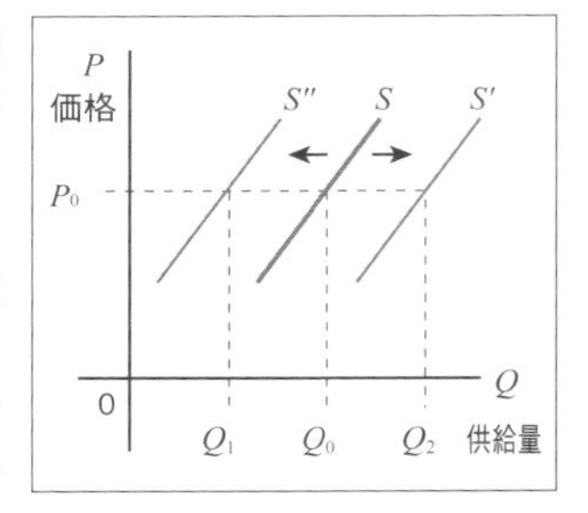

のシフト要因として人為的要因と自然的要因がある。

①技術革新　(右シフト)。
②原材料費の下落（右シフト）。
③賃金（コストとしてとらえる）の上昇（左シフト）と下落（右シフト）。
④課税（左シフト）と税の軽減（右シフト）。
⑤好天候による豊作（右シフト）。

■需要の価格弾力性

①価格の変化率に対する需要量の変化率。

$$\text{需要の価格弾力性} = \frac{\text{需要量の変化率}}{\text{価格の変化率}}$$

②価格の変化率＝需要量の変化率の場合，需要の価格弾力性は1。
③需要の価格弾力性が1より大きい（$\eta > 1$）
⇒奢侈品（需要曲線の勾配は緩やか）。
④需要の価格弾力性が1より小さい（$\eta < 1$）
⇒生活必需品（需要曲線の勾配は急となる）。

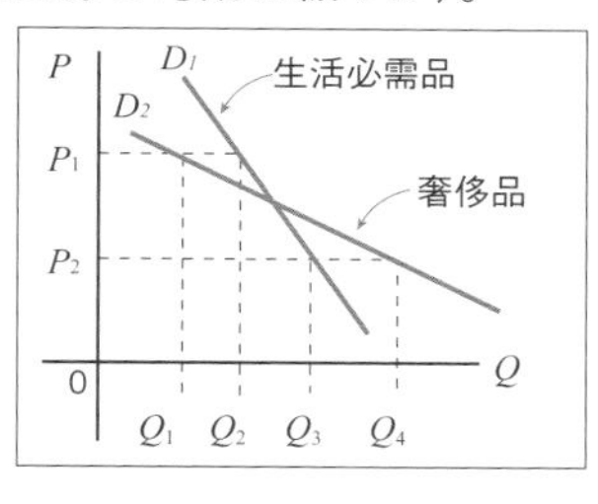

■需要の価格弾力性と収入　よく出る

需要の価格弾力性を記号ηで表すと需要の価格弾力性と収入（支出）額の関係は

	$\eta > 1$	$\eta = 1$	$\eta < 1$
価格上昇	減　少	不　変	増　加
価格下落	増　加	不　変	減　少

となる。

■政府により物品税が商品に課税された影響

政府が売り手に販売量1単位あたりT円課税。

販売者側はT円のコストが発生。
供給曲線はT円分左上へシフト。

均衡点E_1，価格P_1，取引量Q_1となる。
①買い手は1単位あたり$P_1 - P_0$円分余分な支払いが発生。
②売り手は1単位あたりT円の物品税を支払うため，1単位の収入はP_2円となる。

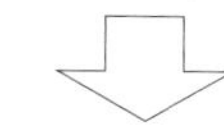

T円の物品税が課せられた結果
①（$P_1 - P_0$）×Q_1が買い手に転嫁。
②（$P_0 - P_2$）×Q_1が売り手の負担。
⇒需要の価格弾力性が大きいほど売り手の税負担が拡大する。

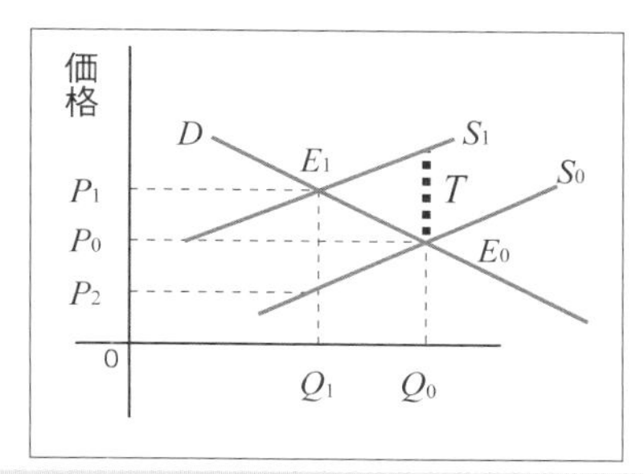

重要語解説

●需要量の変化…①財の価格の変化，②市場の拡大・縮小による変化の2つがある。①の場合，単位あたりの価格が下落した結果，需要量は需要曲線上に沿った変化として増加する。②の場合は所得や人口の変化を要因として，需要曲線自体のシフトを通して需要量が変化するので注意を要する。

出題パターンcheck!

需要に関する次の記述のうち，妥当なものはどれか。

（1）ある財・サービスに対する需要曲線を移動させる要因として，価格の変化がある。
（2）ある財・サービスに対する需要曲線を移動させる要因として，生産コストの変化がある。
（3）ある時期の財の需要量は，代替財の価格が低ければ低いほど増加する。
（4）ある時期の財の需要量は，補完財の価格が低ければ低いほど増大する。
（5）奢侈品への支出額とその需要量には，一般に価格が低下し需要量が増加しても，支出額は減少するという関係がある。

答え（4）

過去５年の出題傾向　★★★★☆

経済 ② 貨幣需要と *IS-LM* 分析

教養科目であっても，マクロ経済学で扱われる貨幣需要の動機および *IS–LM* 分析に関する問題が出題されているので，整理しておく必要がある。

■貨幣保有（貨幣需要）の動機　よく出る

「お金はいくらあっても邪魔にならない」と言われる。しかしどんな大金持ちも，財産や収入の全てを貨幣で持とうとは思わない。では，どのような場合に人は貨幣を保有しようとするのか。

（１）取引動機

①経済的な取引を行う場合，貨幣の受取りと支払いの間に生ずる時間的なズレに備えて貨幣を保有しようとする動機。

②経済活動の規模（国民所得の規模）が大きいほど貨幣需要は増加する。

（２）予備的動機

①突然の取引機会を逃さない，または不測の支出に備えて貨幣を保有しようとする動機。

②経済活動が活発なほど思いがけない取引や支出が増えるので，国民所得の規模が大きいほど貨幣需要も増加する。

（３）投機的動機（資産動機）

①価値保蔵手段（資産）として他の手段（例えば国債などの「債券」）よりも貨幣を保有した方が有利と判断し，貨幣を保有しようとする動機。

②債券の利子率が低いと債券需要が低下し，将来の債券価格も現在の価格より下回る可能性があり，貨幣保有のほうが有利であると考え，貨幣需要が増加する。

③債券価格が低く，利子率が上昇傾向にあれば将来の値上がりを見越し，貨幣を手放し債券を購入するため，貨幣需要は減少する。

■ *IS-LM* 分析

（１）**定義**：国民所得と利子率がどの水準に決定されるかを生産物市場と貨幣市場の相互依存関係に基づいて説明する理論。

（２）***IS* 曲線**：投資曲線と貯蓄曲線から生産物市場を均衡させる国民所得と利子率の組合せを表す。

①投資 I は利子率が低いほど大きくなるため，縦軸に利子率 r，横軸に投資 I をとると，投資曲線は右下がりの曲線となる〈図(2)−①〉。

②貯蓄 S は国民所得が増加すると増大するので，縦軸に国民所得 Y，横軸に貯蓄 S をとると，貯蓄曲線は右上がりの曲線となる〈図(2)−②〉。

③例えば利子率が r_0 であれば投資水準は I_0，貯蓄と投資が等しくなる水準に国民所得が決定されるため，

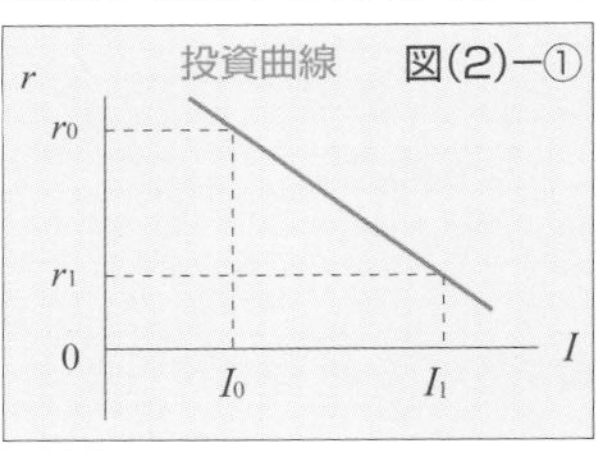

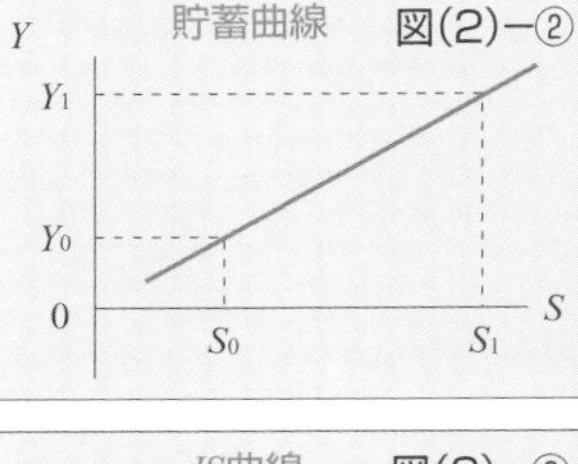

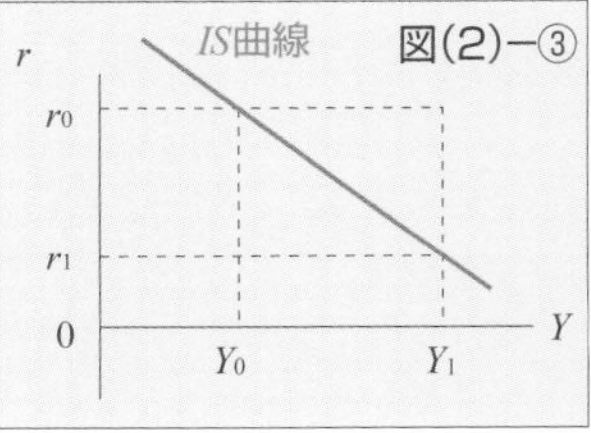

I_0に等しい貯蓄S_0に対応した国民所得Y_0が均衡値となる。もし，利子率がr_1に低下すれば，投資はI_1に上がり，より多くの貯蓄を生み出すためには均衡国民所得はY_1に上昇。このようにして縦軸にr，横軸にYをとれば，IS曲線は右下がりの曲線となる〈図（2）−③〉。

（3）*LM*曲線：貨幣市場の均衡を保障する

国民所得と利子率の組合せを表し，貨幣供給曲線と貨幣需要曲線から導かれる。

①貨幣供給Mは中央銀行の金融政策の管理下にあり，一定の大きさ$\bar{M}$と仮定。

②貨幣需要は取引需要L_1と投機的需要L_2とから構成され，取引需要L_1は国民所得Yに比例する。それゆえ，取引需要曲線は縦軸がY，横軸をL_1とする原点から始まる右上がりの曲線となる〈図（3）−①〉。

③投機的需要L_2は利子率rに依存し，縦軸にr，横軸にL_2をとると，右下がりの曲線となる〈図（3）−②〉。

④仮に利子率がr_0であると投機的需要はL_{20}となる。貨幣需要は$\bar{M}$だから貨幣市場が均衡するには取引需要は$\bar{M}-L_{20}=L_{10}$となり，従って国民所得はY_0となる。このようにしてr_0とY_0の組合せは貨幣市場を均衡させる。利子率がr_1に減少すると投機的需要はL_{21}に増加するため，取引需要が$\bar{M}-L_{21}=L_{11}$に減少すれば貨幣市場は均衡。そのためには国民所得はY_1に減少する必要がある。

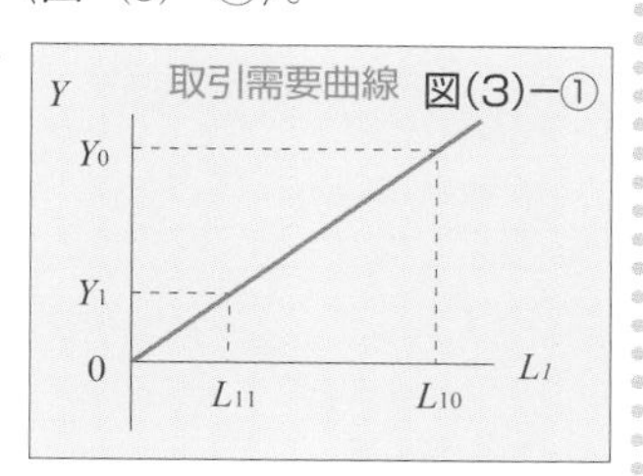

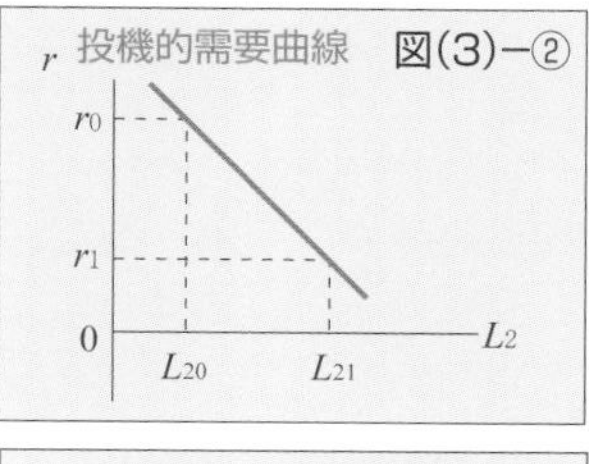

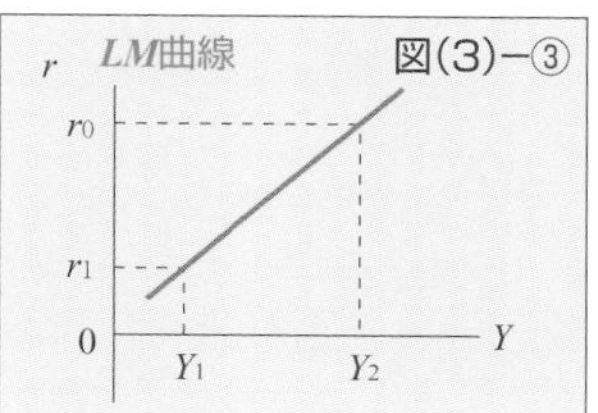

⑤このように利子率rが減少すれば，国民所得Yも減少するため，縦軸にr，横軸にYをとるとLM曲線は右上がりの曲線になる〈図（3）−③〉。

（4）*IS*曲線のシフト よく出る

減税や財政拡大により，将来の見通しが改善され，大きな利益が得られると考えられた場合，投資曲線もIS曲線も右へシフトする。

（5）*LM*曲線のシフト よく出る

中央銀行の金融政策により貨幣供給が変化すれば，LM曲線もシフトする。

①金融緩和策＝LM曲線は右へシフトする。

②金融引き締め策＝LM曲線は左へシフトする。

重要語解説

●国民所得…国の経済規模を示す指標の一つ。国民経済によって1年間に生産された財やサービスの総額を市場価格で算出した「総生産額」から「中間生産物」を差し引いたものを「国民総生産」という。国民所得はこの「国民総生産」から「資本減耗引当」を控除し，さらに間接税を差し引いた額に補助金を加えた額。

ワンポイント★アドバイス

本項は専門分野の項目であるが，地方上級は侮れない。専門のマクロ経済学を理解するためにも，基礎的知識を整理しておこう。

出題パターンcheck!

貨幣に関する次の記述のうち，妥当なものはどれか。

（1）取引動機に基づく貨幣需要は国民所得の規模に反比例する。
（2）予備的動機に基づく貨幣需要は国民所得の規模に比例する。
（3）予備的動機に基づく貨幣需要は利子率の高低に反比例する。
（4）投機的動機に基づく貨幣需要は国民所得の規模に比例する。
（5）投機的動機に基づく貨幣需要は債券の利子率の高低に比例する。

答え（2）

過去５年の出題傾向 ★★★☆☆

経済 ③ 財政政策と金融政策

資本主義経済は景気変動を繰り返し成長する。不況や景気過熱から経済を守るため，政府が実施する総需要管理政策としての財政・金融政策を整理する。

■財政の機能

（１）定義

歳入と歳出を操作することによって国民の経済福祉の維持向上を図る。

（２）機能

①資源配分
②所得の再分配
③経済の安定成長

（３）フィスカル・ポリシー

物価の安定と国際収支の均衡を図りながら，完全雇用と経済成長を実現，経済福祉の向上を目標とする。以下２つのものがある。

①ビルトイン・スタビライザー

財政の仕組みの中に予め設けられた，自動的に景気変動を緩和する装置のことをいう。

ア）累進課税になっている所得税や景気変動に左右されやすい法人税。
・景気上昇期
⇒税収増加で需要を抑制。
・景気後退期
⇒税収減少による需要の確保。

イ）社会保障制度の一つである雇用保険制度。
・景気上昇期
⇒就業者の増加による，保険料収入の増加と，保険給付の減少による景気過熱防止。
・景気後退期
⇒失業者の増加による保険給付の増加で有効需要減少を防止。

ウ）ビルトイン・スタビライザーの前提には，均衡財政を基本とする考え方の克服がある。
⇒均衡財政の思想を財政に取り込むと，景気後退期の財政赤字回避のため，税収減少に応じて増税や財政支出削減が，さらに景気上昇期に税収増加で歳入超過となった分を減税や財政支出の財源とするため，それぞれの局面を刺激し，景気変動を増長することになってしまう。

②裁量的財政政策

政策担当者が経済の動向をみながら租税や財政支出の増減を決定し，総需要に影響を与える政策。
・景気上昇期
⇒財政支出による公共事業の抑制や増税によって総需要を減少させる。
・景気後退期
⇒赤字財政になっても，財政支出を拡大し需要を創出するか，減税により，民間の消費や投資を刺激。

■金融政策の手段 よく出る

金融政策の目的は，中央銀行が市場の通貨供給量をコントロールし，完全雇用の実現と経済の最適成長を図ることにある。

金融政策の具体的方法には，以下の３つの方法があげられる。

（１）基準貸付利率の変更

中央銀行が市中銀行に資金を貸付ける際の金利である基準貸付利率（公定歩合）を上下させ，資金需要を調整。

・景気上昇期
⇒基準貸付利率の引き上げによって市中金利を上昇させ，資金需要を減少。
・景気後退期
⇒基準貸付利率の引き下げによって市中金利を引き下げ，資金需要を刺激。
（2）公開市場操作（オープン・マーケット・オペレーション）
中央銀行が公開市場において，有価証券や手形，特に国債の売買を市場価格で行うことで市場の通貨供給量をコントロールする。
・景気上昇期
⇒売りオペレーションを行って手持ちの有価証券を売却し，資金を市場から吸い上げる。
・景気後退期
⇒買いオペレーションを行って市場から有価証券を買い上げ，資金を市場から吸い上げ市場に資金を放出する。
（3）支払準備率操作（預金準備率操作）
法律によって市中金融機関に支払い準備金として，預金の一定割合を中央銀行に預託させ，その支払準備率を中央銀行が上下させることで市中金融機関の信用創造力を調整。
・景気上昇期
⇒支払準備率の引き上げを実施して，市中銀行の信用創造力を抑制。
・景気後退期
⇒支払準備率の引き下げを実施して，市中銀行の信用創造力を促進。

■財政政策の効果

（1）政府が市中消化による国債を発行し，それを財源に財政支出の拡大を図った場合。
⇒財政支出の拡大により有効需要が増加しても利子率が一定であれば，国民所得を増加させる効果があり，*IS* 曲線は右へシフト。
（2）財政支出が一定で減税を実施した場合。
⇒減税による可処分所得の増加で消費が増え，*IS* 曲線は右へシフト。
⇒しかし，可処分所得の増加は貨幣需要を増加させ，利子率が上昇して *LM* 曲線は左へシフト。

■金融政策の効果 よく出る

（1）景気後退期に中央銀行が金融緩和策をとった場合。
⇒通貨（貨幣）供給量が増加し，*LM* 曲線は右へシフトし，利子率の低下および国民所得の増加をもたらす。
（2）景気上昇期に中央銀行が金融引き締め策をとった場合は（1）の逆。
⇒通貨（貨幣）供給量が減少し，*LM* 曲線は左へシフトし，利子率の上昇および国民所得の減少をもたらす。

ワンポイント★アドバイス

財政・金融政策は基本中の基本。単独の設問だけでなく，利子率や国民所得との関連でも出題されるので要注意。

重要語解説

●現在のわが国の金融政策…2013年4月より,「量的・質的金融緩和」を実施。2年間で消費者物価の前年比上昇率2%という物価安定の目標を設定したが，数度にわたる達成時期の先送りを行う。2016年には，日銀の政策史上初となるマイナス金利を導入している。

出題パターン check!

財政・金融政策の効果に関する次の記述のうち，妥当なものはどれか。
（1）金利政策において公定歩合の引き下げは *LM* 曲線を左へシフトさせる。
（2）公開市場操作において買いオペレーションの実施は *LM* 曲線を右へシフトさせる。
（3）政府による増税策は *LM* 曲線を左へシフトさせる。
（4）政府による減税策は *IS* 曲線を左へシフトさせる。
（5）政府の国債発行による財政拡大策は *IS* 曲線を左へシフトさせる。

答え（2）

過去5年の出題傾向 ★★★☆☆

経済 ④ 国際通貨体制と通貨危機

経済事情の中でも，コンスタントに出題が見られる第二次世界大戦後の国際通貨体制確立と変容，90年代の通貨危機に関して整理する。専門科目と併せて学習することも必要。

■ブレトン・ウッズ体制（IMF体制） よく出る

（1）ブレトン・ウッズ協定　1944年

①アメリカのブレトン・ウッズで開かれた連合国金融通貨会議で結ばれた協定のこと。

②目的：第二次世界大戦を招いた国際経済要因の反省に立って，戦後の国際通貨の安定，自由貿易の振興，戦災国の復興と発展途上国の開発を目指した国際協力体制づくり。

（2）ブレトン・ウッズ体制を支える機関

① IMF（国際通貨基金）
・1945年設立
・固定相場制採用（1ドル＝360円）。
⇒目的：為替制限の撤廃・短期資金融資に基づく為替の安定化による国際貿易の促進。
・SDR（＝IMF特別引き出し権）の創設。

② IBRD（国際復興開発銀行＝世界銀行）
・1946年設立。
⇒目的：長期資金融資と技術援助の提供による，戦災国の復興と発展途上国の開発。

③ GATT（関税及び貿易に関する一般協定）
・1948年発足。
⇒目的：高関税，輸入数量制限などの障壁を撤廃し，自由貿易を促進して国際貿易の発展を企図。

■ブレトン・ウッズ体制の崩壊

（1）ブレトン・ウッズ体制の前提条件

・ブレトン・ウッズ体制は，ドルと金との交換を可能（金1オンス＝35ドル）とした上で，ドルと各国通貨の交換比率を定めるという，大量の金保有国であったアメリカのドルへの信頼によって成立。

（2）アメリカの国際収支の悪化

・1960年代半ば，西ヨーロッパ諸国とくにEC諸国や日本の経済発展，さらにベトナム戦争による軍需費の突出によって国際収支が悪化。
・金準備の大幅減少。

（3）ニクソン・ショック　1971年8月

・アメリカ大統領ニクソンによる金とドルの交換停止発表。
⇒原因：国際収支の悪化による金流出とインフレによるドルの金価値保障の困難。
⇒ニクソン・ショックの持つ意味：
ブレトン・ウッズ体制の実質的崩壊。

■ブレトン・ウッズ体制崩壊後

（1）スミソニアン体制　1971年12月

・ワシントンのスミソニアン博物館で開催された10カ国蔵相会議で合意された枠組み。
・合意内容
①ドルの切り下げ。
②ドルに対する各国通貨の切り上げ。
③固定為替相場制の変動幅拡大など。

（2）変動為替相場制への移行　1973年2月

・ドルへの信頼回復不能などによる通貨危機のため固定為替相場制より移行。

(3) キングストン体制 1976年1月

・ジャマイカのキングストンでIMF暫定委員会を開催し，変動為替相場制を正式に合意。

(4) プラザ合意 1985年9月

・ニューヨークのプラザホテルで開催されたドル高是正を目的とした5カ国蔵相会議での政策的協調介入に関する合意。

・以降ドル安に成功（日本は急激な円高による円高不況）。

⇒企業の国際競争力の低下による海外への直接投資の加速→貿易黒字の縮小。

■ 90年代の各国通貨危機とIMF よく出る

(1) 通貨危機の原因

国際金融市場の拡大でヘッジ・ファンドなどによる外国資本の短期かつ急激で大量の移動が原因。

(2) メキシコ通貨危機 1994年末

・通貨ペソの急落により発生。

・株式や証券市場の国際化を背景とする危機の世界化への不安が波及

⇒アルゼンチンなどへも影響。

(3) アジア通貨危機 1997年7月

①原因：タイ通貨バーツに対する売り圧力に対抗し，タイ中央銀行が変動為替相場制へ移行。事実上のバーツ切り下げとなり，価値の大幅下落となった。

②影響：フィリピンのペソ，マレーシアのリンギット，インドネシアのルピア，韓国のウォンの変動為替相場制への移行と対ドルのレートの相次ぐ切り下げ。

③支援：タイ，インドネシア，韓国がIMFへ金融支援要請

⇒支援実施。1998年，日本も300億ドル規模の支援決定。

(4) ロシア通貨危機 1998年8月

・ロシア通貨ルーブルに対する売り圧力からIMFへ支援要請。

(5) リーマン・ショック 2008年9月

サブプライム問題などで投資銀行リーマン・ブラザーズの経営が破綻。国際的な金融危機の引き金となった。

(6) 欧州債務危機 2009年10月

ギリシャの財政赤字が公表数字よりも大幅に膨らむことが明確となり，ユーロ圏諸国の財政問題が浮き彫りになった。

(7) IMFの役割の変化と通貨危機

・1978年IMF協定改正以降，各国の外国為替市場への介入監視と政策協調のための協議機関としての役割へ変化。

・通貨危機に際して，IMFの融資制度が大きな役割を担う。

ワンポイント★アドバイス

あらゆる経済事情を全部網羅することは不可能。不正解の選択肢を排除するのではなく，学習済みの知識を駆使し正答を探し出す方法を採ろう。

重要語解説

● GATTの変遷…1986年ウルグアイ・ラウンドにおける合意事項として，1995年WTO（世界貿易機関）を設立。モノ，サービス，知的財産を協議対象とする。

●ヘッジ・ファンド…株式，債券，商品，為替，先物やオプションなどのデリバティブ（金融派生商品）を駆使，少数の出資者の巨額な資金を世界金融市場で運用する国際投資信託。

出題パターンcheck!

ブレトン・ウッズ体制に関する記述のうち妥当なものは，次のうちどれか。

（1）ブレトン・ウッズ体制は，その実質的崩壊まで金・ドル本位制に基づく固定為替相場制を採用した。

（2）ブレトン・ウッズ体制は，変動為替相場制を前提とする外国為替の安定による貿易発展のため設立された。

（3）ブレトン・ウッズ体制は，金本位制による固定為替相場制を採用したが，各国の通貨切り下げで実質的に崩壊した。

（4）ブレトン・ウッズ体制は，石油ショックに伴う国際通貨体制の動揺をきっかけとして実質的に崩壊した。

（5）ブレトン・ウッズ体制は，第二次世界大戦後の通貨安定を目的としたスミソニアン合意に基づき成立した。

答え（1）

過去５年の出題傾向 ★★★☆☆

社会① 地球環境問題と取り組み

地球規模の環境問題と解決へ向けた条約や協定を整理する。環境問題は個別の要因が絡み，被害や影響が国境を越え，将来への影響が問題となることに注意。

■地球環境問題

(1) 地球温暖化

- 内容／温室効果ガスの濃度が高まり，地表面の温度が上昇すること。
- 原因物質／①二酸化炭素，②メタン，③亜酸化窒素，④フロンなど
- 影響／海面上昇による国土減少，異常気象による食糧の減産，災害の増加。

(2) オゾン層の破壊

- 内容／成層圏以降にあるオゾン層が破壊され，紫外線の増加をもたらす。
- 原因物質／①フロン（冷蔵庫・エアコンの冷媒や発泡剤，洗浄剤），②ハロン（消火剤）
- 影響／皮膚がんや白内障など健康被害，農作物の育成阻害，プランクトン減少。

(3) 砂漠化現象

- 内容／土地の劣化や不毛化の進展。
- 原因／不適切な灌漑による農地塩分濃度の上昇，過放牧や過耕作，薪炭材の過採取。
- 影響／食糧生産の減少による難民増加と都市への人口流入，気候変動。

(4) 酸性雨

- 内容／水素イオン指数（pH）5.6 以下の酸性の雨や雪の降る現象。
- 原因／化石燃料の燃焼による硫黄酸化物（SOx）や窒素酸化物（NOx）の大気中の酸化。
- 影響／森林の枯死や農作物の減少など。

(5) 熱帯林の減少

- 内容／環境調整機能を持ち，野生動物の生息地，木材や医薬品原料の供給源である熱帯林の減少。
- 原因／非伝統的な焼畑移動耕作や薪炭材過剰採取，異常気象による森林火災。
- 影響／大気中の二酸化炭素増加による温暖化の発生。

■地球環境保全のための国際的取り決め よく出る

(1) ラムサール条約：1971 年採択

- 水鳥の生息地として多様な生態系を持つ湿地を保全するための条約。
- 締約国に１つ以上の湿地を「国際的に重要な湿地」として登録を義務づける。
- 日本は 1980 年に加盟。

(2) ワシントン条約：1973 年採択

- 絶滅のおそれのある野生動物の種の保存を目的とする。
- 対象とする野生動植物を附属書Ⅰ，Ⅱ，Ⅲのいずれかに掲載して規制を行う。

(3) 気候変動枠組条約：1992 年採択

- 気候変動などがもたらす悪影響防止のための取組みに対する原則や措置を規定。

(4) パリ協定：2015 年採択

- 2015 年 12 月にパリで開催された，国連気候変動枠組み条約第 21 回締約国会議（UNFCCC－COP21）で，2020 年以降の気候変動問題に関する国際的な枠組みである，パリ協定が採択された。
- 同協定は，今世紀後半に温室効果ガスの排出が実質ゼロになることを目指し，途上国を含む全ての参加国・地域に温室効果ガス削減目標を国連に提出すること，および達成に向けた国内対策の実施を義務づけるものである。

- 同協定では，自主削減目標の達成義務化は見送られたが，産業革命以前からの気温上昇に関して，「2度を十分に下回る」とし，さらに，1.5度未満を目標に努力することが併記された。
- パリ協定は2016年11月に発効。日本は，2016年11月にパリ協定を批准。

(5) 水銀に関する水俣条約締結
- 有害な水銀の取引を国際的に規制し，環境汚染の防止を目的とする条約。
- 2017年発効で，体温計など水銀を使用した製品は製造・輸出入が原則禁止。

(6) 持続可能な開発目標（SDGs）
- 2015年の国連サミットで採択。2030年までに持続可能でよりよい世界を目指す国際目標のことで，17のゴールと169のターゲットから構成される。「持続可能な開発レポート」によると2023年の日本のSDGs達成度は21位。

(7) 国連気候変動枠組条約
第28回締約国会議（COP28）
- 2023年11月，アラブ首長国連邦（UAE）で開催。2050年までに温室効果ガスの実質排出ゼロ（ネット・ゼロ）を目指すため，「およそ10年間で化石燃料からの脱却を加速する」ことを盛り込んだ成果文書を初めて採択。
- 世界の温室効果ガス排出量削減の進捗状況を科学的に評価するしくみ，グローバル・ストックテイクから，成果文書にパリ協定の目標実現のため，2035年に2019年比で60%の温暖化ガスを減らすことの必要性を明記。
- 再生可能エネルギー拡大の必要性を成果文書に明記。2030年までに太陽光や風力といった再生エネルギーの設備容量を3倍，省エネ改善率を2倍にすることなども盛り込まれた。化石燃料の代替手段の一つとして，初めて「原子力」を記載している。

■わが国の環境関連の法律・計画

(1) 地球温暖化対策推進法：2021年成立
政権が掲げる「2050年までの脱炭素社会の実現」を明記。温暖化の原因となる温室効果ガスを2050年までにゼロにするための新しい目標や方法を盛りこむ。再生可能エネルギーの導入拡大に向け，自治体が「促進区域」を設ける制度も創設。

(2) プラスチック資源循環促進法：2021年成立
プラスチックごみの削減とリサイクルの促進を定めた法律。企業等におけるプラスチック資源循環等の取組を促進するための措置を講じる。

(3) 第6次エネルギー基本計画（2021年）
エネルギーの長期的な見取り図を示す計画で，脱炭素を実現するための政策を列挙，前回22～24%だった再生エネルギーの比率を36～38%に引き上げた。

重要語解説

●マイクロプラスチック…微細なプラスチック粒子。プラスチックごみは処理施設に送られるまでに下水等を通じて海に流れ着き，海中のごみとして残留する。
●バイオマスエネルギー関連技術…植物が太陽光エネルギーから生み出した固定エネルギーを利用するものであり，二酸化炭素を排出しないとみなされる。

出題パターンcheck!

地球環境に関する記述として正しいものは，次のうちどれか。

(1) 2023年に開催の国連気候変動枠組条約第28回締約国会議では原子力拡大の必要性が明記された。
(2)「ラムサール条約」は，有害廃棄物の国境を越える移動や処分に関する条約である。
(3) 持続可能な開発目標（SDGs）は，2050年までに持続可能でよりよい世界を目指す国際目標である。
(4)「ワシントン条約」は，水鳥の生息地として多様な生態系を持つ湿地を保全するための条約である。
(5)「パリ協定」は，2020年以降の新しい地球温暖化対策の国際的な枠組みである。

答え（5）

過去５年の出題傾向　★★★☆☆

社会 ② 少子・高齢社会とその対策

わが国の社会・経済を考えるとき，急激に進む少子・高齢社会への対応は急務である。本項では少子・高齢社会の進展とその政策的対応を整理する。

■わが国の少子化現象

◇年少人口（15 歳未満）の減少

・2024 年：1,401 万人（4 月 1 日確定値）

⇒総人口の 11.3%。前年同月に比べ 33 万人減少，1982 年から 43 年連続の減少となり，過去最少。（総務省統計局）。

・合計特殊出生率（女性が一生涯に産む子どもの数の平均）：2023 年＝1.20（過去最低）

■わが国の高齢化への進展

（1）老年人口の割合

①老人：ＷＨＯ（世界保健機関）の定義＝65 歳以上。

②高齢化社会：社会の構成員のうち，65 歳以上の人口が 7%を超えて占める。

③高齢社会：社会の構成員のうち，65 歳以上の人口が 14%を超えて占める。

④超高齢社会：社会の構成員のうち，65 歳以上の人口が 21%を超えて占める。

⑤国立社会保障・人口問題研究所の推計によると，高齢者人口の割合は今後も上昇を続け，2025 年には 30.0%，第 2 次ベビーブーム期（1971 年～ 1974 年）に生まれた世代が 65 歳以上となる 2040 年には，35.3%になると見込まれている。

（2）わが国の高齢社会進展の特徴

①高齢社会への進展が比較的近年の現象。

②高齢社会への進展速度が主要先進国中最速。

■わが国の少子化対策のための政策

（1）こども大綱：2023 年

①こども家庭庁が初めて定めた，2024 年から 5 年程度のこども政策の方向性を定めた大綱。今後こども家庭庁のリーダーシップの下，この大綱にもとづき，政府全体のこども施策を推進。

②大綱策定の背景には，いじめや自殺，貧困など，子どもの抱える課題が複雑化していることがある。

③施策の重点項目として，子どもの貧困対策や，障害児などへの支援，学校での体罰と不適切な指導の防止のほか，児童虐待や自殺を防ぐ取り組みの強化などを盛り込む。

④効果を検証しながら政策を進めるため，過去の国民の意識調査で明らかになった結果を元に数値目標を設定。今後 5 年程度で，子育てなどに温かい社会の実現に向かっていると思う人の割合を，現段階での 28%から 70%に上昇させるほか，日常生活などを円滑に送ることができていると思う子どもの割合を，52%から 70%に引き上げるなどとしている。

（2）こども未来戦略方針：2023

異次元の少子化対策と称し，2024 年度から 2026 年度の 3 年間を集中取組期間と位置付け，この間の「加速化プラン」に 3 兆円半ばを投入することを盛り込む。

①児童手当は所得制限を撤廃し，支給期間を高校生まで延長する。第 1 子と第 2 子は 0 歳から 3 歳未満に月額 1 万 5,000 円，3 歳から高校生までは月額 1 万円，第 3 子以降は 0 歳から高校生まで月額 3 万円

の給付を実施するとしている。

②出産・子育て応援交付金10万円は制度化に向けて検討。出産費用（正常分娩）の保険適用は2026年度をめどに導入を検討。

③保育士の処遇改善への取り組みを実施。保育士の配置基準を75年ぶりに変更し，保育士1人が見る1歳児を6人から5人，4・5歳児を30人から25人とする。

④「こども誰でも通園制度（仮称）」を創設。保護者の就労要件を問わず，柔軟に保育施設を利用できる制度。2023年度中にモデル事業を拡充し，2024年度からは本格実施を見据える。

■わが国の高齢社会対応のための政策

（1）高齢者施策

①高齢社会対策大綱

・2018年2月に閣議決定。目玉は，65歳以上を全て高齢者とすることは現実的でないとして，65歳以降もはたらき続けられる環境を整えるとしている。

・公的年金の受給開始を70歳以降にすることもできる制度。

・定年延長や65歳以降の雇用延長をする企業への支援拡充も盛り込む。

②大綱の狙い

・年齢にかかわらず意欲・能力に応じてはたらける「エイジレス社会」の構築。

・高齢者の住宅確保や移動支援など地域の生活基盤整備。

・人工知能など新しい科学技術の活用促進。

（2）介護保険制度

①介護保険制度の主体

ア）保険者（各地方自治体＝市町村）。

イ）被保険者（第1号被保険者＝65歳以上，第2号被保険者＝40歳以上65歳未満の医療保険加入者）。

ウ）サービス提供者。

②イ）2020年改正点

ア）市町村の包括的な支援体制構築の支援。

イ）社会福祉連携推進法人制度を創設。

ウ）認知症施策の国と地方公共団体の努力義務を規定。

③2024年改正

ア）介護情報を一元的に管理するシステム基盤を整備。自治体・利用者本人・介護事業所・医療機関が，介護情報を共有して利用できる仕組みを整え，地域包括ケアシステムの深化・推進を追求する。

イ）介護事業者に対して，財務諸表等の経営状況の公表が義務付ける。

ウ）要支援者を対象とした介護予防支援について，地域包括支援センターだけではなく，居宅介護支援事業所も実施できるようにする。

エ）改定時に毎回行われている介護報酬の見直しとして，改定率を1.59%引き上げ。

オ）検討していた利用者負担を原則2割にする案は持ち越し。

重要語解説

●老老介護…要介護者，介護者がともに高齢者のケース。要介護者と同居する介護者の半数以上が60歳以上となっていることが判明。

出題パターン check!

わが国の社会福祉に関する記述として正しいものは，次のうちどれか。

（1）こども大綱は厚生労働省が初めて定めた，2024年から5年程度のこども政策の方向性を定めた大綱である。

（2）介護保険制度の被保険者は40歳以上の全ての国民であり，受給対象者は65歳以上の要介護者・要支援者に限定される。

（3）こども未来戦略方針では，保護者の収入を問わず，柔軟に保育施設を利用できる制度を新設している。

（4）こども未来戦略方針では，保育士の配置基準を75年ぶりに変更し，保育士1人が見る子どもを増やしている。

（5）こども未来戦略方針では，児童手当は所得制限を撤廃し，支給期間を高校生まで延長した。

答え（5）

過去５年の出題傾向　★★★☆☆

社会③ 国際政治と国際情勢

国際関係や紛争を考える上で，国際関係の基本的要因と第二次世界大戦後の冷戦構造とその崩壊後の国際的枠組みの形成，国際協力に関して整理する。

■国際関係（紛争）の基本的要因

（1）政治的要因

①ナショナリズム（民族主義），②インターナショナリズム（国際協調主義），③超国家主義

（2）経済的要因

①エネルギー資源：工業的な発展の遅れた有資源国と工業的に発展をした資源の少ない国との対立。

②経済的市場獲得競争：先進国による経済発展のための市場（財・サービス，労働力，資源）獲得競争。

③食糧問題：砂漠化等による飢餓難民の存在。

（3）文化的要因

①宗教対立　②イデオロギー対立

③民族・部族間対立　④人種的偏見

■第二次世界大戦後の国際社会の枠組みの変遷

（1）冷戦構造（米ソ対立）

①東西対立…西側（自由主義諸国）と東側（社会主義国）との対立。

ア）集団安全保障体制

西＝北大西洋条約機構（NATO）

東＝ワルシャワ条約機構（WTO）

⇒ 2023年4月にフィンランドが，2024年3月にはスウェーデンが加盟し，NATO加盟国は32カ国に拡大した。

イ）経済協力体制

西＝ヨーロッパ経済復興援助計画

東＝ソ連東欧経済相互援助会議

ウ）核開発競争

②冷戦体制の終焉

ア）ソ連ゴルバチョフ書記長の登場によってペレストロイカの推進。

イ）マルタ会談：1989年

・米ブッシュとソ連ゴルバチョフによる冷戦終結宣言。

ウ）東西ドイツの統一：1990年

エ）ワルシャワ条約機構解体とソ連崩壊：1991年。

（2）冷戦体制以降

①中国の台頭：国家主席　江沢民（1997年）

ア）米と「建設的で戦略的なパートナーシップ」の構築。

イ）ロシアと「戦略的協力パートナーシップ」を表明。

ウ）一国二制度：政治的には社会主義，経済的には市場を開放し，市場経済への移行を推進。

②多極化：米vsヨーロッパ連合。フランスの独自路線。

③民族・地域紛争の多発　④核の分散

■ヨーロッパ連合の創設

（1）EC設立：①1952年ヨーロッパ石炭鉄鋼共同体（ECSC）設立。②1958年ヨーロッパ経済共同体（EEC）設立。③1958年ヨーロッパ原子力共同体（EURATOM）設立。⇒3組織を統合＝1967年ヨーロッパ共同体（EC）を設立。

（2）EUの発足：1993年マーストリヒト条約発効＝EU（ヨーロッパ連合）発足。

（3）拡大EC/EU：①第1次拡大（1973年）…イギリス，デンマーク，アイルランド　②第2次拡大（1981年）…ギリシャ

③第3次拡大（1986年）…スペイン，ポルトガル　④第4次拡大（1995年）…オーストリア，フィンランド，スウェーデン　⑤第5次拡大（2004年および2007年）…東欧10カ国＋ブルガリア，ルーマニア。⑥第6次拡大（2013年）…クロアチア

(4) 通貨統合：①1997年アムステルダム条約締結。②1999年ユーロ導入。

(5) ニース条約締結

2001年。拡大に備えて機構改革を実施。

(6) リスボン条約

EUの憲法としての役割を果たし，EU拡大に対応するため，2009年に発効。

(7) イギリスのEU離脱

2016年6月に行われたイギリスの国民投票で，EU離脱（ブレグジット）が決定。2020年1月には，イギリスがEUから離脱。EUを離脱した加盟国は今回のイギリスが初となった。イギリスとEU間は自由貿易協定（FTA）で合意。両者の輸出入は関税ゼロが維持される。

■東南アジア諸国連合（ASEAN）　よく出る

(1) 設立：1967年東南アジア主要5カ国（インドネシア，フィリピン，マレーシア，タイ，シンガポール）による経済・文化の協力機構。

⇒99年カンボジアの加盟で10カ国（他にブルネイ，ベトナム，ラオス，ミャンマー）。

■主要国際会議　よく出る

(1) サミット（主要国首脳会議）

日・米・英・独・仏・伊・加の7カ国＋EUによる国際政治および経済運営に関する首脳会議。1975年より開催されており，会議に先立ち財務閣僚および外務閣僚会議も開催。

(2) APEC（アジア太平洋経済協力）

①環太平洋地域の各国の貿易拡大や経済協力の推進を目的とする，アジア初の閣僚会議。

②1989年豪のホーク首相の提唱で発足。

③参加国はASEAN諸国＋日本，中国，韓国，米，露，加，豪，チリ，ペルーなど。

■主要地域紛争

・ウクライナ侵攻

2021年よりロシアが軍部隊をウクライナ国境周辺に集結させ，2022年2月に特別軍事作戦を宣言し，ウクライナへの全面侵攻へと発展した。

2022年9月，ロシアはウクライナ東部・南部のドネツク州，ルガンスク州，ザポリージャ州，ヘルソン州の4州を併合したことを宣言。

2023年6月，ウクライナはロシアが併合したクリミア半島を含む全領土奪還を掲げて反転攻勢を開始するも奪還には至らず。

2024年，バイデン米大統領はウクライナに，2億2,500万ドルの支援を約束した。

■国際協力

(1) 政府開発援助（ODA）：先進国が発展途上国に対して行う経済援助のこと。

①日本はその額で2023年は世界第3位。

②二国間贈与（無償資金協力・技術協力）と円借款，多国間での国際機関に対する出資・拠出で構成。日本は円借款比率が高い。

(2) 非政府組織（NGO）：貧困・飢餓・難民・環境問題などについての活動を目的とする国際的非営利民間団体。

出題パターンcheck!

NGOに関する記述として正しいものは，次のうちどれか。

（1）保健衛生分野の国際機関で，全ての人々に可能な限りの高い水準の健康を確保することを目的としている。

（2）発展途上国の開発を目的とする民間の経済援助を指し，相手国の人道的見地や健全な経済発展を考慮している。

（3）加盟国の中に外貨不足が生じた場合，一時的に短期資金を融通し，為替相場の安定を図る。

（4）国際的な活動を行う非政府組織。国内外での軍縮，人権分野などで活躍している。

答え（4）

過去５年の出題傾向　★★★★☆

社会④ 男女参画型社会

女性も男性も，互いにその人権を尊重しつつ責任も分かち合い，性別に関わりなくその個性と能力を発揮できる社会，男女参画型社会実現に向けての課題を理解する。

■男女参画型社会への歩み

日本は1985年のナイロビ世界会議での「婦人の地位向上のための将来戦略」を受けて，女子差別撤廃条約を批准する。そして1986年に「男女雇用機会均等法」が施行された。また，国籍法も改正され，父系血統主義から父母両系血統主義になった。

さらに，女性も男性も，互いにその人権を尊重しつつ責任も分かち合い，性別に関わりなくその個性と能力を発揮することができる男女参画型社会の実現に向かって進んでいく。そして，そのような社会を実現させるため，1999年6月に男女共同参画社会基本法が制定された。

同法は基本理念として，性の違いによる差別の撤廃，中立的な社会制度や慣行の確立，政策などの立案や決定に男女が共同して参画すること，国際協調などをあげている。これらの理念は，男女平等を達成するために長年主張されてきたことであり，実現のための努力も続けられ，その結果，女性の社会進出が進んできた。

■就業の分野における男女の共同参画

雇用の不安定化，所得の伸び悩み等も影響し，1980年以降，夫婦ともに雇用者の世帯は年々増加し，1997年以降，男性雇用者と無業の妻からなる世帯を上回っている。2022年，全雇用者に占める非正規雇用労働者の割合は36.9％となり，全パートタイム労働者のうち，約68.1％が女性である（総務省「労働力調査　令和4年平均」）。

男女共同参画社会基本法

1）男女共同参画社会とは，「男女が，社会の構成員として，自らの意思によって社会のあらゆる分野における活動に参画する機会が確保され，もって男女が均等に政治的，経済的，社会的及び文化的利益を享受することができ，かつ，共に責任を担うべき社会」を指す。
2）基本理念として，性別による差別的取り扱いを受けないなど男女の人権の尊重。
3）男女が社会の対等な構成員として，国や自治体，民間団体の方針の立案決定に共同して参画する。
4）家庭生活と他の活動の両立を規定。
5）国や自治体のあらゆる施策は男女共同参画社会の形成に配慮する。

2015年4月には改正パートタイム労働法（現在「パートタイム・有期雇用労働法」）が施行。パートタイム労働者が，仕事の内容や責任の程度，人事異動の有無やその範囲に応じて公正な待遇を確保されることなどが定められた。

また，内閣府は，男女共同参画社会の実現に向け，ポジティブ・アクションを推進。この取り組みは，職場において「特定の職種で女性が少ない」「管理職の大半が男性」といったような差を，男女雇用機会均等法に基づいて解消しようとするものである。

2016年4月には女性の登用機会を増やす目的で女性活躍推進法が施行された。この法律では大企業に対して，女性の管理職割合や数値目標の設定などをまとめた行動計画の策定を義務づけた。

2022年4月からは，女性活躍推進法が改正され，行動計画の策定や情報公表などを義務付けられる対象が拡大。従来，従業員301人以上の企業に限られていたものが，101人以上の中小企業までに広がった。

■男女の職業生活と家庭・地域生活の両立の支援 よく出る

1．次世代育成支援対策推進法

①次世代育成の支援に向けた行動計画の策定を，都道府県，市町村，大企業に求める。

②より高い水準の子育て支援の取り組みを行った企業が，優良な「子育てサポート」企業として特例認定（通称プラチナくるみん）を受けられる。

2．子ども・子育て支援法の改正

①3～5歳児は全世帯，0～2歳児は住民税非課税世帯を対象に2019年10月から認可保育所などの利用料が無料。

②認可外保育施設の利用者にも一定の上限額を設けた上で費用を補助。

③認可外施設やベビーシッター，ベビーホテルなどについては，共働きなど保育の必要性があると認定された場合，費用を補助する。

■改正・男女雇用機会均等法

(1) 性別を理由とする差別の禁止

募集，採用，配置，昇進等について，「男女双方に対する差別」を禁止。また，実質的に性別を理由とする差別につながる恐れがあるとして，「間接差別」も禁止。加えて，全ての労働者の募集，採用，昇進，職種の変更をする際に，合理的な理由がないにもかかわらず転勤要件を設けることも「間接差別」として禁止した。

(2) 妊娠，出産等を理由とする不利益取扱いの禁止

産前休業・母性保護措置の請求，妊娠・出産に起因する能率低下等を理由とする解雇・不利益取扱いの禁止。マタハラ防止措置をとることも企業に義務づけた。

(3) セクハラ防止対策の強化

2020年，パワハラ防止法のスタートと合わせて，男女雇用機会均等法のセクハラ防止対策の強化についても改正された。改正法では，事業主にセクシャル・ハラスメント等を行ってはならないという関心や理解を深め，他の労働者に対する言動に注意を払うことなどを責務とすることを明確化し周知・啓発することを求めている。

■女性活躍・男女共同参画の重点方針2024（女性版骨太の方針）

2024年6月に策定された方針では，1）プライム市場上場企業の女性役員比率を2030年までに30%以上とするとの目標達成に向けて，女性の採用・育成・登用の環境整備を図る，2）男女間賃金格差の是正に向けて，所得向上やリスキリング（職業能力の再開発）の支援，仕事と育児，介護，女性特有の健康課題などの両立支援，地域における取組の担い手やリーダー育成を進めていくなどを明記。

出題パターンcheck!

以下の記述で妥当なものはどれか。

(1) 我が国の女性の労働力を見ると，30歳代の就業率の伸びが反映されて，80%まで上昇している。

(2) 女性が自らの意思で性や生殖などの面で生き方を決定できることを尊重するという主張が第4回世界女性会議で議論された。

(3) 男女共同参画社会基本法では，女性の人権の尊重までは規定されていない。

(4) 2020年成立の改正男女雇用機会均等法では，全会社員に，セクハラ等を行ってはならないという関心や理解を深め，他の労働者に対する言動に注意を払うことなどを責務とすることを求めている。

(5) 女性版骨太の方針2024では，プライム市場に上場する企業の女性役員比率を，令和7年を目途に30%以上にする目標を設定している。

答え（2）

過去5年の出題傾向 ★★★★★

社会 ⑤ 地方分権

地方公共団体の自主性，自立性を高め，個性豊かな地域社会の実現を図り，国と地方の役割分担を明確にし，住民に一番身近な行政を一番身近な地方公共団体で処理することが求められている。

■地方自治推進の沿革

1995年に設置された地方分権推進委員会の勧告に基づき，1999年に地方分権一括法が成立，2000年に施行された。

2006年には，地方分権改革推進法が成立し，第2期地方分権改革がスタートすることとなった。

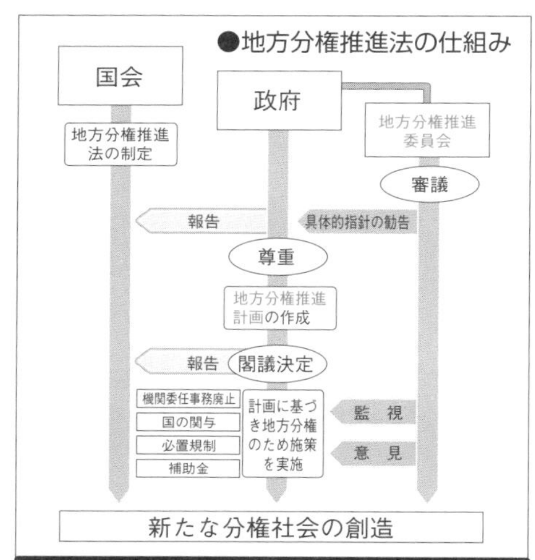

地方分権を担うための行政体制の整備

※地方分権型の行政システムへの転換に対応した，新たな役割を担うにふさわしい地方行政体制の整備を支援	※積極的な行政を展開していくためにも，地域づくりの主体である市町村が，市町村合併によりその行政能力を強化していくことも重要
平成6年に制度化された広域連合制度の積極的な活用を推進	平成7年に改正された「市町村の合併の特例に関する法律」（合併特例法）により，自主的な市町村合併を積極的に推進（市町村の合併）

■国と地方公共団体の新たな関係

1．機関委任事務の廃止

国と地方公共団体との間に対等・協力の新しい関係を築くため，機関委任事務制度を廃止した。

2．権限委譲の推進と必置規制の見直し

権限委譲を積極的に推進することとし，国の権限を都道府県または市町村に，また，都道府県の権限を市町村に委譲する。

さらに国が地方公共団体の組織や職の設置を義務付けている必置規制については，地方公共団体の自主組織権を尊重し，行政の総合化・効率化を図る観点から，その廃止・緩和を推進する。

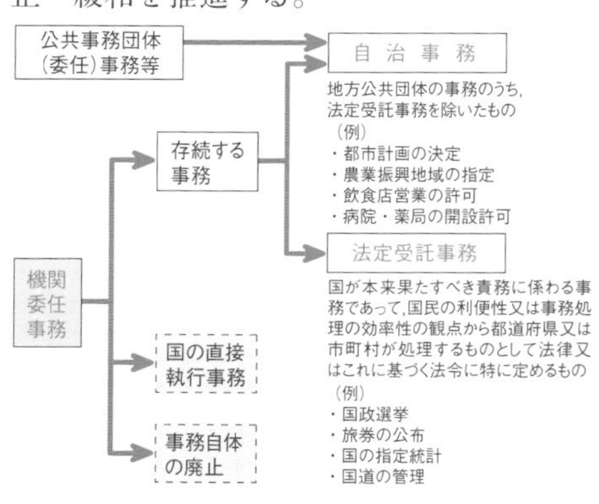

■三位一体の改革

補助金の縮減・廃止，地方交付税の見直し，国から地方への税源移譲（国税を減らし，地方税を増やす）の３つを柱とする構造改革のことである。

地方にできることは地方に，という地方

分権の観点より，国と地方の税財源の関係を根本的に見直した。

■地域自主自立改革推進法

2011年には，地方自治の拡大により積極的であった民主党政権の下で，地域自主自立改革推進法（第一次・第二次）が成立。

《第一次》

（1）保育園・特別養護老人ホーム，介護施設・障害者支援施設などの施設・公物の設置管理基準を緩和し，その条例への委任。

（2）国による認可・同意制などを緩和し，公立幼稚園を届出制にする。市の公共下水道事業計画や都市計画は協議制にする。都道府県の大都市計画の大臣による同意制は廃止する。都道府県道認定に関する大臣との協議制は廃止。

《第二次》

（1）公立高校の定員基準の策定義務の廃止，公園等のバリアフリー構造基準の条例への委任。

（2）地方債の発行を大臣等との協議制から一部届出制にする。

その狙いは，従来自治体の事務を拘束してきた，国の法令による「義務・枠付け」を見直すことにより，自治体がより自主的に，かつより裁量権をもって，条例を制定できるようにすることである。

■国と地方の協議の場に関する法律（協議法）

地域の自主性・自由度を高めるために，地方自治に影響を与えるような国の政策の企画立案および実施に関して，国と地方自治体の代表者の間で協議することの必要性を定めたもの。2011年成立。

■大都市地域特別区設置法と大阪都構想

200万人以上の政令指定都市や，隣接する自治体の総人口が200万人以上の地域が，市町村を廃止して特別区を置けることを定めた法律。2015年および2020年には，大阪都構想に対する賛否を問う住民投票が行われ，ともに反対多数で否決された。

■道州制

全国を10程度の「道」および「州」にし，都道府県を廃止するというもの。国の権限や財源をできる限りその道州に委譲し，行政サービスなどについて，地方自治体の裁量権を拡大する。財源については，国に依存しない構造を目指すとしており，検討が行われていたが慎重な意見も多く中断している。コロナ禍において，地方分権の重要性の観点より，道州制の議論を再開すべきとの声も上がっている。

■提案募集方式

地方公共団体等から，地方分権改革に関する提案を広く募集し，それらの提案の実現に向けて検討を行うというもの。主体となる地方公共団体等が，事務・権限の移譲，規制緩和（義務付け・枠付けの見直し等）について，具体的な支障事例や制度改正による効果とあわせて提案する。2014年より導入を開始。

出題パターンcheck!

次の記述のうち，正しいものはどれか。

（1）地方分権一括法では，補助金や地方債の発行について見直しが行われたが，機関委任事務は従来通りとなった。

（2）地方分権一括法では，国と都道府県との関係が決められたが，市町村と国との関係には言及がない。

（3）地域自主自立改革推進法では，地方債の発行について，従来大臣による同意が必要であったが，一部が協議制となった。

（4）大都市地域特別区設置法では，大阪に関しては，特別区を設置することが認められることとなったが，ほかの同規模の都市に関しては，特別区を設置することは認められていない。

（5）道州制とは，全国を10程度の「道」及び「州」に改編し，地方自治体の裁量権を拡大することを目指すものである。

答え（5）

過去５年の出題傾向 ★★★★☆

社会⑥ 近年の新法・改正法

近年に成立した法律は試験でよく出題されるテーマの一つ。法律の概略をとらえつつ，法律ができた背景についてもおさえておきたい。

■新法の制定

◇日本版 DBS 法…2024 年成立。

①子どもの性被害防止のため，学校や保育所などに対して，職員や就職希望者の過去の性犯罪歴の照会を義務づけて，性犯罪歴を持つ人の就労を制限することを規定する法律。

②確認期間は，拘禁刑は刑の終了から 20 年，罰金刑は 10 年で，痴漢や盗撮など自治体の条例違反も対象となる。

③性暴力の恐れがあると判断した場合は子どもと接しない部署への配置転換などの防止措置が必要になる。

◇LGBT 理解増進法…2023 年成立。

①性的マイノリティーへの理解を広めるための新法で，理念法であるため罰則規定はない。

②企業や学校などに対して，性的マイノリティーへの理解の増進や啓発，環境の整備などを努力義務として規定。

③性的マイノリティーに関する基本計画の策定や啓発活動などの行政の政策は，内閣府設置の担当部署が行うとする。

◇フリーランス新法…2024 年施行。

①フリーランスが仕事を請けるときに不当な扱いをされないよう，取引先の企業などを規制する法律。

②企業側に対して，文書で契約内容を明記することを制定。

③ 60 日以内に報酬を支払うことや，継続的業務委託の場合の契約解除は 30 日前までに予告すること，募集広告には最新情報を正確に載せることなどを規定。

■改正法 よく出る

◇民法改正（共同親権）…2024 年成立。

①離婚後も父と母で子どもの親権を持つ共同親権を規定する改正法。離婚後に子どもと離れて暮らす親が子育てに関われるようにするもの。親権に関する見直しは戦後以来 77 年ぶり。

②離婚時に単独親権か共同親権のどちらを選ぶかを話し合うが，結論がでない場合は家庭裁判所が決定を下す。

③すでに離婚している父母も親権変更の申し立てができる。

◇改正子ども・子育て支援法…2024 年成立。

①少子化に歯止めをかけることをねらいとして児童手当を拡充，対象を 18 歳まで広げ，所得制限を撤廃する。

②こども誰でも通園制度を導入し，働いていなくても子どもを保育園などに預けられるようにする。

③育児休業給付については，被保険者とその配偶者の両方が 14 日以上の育児休業を取得する場合，実質手取りで 10 割相当へと引き上げられる。

④財源には，公的医療保険に上乗せして国民や企業から集める支援金制度を創設するとしている。

⑤家族の介護や世話をしている子どもたちヤングケアラーについても，国や自治体

による支援の対象とし，対応を強化すると規定。

改正地方自治法…2024年成立。

①国民の安全に重大な影響を及ぼすような事態が発生した場合，法律の規定がなくても国が自治体に必要な指示ができる特例を盛り込む。具体的には感染症の大流行や大規模災害などが想定されており，指示は閣議決定で行うと規定している。

②自然災害や感染症などの対応で，国が自治体間の職員の応援について要求や指示ができるようにする。また，保健所の運営業務などについて国の指示によって都道府県が必要な調整を行うことも規定。

③行政のデジタル化推進のため，自治体共通のQRコードを使って地方税を納付するシステムを活用し，国民健康保険料や介護保険料を納付できることも明記。

◇改正出入国管理法…2024年成立。

①国内の労働力不足を踏まえた人材確保をねらいとする改正で，従来の技能実習制度を廃止して育成就労制度を新設。

②この制度は，外国人労働者を3年で専門技能のある特定技能1号水準に育成するもの。さらに熟練労働者向けの特定技能2号の資格を取得すれば，事実上無期限の滞在や家族の帯同が可能となり，実質永住化も可能とする。

③従来，認められなかった職場を変える転籍について，改正法では技能検定や日本語能力試験を条件に，同じ職種に限って容認するとしている。

④外国人の受け入れ仲介や企業などの監督を担う監理団体は監理支援機関に名称を改め，独立性・中立性を高めることも規定してる。

◇重要経済安保情報保護活用法…2024年成立。

①国家の経済安全保障上重要な情報へのアクセスについて（セキュリティ・クリアランス制度）を定めた法律。

②漏洩すると安全保障に支障をきたす可能性がある情報を「重要経済安保情報」に指定し，これらの情報へのアクセスを民間企業の従業員も含めて国が信頼性を確認した人らに限定するとしている。

◇改正政治資金規正法…2024年成立。

①自民党の派閥の政治資金パーティーに関する問題を受けての改正法。

②国会議員の政治団体による政治資金収支報告書の作成について，連座制導入に向けて政治家に確認書の提出を義務付けるというもの。会計責任者が不記載・虚偽記載で処罰された場合は，政治家自身も処罰される。

③政治資金パーティーの対価支払いに関する公開基準額は，従来の20万円超から5万円超に引き下げられた。

④政策活動費の使途公開は，経常経費を除く全支出とし，項目別の金額に加え，支出の年月も政党の収支報告書に記載すること，10年後に領収書などは公開することを規定している。

出題パターン check!

以下の記述で妥当なものはどれか。

（1）2024年成立の日本版DBS法では，事業者に，職員や就職希望者の過去の犯罪歴全般の照会の義務づけを規定している。

（2）2024年成立の民法改正は，離婚後に子どもと離れて暮らす親が子育てに関われる単独親権を定めている。

（3）2024年成立の改正地方自治法は，国民の安全に重大な影響を及ぼすような事態が発生した場合，国が自治体に指示ができることを定めている。

（4）2024年成立の改正出入国管理法では，外国人労働者を1年で特定技能2号水準に育成する育成就労制度を新設している。

（5）2024年成立の改正政治資金規正法は，国会議員の政策活動費に関する問題を受けての改正法である。

答え（3）

練習問題1

判例において日本国憲法に定める基本的人権の保障は，権利の性質上日本国民のみを対象としていると解されているものを除いて，在留外国人にもその保障が及ぶとしている。この立場に照らして，次にあげる人権のうち，原則として全ての在留外国人にその保障が及ぶものはどれか。

（1）健康で文化的な最低限度の生活を営む権利
（2）入国の自由，再入国の権利
（3）政治活動の自由
（4）国会議員や都道府県議会議員の選挙権
（5）市町村議会議員の選挙権

練習問題2

基本的人権に関する次の記述のうち，妥当なものはどれか。

（1）13世紀イギリスで制定されたマグナ・カルタは，国家権力による侵害から人民の人権を守るという近代的意味での人権宣言であった。
（2）18世紀に出されたフランス人権宣言は，自由と平等という近代民主主義の基本原理を明確に宣言すると同時に，社会権や所有権の公共の福祉による制限を規定していた。
（3）18世紀に制定されたアメリカの独立に伴う諸州の憲法はロックの影響を受け，基本的人権を生まれながらの権利として位置づけたが，抵抗権を規定するには20世紀を待たねばならなかった。
（4）19世紀社会主義思想とともに社会権の考えも発展し，西欧民主主義国家において規定されたのは第二次世界大戦後であった。
（5）20世紀にいたるまで基本的人権は国家と国民の関係を規律するものであったが，現在では私人間の人権侵害に関しても間接的に憲法の規定を適用してその保護を図る考えがある。

練習問題3

国会議員に関する次の記述のうち，妥当なものはどれか。

（1）国会議員は予算委員会の議決を通じて予算を国会に提出することができる。
（2）国会議員は全て内閣不信任決議案をその議決を通じて採決することができる。
（3）国会議員は不逮捕特権を有し，法律で定める場合を除き，逮捕されない。

解答・解説

練習問題1　正答／(3)

●解説／
(1) 社会保障上の施策における在留外国人への処遇については，特別な条約の存しない限り，立法府の裁量の範囲内として認められない（最判H1・3・2）。
(2) 入国，再入国ともに認められない（最判H4・11・16）。
(3) わが国の政治的意思決定またはその実施に影響を及ぼす活動などを除いて政治活動の自由に関する保障が及ぶ（最判S53・10・4）。
(4) 国会議員や都道府県議会議員の選挙権はわが国の政治的意思決定またはその実施に影響を及ぼす活動に入る。
(5) 憲法93条2項の住民は日本国民を意味し，在留外国人に地方参政権を保障したものではない（最判H7・2・28）。

練習問題2　正答／(5)

●解説／
(1) マグナ・カルタは貴族や僧侶の権利を守るものであり，その意味で近代的意味の人権宣言とはいえない。
(2) 社会権や公共の福祉を初めて規定したのは1919年制定のドイツのワイマール憲法である。
(3) ロックが主張した抵抗権の規定も置かれていた。
(4) 社会権の思想は社会主義思想とは関係なく，1919年ドイツのワイマール憲法において初めて規定された。
(5) 憲法は本来公法として国家と国民との関係を規定したものであるが，私人間の人権侵害についても私法の一般条項を通じて間接的に憲法規範の充填を図ろうとする間接適用説が通説として存在する。

練習問題3　正答／(3)

●解説／
(1) 予算を国会に提出できるのは内閣だけである。
(2) 内閣不信任決議権を有しているのは衆議院のみ。
(3) 正しい。法律で定める場合とは院外での現行犯と院の許諾がある場合。

（4）国会議員は免責特権を有し，国務大臣であっても国会議員であれば，たとえ大臣の立場で行った演説，討論も院外で責任を問われない。
（5）国会議員は全国民の代表であるため所属する議院の議決により，議員としての資格を奪われることはない。

練習問題4

国会の議決に関する衆議院の優越について，妥当なものはどれか。

（1）法律案が衆議院で可決され参議院で否決された際，両院協議会でも意見が一致しない場合，衆議院の議決が国会の議決となる。
（2）予算案が衆議院で可決され参議院で否決された際，再び衆議院において出席議員の3分の2以上で再可決されれば，それが国会の議決となる。
（3）条約の承認に関して，衆議院で可決され参議院で否決された際，両院協議会で意見が一致し，成案が成立した場合，それが直ちに国会の議決とされ成立する。
（4）内閣総理大臣の指名に関し，衆議院で可決され，参議院が受け取った後10日以内に議決をしない場合，衆議院の議決が国会の議決となる。
（5）憲法改正案の議決に関し，衆議院で可決され参議院が否決した際，衆議院で出席議員の3分の2以上で再可決されれば，それが国会の発議となる。

練習問題5

わが国の裁判所における司法審査権に関し，妥当なものはどれか。

（1）違憲立法審査権は，憲法の番人として最高裁判所が有し，その他の下級裁判所は有していない。
（2）条約に関しては憲法の条文に列挙はないが，判例の立場では，全ての条約が違憲立法審査権の対象となり，違憲判決を出せる可能性がある。
（3）わが国の違憲立法審査権は，具体的事件との関連でのみ当該事件に適用される法令の審査が行われ，違憲とされた法令は争われた事件に限り無効とされる付随的違憲審査制をとる。
（4）裁判所の違憲立法審査権は絶対であり，事件となった国あるいは地方公共団体の処分は違法だが無効とはしない，というようなあいまいな判決は出せない。
（5）高度な政治性のある国家行為に関しても，法的判断が可能であれば司法審査の対象となる。

解答・解説

（4）免責特権は国会議員の特権であり，たとえ国会議員である国務大臣だとしても大臣としての立場で行われた演説，討論はその対象とはならない。
（5）憲法55条但書により，議決により議席を失わせることができる。

練習問題4　正答／(4)

●解説／
（1）法律案はたとえ両院協議会を開いても意見が一致しないときは，衆議院による出席議員の3分の2以上の再議決が必要。
（2）予算案は衆議院の再議決は必要なく，必ず両院協議会を開き，意見が一致しないときは衆議院の議決が国会の議決となる。
（3）成案が成立しても，再度衆参両議院の議決が必要。
（4）正しい。
（5）憲法改正は，あくまで各議院の総議員の3分の2以上の賛成で国会が発議することになっている。

練習問題5　正答／(3)

●解説／
（1）違憲立法審査権は下級裁判所を含む全ての裁判所が有する。
（2）条約は高度に政治性を有するので，一見きわめて明白に違憲無効と認められない限り裁判所の司法審査権は及ばないとされる。
（3）正しい。
（4）処分は違法だが，取り消すのは公共の福祉に適合しないと認められる場合，裁判所は違法を宣言し，無効の請求を棄却する判決を出すことがある（事情判決の法理）。
（5）高度な政治性のある行為を統治行為といい，政治責任を負わない裁判所が政治的に重要な行為の当否を判断すべきではないとの立場から，たとえ法的判断が可能であっても司法審査の対象から除外される。

練習問題6

需要の価格弾力性に関する次の記述のうち，妥当なものはどれか。

（1）航空業界国内線市場において規制緩和の影響を受け，早期購入や誕生日割引などを実施した結果，利用者が大きく増加したが，これは国内航空券の需要が非弾力的であることを原因とする。

（2）たばこ税の値上げによる価格自体の上昇があっても，喫煙者人口もたばこ消費量も変化しないのは，たばこに対する需要が弾力的であるためである。

（3）インターネット接続料金における夜間料金割引サービスが成立するのは，夜間のインターネット需要が非弾力的と考えられるからである。

（4）どの店も味の美味さで評判となっている競合店がひしめき合うラーメン横丁において，1つの店に対する需要は弾力的である。

（5）ある百貨店でブランドバッグのクリスマスセールを実施し，価格を通常の80%で販売をしたところ予想を上回る売り上げを達成した。これはブランドバッグの需要が非弾力的であることによる。

練習問題7

下図ア～エのような需要曲線（*D*）と供給曲線（*S*）が示されるとき，それぞれの図に対応する財の例の組み合わせとして，妥当なものはどれか。

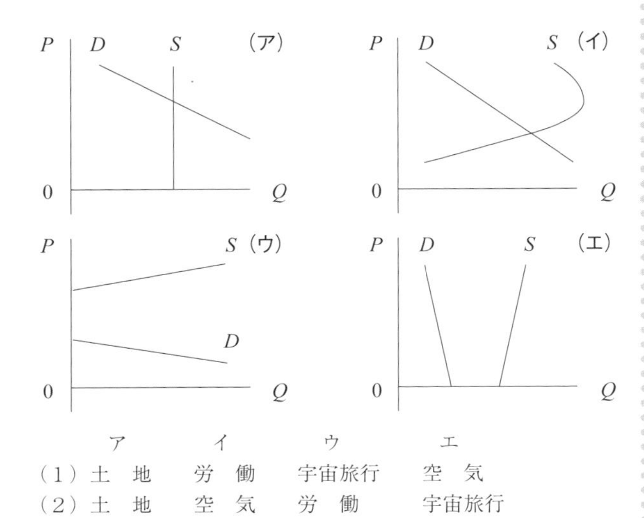

	ア	イ	ウ	エ
（1）	土 地	労 働	宇宙旅行	空 気
（2）	土 地	空 気	労 働	宇宙旅行

解答・解説

練習問題6　正答／（4）

●解説／

（1）価格の割引で利用者が増加しているので，需要の価格弾力性は弾力的であるといえる。

（2）値上げによっても需要量に変化がないので，価格弾力性は非弾力的といえる。

（3）昼間は企業や官庁，教育研究機関などの利用により，価格の変化に対しては非弾力的であるが，夜間は個人利用が増えるため割引サービスの利用需要が増える可能性があるから，夜間のインターネット需要は弾力的といえる。

（4）正しい。競合店がひしめいている場合，価格の上昇（下落）に客は敏感に反応して他店へ（下落の場合は，値段の安い店へ）移動し，需要が大きく変化しやすいので，需要は弾力的といえる。

（5）ブランド品は奢侈品（ぜいたく品）といえるので，需要の価格弾力性は1より大きく，弾力的である。

練習問題7　正答／（1）

●解説／

（ア）供給曲線が垂直なので，供給量が一定であることを示し，土地などが例としてあげられる。

（イ）ある点に到達すると，価格の上昇が供給量の拡大要因ではなくなることを示す。賃金が低い場合は労働供給量を上昇させるが，賃金の上昇で豊かになると，賃金の上昇は余暇への嗜好を高め労働供給を減少させる。

（ウ）縦方向に図を読むと，消費者が払ってもよいと考える価格を生産者が供給できる価格が常に上回っている。現在のコストでは一般の消費者が手の出せる価格になっていないものを示すので，例としては宇宙旅行が妥当。

（エ）自由財を表す。横方向に図を読むと，ある価格で常に供給量が需要量を上回っているもの。価格に関係なく需要以上の財が供給できるもので，ここでは空気が妥当。本文で解説できなかったが，特殊な需要曲線，

	ア	イ	ウ	エ
（3）	労　働	土　地	宇宙旅行	空　気
（4）	労　働	空　気	土　地	宇宙旅行
（5）	空　気	土　地	宇宙旅行	労　働

練習問題8

貨幣に関する次の記述のうち，妥当なものはどれか。

（1）取引動機に基づく貨幣需要はGDPが増大すると減少する。
（2）取引動機に基づく貨幣需要は利子率の上昇に伴って増加する。
（3）予備的動機に基づく貨幣需要はGDPが増大すると増加する。
（4）予備的動機に基づく貨幣需要は利子率の上昇に伴って増加する。
（5）投機的動機に基づく貨幣需要は利子率の上昇に伴って増加する。

練習問題9

下図は*IS-LM*分析による利子率と国民所得の決定を示している。当初の均衡が*E*であるとき，*IS*曲線および*LM*曲線を右へシフトさせ，均衡*F*を達成するのに妥当な政策は，次のうちどれか。

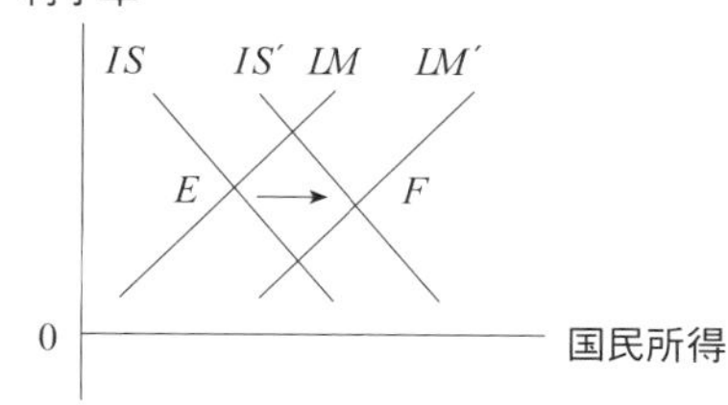

（1）政府による増税と中央銀行による買いオペレーション。
（2）政府による減税と中央銀行による売りオペレーション。
（3）政府による国債発行による財政拡大と中央銀行による買いオペレーション。
（4）政府による国債発行による財政拡大と中央銀行による売りオペレーション。
（5）政府による緊縮財政政策と中央銀行による金融引き締め策。

解答・解説

供給曲線の形を覚えておこう。

練習問題8　正答／（3）

●解説／
（1）GDPが上昇するということは経済が活発になることであり，それに伴って取引動機に基づく貨幣需要も増加する。
（2）取引動機に基づく貨幣需要と利子率は直接関係ない。
（3）正しい。経済の活発化により，突然の支払いも増え，予備的動機に基づく貨幣需要も増加する。
（4）予備的動機に基づく貨幣需要と利子率は直接関係ない。
（5）利子率の上昇は債券価格の低下を招き，貨幣を手放し，債券購入を考えるようになる。

練習問題9　正答／（3）

●解説／
（1）買いオペレーションによって*LM*曲線は右へシフトするが，増税によって*IS*曲線は左へシフト。
（2）減税によって*IS*曲線は右へシフトするが，売りオペレーションによって*LM*曲線は左へシフト。
（3）正しい。財政拡大によって*IS*曲線は右へ，買いオペレーションによって*LM*曲線も右へシフトする。
（4）財政拡大は*IS*曲線を右へシフトさせるが，売りオペレーションは*LM*曲線を左へシフトさせる。
（5）緊縮財政は*IS*曲線を，金融引き締め策は*LM*曲線を，左にシフトさせる。

練習問題 10

第二次世界大戦後の国際通貨に関する次の記述のうち，妥当なものはどれか。

（１）戦後，ブレトン・ウッズ体制ではIMFを中心とした金本位制に基づく固定相場制を採用した。
（２）1971年米国経済の悪化から，各国は変動相場制を破棄し，固定相場制へ移行した。
（３）ニクソン・ショックによって動揺した国際通貨体制を収束させる目的でIMF体制が成立した。
（４）1997年シンガポールに端を発したアジア通貨危機が発生した。
（５）1997年アジア通貨危機において，IMFはタイ，インドネシア，韓国に金融支援を行った。

練習問題 11

地球環境保全のため締結された条約や取り決めに関する次の記述のうち，妥当なものはどれか。

（１）「世界の文化遺産及び自然遺産の保護に関する条約」は，1998年国連総会において採択され，それに基づき2024年8月現在，世界各国で5,000以上の遺産が登録されている。
（２）「バーゼル条約」は，有害廃棄物の国境を越える移動および処分の管理を内容としているが，日本は未だに加盟していない。
（３）「ラムサール条約」は絶滅のおそれのある野生動物の種の国際取引に関する条約で，1973年に日本も加盟した。
（４）「ワシントン条約」は絶滅のおそれのある水鳥や保護小動物に関する条約で，1980年に日本も加盟した。
（５）2015年の気候変動枠組条約第21回締約国会議（COP21）では，温室効果ガスの排出削減などを義務づけていた京都議定書の代わりとなるパリ協定が採択された。

練習問題 12

わが国の少子高齢化問題に関する次の記述のうち，妥当なものはどれか。

（１）2024年（4月1日現在）のわが国の年少人口（15歳未満）は，1,401万人と総人口の約11.3%になった。
（２）わが国の2023年の合計特殊出生率は1.20と前年に比べて上昇した。
（３）わが国の2024年1月1日現在の65歳以上の人口の割合は，30%を超え4,000万人に達している。
（４）2024年1月1日現在の75歳以上人口は2,020万7千人で，

解答・解説

練習問題 10　正答／（5）

●解説／
（1）IMF体制下では金・ドル本位制を採用。
（2）IMFは固定相場制を採用。1971年のニクソン・ショック以降，変動相場制へ移行した。
（3）IMF体制は第二次世界大戦前の報復関税の競争的引き上げ，世界経済の地域ブロック化による貿易の縮小などの反省から1945年成立した。
（4）1997年のアジア通貨危機はタイを端緒としている。
（5）正しい。

練習問題 11　正答／（5）

●解説／
（1）同条約締結は1972年のUNESCO総会。2024年8月現在1,199件の遺産を（建造物や遺跡などの「文化遺産」が933件，自然地域などの「自然遺産」が227件，文化と自然の両方の要素を兼ね備えた「複合遺産」が39件）登録。
（2）日本は1993年に加盟。
（3）同条約は，1971年採択の水鳥の生息地として国際的に重要な湿地に関する条約。日本も1980年に加盟し，釧路湿原などを保護対象としている。
（4）同条約は，1973年採択された，絶滅のおそれのある野生動物の種の国際取引に関する条約。日本は1980年に加盟。
（5）正しい。なお，2016年11月にパリ協定は発効している。

練習問題 12　正答／（1）

●解説／
（1）正しい。子どもの割合は，昭和50年から連続して低下している。
（2）合計特殊出生率は1.20で，過去最低の水準になっている。
（3）2024年1月1日現在での高齢者人口は3,620.9万人，総人口の29.2%である。
（4）75歳以上人口は　2,020万7

前年同月に比べて減少している
（5）今後，高齢化率は上昇を続け，現役世代の割合は低下し，2060年には，1人の高齢人口に対して3.1人の生産年齢人口という比率になる。

練習問題13

2023，24年に成立・施行された法律に関する次の記述のうち，妥当なものはどれか。

（1）2024年成立の改正地方自治法は，大規模災害時に限り，個別の法律の規定がなくても国が自治体に必要な指示ができる特例を盛り込んでいる。
（2）2023年成立のLGBT理解増進法は，性的マイノリティーに関する基本計画の策定や啓発活動などの行政の政策は，地方自治体の担当部署が行うとしている。
（3）2024年成立の重要経済安保情報保護活用法は，セキュリティ・クリアランスを定めた法律で，情報が漏洩すると安全保障に支障をきたす可能性がある情報を「重要経済安保情報」に指定している。
（4）2024年施行のフリーランス新法は，企業側に対して，文書で契約内容を明記することを制定し，30日以内に報酬を支払うことや，継続的業務委託の場合の契約解除は60日前までに予告することなどを規定している。
（5）2024年成立の改正子ども・子育て支援法は，育児休業給付について，被保険者とその配偶者の両方が14日以上の育児休業を取得する場合は実質手取りで7割相当へと引き上げられることを定めている。

解答・解説

千人で，前年同月に比べて71万7千人増加している。
（5）1人の高齢人口に対して1.3人の生産年齢人口という比率になると予測されている。

練習問題13　正答／（3）

●解説／
（1）国が自治体に必要な指示ができる特例は，感染症の大流行や大規模災害など国民の安全に重大な影響を及ぼすような事態が想定されており，指示は閣議決定で行うと規定している。
（2）性的マイノリティーに関する基本計画の策定や啓発活動などの行政の政策は，内閣府設置の担当部署が行うとしている。
（3）正しい
（4）60日以内に報酬を支払うことや，継続的業務委託の場合の契約解除は30日前までに予告することなどを規定している。
（5）育児休業給付について，被保険者とその配偶者の両方が14日以上の育児休業を取得する場合は実質手取りで10割相当へと引き上げられることを定めている。

出題傾向 世界史，日本史，地理の主要３科目はポイントをおさえて，効率的な学習をしたい。直近の試験での各出題数は，全国型で主要３科目が２問ずつ，関東型が３問ずつ，また中部・北陸型が世界史３問，日本史２問，地理３問だった。また，東京都は主要３科目で各１問ずつ，特別区では世界史，日本史で各１問ずつの出題だった。タイプによっては３科目合わせて９問程度になるので対策は不可欠で，大きな枠組みでの学習に重点をおきたい。中でも世界史は他の科目との関係からも重視したい。なお，文学芸術は，出題されても１問であり，直近では東京都のみで出題されただけである。

ポイント別・学習法

■日本史

＜傾向＞日本史の出題は，時代を絞りこんだ出題とともに，網羅的な出題も多く，要注意項目を特定することがなかなか難しい。敢えてヤマをはるとすれば，江戸時代中頃から始まる“三大改革”以降，明治，大正，昭和の近現代ということになる。

江戸時代における改革のテーマは何だったか。江戸幕府が幕末に締結した不平等条約とその改正への動き。その改正に日清・日露両戦争の果たした役割。先進資本主義諸国の仲間入りをした日本が，どのような経緯で日中戦争，太平洋戦争，そして，第二次世界大戦に絡んでいくのか。一連の流れを包括的に把握することが求められている。

直近の試験では，第一次世界大戦後の国際状況，江戸幕府の諸政策，室町時代などが出題されている。

＜学習法＞歴史上の出来事はある意味において必然性を持っている。明治新政府の諸政策は，その結果として２つの事実（士族の反乱・自由民権運動）を用意している。新政府の政策に当時の人々が拒絶反応を示したことは，その後の動きを見れば一目瞭然である。事件（事実）の背景や要因が自分なりに説明できるか，試験自体が単純な丸暗記を求めていないだけに，銘記しておく必要がある。各時代のイメージをつくり，歴史の必然性を読み取り，過去問演習へ移行しよう。

◎難易度＝ 85 ポイント
◎重要度＝ 90 ポイント

■世界史

＜傾向＞中国史には注意をはらいたい。中でも，最後の王朝清朝は頻出といえる。清朝の頃，西洋の主だった国々が産業革命を経て，帝国主義の段階に入っている。その洗礼を受けたのが清朝であり，アフリカ等であった。アヘン戦争や太平天国の乱，義和団事件が清朝のみで完結する話ではなく，資本主義の発達段階において，それにのみ込まれていく事象であることに留意したい。

もう一つの頻出テーマが，第二次世界大戦前後の世界の状況である。18 世紀～ 19 世紀までの欧米の動き，中でも帝国主義の動きなどには着目しておきたい。直近の試験では，ヴェルサイユ条約といった第一次世界大戦後の世界秩序，紅巾の乱といった元の時代の出来事などが出題されている。

<学習法>世界史は，特に歴史を複眼的にとらえておく必要があるだろう。歴史の縦糸と横糸，という言い方もできる。20 世紀の中国はどのような状況にあったか。その頃のアフリカはどうだったか。2つの地域を合わせ鏡のように見つめることを心がけたい。キリスト教世界対イスラム教世界，という場合もこれにあてはまるだろう。同時代に重なり合う“事実”に注目することにより，歴史が鳥瞰しやすくなると思われる。

◎難易度＝ 90 ポイント
◎重要度＝ 95 ポイント

■地理

<傾向>地理の出題範囲は，比較的限定されている点に特徴がある。中でも，世界地誌には注意しておく必要があるだろう。世界各国の様々な特徴を把握することが求められており，出題されやすい地域は，①アメリカ合衆国，②ヨーロッパ，③ラテンアメリカ，④アジア諸国（特に東アジア，東南アジア）などで，かなり限定された地域が重点的に出題されている。

世界地誌を理解するために自然地理を学ぶ，という考え方も可能である。ケッペンの気候区分（雨温図，ハイサーグラフ，土壌，植生なども含む），代表的な小地形（三角州，扇状地，フィヨルド等）などで，定期的に出題されている。直近の試験においては，アメリカの経済と産業，世界のエネルギーや資源などが出題されている。

<学習法>特に，世界史との連関を意識しながら学習をすすめたい。百年戦争の引き金ともなったフランドル地方，そこが毛織物の産地であり，ベルギーに位置している，ということ。イギリスはこの戦争に敗れ，自国で毛織物産業を発達させた，ということ。また，今日の世界情勢を注意深く眺めることも，学習に奥行きとふくらみをもたせる上で有効となる。

◎難易度＝ 80 ポイント
◎重要度＝ 85 ポイント

■文学芸術

<傾向>文学史は日本の平安・江戸・明治が中心。平安時代は日記文学・随筆文学，江戸時代は俳諧，明治時代は浪漫主義・自然主義の問題が多い。近年，江戸時代の歌舞伎，浄瑠璃に関する出題も見られる。外国文学は，日本文学との関係が深い作家や作品について出題される。直近の試験では，日本の絵画と文化についての内容が出題されている。

<学習法>文学史は，時代区分・作者名・作品名を正確に覚える必要がある。また，重要な作品については冒頭部分や有名な箇所の文章も暗記しておこう。芭蕉・蕪村・一茶の代表的な句も，覚えておくとよい。

◎難易度＝ 75 ポイント
◎重要度＝ 75 ポイント

過去５年の出題傾向 ★★★★★

日本史 ① 江戸時代の三大改革と諸政策

５代将軍綱吉，６・７代将軍に仕えた新井白石，そして８代将軍吉宗の享保の改革に始まる，江戸時代の三大改革。それぞれの連関に注意をはらいながら理解していきたい。

■享保の改革に至るまで

江戸時代，３代将軍家光までは，いわゆる武断政治により諸大名への統制が行われた。武家諸法度等によって改易（取り潰し）され，藩の武士たちは牢人となりその職を失うことになった。家光没後，４代家綱が将軍就任の時に起きた由井正雪の乱は，幕府転覆を図ったもので，その規模は取るに足らないものとはいえ，牢人の起こしたものとして，幕府にとって衝撃的な事件といえた。幕府は，この頃から文治政治を採用するようになった。それを本格化するのが５代綱吉である。綱吉は，朱子学を採用し，数々の寺院を建立したが，その財政はきわめて放漫なものであり，彼の時代，深刻なインフレを招いた。

綱吉に続く，６・７代将軍に仕えたのが新井白石である。彼は，前代の悪習を払拭すべく，インフレの元凶荻原重秀や，賄賂政治の柳沢吉保を退けた。インフレ対策として，質の悪い元禄金銀から，良質の正徳金銀に改鋳した。

■旗本・御家人の救済

江戸時代の飢饉の回数は約150回に及んだ。当然，幕府の抱える旗本や御家人の生活に給料の減額というかたちでしわ寄せがくることになる。その武士たちが借金した商人が札差である。享保の改革の相対済し令，寛政の改革の棄捐令がその打開策である。

■株仲間（商業資本）の処遇

運上金・冥加金と呼ばれる政治献金を幕府に納め，特権を得ていた株仲間。その処遇に関して，享保の改革では，公認。田沼意次（9代家重，10代家治に仕える）は奨励。寛政の改革では解散（一部）。天保の改革では解散。

■農民の都市流入対策

江戸時代の農民には，多大な税が課された。その上，度重なる飢饉である。享保年間に新田開発がさかんに行われたとはいえ，貧しい農民たちの生活が楽になるものではなかった。逆に享保年間以降，農民層の分化が決定的となり，一揆が多発した。農民たちは都市に流入し，それに対して幕府はどのような対策を講じたのか。寛政の改革の（旧里）帰農令では，帰農（帰村）を奨励。天保の改革の人返しの法では，帰農を強制している。

■風紀の粛清

18世紀後半以降，世情の混乱から，幕府は風紀の取り締まりを強化した。学問や文学，あるいは，幕府批判にも厳しく臨んだ。寛政の改革では洒落本の山東京伝を処罰。天保の改革では人情本の為永春水，合巻の柳亭種彦等が処罰された。

■徳川綱吉の政治

①朱子学の採用。
②悪貨鋳造によるインフレ←商品経済の発展…勘定奉行 荻原重秀。

■新井白石の政治

①悪貨の元禄金銀から良貨の正徳金銀へ…インフレの抑制へ。

②海舶互市新例…長崎貿易の制限。

■享保の改革（1716～45）―8代将軍徳川吉宗

①上米…大名に1万石につき100石を上納させる→参勤交代の江戸在府期間半減。
②定免法…年貢率固定→五公五民。
③町人請負新田…株仲間による新田開発。
（江戸初期160万町歩→享保年間300万町歩）
④相対済し令…金銀貸借は当事者間で解決。
⑤公事方御定書…江戸時代の成文法（刑法）。
⑥足高の制…旗本に対し，家禄に関係なく，禄高を上げる→人材登用。
⑦目安箱…民衆の要望具現化→江戸町火消し。
⑧青木昆陽の登用…甘藷，商品作物栽培奨励。
⑨株仲間の公認…物価変動や物資の流通を幕府の統制下に→商業統制。

■田沼意次の政治

①蝦夷地開発…俵物（中国料理の材料）獲得。
②株仲間の奨励。
③積極的な貿易政策…長崎。

■寛政の改革（1787～93）―老中松平定信

①囲米…大名に対し，米の貯蔵を命じる。
②七分金積立…江戸の町入用（町費）を節減，その7割を町会所に積立て，貧民救済に。
③棄捐令…旗本・御家人救済のため，札差からの借金破棄。
④人足寄場…江戸石川島で浮浪者・無宿人を集め，職業訓練を施す。
⑤寛政異学の禁…朱子学以外の学問を異学とする→異学＝古学・陽明学。
⑥出版・言論統制
 1. 『海国兵談』の著者林子平を処罰。
 2. 洒落本の山東京伝を処罰。
⑦株仲間の解散…ただし，全てではない。
⑧（旧里）帰農令…農民の帰村を奨励。

ワンポイント★アドバイス

この頃，東北諸藩（会津・米沢・秋田藩等）で寛政の藩政改革が実施された。米沢藩では上杉鷹山が殖産興業・倹約を推進した。

■天保の改革（1841～43）―老中水野忠邦

①株仲間の解散…株仲間以外の新興商人（在郷商人）を幕府の統制下に→かえって混乱。
②人返しの法…都市に集中した農民を強制的に帰農させる。
③上知（地）令…江戸・大坂の大名・旗本領を幕府の直轄領に編入しようとする→失脚。
④政策の転換…異国船（外国船）打払い令（1825）→アヘン戦争（1840）→薪水給与令（1842）。

ワンポイント★アドバイス

この頃，西南諸藩（薩摩・長州藩等）で天保の藩政改革が実施された。薩摩藩は，砂糖の専売制を導入，また琉球との密貿易によって巨富を得た。

出題パターン check!

江戸幕府の政治に関するA～Cの記述のうち，正誤を正しく示してあるものはどれか。

A）幕府政治は，3代将軍家光によって武断政治から文治政治へと転換した。文治政治は儒学の徳治主義を基礎とし，幕政の基本方針が明確になった。この政治の最盛期は新井白石の頃で，長崎貿易の拡張や大規模な鉱山採掘による経済基盤の安定で江戸幕府の絶頂期が現出した。

B）享保の改革以来，寛政・天保の三大改革に一貫した基本的政策は，成長した商業資本を積極的に利用して幕府財政の強化と安定を図ろうとするものであった。享保の改革における町人請負新田，寛政の改革の株仲間の公認，天保の改革の殖産興業の奨励などがその例である。

C）幕藩体制下，諸藩は財政難が早くから始まった。その打開のため，特産品奨励と専売制を中核とした藩政改革が各地で行われ，中期には大飢饉を契機に会津・米沢・秋田など東北諸藩が，後期になると西南諸藩が成果をあげた。

	A	B	C
（1）	正	誤	誤
（2）	正	誤	正
（3）	誤	正	誤
（4）	誤	誤	正
（5）	正	正	正

答え（4）

過去５年の出題傾向　★★★★★

日本史 ② 条約改正交渉と日清･日露戦争

江戸幕府が締結した“不平等条約”。その改正交渉は明治政府の課題となった。その交渉を成功に導く大きな要因に日清と日露という２つの戦争があった。

■江戸幕府の締結した不平等条約

ペリー来航により日米和親条約を締結した幕府は，1858 年に日米修好通商条約を締結。その条約の一部は以下の通りである。

(1) 関税自主権がない。

(2) 治外法権（領事裁判権）を認める。

以上の２点が不平等な内容であった。同様の条約を５つの国と締結したので，安政の五カ国条約と呼ばれる。

安政の五カ国条約の締結国

・アメリカ（あ）　・オランダ（お）
・イギリス（い）　・フランス（ふ）
・ロシア　（ろ）

暗記法：あおいふろ（青い風呂）

■条約改正交渉の担当者　よく出る

明治政府にとって，条約改正は大きなテーマといえた。岩倉具視が予備交渉を行ったが，以降，寺島宗則，井上馨，大隈重信，青木周蔵，陸奥宗光，小村寿太郎がその担当者である。

条約改正の担当者暗記法

岩寺の井戸に大きな青い陸奥っ子（小）

■条約改正交渉成功の背景

(1) 治外法権（領事裁判権）の撤廃

帝国議会の開催が 1890 年。この年から日清戦争の 1894 年まで（第一議会から第六議会）を初期議会という。この間，政府と民党（野党）は軍事費などをめぐり対立した。特に，憲法発布の際の首相黒田清隆は政党を無視し，政府は議会の上，という立場をとった。これを超然主義という。

この対立が消滅し，国内諸勢力が１つとなり，条約改正交渉へと一枚岩となったのが，1894 年，すなわち日清戦争の時である。この交渉が成立した背景に，日清戦争に向けた国論の統一をあげることができる。

(2) 関税自主権の獲得（回復）

この交渉成立は 1911 年。日露戦争（1904 ～ 05）後，韓国を併合し，植民地にした韓国併合条約締結（1910）の翌年のことである。国内世論は必ずしもこの戦争を全面的に翼賛するものではなかったが，国際的には条約改正に利するかたちになった。

■条約改正と資本主義の発展

条約改正と２つの戦争は，日本の資本主義の発展と密接な関係がある。明治以降，わが国は先進資本主義諸国に追いつくために多大な財と労力を注ぎ込んだ。その成果を先進資本主義諸国が認め，評価した結果が，条約改正の達成につながった。この２つの戦争の前後に産業革命が相次いで起こったことも象徴的である。

日本の産業革命

◎第一次産業革命（軽工業中心）…日清戦争前後
↓
◎第二次産業革命（重工業中心）…日露戦争前後

■井上馨

内閣制度導入（1885）により，外務卿から外務大臣となる。

(1) 共同会議を採用。

(2) 鹿鳴館時代（欧化政策）を創出。
(3) ノルマントン号事件…イギリス船ノルマントン号，紀州沖で沈没。日本人25人全員死亡。最初は乗組員全員無罪。
(4) 外国人判事の多数採用←反対…辞職。

■大隈重信

(1) 国別交渉…アメリカから。
(2) 外国人判事の大審院雇用を「ロンドン＝タイムズ」が公表。
(3) 右翼団体玄洋社の来島恒喜に襲われ辞職。

■青木周蔵

(1) 対英交渉から始める。
(2) 大津事件（湖南事件）により辞職。

■陸奥宗光

(1) 青木周蔵を駐英公使に…対英交渉から。
(2) 日英通商航海条約締結（1894）…治外法権廃止。

■小村寿太郎

(1) 改正日米通商航海条約を締結（1911）。
(2) この条約より関税自主権の回復。

■日清戦争（1894～95） よく出る

(1) 朝鮮で甲午農民戦争（東学党の乱）
→日清相次いで出兵…天津条約が根拠。
(2) 日清による鎮圧後も撤兵せず→日清戦争へ。
(3) 下関条約（1895）…戦勝国は日本。
①清，朝鮮の独立を認める。
②清，遼東半島・台湾・澎湖諸島を割譲。
③賠償金2億両(約3億円)→金本位制の確立。
④沙市・重慶・蘇州・杭州の開放。
(4) 戦後，官営八幡製鉄所の創設（1896）
→第二次産業革命の基礎を築く。
(5) 三国干渉
ロシア・フランス・ドイツは遼東半島の返還を要求→日本，これに応じる。

■日露戦争（1904～05）

(1) 戦費17億円の90%を借金で開戦。
(2) 1904年，日本軍，仁川・旅順を奇襲。
(3) 日本海海戦でバルチック艦隊を全滅させる。
(4) ポーツマス条約（1905）…日本，賠償金を獲得できず。
①ロシア，日本の韓国における優越権認める。
②旅順・大連・東清鉄道の一部（南満洲道）の譲渡。
③南樺太と付属の島々を譲渡。

重要語解説

●大津事件…1891年，来日中のロシア皇太子が巡査津田三蔵に傷つけられた事件。青木外相は辞任。当時の大審院長児島惟謙は，彼を無期徒刑とし，司法権の独立を守った。
●天津条約…1885年，甲申事変の処理に関し日清間で締結。出兵の際の相互通告が日清戦争の端緒へ。
●金本位制…金貨を本位貨幣とする制度。この制度を欧米の先進資本主義諸国も導入していた。

出題パターンcheck!

不平等条約改正に関する次の記述のうち，最も適切なものはどれか。

(1) 明治政府は欧米諸国と対等・平等な国際関係をつくるため，不平等条約を改正しようと特命全権大使三条実美，副使木戸孝允・西郷隆盛とする使節団を欧米に派遣したが，交渉は最初の訪問国アメリカ合衆国で不成功に終わった。
(2) 伊藤内閣が条約改正達成のために，欧化政策をとり，鹿鳴館で外交団と日本の上流階級による舞踏会を開いたことは，国民に理解され，政府はその後の条約改正交渉を有利に進めた。
(3) 井上馨外務卿は領事裁判権を撤廃する代わりに，外国人を被告とする裁判には外国人の大審院判事を採用することを認める，という改正案で欧米諸国の合意を得ることができ，改正案どおり調印された。
(4) 陸奥宗光外相は日本の国力の充実を背景に，相互対等を原則として交渉を進め，領事裁判権の撤廃と関税自主権の一部回復，最恵国待遇の相互平等を内容とする日英通商航海条約が調印された。
(5) 関税自主権の一部回復では貿易上の不利は完全には解消されず，歴代の内閣は交渉を継続してきたが，第一次世界大戦で連合国側として参戦したことから，欧米諸国の理解のもと交渉が進展し，戦後小村寿太郎が首相の時に完全に回復された。

答え（4）

過去５年の出題傾向　★★★★☆

日本史 ③ 明治政府の諸政策

明治政府がその冒頭で矢継ぎ早に出した法令は，当時の人々の賛同を得ていたのだろうか。各法令の中身を理解するとともに，それに対する人々の反応，その後の流れもおさえたい。

■幕藩体制の解体

1867 年，大政奉還により江戸幕府は滅亡した。したがって，翌 1868 年から明治時代が始まる。しかし，江戸時代の“幕藩体制”の幕府は消滅したものの，なお藩が残存していたため，明治政府は 1869 年，その解体に着手した。これが版籍奉還である。

この改革では，旧藩主は藩知事という名の官僚の立場になった。藩知事となった旧藩主の家禄（給料）は 10 分の 1 となり，藩士の家禄も削られた。

名実ともに全国が政府の支配下に治まったのが廃藩置県以降である。政府は藩知事に代わり府知事・県令を任命し，全国に派遣，これにより政府の命令が全国に行きわたった。中央集権体制の完成である。

廃藩置県の際，比較的穏便にそれができた背景には，各藩の財政が窮乏していた点をあげることができる。

■財政の確立

明治政府の財政を圧迫していたのが，かつての武士階級及び明治維新の立役者（功労者）に対する家禄・賞典禄の支払いだった。この全廃に向けて秩禄処分が開始されたのが 1873 年。同年，地租改正も実施されている。豊凶に関係なく金納することが明記された地租改正は，近代的税制への大きな一歩といえる。だが，それに対する反発は，頻発した大規模な一揆によって容易に理解することができる。

また，大商人に課した御用金や状況に応じて出された太政官札・民部省札は，不安定な財政を安定させるものではなかった。そのような意味で，不満を持つ人々を多く抱えながらも，秩禄処分と地租改正という 2 つの政策が動き出したのである。

■ 1874 年以降の動き

明治政府がその冒頭に出した法令（特に，1873 年までに出したもの）に対する反応には，大きく分けて 2 つある。1 つが，武力による政府打倒を画する士族の反乱，もう 1 つが言論による政府攻撃，自由民権運動である。士族の反乱の最初が，征韓論で下野した江藤新平を首謀者とする佐賀の乱（1874）である。かつての支配階級を中心とした士族の反乱の中で，最大のものが西南戦争（1877）である。西郷隆盛らによるこの内乱は，他に飛び火することなく，南九州のみを舞台とした。ここに武力による政府打倒の限界が見える。以降，士族の反乱は皆無である。

主な士族の反乱

佐賀の乱（1874）－江藤新平，佐賀で反乱。
廃刀令（1876）後，激増。
神風連（敬神党）の乱（1876）－熊本で士族挙兵。
秋月の乱（1876）－秋月（福岡県）の士族，神風連に呼応。
萩の乱（1876）－長州（山口県）で士族が挙兵。
西南戦争（1877）－西郷隆盛，東上。

■版籍奉還（1869）

(1) 土地（版）と人民（籍）を朝廷に返上。
(2) 薩摩・長州・土佐・肥前の 4 藩から開始。

(3) 旧藩主を藩知事（知藩事）に任命。

■廃藩置県（1871）

(1) 薩摩･長州･土佐３藩の兵１万を御親兵に。
(2) 西郷隆盛･大久保利通･木戸孝允ら断行。
(3) 藩知事→府知事・県令…中央集権体制へ。

■秩禄処分（1873～76）…家禄・賞典禄全廃

(1) 家禄奉還（制度）…奉還希望者に数カ年分の禄高を現金と秩禄公債（証書）で支給。
(2) 金禄公債（証書）…士族の秩禄を廃止，代償として証書を支給→家禄を年賦で支払う。

■地租改正…実質的に1873～1881年 よく出る

(1) 江戸時代の禁令を解く。
①田畑勝手作許可（1871）。
②田畑永代売買解禁（1872）→地券交付。
(2) 地租改正条例（1873）。
①課税基準を収穫高から地価へ。
②税率は地価の3%（1877年に2.5%）。
③税金は土地所有者（地主）が金納。
④小作料は現物納のまま。
⑤寄生地主制の成立。
(3) 各地で地租改正反対一揆…愛知･岐阜･堺・茨城・三重など。

■徴兵令（1873）

(1) 徴兵告諭（1872）
①徴兵令の前年，軍隊創設の予告。
②血税騒動（徴兵反対運動）へ。
(2) 徴兵令
①「国民皆兵」…山県有朋中心←大村益次郎が構想。
②20歳に達した男子は士族,平民の区別なく。
③徴兵「免除」の条件…官吏・戸主・代人料270円以上納入者。

■自由民権運動の展開 よく出る

(1)民撰議院設立建白書を左院に提出(1874)…板垣退助・後藤象二郎・副島種臣。
(2) 大阪会議（1875）…運動の全国的盛り上がりの中で，政府，自由民権運動と妥協。
①大久保，木戸・板垣と会談。
②元老院(立法機関),大審院(司法機関)の設置。
(3) 一方で弾圧…讒謗（ざんぼう）律・新聞紙条例。

■国会開設への流れ

(1) 国会期成同盟成立←政府,弾圧…集会条例。
(2) 北海道開拓使官有物払下げ事件（1881）…明治14年の政変へ。
①開拓使長官黒田清隆，政商五代友厚に官有物を払下げ…1,400万円を38万円，無利子で30年賦。
②参議大隈重信の罷免。
③国会開設の勅諭…1890年の開設約す。

■自由民権運動の分裂と松方財政 よく出る

(1) 明治14年の政変→国会開設の勅諭→政党結成。
(2) 松方財政（1881～）
①デフレ政策と官営工場払下げ。
②デフレの進行により寄生地主制確立。
③過激な行動に走る中小農民。

↓
自由党員の蜂起事件へ｛福島事件（1882）／加波山事件（1884）／秩父事件（1884）／静岡事件（1886）
↓
大同団結運動←三大事件建白運動

出題パターンcheck!

次の明治維新期の記述で妥当なものはどれか。

（1）明治政府は，由利公正が起草し，福岡孝弟，木戸孝允らが修正した五箇条の御誓文で公議世論の尊重，開国和親，儒教仁政思想，太政官制の設置など施政の基本方針を示した。
（2）明治政府は一切の権力を太政官に統一し，版籍奉還，廃藩置県で旧藩体制の廃絶と集権体制を固めるとともに，その補強として国民皆兵を目指して徴兵制を敷いた。
（3）明治政府は，地租改正により土地制度を改革して財政を確立。資本主義の保護育成による近代産業の育成を図った。これにより，土地売買の自由化は実現し，地主・小作関係も解消して封建制は払拭された。
（4）明治政府は，地租を投入して富岡製糸場などの官営工場を建設したが，蔵相黒田清隆のもとで官営工場が民間に払い下げられると，寄生地主制度と相まって財閥の萌芽が促進され，資本主義経済の基盤が形成された。

答え（2）

過去5年の出題傾向 ★★★★☆

日本史 ④ 武家社会の成立

平安時代，政治的側面から見ると，後半期から摂関政治が本格化し，院政を経て武士の登場へと時代は変遷する。武家政権成立とその政権で注視しておくべき事象をおさえる。

■荘園の発生と武士の登場 よく出る

墾田永年私財法（743）以降，荘園と呼ばれる私有地が広まっていく。8～9世紀の初期荘園は，貴族や寺社，農民の富豪層が自ら開墾したものが一般的だった。それが，寄進地系荘園という形態に変わっていく。これは，荘園を直接管理する荘官が都の有力者（貴族や寺社）に荘園を寄進することで，保護を受け，何がしかの特権を得るというものである。

寄進地系荘園の成立により，荘園は一部有力者に集中することになるが，彼らは荘園領主と呼ばれ，絶大な経済的基盤を手に入れた。寄進地系荘園の成立は，その為政者が私利私欲に溺れ，政治を省みない状況をつくりだすことになり，地方政治の混乱をまねいた。10世紀，武士の反乱が起きたのは，まさにその“地方”である。

“地方”の反乱－承平・天慶の乱（935～941）

①平将門の乱（935）
…下総（茨城）の猿島で反乱を起こす。新皇と称す。
②藤原純友の乱（936）
…伊予（愛媛）の日振島で反乱。九州の大宰府を襲撃。

・乱の鎮定は地方武士の力による。
・地方武士の実力を中央が認識する契機。

■摂関政治から院政へ

摂関政治により権勢を誇った藤原氏が，栄華を極めた11世紀初め，“武士の棟梁”が台頭する。平氏と源氏である。両氏は各地での紛争を通して着実に力を付けていった。

中央においては藤原氏が衰退し，1086年から白河上皇による院政が開始された。しかし，為政者がかわったというだけで，政治状況が好転する，というものではなかった。院政時代も有力者（院及び院の近臣）には荘園が集中し，私利私欲の風は変わらなかった。

■初めての武家政権

平氏と源氏による政権争いの結果，勝利した源氏の棟梁・源頼朝により鎌倉幕府は開かれた。守護と地頭を設置した年は1185年。1192年には，源頼朝が征夷大将軍に任命される。

守護と地頭の職務

①守護
（1）原則として国ごとに設置。
（2）職務－大犯（たいぼん）三カ条。
・謀反人・殺害人の検断
…犯人の捜査・逮捕・刑事裁判等。
・大番催促（京都大番役の催促）
…皇居や市内の警備に御家人を招集。
②地頭
（1）全国の荘園・公領ごとに設置。
（2）職務…土地管理・年貢徴収等。
※ 鎌倉時代，地頭による荘園侵略
→下地中分・地頭請

■初期荘園…自墾地系荘園。

(1) 8～9世紀。
(2) 律令国家支える…原則的に輸租田（税の対象）。

■寄進地系荘園…摂関政治・院政の経済的基盤

(1) 11～12世紀。

(2) 律令下の田地が不輸租田(税の対象外)へ。

(3) 名主（有力農民）・開発領主（郡司などの富豪層），荘官へ。→荘園領主（有力貴族・寺社）へ土地を寄進。

上級の貴族・寺社(本家)

特権↓ ↑寄進　　荘園領主

中央の貴族・寺社(領家)

特権↓ ↑寄進

開発領主＝荘官

■摂関政治（10～11世紀） よく出る

(1) 藤原氏が外戚（母方の親類）として摂政・関白を独占。

(2) 経済的基盤は，寄進地系荘園。

(3) 11世紀初めの藤原道長・頼通の頃全盛。

■源氏の台頭―鎌倉幕府への礎石

(1) 平忠常の乱（1028）…源頼信が征討→関東に源氏の勢力。

(2) 前九年の役（1051～62），後三年の役（1083～87）…東北地方の反乱を源氏鎮圧→源氏，東国武士団との間に主従関係。

■後三条天皇―摂関政治と院政の過渡期

(1) 藤原氏を外戚としない天皇。

(2) 延久の荘園整理令（1069）→藤原氏の荘園停止へ。

■院政―白河上皇により開始（1086）

(1) 経済的基盤は，寄進地系荘園。

(2) 白河上皇以降，鳥羽・後白河上皇。

■鎌倉幕府の成立

(1) 侍所の設置（1180）…御家人の統率。

(2) 公文所の設置（1184）…一般政務。

(3) 問注所の設置（1184）…裁判・訴訟の事務。

(4) 守護・地頭の設置（1185）→これ以降，源頼朝の支配権が全国へ。

(5) 頼朝，征夷大将軍に（1192）。

■承久の乱（1221）―乱後，幕府優位へ

よく出る

(1) 3代将軍実朝暗殺がきっかけ。

(2) 幕府方勝利→幕府の勢力，全国へ。

(3) 六波羅探題設置…京都守護に代わり，朝廷の監視，西国御家人の統率。

(4) 新補地頭の設置…乱以前の地頭は本補地頭。

■北条泰時（3代執権）―執権政治の確立

(1) 連署の設置（1225）…執権の補佐。

(2) 評定衆の設置（1225）…重要政務の合議機関。

(3) 御成敗式目（1232）の制定。

①頼朝以来の先例を成文化。

②適用範囲は幕府の勢力圏。

③最初の武家法。

重要語解説

●下地中分（したじちゅうぶん）…領主が地頭に荘園を二分して与え，残りの支配権を維持すること。

●地頭請（じとううけ）…荘園の領主が地頭と年貢の請負について契約を結ぶこと。

出題パターンcheck!

鎌倉時代に関する次の記述で妥当なものはどれか。

(1) 鎌倉幕府初期の幕府と朝廷の関係は，幕府の守護任命，朝廷の国司任命にみられるように公武の二元支配であった。

(2) 鎌倉時代には，日本最初の武家法として知られる関東御成敗式目が制定され，統一的な裁判基準が朝廷，荘園領主を含めあらゆる階層に適用された。

(3) 文永・弘安の2度にわたる元寇の後，幕府はいっそう西国への勢力を拡大し，新たに地頭を任命した。これを新補地頭という。

(4) 3代将軍実朝暗殺以後，承久の乱までは親王将軍が迎えられたが，実質的には北条氏が執権として実権を握った。

(5) 鎌倉幕府には，中央機関として侍所，政所，問注所およびこれらを統轄する管領が置かれ，下級貴族と有力御家人の合議で全ての政策が決定された。

答え（1）

過去５年の出題傾向　★★★★★

世界史① 欧米列強の帝国主義政策

イギリスは18世紀後半に産業革命を達成した。ここから，欧米の先進資本主義諸国は相次いで産業革命を達成することになる。その先にあるのが，帝国主義である。

■帝国主義とは

資本主義を生産様式の発展，という点から見た場合，問屋制家内工業⇒工場制手工業（マニュファクチャー）⇒工場制機械工業，と推移する。工場制機械工業により，大量生産が可能となるが，いわゆる産業革命はこの頃である。

産業革命後，大量の製品をいかに消費するか，という課題があった。それは，産業革命を達成した各国にとって，共通のものだった。生産したものが売れ残ると，恐慌へとつながる可能性があるからだ。

そこで市場が必要になってくる。市場の必要性は植民地獲得という方法によって解決される場合が多かった，といえる。市場の必要性・植民地獲得の段階を帝国主義という。

■各国の帝国主義

(1) イギリス

いち早く産業革命を達成したイギリス。ヴィクトリア女王（位1837～1901）時代には“世界の工場”として自由貿易政策を採用。1870年代から帝国主義政策に転じた。インドでは，1857年のセポイ（シパーヒー）の反乱を鎮圧，1877年，ヴィクトリア女王がインド皇帝を兼ね，直轄植民地とし，インド帝国を樹立した。

また，スエズ運河を買収（1875）し，エジプトを保護下においたのが1882年。南ア戦争（1899～1902）を起こし，南アフリカ連邦を支配下においたのが1910年。これによりイギリスは，ケープタウン，カイロ，カルカッタ（現コルカタ）を結びつける，いわゆる3C政策により，帝国主義の拡大を狙った。

(2) フランス

フランスは，ドイツやアメリカに追い越されたが，1880年代から海外侵略を進め，インドシナ，アフリカに進出し，イギリスに次ぐ広大な植民地を領有した。

1881年にチュニジアを保護国とし，サハラ砂漠を占領，ジブチ，マダガスカルへのアフリカ横断政策を企図した。ファショダ事件（1898）ではイギリスと衝突するが，ここはフランス側が譲歩した。その後，英仏は接近し，エジプトにおけるイギリス，モロッコにおけるフランスの優越を相互に認め合った。

(3) ドイツ

ドイツの国家統一（1871）は遅かった。それゆえ，国家の保護のもとで産業革命は推進された。ヴィルヘルム２世（位1888～1918）の頃，モロッコをめぐりフランスと２度にわたり対立した。

これが，タンジール事件（1905）・アガディール事件（1911）で（第一次・第二次モロッコ事件），イギリスがフランスを支援したため，モロッコはフランスの保護国となった。ドイツは，新航路政策・3B政策（ベルリン・ビザンティウム・バグダッド）によって，イギリスとも対立を深めることになる。

ワンポイント★アドバイス

西暦 1900 年前後は，まさに帝国主義の時代といえる。強者が弱者を支配したこの時代，標的とされた中国とアフリカには，特に注視したい。

■アフリカの分割 よく出る

(1) リベリア・エチオピア以外は全て植民地…20 世紀初頭において。

(2) イギリス

①エジプトを保護国化（1882）。

②スーダン占領（1899）。

③南アフリカの植民地化（1910）。

④アフリカ縦断政策と 3C（ケープタウン・カイロ・カルカッタ）政策。

(3) フランス

①アルジェリアが足場（1830 年に占領）。

②チュニジアを保護国とする（1881）。

③アフリカ横断政策…イギリスのアフリカ縦断政策と衝突→ファショダ事件（1898）。

④エジプト・モロッコにおける英仏の優越を相互承認（1904 年の英仏協商）。

(4) ドイツ

①モロッコ事件（タンジール・アガディール）…モロッコで独仏の対立。

②イギリスのフランス支援…モロッコ，フランスの保護国に（1912）。

■中国の分割 よく出る

(1) 日清戦争（1894 ～ 95）後，中国分割へ

①下関条約で日本が遼東半島獲得。

②ロシア・フランス・ドイツが遼東半島返還要求…三国干渉。

(2) ロシア

①東清鉄道敷設権獲得…遼東半島返還の代償。

②旅順・大連の租借（1898）。

(3) ドイツ，膠州湾を租借（1898）…宣教師殺害事件を口実として。

(4) イギリス…威海衛・九龍半島の租借（1898）。

(5) フランス…広州湾の租借（1899）。

(6) 日本…福建省の不割譲を約束させる。

(7) アメリカ…門戸開放宣言←国務長官ジョン・ヘイ。

●列強の勢力地図<アフリカ(1880～1912)>

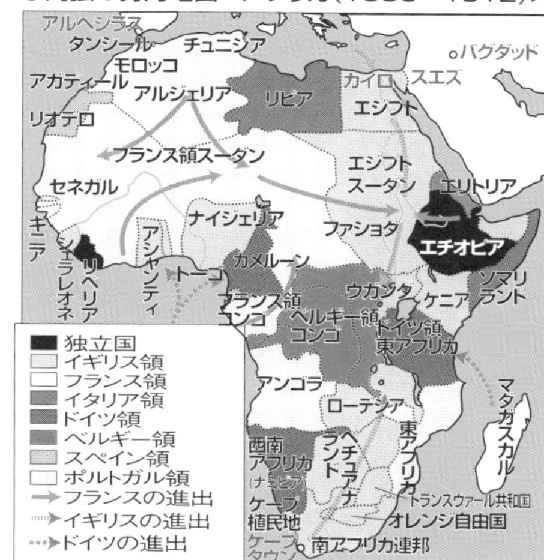

出題パターン check!

19 世紀後半から 20 世紀初めにかけての欧米諸国の記述として，最も適切なものはどれか。

(1) 1898 年アメリカはスペイン領キューバの独立支援を名目に米西戦争を起こした。その結果，アメリカはキューバを独立させ事実上の保護国とし，またスペインからフィリピンを譲り受けた。

(2) 3C 政策によってカイロとケープタウンを結ぶ地域を南下してきたフランスと，サハラ砂漠からインド洋へアフリカ大陸を横断していたイギリスが，ドレフュス事件を起こした。

(3) ドイツは，1890 年ビスマルクが宰相に就任すると，積極的に世界の再分割に加わろうと 3B 政策を展開した。

(4) 東アジアへの進出を巡ってドイツとの対立を深めていたイギリスは，伝統であった「栄光ある孤立」政策を捨て，同じくドイツの圧力に危機感を持つ日本との間に 1902 年日英同盟を結んだ。

答え（1）

過去5年の出題傾向 ★★★★★

世界史 ② 世界恐慌と第二次世界大戦

1929年，アメリカに端を発した世界恐慌。それから10年後の1939年に始まった第二次世界大戦。当時の世界の状況を複眼的に概観してみよう。

■世界恐慌

ヨーロッパを戦場とした第一次世界大戦。戦後，1919年に敗戦国ドイツは連合国とヴェルサイユ条約を調印，世界の潮流は国際協調へと動き出した。1921～22年のワシントン会議では主力艦の軍縮が決定し，1928年にはパリで不戦条約が締結された。

一方，ヨーロッパの復興が進むにつれて，戦時中に大量の製品をヨーロッパに輸出するため，多額の設備投資をした国々は深刻な不況に追い込まれた。1920年代，各国を襲った不況は，その最後に世界恐慌という，未曽有の悲劇を用意していた。国際協調という時代にあって，各国が不況脱出のためにとった政策は，いかにも手前勝手だった，といえるかもしれない。象徴的な2つの国をあげてみよう。

イギリス。1931年，保守党と自由党の連立政権として誕生したマクドナルド内閣は，挙国一致を掲げた。その政策の柱がブロック経済である。ブロック経済とは，本国イギリスとその植民地の間で封鎖的な経済体制を敷き，難局を乗り切ろうとした，その政策をいう。

アメリカ。国内に多くの資源と人的資源を有するこの国は，ニューディール政策により打開をはかった。ポイントは2つ。恐慌が，生産過剰からくるものとして生産規制をした。また，公共事業によって有効需要を増大させる，というのが2点目である。自国での苦境脱出が可能であったがゆえの政策といえる。

この2国が象徴的ではあるが，日本もイギリスのような政策を採っている。大東亜共栄圏がそれである。また，ソ連は第一次五カ年計画を実施（1928～32）することにより，世界恐慌の影響をほとんど受けなかった。困窮下，他国の状況を顧慮しない世界の国々。第二次世界大戦の伏線としてこの点が存在することを見逃してはならない。

■ファシズムの台頭

1932年，ドイツでナチス（国家社会主義ドイツ労働者党）が第一党になった。その首相がヒトラーで，不況による社会不安を背景に，着実にその地歩を固めた。ファシズムの台頭である。第一次世界大戦でドイツが締結したヴェルサイユ条約の打破を目指し，領土の回復をドイツ国民の同意のもとに進めた。

ドイツの動きに対して，英仏両国の場合，いたって寛容といえる。1938年のミュンヘン会談は，全体主義に対して譲歩した内容であり，いわゆる宥和政策の一例である。英仏が対独戦に踏み切ったのは，ドイツがポーランドに侵攻した1939年になってからである。

■世界恐慌の発生 よく出る

(1) 1929年，ニューヨークで株価大暴落

(2) 原因

①第一次世界大戦中の設備投資→生産過剰。

②産業合理化→失業者増大。

③アメリカ資本，ヨーロッパから撤退。

(3) アメリカの対応策

①ニューディール政策…フランクリン・ローズヴェルト。

②その具体策。

・農業調整法（1933）…農業生産制限。

・全国産業復興法(1933)…企業の生産規制。

・テネシー川流域開発公社(TVA)→公共事業。

・金本位制の停止→管理通貨制度へ移行。

(4) イギリスの対応策

①マクドナルドの挙国一致内閣。

②その具体策。

・金本位制を停止。

・オタワ会議(1932)…ブロック経済の採用。

■ファシズムの台頭ードイツ　よく出る

(1) 総選挙でナチス第一党（1932）

①ヒトラー，首相に就任（1933)。

②全権委任法制定…独裁権掌握。

③総統に就任（1934)。

④ヴェルサイユ体制の打破を訴える。

(2) ヴェルサイユ体制の打破へ

①ヒトラー，ドイツの軍事平等権主張。→国連承認せず→ドイツ，国連脱退(1933)。

②人民投票によりザール地方併合(1935)→ナチス政権初の領土回復。

③再軍備宣言（1935）…徴兵制の復活。

④ラインラントの非武装地帯に進駐(1936)。

(3) ドイツ・イタリア・日本の結束

①イタリア,エチオピアを侵略→併合(1936)。

②独伊接近→ベルリン=ローマ枢軸成立（1936)。

③日独伊防共協定（1937）…反ソ反共。

(4) スペイン内乱（1936～39)

…第二次世界大戦の前奏曲。

①左派諸政党アサーニャを首班指名し，人民戦線内閣組織←ソ連支援。

②右翼フランコ将軍，モロッコで反乱。

・スペインの大地主，カトリック教会，軍部，資本家の支持。

・ドイツ・イタリア・ポルトガルの支援。

③フランコのファッショ体制確立(1939)。

(5) ナチス=ドイツの侵略

①オーストリアを併合（1938)。

②ドイツ系住民多いチェコスロバキアのズデーテン地方の割譲要求→英仏認める…ミュンヘン会談（1938)。

■第二次世界大戦　よく出る

(1) 開戦へ

①独ソ不可侵条約（1939)。

②ドイツ,ポーランド侵入→英仏宣戦布告。

③ドイツ，オランダ・ベルギーを強行突破→フランスを急襲（1940)。

④ドゴール（仏)，ロンドンに亡命→自由フランス。

⑤日独伊三国軍事同盟の調印（1940）…アメリカが仮想敵国。

⑥日ソ中立条約(1941)…日本の南進政策。

⑦太平洋戦争(1941)…日本,米英に宣戦布告。

(2) 終戦へ

①イタリア無条件降伏（1943.9)。

②ドイツ無条件降伏(1945.5)…ヨーロッパでの戦争終結。

③日本無条件降伏(1945.8)…ポツダム宣言受諾。

出題パターン check!

下記の事項のうち，第一次世界大戦から第二次世界大戦の戦間期に起きたものでないのはどれか。

(1) ヒトラーが割譲を要求したチェコのズデーテン地方について，独・伊・英・仏の首脳がミュンヘンで会談し，これ以上の領土要求はしないのと交換に，その領有を認めた。

(2) スペイン内乱は，反乱軍が独伊に支持されたのに対して，政府軍はイギリスの援助が得られず，国際義勇軍とソ連の援助に頼る政府軍側の敗北に終わった。

(3) NEP（新経済政策）に次ぐ社会主義計画として，基礎産業部門に重点を置いた第一次五ヵ年計画がソ連で実施された。

(4) 日本とソ連との間で，相互不可侵・中立維持などを約束した日ソ中立条約が締結され，日本の南方進出が可能となった。

答え（4）

過去５年の出題傾向 ★★★★★

世界史 ③ 明と清

征服王朝・元の支配を打破した明。その明を打倒した征服王朝・清。他民族にその領土を奪われた漢民族。終章を飾る２つの王朝，そして，朝鮮半島の状況にも注視したい。

■明朝の成立

元末に農民反乱が起きた。白蓮教徒による紅巾の乱（1351～66）である。これを指導した朱元璋によって元は滅ぼされた(1368)。彼は，南京を都とし，漢民族による統一王朝を復興し，国号を明と改めた。江南の南京を基盤とする中国全土の統一は明が唯一である。

即位後，洪武帝（太祖・1368～98）と称し，皇帝独裁体制を確立。卑賤の身から頂点を極めたこともあり，周囲への猜疑心が強かった。そのため，独裁体制確立の際，数万の人々が粛清され，葬り去られた。中には，明朝成立に貢献した多くの功臣も含まれている。

政策は，財源確保のための基盤整備が中心となった。その具体策が魚鱗図冊（土地台帳）や賦役黄冊（戸籍・租税台帳）である。また，里甲制・衛所制を通して徴税と治安維持を図った。

■李氏朝鮮

明朝成立と同じ頃，朝鮮半島では李成桂が高麗を滅ぼし，漢陽を都に李氏朝鮮を建国した。世襲官僚の両班（ヤンバン）を中心とした中央集権体制を確立した。

■永楽帝の治世

洪武帝の孫２代建文帝の頃，靖難（せいなん）の変が起こった（1399）。この乱の首謀者で叔父の燕王が帝位を奪い，永楽帝として即位した。彼は，洪武帝とは対照的な政策を展開した。

例えば，都を南京から華北の北京に遷都したこと(1421)もその１つであろう。また，独裁体制に執着した洪武帝に対して，事実上の宰相（内閣大学士）を復活させ，皇帝親政体制の補佐役とした。外交的には，鄭和（ていわ）を南海遠征に派遣するなど，積極的に外征を行っている。しかし，それはかえって周辺民族の反発を招き，モンゴルの侵入や倭寇の略奪など，いわゆる北虜南倭の原因となり，王朝の滅亡を早めることにもなった。

■明の衰退と滅亡

北虜南倭や宦官の登用は明の国力を弱めていくが，万暦帝とその内閣大学士張居正は改革に着手した。16世紀後半，メキシコ銀と日本銀の流入により，農村に貨幣経済が浸透，自作農の没落が起こり，土地の寡占化を生み出した。この状態を税制面から改革しようとしたのが一条鞭法である。税の簡素化と銀納化を狙ったものだが，自作農には負担となり，小作料や税の減免を要求した一揆が頻発するようになった。内外に多くの問題を抱える中，1644年に李自成により北京は占領され，明は滅亡した。

■清朝の成立

明滅亡後，元・明に服属していた女真族のヌルハチ（位1616～26）が，八旗という軍事・社会組織をつくり女真族を統一。２代ホンタイジの時に，金という国号を中国風に清（当初大清）と改めた。３代順治帝（位1643～61）の時，北京を占領し中国支配を開始した。

■清朝の中国支配

4代康熙帝(こうきてい:位1661~1722)は，三藩の乱を鎮定，台湾で反乱を起こしていた明の遺臣鄭成功らを滅ぼし，中国統一を完成した。外交面においては，ロシアのピョートル大帝とネルチンスク条約を締結(1689)，露清間の国境を定めた。また，典礼問題を機にイエズス会以外のキリスト教を禁止した。5代雍正帝（ようせいてい：位1722～35）は，ロシアとキャフタ条約を締結（1727)，シベリア等北辺の国境を画定した。税制面では，人頭税を地税に一本化した地丁銀制をほぼ全国で採用した。6代乾隆帝（けんりゅうてい：位1735～95）は，外征で領土を拡大し，清の領土は最大となった。

■洪武帝の政策 よく出る

①宰相，中書省（行政機関六部を統轄・政治の最高機関）の廃止→皇帝直属。
②里甲制（里＝里長，甲＝甲首）の採用…連帯責任。
③魚鱗図冊・賦役黄冊の作成…財源確保。
④朱子学の採用…官学。
⑤科挙（隋に始まる学科試験）の整備。
⑥一世一元制の導入。

■李氏朝鮮の政治

①両班による中央集権。
②朱子学を国学に採用。
③訓民正音（ハングル）を制定…4代世宗。

■永楽帝の政策 よく出る

①北京遷都（1421）…北平を北京と改称。
②内閣大学士（殿閣大学士）の設置。
③運河の築造（北京～南京)。
④外征
・東モンゴルの征討。
・鄭和の南海（東南アジア・インド洋）遠征。
⑤（万里の）長城の再建… 現存するのは明代のもの。
⑥李氏朝鮮の服属。

■明の社会・経済

①荘園経営の発展…商品作物の普及。
②ポルトガルとの交易・メキシコ銀の流入→一条鞭法の採用。

■明の文化

①陽明学の成立…王陽明の知行合一。
②宣教師の来朝…マテオ・リッチ。

■清の発展と中国統治 よく出る

①康熙帝…中国統一を完成。→ロシアとネルチンスク条約締結（1689)。
②雍正帝…キリスト教の全面禁止。→ロシアとキャフタ条約締結（1727)。
③乾隆帝…領土が最大→貿易港を広東に限定。

一条鞭法と地丁銀制

一条鞭法(明末～清初)		地丁銀制(清中期以降)
万暦帝の頃全国化	実施	康熙帝の時代に始まり,雍正帝の時代に全国で実施
ポルトガル・スペインによるメキシコ銀と日本銀の流入	背景	富裕地主の丁数ごまかしや貧困農民の未納増加による人頭税の徴収困難化
土地税(租税)と力役(丁税・人頭税)を一条にまとめて銀で一括納入	内容	人頭税が廃止され,人頭税を地税に組み込み地丁銀として一括徴収

出題パターンcheck!

明朝から清朝への移行期の中国における社会や文化の状況に関する次の記述のうち，妥当なものはどれか。

(1) 倭寇や女真族の再度の侵入によってもたらされた社会不安と政治不信は，太平天国の乱を引き起こした。
(2) 清の軍制面では八旗・緑営という明の常備軍制度を満州人に有利な形で活用し，行政面でも伝統的な科挙制に殿試を付け加えて文治主義の集権体制を確立した。
(3) マルコ・ポーロやイブン・バットゥータが来朝し，イスラム世界の技術や文化がもたらされ，中国最初の世界地図「坤輿万国全図」もこの時期に作成された。
(4) 銀の社会的役割が増大し，貨幣経済が発達した。明では土地税と丁税などを一括して銀納する一条鞭法が採用され，清では地丁銀制が採用された。

答え（4）

過去5年の出題傾向 ★★★☆☆

世界史 ④ 宗教改革

16世紀初頭，ローマ=カトリック教会に対する疑問に端を発し，遂にはその権威を否定し，そこからの離脱へと向かう。宗教改革は，中世的支配が崩壊していく一つの契機となった。

■改革の先駆者

14世紀から15世紀にかけて，教会刷新運動が展開された。運動を支えた人物が，ウィクリフ（イギリス）やフス（ベーメン）である。彼らは，コンスタンツ公（宗教）会議（1414～18）で異端とされたが，運動の波は着実に広がっていった。

特にオランダ出身でルネサンスの人文主義者エラスムスの著作『愚神礼讃』は，権力指向の聖職者や王侯の悪徳を風刺，後の宗教改革に大きな影響を与え，「エラスムスが産んだ卵をルターが孵した」ともいわれる。

■ドイツの宗教改革

ドイツには多くの領邦があったため，国家統一が遅れた。そのドイツに対し，教皇や教会の干渉や搾取は繰り返し行われた。「ローマの牝牛」といわれるのはこのような経緯からであるが，そこに立ち上がったのが，マルティン=ルター（1483～1546）である。折りしもドイツでは，教皇レオ10世によってサン=ピエトロ大聖堂改築のため，大量の免罪符（贖宥状・しょくゆうじょう）が販売されていた。免罪符を買うことにより，神の「救済」があると教会が説いたのである。ルターは，『95カ条の論題』によってこれに反対し，これが宗教改革の口火となった(1517)。ルター派の人々は，後にプロテスタントと呼ばれ，北ドイツや北欧3国に信仰は広まった。

■スイスの宗教改革

1523年以来，チューリヒではツヴィングリがミサの廃止など独自の宗教改革を行っていた。運動は周辺にも波及したが，カトリック派との内戦により，彼は1531年に戦死した。フランス人ジャン=カルヴァンが祖国を離れ，宗教改革に取り組もうとしたのもそのスイスだった。

本格的にそれに着手したのが1541年。人間の原罪は自らが救うことはできず，それを決めるのは神であるとし，また，各自が職業労働に励むことは神の栄光を表すこととし，営利活動を肯定した。以降，カルヴァン派の信仰は西欧に波及し，フランスではユグノー，イギリスではピューリタンと呼ばれた。

■イギリス国教会の創設

ヘンリー8世の離婚問題が，イギリス国教会創設の最大の原因といえる。彼は，首長令を発し，ローマ教会から分離独立。その子エリザベス1世はイギリス絶対王政の全盛期を現出した人物でもあるが，統一令を発し，国教会を確立した。

■反宗教改革

カトリック側の巻き返しといえる反宗教改革はスペインから生まれた。イベリア半島にあって，中世を通じてイスラム教徒を駆逐してきたスペイン。中でも異彩を放つのが「イエズス会」である。スペインの貴族出身イグナティウス=ロヨラを初代総長とするこの修道会の特色は，厳格な規律と教皇に対する絶対的服従である。

新旧両派の調停，という意味合いのもと

トリエント公会議が開催されたのが1545年。しかし，出席したのは旧教側のみであり，新教側は欠席したため，決まった内容は教皇権の至上性を確認したこと，カトリック教義を再確認したことといった，旧教側にとって都合のよいものだった。新旧の対立は宗教裁判を通して18世紀後半まで尾を引くことになる。

■宗教改革の背景

(1) 教会・聖職者の堕落に対する改革の動き…イギリスのウィクリフ，ベーメンのフス。
(2)「聖書」の原典研究進む→教会批判へ。
①エラスムス…オランダ。16世紀最大の人文主義者（ヒューマニスト）。『愚神礼讃』
②ホルバイン…ドイツ。画家。反ローマ描く。
(3) 各国の王権強化進み，教皇権衰退。

■ドイツにおけるルター派の宗教改革 よく出る

(1) 教皇レオ10世，サン=ピエトロ大聖堂改築のため，ドイツで免罪符(贖宥状)販売。
(2) マルティン=ルター，免罪符販売に対し，『95カ条の論題』で反対…宗教改革の口火。
(3) ルター，教会と対立。
①ライプチヒの討論会で聖書中心主義主張。
②ドイツ皇帝カール5世から所説の撤回強要。
③ザクセン侯フリードリヒがルターを保護。
④オスマン=トルコ軍，ウィーンに迫る。
⑤ルター派の信仰認める→再び禁止。

■プロテスタントの承認

(1) ルター派の人々の抗議(プロテスタント)。
(2) アウグスブルクの和議（1555）…ドイツ帝国議会，ルター派の信仰認める。
(3) 北ドイツ・北欧3国に広まる。

■カルヴァン派の宗教改革…スイス よく出る

(1) ツヴィングリがチューリヒにおいて改革（1523～）…失敗。
(2) カルヴァンがジュネーブで神権政治(1541)。
①予定説…人間の原罪を救うのは神のみ。
②営利活動肯定…各自が職業労働に励むことは神の栄光を表す。
(3) カルヴァン派の信仰は西欧へ…フランスでユグノー，イギリスでピューリタンと呼ばれる。

■イギリス国教会の創設

(1) ヘンリー8世…ローマ教会と対立。
①最初の妻との離婚，教皇認めず→旧教離脱。
②首長令（1534）
・離婚認める。
・イギリス国教会の創設→ローマ教会と絶縁。
(2) エリザベス1世…絶対王政の全盛期…統一令(1559)によりイギリス国教会確立。

■反宗教改革の動き よく出る

(1) ローマ教会とスペイン宮廷が中心。
(2) イエズス会…イグナティウス=ロヨラら。
①フランシスコ=ザビエル（スペイン）…日本に伝道。中国伝道の途上で病死。
②マテオ=リッチ（イタリア）…教団初の中国伝道を開始。
(3) トリエント公会議（1545）
①新教側欠席。旧教側のみの会議となる。
②カトリック教義の再確認→宗教裁判へ。

出題パターンcheck!

ヨーロッパにおける宗教改革に関する記述として適切なものはどれか。

(1) 宗教改革は，ローマ教会がサン＝ピエトロ大聖堂を改築するために，聖書の購入により罪が許されるとして聖書の購入を強制したことに端を発する。
(2) ドイツでは，ルターが「人はただ信仰によってのみ救われる」と唱え，カトリック教会やローマ教皇を批判した。そして，一時的にその信仰が認められたこともあった。
(3) スイスでは，カルヴァンが「自分の仕事に励んで富を蓄えることは罪である」と説き，商工業者からの賛同をえられず，その信仰が他の地域へ波及することはなかった。
(4) ルター派やカルヴァン派，いわゆるプロテスタントは，フランスやイタリアなど，南ヨーロッパへ広まった。

答え（2）

過去５年の出題傾向 ★★★★★

地理 ① アメリカと中国の農業

広大な国土を有する両国。各地の気候条件に応じた農業を行う，という点において共通点を持つ。各地域の気候と農産物の関係をおさえ，整理しながら理解することが求められる。

■アメリカの農業の特色

アメリカの農業は，よく，「適地適作」と表現される。同国は，国内にほぼ全ての気候区を有するといわれるほど，多様な気候条件を持つ国であるため，地域の気候条件に合った農業が行われ，農作物の特化が顕著である。

(1) 酪農地帯

大西洋岸の東北部と五大湖周辺の冷帯に属する地域では，冷涼な気候を利用しての酪農が盛んである。また，この地域はりんごの生産も盛んである。

(2) とうもろこし地帯

酪農地帯南部に，帯状に広がる地域。とうもろこしの栽培と豚の飼育が盛んである。また，かつてはグレートプレーンズで放牧された牛の肥育の中心でもあった（近年は西部の放牧地域が中心）。

(3) 園芸農業地帯

園芸農業地帯は，大西洋沿岸を南北に細長く伸びている。大西洋中部沿岸では，メガロポリスの消費者向けに，野菜・果実などを栽培する近郊農業が行われ，亜熱帯性の気候に属するフロリダ半島では，かんきつ類などの果実や野菜が栽培されている。

(4) 綿花地帯

南部は，「コットンベルト」と呼ばれる伝統的な綿花栽培地帯である。ただし，近年では地力低下，虫害や土壌侵食により，大豆・とうもろこし，肉牛飼育を中心とする混合農業に移行している。

(5) プレーリー よく出る

ミシシッピー川流域から西経100°にかけて広がる温帯草原で，世界的な農業地帯。肥沃な黒土地帯にあたり，北部から春小麦→とうもろこし→冬小麦→綿花というように，各種の作物が栽培され，小麦ととうもろこしの世界的な生産地域となっている。なお，春小麦とは，春蒔きの小麦のことで，冬蒔きの冬小麦より生産量が少ないが，品質がよいため，高価である。北米では春小麦がカナダからアメリカにかけての地域に広がっている。

(6) グレートプレーンズ よく出る

ロッキー山脈東麓から西経100°あたりまで広がる台地状の大平原。ステップ気候に属し，牛の大放牧地帯となっている。また，土壌が肥沃であるため，センターピボット式と呼ばれるスプリンクラーを利用した灌漑農業も行われている。

(7) 地中海式農業地帯

太平洋に面したカリフォルニア州は，地

●アメリカの農牧業地域

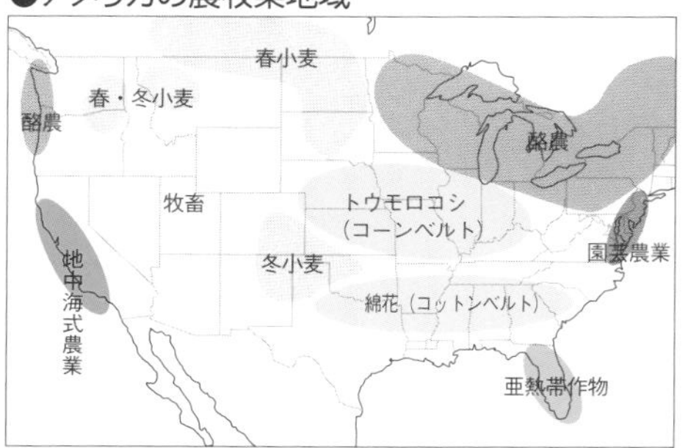

ワンポイント★アドバイス

アメリカの農牧業は，西経 100° に注目する必要がある。この経線から東側が穀物地帯であり，西側が牧畜地帯である。

中海性気候に属する地域であり，地中海式農業が行われ，ぶどうなどの果樹栽培がさかんである。また，日本への輸出向けにジャポニカ種の稲の栽培(加州米)も盛んである。

■中国の農業　よく出る

広大な国土を有する中国は，アメリカと同様に，多様な農業作物を生産する。その中国における重要な境界線が，チンリン山脈とホワイ川を結ぶ線（チンリン＝ホワイ川線・年間降水量 750mm の線）である。この線より北（華北・東北）が畑作地帯，南（華中・華南）が稲作地帯となっている。その他，新疆ウイグル地区ではオアシス農業が見られる。作物については，東北地区では大豆・こうりゃん，華北では小麦・あわ，華中以南では米が主要作物であるが，他には，ほぼ全国的にとうもろこしの栽培が盛んであり，歴史的に人口増加の要因の１つとされている。また，華南のチュー川流域では，米の二期作が行われている。

■人民公社と生産責任制（生産請負制）　よく出る

中国の農牧業は革命後の 1958 年に「人民公社」が結成され，農村を社会化・集団化し，社会主義型の集団制農業として進展が見られた。その後，1982 年に人民公社を解体（憲法改定）し，新たに「生産責任制」を導入して農民の意欲向上を図った。農業の機械化・電化・水利整備などとあわせて生産力は向上傾向にあるが，小麦などを大量に輸入しており，食糧自給は達成していない。この中国において，1982 年には自由市場の公認に踏み切っている。

●中国の農牧業地域

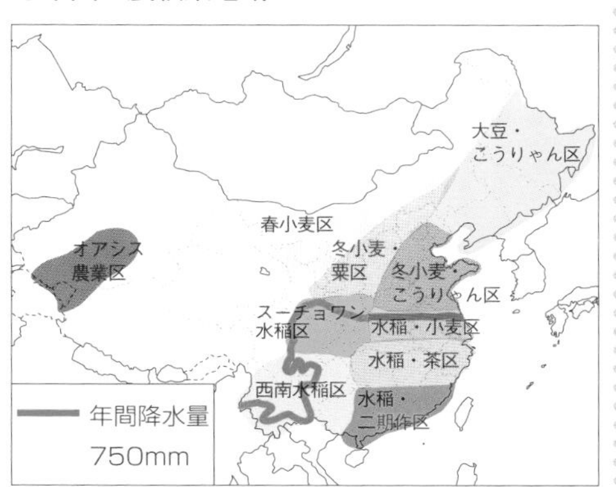

■主要作物の生産・輸出※

アメリカの代表的な農作物はとうもろこしと大豆で，とうもろこしは生産量世界第１位，大豆は第２位である（とうもろこし 30.0%，大豆 33.4%）。輸出量は，とうもろこしは 28.0％で第１位，大豆は 36.4％で第２位。中国は米の生産が第１位（26.9%）。小麦の生産も世界第１位（17.0%）である。

※出典：国際連合食糧農業機関（FAO）／生産量＝2022 年，輸出量 2022 年

重要語解説

●肥育…アメリカでは肉牛の肥育のために，フィードロットと呼ばれる肉牛肥育場が設けられており，放牧で育てられた牛を，濃厚飼料により約５カ月間で集中的に肥育する。

●生産責任制…農家の個人経営を認め，政府に対して一定量の農作物の生産を請負わせた上で，余剰分を自由に処分できるようにした制度。農民の生産意欲が高まり，万元戸などと呼ばれる富農が出現した。

出題パターン check!

中国の農業に関する次の記述のうち，最も適切なものはどれか。

（1）華中の長江流域や華南の平野・盆地では，米作りが盛んで，二期作も行われている。
（2）黄河流域の華北や東北では，サトウキビやバナナの栽培が盛んである。
（3）人民公社を中心とする生産体制が継続され土地や家畜の共同管理が行われている。
（4）中国の穀物生産高に占める小麦の割合は，米の割合よりも大きい。
（5）内陸部の乾燥地帯では，こうりゃん，大豆の栽培が盛んである。

答え（1）

過去５年の出題傾向　★★★★★

地理 ② ケッペンの気候区分とハイサーグラフ

ケッペンの気候区分は，自然地理の頻出事項であるだけでなく，各国地誌でも重要な要素。その代表的な都市と雨温図・ハイサーグラフを正しく組み合わせられるようにしておこう。

■ケッペンの気候区分

ドイツの地理学者ケッペンは，気候条件に強く影響を受ける植物分布に着目し，世界の気候区分を行った。

■熱帯気候（A）

最寒月平均気温18℃以上の気候地域。土壌はやせた赤色土のラトソルである。熱帯雨林気候とサバナ気候の区別は重要である。

(1) 熱帯雨林気候（Af）　よく出る

西アフリカ・東南アジアなど赤道付近の地域に見られる気候。年中高温多雨で，密林が生育。スコール，セルバが有名。代表的都市はシンガポール。

(2) 熱帯モンスーン気候（Am）

弱い乾季のある熱帯雨林気候。密林が生育。代表的都市はジャカルタ（インドネシア）。

(3) サバナ気候（Aw）　よく出る

熱帯雨林気候の高緯度地方に分布。冬季の強い乾燥のため密林は生育できず，雨季と乾季が明瞭。サバナと呼ばれる長草草原と灌木の疎林が見られる。代表的都市はダーウィン（オーストラリア）など。

■乾燥帯気候（B）

年間降水量500mm以下の気候地域。全陸地面積の１／４を占める。

(1) 砂漠気候（BW）

年間降水量250mm以下で，気温の日較差が大きい。植物類はほとんど見られないが，地下水を利用したオアシス農業が行われる。代表的都市はカイロ，リヤド（サウジアラビア）など。

(2) ステップ気候（BS）　よく出る

年間降水量は250mm～500mmと少ないが，夏季にある程度の降雨があり，ステップと呼ばれる短草草原が広がる。伝統的に馬や羊，ラクダなどの遊牧が行われ，北米のグレートプレーンズのように，土壌が肥沃で灌漑農業により穀物が生産される地域もある。代表的都市はテヘラン（イラン），ラホール（パキスタン）など。

■温帯気候（C）

温帯は最寒月平均気温－3℃以上で18℃未満の気候地域。さらに下記のように区分される。

(1) 温暖湿潤気候（Cfa）　よく出る

モンスーン気候ともいう。中国長江流域や北米東南部など，中緯度地方の大陸東岸に見られる。季節風の影響を受け降水量が多い。代表都市は東京，ブエノスアイレス（アルゼンチン）など。

(2) 西岸海洋性気候（Cfb,Cfc）　よく出る

西欧やアメリカ西北部など偏西風の影響を受ける中・高緯度地方の大陸西岸に見られる気候。偏西風と暖流の影響により，高緯度のわりに冬季も比較的温暖な点が特徴である。代表的都市はロンドン，パリなど。

(3) 温帯冬季少雨気候（Cw）

東南アジア大陸部や中国南西部など，サバナ気候に隣接した地域で見られる気候。温帯諸気候中では，最も気温が高めで，降水量も多い。代表的都市は香港，広州など。

(4) 地中海性気候（Cs）

地中海沿岸やアフリカ大陸南端などで見

●気候区分別とハイサーグラフ 出典：気象庁

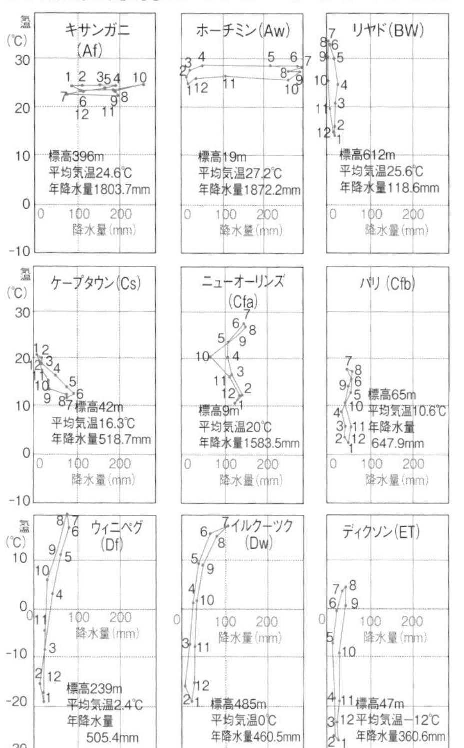

られる気候。夏に乾季があり，乾季の間は降水量がほぼゼロ。冬は温暖で雨が多い。代表都市はケープタウン(南アフリカ)など。

■冷帯気候（D）

亜寒帯ともいう。最寒月平均気温－3℃未満，最暖月平均気温10℃以上の気候地域。主にポドゾルと呼ばれる灰白色の土壌に被われ，タイガと呼ばれる針葉樹林が見られる。

(1) 冷帯湿潤気候（Df）

年間を通じて平均して降水があり，冬季の降雪が多い。北欧やヨーロッパ，ロシアなどに見られる。代表的都市はモスクワなど。

(2) 冷帯冬季少雨気候（Dw）

Dfと比較して，冬季に降水が少なく，気温が下がるのが特徴。中国の華北，東北地方，東シベリアなどに見られる。代表的都市はイルクーツク（ロシア）など。

■寒帯気候（E）

最暖月平均気温10℃未満の気候地域。

(1) ツンドラ気候（ET）

最暖月平均気温0℃以上の気候区。夏季に永久凍土表層が溶けて，地衣類や蘚苔類が生育できるため，トナカイの遊牧が行われる。代表的都市はバロー（アラスカ）。

(2) 氷雪気候（EF）

最暖月平均気温0℃未満の気候区。グリーンランドや南極に見られる。

重要語解説

●成帯土壌と間帯土壌…成帯土壌は気候や植生の影響を強く受けて生成した土壌で，気候帯などと同様に帯状分布を示す。間帯土壌は気候や植生の影響よりも，母岩や地形の影響を強く受けて生成した土壌で分布が限定される。以下の土壌には注目。

●ラトソル…成帯土壌。熱帯の湿潤土壌。赤褐色で養分に乏しく，農耕にはあまり適さない。

●ポドゾル…成帯土壌。冷帯の湿潤土壌。灰白色で養分に乏しく，農耕にはあまり適さない。

●レグール土…間帯土壌。デカン高原。玄武岩が風化。有機質に富み肥沃。綿花栽培に適す。

●テラローシャ…間帯土壌。ブラジル高原。玄武岩・輝緑岩が風化。肥沃。コーヒー栽培に適す。

出題パターンcheck!

ケッペンの気候区分に関する次の記述のうち，最も適切なものを選べ。

(1) 冷帯湿潤気候（Df）は，冬季の寒さは厳しいが，年間を通して降水があり，タイガと呼ばれる針葉樹林帯が見られる。

(2) 温帯冬季少雨気候（Cw）は，モンスーンの影響で夏の雨季に降雨が集中し，肥沃な栗色土やチェルノーゼムの分布が多く，短草草原が広がる。

(3) 地中海性気候（Cs）は，偏西風や暖流の影響を受け降水量は年間を通じて安定し，ブナなどの落葉広葉樹林が多く見られる。

(4) 温暖湿潤気候（Cfa）は，雨季と乾季の区分が明瞭で，疎林と灌木を交えた草原が広がり，ブラジルではカンポと呼ばれる。

(5) 西岸海洋性気候（Cfb）は，夏季は亜熱帯高圧帯に覆われて乾燥し，冬季は偏西風の影響を受けて降雨に恵まれ，オリーブ，月桂樹などの硬葉樹が多く見られる。

答え（1）

過去５年の出題傾向　★★★★☆

地理 ③ ヨーロッパ地誌

ヨーロッパ諸国の地誌は，頻出事項の一つである。気候風土，農業や工業といった地理的な部分から，政治経済・歴史にかかわることまで，幅広い出題に対応しなければならない。

■西欧

(1) イギリス

産業革命の発祥国イギリスでは，機械・鉄鋼・自動車などの重工業に加え，近年は電子工業などの先端技術も伸びてきている。マンチェスターとリヴァプールを含むランカシャー工業地域，バーミンガムのあるミッドランド工業地域などの他，ロンドン周辺にも工業が発達している。

第二次世界大戦後，労働党政権下で主要産業の国有化政策により，経済が衰退したが，1980年代後半から保守党のサッチャー政権による経済の民営化により経済の活性化に成功。また，北海油田の開発により1980年より石油輸出国となっている。

(2) フランス

フランスでは，第二次世界大戦前には軽工業が大きな比重を占めてきたが，大戦後は重工業化が進んでいる。主な工業地域には，パリ工業地域，ダンケルクを擁する北フランス工業地域，ロレーヌ工業地域などがある。

1980年代にミッテランの社会党政権が基幹産業の国有化を進めたが，保守派の反対ですぐに修正された。代表的な原子力発電国でもある。

(3) ドイツ

EU最大の工業国。1990年に旧東ドイツを吸収して統一ドイツが成立。ヨーロッパ最大の工業地帯であるルール工業地域を筆頭に，フランクフルトを擁する上ライン工業地域，ミュンヘンを中心とする南ドイツのバイエルン工業地域，フランスのロレーヌの鉄鉱石と結びついたザール工業地域，ドレスデンなどを含む旧東ドイツのザクセン工業地域など，多くの工業地域を擁する。

(4) ベネルクス３国　よく出る

ベルギーは石炭，ルクセンブルクは鉄鉱石に恵まれている。ベルギーは，国内にオランダ系フラマン人とフランス系ワロン人による民族対立を抱えている。両国とも宗教はカトリックが主流。

オランダは天然ガスを産出するが，新マース川河口にEUの玄関口のユーロポートが建設され，重工業が発達した。アイセル湖の干拓により造成されたポルダーは名高い。

■南欧

(1) イタリア

国内統合が遅れたこともあって，国内の産業構造の違いや経済格差が顕著。北部はトリノ・ミラノ・ジェノヴァを結ぶ工業の三角地帯に代表される工業地域であるが，南部は大土地所有制の残る後進的な農業地域となっている。

近年，南部の工業化が図られているが，南北格差は依然として大きい。

(2) スペイン

アラゴンとカスティリャが合邦することで成立したスペインは地域性が強く，旧アラゴン領に属したカタロニアでは古くから分離独立運動が行われてきた。南部のアンダルシアはイスラム支配の中心。18世紀にイギリスに奪われたジブラルタルをめぐり，現在も領土問題が続いている。

■北欧

(1) ノルウェー よく出る

ノルウェーは，農地が国土の3%と農業に不適なため，海運業や漁業などを根幹産業としてきたが，北海油田の開発により，世界有数の石油輸出国となった。海岸にはフィヨルドが発達する。EU未加盟国。

(2) フィンランド

アジア系のフィン人が人口の大多数を占める国。「森林と湖の国」と呼ばれ，林業とパルプ工業が中心産業である。

(3) スウェーデン

社会保障制度が世界の最高水準にある福祉大国。豊かな水力発電を背景に，国土の6割を占める森林資源や良質の鉄鉱資源を利用し，製材，製紙，パルプ工業，鉄鋼，造船，自動車，機械などの工業が発達する。北欧最大の工業国。

■東欧

(1) チェコ

1993年，チェコとスロバキアに分離した。オーストリア帝国の工業の中心地域であったため，工業が発達し，現在でも東欧有数の工業国となっている。

(2) ハンガリー よく出る

アジア系のマジャール人がヨーロッパに侵入後，パンノニア平原に定住して建国。かつては東欧の大国であったが，第一次世界大戦後，ほぼ今日の領土となる。農業国で，領内のプスタはヨーロッパの穀倉地帯の1つ。

(3) ウクライナ

ウクライナ東部のドニエプル工業地域は，旧ソ連の最大の工業地域。ハルキウ，クリボイログ，ドニプロペトロウシクなどの工業都市がある。ドネツ炭田の石炭，クリボイログの鉄鉱石など地下資源が豊富で，鉄鋼などの重工業や，ウクライナの穀倉地帯を背景とした食品・トラクター工業などが発達している。

■EU よく出る

マーストリヒト条約（1992年）により，1993年発足。原加盟国の仏，独，伊，ベネルクス3国に加えて，その後加盟したアイルランド，デンマーク，ギリシャ，スペイン，ポルトガル，スウェーデン，フィンランド，オーストリア，東欧10カ国，ブルガリア，ルーマニア，クロアチアを合わせて27カ国。

イギリスは2020年1月に離脱し，移行期間が終了した2021年より，移動や貿易，移民や安全保障の協力関係などに関するEUとの新しい協定が施行された。

出題パターンcheck!

ヨーロッパ各国の特色に関する次の記述のうち，誤っているものはどれか。

(1) イタリアは，長靴型の半島国で南北に長い国土を持つが南北の経済格差が大きく，政府は南部の開発を進め，その格差を埋める努力をしていた。
(2) ベルギーは，言語境界線により北部のオランダ系フラマン人と南部のフランス系ワロン人に分かれ，言語も宗教も全く異なるため，民族対立が続いている。
(3) スウェーデンは，キルナ・エリバレから産出する鉄鉱石や豊富な森林資源と水力発電によるエネルギーを結びつけて，鉄鋼業・製材・製紙・パルプ工業などを発達させている。
(4) デンマークの国土はやせた土地と低湿地が多かったが，農業教育の普及や農業協同組合組織の発達により，高度な集約的経営を行い酪農王国へと発展した。
(5) フランスでは，第二次世界大戦前には軽工業が大きな比重を占めてきたが，大戦後は重工業化が進んでいる。

答え（2）

過去５年の出題傾向 ★★★★☆

文学芸術 ① 日本文学史

近代以前では，平安時代と江戸時代を重点的に学習すること。近代以降では明治・大正期を中心に。江戸期の俳諧・歌舞伎・浄瑠璃などの出題も増えているので注意が必要。

■平安時代の主要事項

①『竹取物語』(9世紀後半から10世紀前半)／作者不詳
現存最古の物語。「かぐや姫」。作り物語。

②『伊勢物語』(10世紀前半)
和歌を中心とした歌物語。「昔，男（ありけり)」で始まる。

③『土佐日記』(935年頃）／紀貫之
女性が記したという形式で仮名が用いられている。日本初の日記文学。

④『蜻蛉日記』(10世紀末）／藤原道綱母
夫への愛憎と息子への愛情の記述。

⑤『和泉式部日記』(1008年頃）／和泉式部
帥宮敦道親王との恋愛の経緯を記す。

⑥『紫式部日記』(1010年頃）／紫式部
宮中の生活を活写。鋭い人物批評も。

⑦『更級日記』(1060年頃）／菅原孝標女
13歳の少女期から52歳の晩年までの回想。

⑧『枕草子』(11世紀初頭）／清少納言
長短300余からなる人間・社会への批評。随筆文学。

⑨『源氏物語』(11世紀初頭）／紫式部
全54帖，三部作。主人公の光源氏とその子薫の女性遍歴と半生が描かれている。当時の宮廷生活や社会・世相が壮大なスケールで描かれている。総登場人物は500人にも及ぶ。作り物語と歌物語の系譜が融合。

⑩『古今和歌集』(905年)／紀友則・紀貫之・凡河内躬恒・壬生忠岑の撰
日本最古の勅撰和歌集。20巻約1100首。貫之が記した「仮名序」が有名。

■江戸時代の主要事項 よく出る

①井原西鶴（1642-93）／浮世草子作家。元禄期の世相や人間のありさまを写実的に描写した。『好色一代男』『好色五人女』『日本永代蔵』『世間胸算用』『武道伝来記』

②上田秋成（1734-1809）／江戸後期の国学者・読本作家。『雨月物語』（日本や中国の古典や伝承に由来する怪異小説からなる短編集）

③松尾芭蕉（1644-94）／元は武士。貞門と談林の俳諧を経て，蕉（正）風を確立。俳諧を芸術的レベルへと昇華させた。『猿蓑』『野晒紀行』『更科紀行』『笈の小文』『おくのほそ道』

④与謝蕪村(1716-83)／画家・俳人。絵画的・唯美的表現。『新花つみ』

⑤小林一茶（1763-1827）／素朴な人情を素直に表現。『おらが春』

⑥歌舞伎／念仏踊り（出雲国の阿国）が起源とされ，元禄時代に元禄歌舞伎として完成。後に江戸を中心に江戸歌舞伎が盛んとなった。鶴屋南北（1755-1829）の『東海道四谷怪談』(生世話物＝写実的作品）や二世河竹黙阿弥（1816-93）の『三人吉三廓初買』(白浪物＝盗賊を主人公とした作品）が有名。

⑦浄瑠璃／室町時代末の浄瑠璃節が起源とされる。物語，三味線，人形の三位一体となった人形浄瑠璃が各地で盛んになった。近松門左衛門（1653-1725）の『出世景清』『国性爺合戦』『曾根崎心中』『冥途の飛脚』『心中天の網島』『女殺油地獄』などが有名。

■江戸期文学の特徴

前期(幕府成立-18世紀半ば)…上方(大坂)中心・

庶民的・町人文化の反映・浮世草子・俳諧。
後期（18世紀半ば－幕末）…江戸中心・仏教や儒教の勧善懲悪思想・歌舞伎・滑稽本。

■明治期の頻出事項 よく出る

①写実主義（明治20–30頃）／「リアリズム」。実際の人間の感情や社会のありさまをありのままに描く。
◎坪内逍遙／『小説神髄』『当世書生気質』
◎二葉亭四迷／『小説総論』『浮雲』
◎尾崎紅葉／『金色夜叉』『多情多恨』
◎幸田露伴／『五重塔』『風流仏』
②浪漫主義／（明治30–40頃）「ロマンチシズム」。現実を超えた夢や理想を描く。恋愛や青年の情熱をテーマにする。
◎森鷗外／『舞姫』 ◎北村透谷／『厭世詩家と女性』
◎樋口一葉／『たけくらべ』
◎島崎藤村／『若菜集』
◎与謝野晶子／『みだれ髪』（「明星」）
③自然主義（明治末）／写実的描写を徹底させ，人間や社会の醜悪さを克明に描く。
◎島崎藤村／『破戒』『家』
◎田山花袋／『蒲団』
◎正宗白鳥／『何処へ』 ◎徳田秋声／『あらくれ』
④耽美派（明治末）／道徳や建前を超えた人間の官能や情欲の世界を描く。新浪漫主義。
◎永井荷風／『あめりか物語』『ふらんす物語』
◎谷崎潤一郎／『刺青』（悪魔主義）『春琴抄』『細雪』
◎北原白秋／『思ひ出』『邪宗門』（パンの会。「スバル」）
⑤余裕派・高踏派（明治末～）／自然主義のように，現実に密着しすぎることを批判し，余裕を持って人間や社会を見つめていく姿勢を保つべきだとする「反自然主義」の立場。
◎夏目漱石（1867–1916）／近代的自我の葛藤の問題に取り組み，人間的利己心を超越した「非人情」「則天去私」の境地を理想とするに至った。『吾輩は猫である』『坊っちゃん』『三四郎』『それから』
◎森鷗外（1862–1922）／陸軍軍医総監。西欧文学の紹介・翻訳・創作・文芸批評にも活躍。自らを傍観者とみなし，晩年は歴史小説が中心となった。写実主義の坪内逍遙と小説の本質を巡って論争したこともある。（「没理想論争」）『ヰタ・セクスアリス』『雁』『阿部一族』『高瀬舟』『渋江抽斎』

■大正期の頻出事項

①白樺派（明治末―大正後半）／人間の良心と社会の理想を信頼し，追究した。新理想主義。トルストイの人道主義の影響が大きい。
◎武者小路実篤／『お目出たき人』『友情』
◎志賀直哉／『城の崎にて』（心境小説）『和解』
◎有島武郎／『カインの末裔』『生れ出づる悩み』『或る女』
②新現実主義（大正期）／耽美派・白樺派などの現実から遊離した文学から一線を画し，人間の現実を直視しようとする潮流。
（Ⅰ）新思潮派…理知的・客観的に人間を分析し，描写する。東京帝国大学の学生同人誌「新思潮」（第３次・第４次）が活動の中心。
◎芥川龍之介／『羅生門』『鼻』『地獄変』『或阿呆の一生』
◎菊池寛／『恩讐の彼方に』『父帰る』
（Ⅱ）三田派・・・慶応義塾大学の文芸誌「三田文学」が活動の中心。浪漫的な傾向。
◎佐藤春夫／『田園の憂鬱』
◎室生犀星／『愛の詩集』『あにいもうと』
（Ⅲ）奇蹟派…新早稲田派。同人誌「奇蹟」が活動の中心。自然主義的作風。

■昭和期の頻出事項

新感覚派／新感覚派（戦前）『文藝時代』を母胎として登場した新進作家のグループ
◎川端康成『伊豆の踊子』『雪国』『古都』

出題パターン check!

正しい組み合わせの選択肢を選べ。

（1）夏目漱石―余裕派―則天去私
（2）芥川龍之介―新思潮派―悪魔主義
（3）武者小路実篤―耽美派―『友情』
（4）坪内逍遙―写実主義―『小説総論』
（5）与謝野晶子―浪漫主義―『邪宗門』

答え（1）

過去５年の出題傾向 ★★☆☆☆

文学芸術 ② 古典

特に古典に関しては，原文が引用されて，作者や作品名，成立年代などを問う形式の問題が増えつつある。主に冒頭部が中心なので，主要な作品については暗記しておこう。

■物語・日記・随筆

◇「竹取物語」

「いまは昔，竹取の翁といふもの有りけり。野山にまじりて竹を取りつゝ，よろづの事に使ひけり。名をば，さかきの造（みやつこ）となむいひける。その竹の中に，もと光る竹なむ一筋ありける。」

（訳）いまとなっては昔のことだが，竹取の翁という者がいた。野山に分け入って竹を取っては様々なことに使った。（そうしたある日いつもの野山に行ってみると）根元が光っている竹が一本あった。

◇「伊勢物語」

「むかし，をとこ，うひこうぶりして，平城（なら）の京，春日（かすが）の里にしるよしして，狩に往にけり。その里に，いとなまめいたる女はらから住みにけり。」

（訳）昔，ある男が元服して位を初めていただいてから，春日の里に所領の縁があったので，狩に出かけていった。その（春日の）里にはたいそう美しく魅力的な姉妹が住んでいた。

◇「古今和歌集・仮名序」（紀貫之）

「やまとうたは，ひとのこころをたねとして，よろづのことの葉とぞなれりける。」

（訳）やまとうた（和歌）は，人の心を種としてみると，そこから生じた言葉の葉となってできたものなのである（和歌は人びとの心が生み出したものだ，の意）。

◇「土佐日記」（紀貫之）

「をとこもすなる日記といふものを，をむなもしてみんとてするなり。それのとしのしはすのはつかあまりひとひのひのいぬのときに，かどです。」

（訳）男も書くと聞く日記というものを女である私も書いてみようと思って書くことにする。その年の師走（12月）の21日の夜の８時ころに出発する。

◇「源氏物語」（紫式部）

「いづれの御時にか，女御（にょうご）・更衣（かうい）あまたさぶらひ給ひけるなかに，いと，やむごとなき際（きは）にはあらぬが，すぐれて時めき給ふありけり。」

（訳）いったいどの帝の御代であったことだろうか，女御や更衣（といった宮中の女官）が大勢仕えていらっしゃるなかに，それほど高い身分ではありませんでしたが，特に際立って帝のご寵愛を受けていた女性がいらっしゃいました。

◇「枕草子」（清少納言）

「春はあけぼの。やうやうしろくなり行く，山ぎはすこしあかりて，むらさきだちたる雲のほそくたなびきたる。」

（訳）春は曙（が一番好ましい）。ようやく空が白みはじめ，山際が少し明るくなって，紫色がかった雲がほそくたなびいている様子が美しい。

◇「更級日記」（菅原孝標女）

「あづまぢの道のはてよりも，猶（なほ）おくつかたに生ひいでたる人，いか許（ばかり）かはあやしかりけむを，いかに思ひはじめる事にか，世中（よのなか）に物語といふ物のあんなるを，いかで見ばやと思ひつゝ………その物語，かの物語，光る源氏のあるやうなど，ところどころ語るを聞くに，いとゞゆかしさまされど，………」

（訳）都から東国へとむかう道の果てよりも，さらに奥の方の地で育った人間である私は，どれほど田舎じみて見苦しい人間であったことであろうかと思うが，それなのに世間には物語というものがあると聞いているのを，どうにかして読んでみたいものだと思いながら，………あの物語やら，その物語やら，光源氏の様子などを，ところどころ（大人が）話してくれるのを聞いていると，たいそう読みたいと思って興味が増すのだった……。

◇「平家物語」

「祇園精舎（ぎをんしやうじや）の鐘の声，諸行無常（しよぎやうむじやう）の響あり。娑羅双樹（しやらさうじゆ）の花の色，盛者必衰（じやうしやひつすい）のことはりをあらはす。おごれる人も久しからず，ただ春の夜の夢のごとし。たけき者も遂にはほろびぬ，ひとへに風の前の塵に同じ。」

（訳）祇園精舎の鐘の音には，全ての物ははかなく一つとしてとどまるものはないという諸行無常の響きがある。（釈尊が亡くなったときに深い悲しみのあまり白色に変じたという）娑羅双樹の花の色は，盛んな者であっても必ず滅びのときがやってくるものだという摂理をあらわしている。奢り高ぶる人も，長くその地位を保つことはない。勇猛な者も最後には滅びてしまう。まさに風の前に吹かれる塵と同じようなものに過ぎない。

◇「方丈記」（鴨長明）

「ゆく河の流れは絶えずして，しかも，もとの水にあらず。淀みに浮かぶうたかたは，かつ消えかつ結びて，久しくとゞまりたる例（ためし）なし。」

（訳）流れゆく河の流れは絶えることがなく，しかも，もとの水でもない。河の淀んだところに浮かぶ泡は消えたり現われたりして，ずっと一定の状態でとどまっているということがない。

◇「徒然草」（吉田兼好）

「つれづれなるままに，日暮らし，硯にむかひて，心にうつりゆくよしなし事を，そこはかとなく書きつくれば，あやしうこそものぐるほしけれ。」

（訳）何もすることがなく，退屈なのにまかせて一日中硯に向かって，心の中に思いうかんでは流れていく意味もない事柄を，取りとめもなく書きつけていると，奇妙にも狂おしい気持ちになってくるものである。

◇「おくのほそ道」（松尾芭蕉）

「月日は百代の過客にして，行きかふ年も又旅人なり。舟の上に生涯をうかべ，馬の口とらへて老をむかふる物は，日々旅にして旅を栖（すみか）とす。」

（訳）月日は百代の長きにわたって旅を続けるものであって，やってきては去ってゆく歳月もまた，同様に旅人である。舟の上で暮らして生涯を過ごす者や馬を引いて生涯の仕事として老いてゆく者は，毎日が旅であって，旅の中で日々を暮らしている。

■俳諧

◇松尾芭蕉

初しぐれ　猿も小蓑（こみの）を
　ほしげなり／
旅に病んで　夢は枯野を　かけめぐる

◇与謝蕪村

愁ひつつ　岡にのぼれば　花いばら／
白梅に　明くる夜ばかりと　なりにけり

◇小林一茶

めでたさも　中くらいなり　おらが春／
これがまあ　つひのすみかか　雪五尺

出題パターン check!

次の文と作者とが正しい組み合わせの選択肢はどれか。

（1）月日は百代の過客にして，行きかふ年も又旅人なり。　兼好
（2）いづれの御時にか，女御・更衣あまたさぶらひ給ひける中に，いと，やむごとなき際にはあらぬが，すぐれて時めき給ふありけり。　紫式部
（3）をとこもすなる日記といふものを，をむなもしてみんとてするなり。　清少納言
（4）春はあけぼの。やうやうしろくなり行く，　菅原孝標女
（5）祇園精舎の鐘の声，諸行無常の響あり。　西行

答え（2）

過去５年の出題傾向　★★☆☆☆

文学芸術 ③ 西洋の文学と芸術

西洋に関しては，文学よりも美術や音楽に関する問題の方が多い。文学は日本文学に大きな影響を与えた作家，美術では印象派以降に注意しよう。

■西洋文学の頻出作家・作品

①ウィリアム・シェイクスピア
（1564-1616／イギリス）
生涯に37編の戯曲を発表した。座付き役者でもあった。「イギリス文学の祖」とも称されている。日本には，明治期に写実主義の坪内逍遙が初めて翻訳・紹介した。
『ハムレット』『オセロ』『リア王』
『マクベス』（←四大悲劇）
『真夏の夜の夢』『ヴェニスの商人』
『お気に召すまま』（←喜劇）
『リチャード三世』『ヘンリー六世』(←史劇)

②エミール・ゾラ（1840-1902／フランス）
自然科学的な客観的観点から，人間と社会の現実を冷徹に観察して描写しようとした。「ゾライズム」とも称される徹底した自然主義の手法を確立した。日本にも導入され，明治40年代には自然主義が文学潮流の主流になった。
『居酒屋』『ナナ』

③アーネスト・ヘミングウェイ
（1899-1961／アメリカ）
「失われた世代」の代表的作家。戦争や極限状況の中での人間の葛藤や絶望を描く。1954年ノーベル文学賞受賞。1961年自殺。
『武器よさらば』『誰がために鐘は鳴る』『日はまた昇る』『老人と海』

④ヘルマン・ヘッセ（1877-1962／ドイツ）
第二次世界大戦後は，東洋思想に関心を持ち，西欧的人間観・世界観の行き詰まりを克服しようとした。1946年ノーベル文学賞受賞。
『車輪の下』『荒野のおおかみ』『デミアン』『知と愛』『シッダールタ』

⑤アンドレ・ジッド（1869-1951／フランス）
信仰と人間的欲望との深刻な内的葛藤をテーマとした。1947年ノーベル文学賞受賞。
『狭き門』『一粒の麦もし死なずば』

⑥アルベール・カミュ（1913-60／フランス）
人間の孤独と不安を限界的な状況の中で描き出す不条理の文学。1957年ノーベル文学賞受賞。
『異邦人』『ペスト』『シーシュポスの神話』

⑦ジャン・ポール・サルトル（1905-80/フランス）
自由な存在として宿命づけられた人間の在り方をテーマとした。「政治と文学」「個人と社会参加」の問題にも取り組んだ。実存主義文学。日本でも大江健三郎などに大きな影響を与えた。
『嘔吐』『出口なし』『聖ジュネ』

⑧ドストエフスキー（1821-81／帝政ロシア）
ロシア文学を代表する作家。19世紀のロシア社会の矛盾と葛藤を克明に描いた。また，人間の悪の深淵を直視し，罪と救済の問題に正面から取り組んだ。
『悪霊』『白痴』『永遠の良人』『罪と罰』
『カラマーゾフの兄弟』

⑨トルストイ（1828-1910／帝政ロシア）
ドストエフスキーと並んで，ロシア文学を代表する作家。キリスト教信仰と人道的人間観を基調とする。明治末から大正期日本の白樺派に大きな影響を与えた。
『復活』『アンナ・カレーニナ』『戦争と平和』

⑩ソルジェニーツィン（1918-2008／ソ連）
旧ソ連の社会主義体制が抱えていた深刻な歪みと矛盾，非人間的な官僚制システムの恐怖を克明に描いた。1970年ノーベル文学賞受賞。
『イワン・デニーソヴィチの一日』
『収容所群島』

■西洋音楽の頻出事項

①バロック（17世紀－18世紀半ば）
宗教的主題に基づく曲。古代ギリシアの音楽劇を取り入れ，イタリア歌劇の土台にもなった。
・バッハ，ヘンデル

②古典派（18世紀-19世紀初め）
和声が重視され，主題性や構成・形式の調和と均衡が楽曲の理念とされた。
・ハイドン，ベートーヴェン，モーツァルト

③ロマン派（19世紀-20世紀）
様式美や形式的均衡よりも，作曲家個人の内面や主観を表現することに重きが置かれた。
・シューベルト，シューマン，メンデルスゾーン，ショパン，ヨハン・シュトラウス，ブラームス，リスト，ワーグナー，ブルックナー，マーラー

④国民楽派（19世紀-20世紀）
民族主義の高揚を反映し，自民族の伝統的な音楽や感性を取り入れた楽曲がつくられるようになった。ロシア・スラブ出身の音楽家が中心。
・ムソルグスキー，チャイコフスキー，ドボルザーク，スメタナ，シベリウス

■西洋美術の頻出事項

①印象派／従来の絵画に対して，実際に人間が視覚でとらえる世界の明るい光と澄んだ色彩を再現しようとした。点描法などの技法が用いられ，当時の最新の生理学や光学の理論，日本の浮世絵の技法などが取り入れられた。
・マネ「草上の昼食」
・モネ「印象，日の出」「睡蓮」
「聖アントワーヌの誘惑」
・ルノワール「ムーラン・ド・ラ・ギャレット」
・ドガ「踊り子」

②後期印象派／印象派が明澄さを重視したことで犠牲にされた形態の明確さを取り戻そうとした。色彩も原色が多用され，さらに鮮烈なものとなった。また，描く対象を描き手がどのように受け止めるかという主観的印象を印象派よりも強く前面に押し出して表現するようになった。
・セザンヌ「サント・ヴィクトワール山」
・ゴッホ「ひまわり」「星月夜」「糸杉のある道」
・ゴーギャン「イア・オラナ・マリア」「タヒチの女」

③フォーヴィズム／後期印象派の流れを汲み，画家自身の主観的印象と感性を全面的に表現しようとする。強烈な色彩と非写実的で大胆な構図が採用された。
・マチス「ダンス」「帽子の女」
・ルオー「ミセレーレ」

④キュービズム／描く対象を写実的に描写するのではなく対象の幾何学的構造を分析・統合して表現しようとする。三次元空間上の人物や事物が持つ立体的構造を平面の画面の中に表現することに，重きを置いた。
・ブラック「クラリネット」
・ピカソ「アビニョンの娘たち」「ゲルニカ」

⑤シュール・レアリスム／フロイトの精神分析理論を芸術創作に応用。無意識下に潜む記憶や抑圧された願望を非現実的なイメージや情景で描く。
・サルバドール・ダリ「内乱の予感」

出題パターンcheck!

正しい組み合わせの選択肢を選べ。
（1）精神分析理論―キュービズム
（2）光学理論―シュール・レアリスム
（3）ナショナリズム―国民楽派
（4）遠近法―浮世絵
（5）点描法―バロック

答え（3）

練習問題1

鎌倉時代に関する次の記述のうち，最も適切なものはどれか。

（1）1232年に制定された御成敗式目は，最初の武家法であるが，律令や公家法を参考にしており，武士階級ばかりではなく公家にまで適用された。

（2）1221年の承久の乱で圧倒的勝利を収めた幕府は，六波羅探題を設置して朝廷の監視や西国の統括に当たらせる一方，上皇方の所領を没収して新たに地頭を任命し，幕府の支配が飛躍的に進んだ。

（3）1297年，幕府は徳政令を出して御家人の救済を図り，将軍と御家人の間に御恩と奉公による強固な主従関係が確立した。

（4）1274年と1281年にモンゴル軍が襲来した元寇を契機に，幕政では評定衆や引付衆が設置され，北条氏の下で執権政治は安定・隆盛期を迎えた。

（5）1192年，征夷大将軍に任命された源頼朝は国司任免権によって全国の公領，荘園を実質的に支配し，公家たちは経済的基盤を失って朝廷を中心とする政権を維持することができなくなった。

解答・解説

練習問題1　正答／(2)

●解説／

（1）御成敗式目は幕府の勢力範囲内のみで通用。

（2）正しい。

（3）借金の破棄が目的の法令徳政令は，結果的には御家人の窮乏を招き，主従関係の崩壊につながった。

（4）評定衆は1225年，引付衆は1249年に設置。いずれも元寇以前。

（5）源頼朝は，国司任免権を掌握してはいない。

練習問題2

鎌倉幕府の将軍または執権に関する記述のうち，最も適切なものを選べ。

（1）源実朝は，将軍として実権をまったくもたなかったが，自然と人生を歌に詠み優れた作品を『山家集』として残した。

（2）源頼朝は，侍所・公文所および問注所を設置するとともに守護・地頭の両勢力を併せ持つ守護大名を置き，鎌倉に幕府を開いた。

（3）北条義時は，元の朝貢貿易を拒否し，2度にわたり侵攻してきた元軍に壊滅的打撃を加え，元軍を退けた。

（4）北条泰時は，政務や訴訟の裁決に当たらせるため，評定所を置き，裁決の基準となる最初の武家法，御成敗式目を制定した。

（5）北条時宗は，承久の変で源頼家の姻戚比企氏を滅ぼし，頼家を幽閉し，北条家の権力強化に努めた。

練習問題2　正答／(4)

●解説／

（1）源実朝（3代将軍）は，『金槐和歌集』。『山家集』は西行の作品。

（2）“守護大名”は室町時代に守護が台頭した際の呼称。

（3）蒙古襲来（元寇）は，北条時宗の時に起きた。

（4）正しい。

（5）文中にある“北条家の権力強化”は北条時政を思い浮かべたい。

練習問題3

明治初年から大日本帝国憲法制定に至るまでの時期に関する次の記述のうち，最も適切なものはどれか。

（1）明治維新の改革で，士族の多くは，かつての身分的な特

練習問題3　正答／(1)

●解説／

（1）正しい。

権を喪失し，経済的にも困窮したために，不満を強めていった。この不満の高まりを背景に，板垣退助らは政府批判を行い，民撰議院設立の建白書を提出した。

（2）自由民権運動は士族を中心に進められ，国会期成同盟が結成されるなど各地で様々な展開をみせた。しかし，士族や文化人のみの運動にとどまり，農民や商工業者を含んだものとなるには至らなかった。

（3）政府は，自由民権運動に対し，集会条例などで言論の統制・弾圧を行った。その一方で，政府は国会開設の勅諭を出し，大隈重信を中心に国会開設の準備を，伊藤博文を中心に憲法制定の準備を進めた。

（4）自由民権運動が進む中，各地でそれぞれが理想とする憲法案（私擬憲法）が作成された。政府は，憲法制定に際し君主権の強いイギリスの憲法を模範としつつも，私擬憲法のいくつかの案をとり入れた。

（5）大日本帝国憲法が発布されたことにより，わが国はアジアで初めての近代的立憲国家となった。この憲法で，天皇は国の元首として位置づけられ，広範な権限を有するとされたが，召集権や解散権などの議会に対する権限は持たないものとされた。

解答・解説

（2）自由民権運動の終章を飾ることになる秩父事件等の蜂起事件をリードしたのは農民である。

（3）大隈重信は議会開設で政府を追及した人物であり，開設準備にはあたっていない。

（4）「君主権の強い」ドイツの憲法を採用した。

（5）天皇の大権は，議会をもその支配下においた。

練習問題４

明治政府の初期の財政と地租改正に関する記述のうち，最も適切なものはどれか。

（1）明治新政府の成立当初の財政は，旧幕府領からの年貢を主体としていた。廃藩置県により全国の支配権を握ったことにより，政府の財政規模は拡大し，財政の収支は均衡した。

（2）明治新政府の主な財源は，地租改正が行われるまで年貢であった。その当時は税のかけ方も徴収の仕方も様々であったが，豊作が続き，雑税が何千種類もあったことから，政府予算の編成は円滑に行われていた。

（3）明治新政府は，農民の税負担の軽減を最大の目的として地租改正を行い，税率を地価の100分の3と定めて地租の金納化を採用した。この税率は明治期を通じて変更されることはなかった。

（4）明治新政府は税制の公平化を掲げて，地租改正への国民の協力を求めた。地租の率は，従来の年貢に比べ大幅に軽減されていたため，土地の面積の調査をめぐるトラブルも終息していった。

（5）明治新政府の行った地租改正は，数年に及ぶ大事業であった。これにより，農民の私的土地所有が認められ，資本主義へ移行する基礎ができあがった。

練習問題４　正答／（5）

●解説／

（1）明治初期，財政不足を補うための政策が，不換紙幣の乱発である。このため，深刻なインフレを招いた。

（2）「政府予算の編成は円滑」は，誤り。（1）からもわかるように，深刻な財政難。

（3）「税負担の軽減を最大の目的」，「変更されることはなかった」が誤り。

（4）「税制の公平化」，「地租の率……軽減されていた」は誤り。

（5）農民の中でも，小作人に“私的土地所有権”があったかというと疑問視する向きもあるが，正しい。

練習問題5

明治時代の近代化政策に関する次の記述のうち，最も適切なものはどれか。

（1）明治政府は近代国家樹立を目指し，イギリスとアメリカの憲法制度を範として大日本帝国憲法を制定した。これは欽定憲法で，天皇に大権を認めたため，国民の失望を招き自由民権運動が起こった。

（2）財政の近代化の基礎として政府は地租改正を行った。これは課税基準を地価に置いて税収の安定を図ったもので，土地耕作者が納税者となったため，地主の地位が低下した。

（3）いわゆる松方財政のときに，近代的な金融・銀行制度が日本銀行の創設と兌換銀行券の発行で確立された。一方で官営事業の払下げ政策によって，政商と呼ばれる資本家が育成され，資本主義経済の基盤が整った。

（4）外交の近代化に不可欠な不平等条約の改正は難航した。外相井上馨は欧化政策などの努力により領事裁判権の撤廃に成功したが，関税自主権の回復は，日清戦争の勝利を機にようやく完了した。

（5）学校令が制定され，国家主義的色彩の強い教育方針が打ち出された。東京帝国大学をはじめとする官・民の大学が官吏養成機関として各地に設立され，小学校も設けられたが，義務教育ではなかったため普及率は低かった。

解答・解説

練習問題5　正答／（3）

●解説／

（1）大日本帝国憲法は，ドイツをその範としている。

（2）地主に権力が集中する，寄生地主制の確立をもたらした。

（3）正しい。日本銀行の創設（1882）に代表される松方財政は，明治初期のインフレを収束させるべく，デフレ政策を推進するものであった。

（4）領事裁判権の撤廃に成功したのは陸奥宗光。

（5）1886年に制定された学校令の中に小学校令がある。そこには，4年の義務教育が規定されている。

練習問題6

下文の下線部①～⑤に関する記述のうち，最も適切なものはどれか。

封建制が崩れてきたヨーロッパで，人々はこれまでのカトリック教会の教えや封建社会の倫理にとらわれない生き方を求め始めた。この新しい動きは人間精神の全般的な革新を促す一大運動であり，ギリシャ・ローマの古典文化の再生という意味でルネサンスと呼ばれた。ルネサンスはまず①イタリアで始まった。この頃ヨーロッパでは②東方との新貿易路を開拓する必要が生じていたが，宇宙観の転換と新しい科学技術の発展は新航路の発見を可能にし，③ヨーロッパ人の活動舞台は全世界に拡大され，交易圏はインド・新大陸を含めたものとなっていった。また，④ルネサンスの人文主義が広まると，アルプス以北では教会に対する人々の不満はさらに高まり，まず，⑤ドイツにおいて宗教改革が起こった。宗教改革は各国の社会情勢とも結び合って，政治・社会運動にまで拡大し，ヨーロッパ近代化の一つの源となった。

（1）①－イタリアではすでに政治的統一が達成されており，

練習問題6　正答／（3）

●解説／

（1）イタリアの政治的統一は19世紀。ルネサンスを支えた代表的な大商人は，フィレンツェのメディチ家。

（2）新貿易航路の開拓は，茶の需要増加ではなく，香辛料の必要性からである。

（3）正しい。

（4）トマス・アクイナスはルネサンスの人文主義者ではない。スコラ哲学の大成者である。

（5）予定説を説いたのはカルヴァン。

その上フッガー家などの大商人が，芸術家や学者を保護する風潮があったため，他国に先駆けてルネサンスが起こった。
（2）②－ヨーロッパでは当時喫茶が流行して，中国茶の需要が増大し，オスマン帝国領を避けた新貿易路の開拓が望まれていた。
（3）③－アメリカ大陸から大量の金・銀が流入して，ヨーロッパ諸国の物価の急激な上昇（価格革命）を招き，商業の中心地も地中海沿岸から大西洋沿岸に移った。
（4）④－代表的な人文主義者はトマス・アクイナスであり，彼はキリスト教神学にアリストテレス哲学をとり入れて，「理性は信仰に矛盾しない」と説き，信仰と理性の調和を図った。
（5）⑤－ルターは，魂の救済は人間の意思によるのではなく，神によって最初から決められているという予定説の下に，勤労の精神を説き，結果としての蓄財を肯定した。

練習問題7

帝国主義時代の列強の経済状況に関する記述のうち，最も適切なものを選びなさい。

（1）後発資本主義国でも産業革命がようやく進展し，1870年以降20世紀に至る時期には好況期を迎えた。特にドイツは19世紀半ばの保護貿易主義を転換して自由貿易主義をとるに至った。
（2）ドイツやアメリカで鉄鋼・化学・電気などの重工業が発達し，それらの企業を中心に独占資本が形成されたが，ドイツでは反独占を目指す中小産業家層の運動や独占に対する公的規制が見られたのに対し，アメリカではそのような動きはなかった。
（3）鉄道網の拡充，スエズ運河の開通など交通革命の進展で輸送コストが大幅に低下したために，アメリカ・ロシア・エジプト・インドなどから安価な穀物がヨーロッパに流入し，穀物価格が暴落して，ヨーロッパでは慢性的な農業不況が引き起こされた。
（4）「世界の工場」といわれ他を圧していたイギリス経済も，19世紀末には停滞を始めた。資金難に陥ったイギリスはスエズ運河の株式をフランスに売却してエジプトから撤退し，インド支配に専念した。
（5）列強は市場を求めて対外膨張主義をとり，植民地や勢力圏の拡大を巡って争った。しかし，ロシアは20世紀初頭にようやく農奴解放を行ったものの，外国資本の導入を排除したため重工業が育成されず，国民が貧しく労働運動が頻発して，対外進出は不可能であった。

解答・解説

練習問題7　正答／（3）

●解説／

（1）後発資本主義国ドイツの保護貿易主義は，この時期に自由主義貿易へ転換していない。むしろ，高関税により国際関係悪化を招いた。
（2）アメリカでは，独占に対するトラスト規制法が制定された。
（3）正しい。
（4）1875年，イギリスはスエズ運河の株の半分を取得，1882年にはエジプトを保護国とした。スエズ運河からの撤退は第二次世界大戦後。
（5）ロシアでは，アレクサンドル2世の農奴解放以後産業革命が始まり，1890年代にはフランス資本の導入による鉄道建設など，工業化が進んだ。

練習問題8

欧米諸国のアフリカ分割政策に関する次の記述のうち誤っているものはどれか。

（1） 1870年代のディズレイリ内閣の頃には帝国主義に転じたイギリスは，ウィーン会議でオランダから獲得していたケープ植民地を拠点に，セシル・ローズ，植民相J. チェンバレンらの活躍で南アフリカの植民地化を推進した。

（2） 1875年，イギリスはエジプトの財政難に乗じて，エジプト太守からスエズ運河会社の株式を買収し，フランスとともにエジプトの内政に干渉し，アラービー・パシャの排英運動を鎮圧してエジプトを事実上保護国化した。

（3） イタリアは，エリトリアを占領し，ソマリランドを英仏と分割した後，第一次エチオピア戦争でエチオピアに侵入したが失敗した。伊土戦争でトリポリ，キレナイカを奪い，両地を併合しリビアと改称した。

（4） 七月革命直前に北アフリカのアルジェリアに進出したフランスは，チュニジアの保護国化後，ファショダ事件でイギリスの譲歩を引き出し，ジブチ，マダガスカルを目指したアフリカ横断政策に成功した。

（5） ヴィルヘルム2世の親政体制のもとで“新航路政策”に乗り出したドイツは，2度にわたるモロッコ事件を引き起こしたが，イギリスのフランス支援で失敗し，1912年の独仏協定でフランスがモロッコを保護国とすることを承認した。

解答・解説

練習問題8　正答／（4）

●解説／20世紀初頭に，列強の帝国主義の標的となったのはアフリカ。リベリアとエチオピア以外は全て植民地となった。イギリスのアフリカ縦断政策と3C政策，ドイツの新航路政策と3B政策，フランスのアフリカ横断政策がその代表的なものであった。ファショダ事件はイギリスの縦断政策とフランスの横断政策とが衝突した事件であり，フランス側が譲歩。スーダンはイギリスの支配下に置かれた。

練習問題9

第二次世界大戦に関する次の記述のうち，下線部が最も適切なものを選びなさい。

（1） ドイツとソ連は不可侵条約を結び，ソ連は中立の立場からドイツの東欧諸国への侵入を黙認し，<u>ドイツ軍とソ連軍は大戦中直接対戦することなく終戦となった</u>。

（2） アメリカは当初中立を宣言したが，後に大量の軍需品をイギリスに送り，大西洋憲章によって戦後の基本構想を示した。<u>しかし，軍事介入はアジアに限り，ヨーロッパの戦闘には参加しなかった</u>。

（3） 1930年代後半，スペインではファシズムと反ファシズム勢力の対立で内乱となったが，<u>最終的に反ファシズム勢力が勝利し</u>，フランスでも大戦中レジスタンス運動が起こり，<u>ドイツ軍のフランス国内への侵入を防いだ</u>。

（4） 大戦中捕えられたユダヤ人はアウシュビッツをはじめとする収容所に連行されたが，迫害を免れたユダヤ人は<u>大戦直前にアメリカの援助で建国したイスラエル共和国に</u>

練習問題9　正答／（5）

●解説／

（1） 独ソは1941年に開戦し，第二次世界大戦中最大の死傷者を出した。

（2） アメリカはノルマンディー上陸作戦でドイツに決定的な打撃を加えるなど，欧州戦線にも積極的に参加。

（3） スペインではファシズム勢力のフランコ政権が成立した。フランスは国土の大部分をドイツに占領されている。

（4） イスラエル共和国の建国は第二次世界大戦後の1948年。

（5） 正しい。

受け入れられた。

（5）1945年2月のヤルタ会談で対独参戦，ドイツの戦後処理，ソ連の対日参戦が決まり，ドイツ降伏後，日本に無条件降伏を要求するポツダム宣言が発表された。他方，同年4月～6月のサンフランシスコ会議で国際連合憲章が採択された。

練習問題 10

近代中国に関するA～Eの記述のうち，正しいものの組合せとして最も適切なものはどれか。

A　アヘン禁輸問題を巡る戦争は，英仏軍の北京占領によって清の敗北に終わり，北京条約によって香港，マカオ，遼東半島の割譲，上海，天津の開港などの他，領事裁判権や関税権を英仏両国に独占的に認めたため，中国の半植民地化が進んだ。

B　アロー戦争後，キリスト教に反対する排外的な宗教結社を組織した洪秀全は，「扶清滅洋」を唱えて蜂起，香港や上海を占領して儒教や道教に基づく太平天国を樹立したが，ロシアや日本を主力とする8カ国連合軍に鎮圧され，滅亡した。

C　西洋技術の導入による洋務運動の限界が明らかになると，康有為や梁啓超らは，光緒帝を擁して立憲君主政による近代的諸制度の導入を断行しようとしたが，西太后ら保守派のクーデターによって弾圧され，改革は短期間で失敗した。

D　日清戦争の敗北後，キリスト教と民間信仰を融合した宗教結社である義和団は，「滅満興漢」を唱えて暴動を起こし，土地の均分や租税の軽減などを要求して北京を占領したが，曾国藩や李鴻章が率いる洋式軍隊である郷勇によって鎮圧された。

E　辛亥革命の結果，南京で中華民国の成立が宣言されたが，清朝の実力者袁世凱は列強と北洋軍閥の支持を背景に革命政府と交渉し，清朝の宣統帝の退位と共和制の実現を条件に中華民国の臨時大総統に就任した。

（1）A，B，C　（2）A，C，D　（3）B，D
（4）B，E　（5）C，E

解答・解説

練習問題 10　正答／（5）

●解説／

A—アヘン戦争（1840～1842）の結果，南京条約が締結された。香港の割譲，上海・天津等5港の開港，特権商人公行の廃止などをその内容とする。

B—洪秀全は南京条約後の1851年に太平天国の乱を起こしたが，そのスローガンは「滅満興漢」である。「扶清滅洋」は義和団の乱のスローガン。

C—正しい。戊戌の変法についての記述である。

D—義和団の乱は，別名北清事変とも呼ばれる。「扶清滅洋」をスローガンにした反西欧のナショナリズム運動に，清朝保守派が結びついた。

E—正しい。臨時大総統に就任した袁世凱は，臨時政府を北京に移し，後に正式な大総統に就任した。

練習問題 11

ヨーロッパ諸国の工業に関する次の記述A～Eと，これらにあてはまる国名の組合せとして，最も適切なものはどれか。

A　世界に先駆けて近代工業を誕生させた国である。工業地帯

練習問題 11　正答／（1）

●解説／

A—文中の油田は北海油田である。

は石炭などの鉱産資源のある内陸部に発展したが，資源不足から海外へ原料を求めるようになって，輸入に便利な臨海地域に工業生産の中心が移ってきた。こうした資源不足を補う目的で，1975年から油田の開発が始まった。

B　国土は九州より狭く，全土の大半が山岳地帯である。鉱産資源に恵まれないが，この山岳地帯の水を水力発電に利用し，時計やカメラなどの精密機械，化学製品，食料品，絹や綿製品などが生産されている。これらが輸出の大半を占めており，加工貿易が進んでいる。

C　工業化は他の先進国に比べて遅れ，繊維，食料品工業などの軽工業の時代が長く続いた。第二次世界大戦後，基幹産業が国有化され重工業化政策が進み，鉄鋼業を中心に，石油化学や機械，自動車，航空機，化粧品，服飾などの産業が発達してきた。最大の工業地帯は首都とその周辺にある。

D　産業革命以後，豊かな石炭資源とともに近代工業が発達していたが，第二次世界大戦後，一時工業は衰退した。しかし，その後重化学工業に重点を置き，大企業を中心とした高度な技術による工業化を進め，現在ではEU諸国最大の工業国となった。

E　鉱産資源に乏しく，近代工業も西ヨーロッパに遅れて発達した。最も重要な工業地帯は北部の「工業の三角地帯」と呼ばれる地域であり，この地域を中心に，鉄鋼，自動車，機械工業が発達している。近年では航空機，電子工業などの先端技術産業も盛んである。

	A	B	C	D	E
（1）	イギリス	スイス	フランス	ドイツ	イタリア
（2）	ドイツ	スイス	イタリア	イギリス	フランス
（3）	イギリス	イタリア	フランス	ドイツ	スイス
（4）	ドイツ	イタリア	イギリス	フランス	スイス
（5）	イギリス	スイス	ドイツ	フランス	イタリア

練習問題 12

下線部①～⑤に関する文章の中で最も適するものはどれか。

中国は国土の面積や①緯度の点でアメリカ合衆国と比較されるが，②国境を接する国は十数カ国に及ぶ。国土の西部は高山や高原，乾燥地帯が広がり，③人口の大部分は平野や盆地の多い東部に集中している。世界的④大河川が多く，華中や華南では無数の運河が掘られ水運が重要な交通手段となっている。華北平原には20～30 mの厚さの風成土が堆積し，⑤耕地が広がっている。

（1）①―中国最大の商工業都市上海はフィラデルフィアとほぼ同緯度に位置する。

解答・解説

B―山岳地帯という制約の中で，時計や精密機械など軽微で付加価値の高い製品をつくることでこれを克服している。

C―フランス革命により生まれた中小自作農が，この国の労働力供給や商品市場を狭めるといった矛盾を抱えながらも，第二次世界大戦後，工業国として発展した。

D―第一次世界大戦，第二次世界大戦の敗戦により，工業生産力が低下したが，奇跡的な復興により，今日に至った。

E―工業の発達したのが北イタリアであり，農業中心なのが南イタリアである。南北における経済格差がイタリアの課題といえる。

練習問題12　正答／（2）

●解説／

（1）フィラデルフィアは北京とほぼ同じ北緯40度に位置する。

（2）南沙諸島の領有権をめぐっては，ベトナム以外にフィリピン，台湾等もその領有を主張している。

（3）2022年現在，約14.3億人（世界人口白書2023年版）。また一人っ子政策は2016年に廃止となった。

（4）三峡ダムは長江中流域のダムである。

（2）②―ベトナムとの間に南沙諸島をめぐる領土問題がある。
（3）③―長年採用してきた一人っ子政策が功を奏し，人口増加率が下がり，総人口が10億人を切ったので2016年より廃止した。
（4）④―黄河中流域に長年の懸念であった三峡ダムが建設された。
（5）⑤―春小麦，米，茶の栽培が盛んである。

解答・解説

（5）春小麦，米，茶が栽培されているのは華中である。

練習問題 13

A，B，Cはわが国の代表的な日記文学からの抜粋であるが，これらと著書・著者の組合せが妥当なのはどれか。

A．男もすなる日記といふものを，女もしてみんとて，するなり。それの年の十二月の二十日あまりの一日の戌の時に門出す。そのよし，いささかものに書きつく。ある人，県の四年五年はてて，例のことどもみなし終へて，解由など取りて，住む館より出でて，船に乗るべき所へ渡る。かれこれ知る知らぬ，送りす。年ごろ，よく比べつる人々なむ，別れ難く思ひて，日しきりに，とかくののしるうちに，夜ふけぬ。

B．あづまぢの道のはてよりも，なほ奥つかたにおひいでたる人，いかばかりかはあやしかりけむを，いかに思ひはじめけることにか，世の中に物語といふもののあんなるを，いかでか見ばやと思ひつつ，つれづれなるひるま・よゐなどに，姉・まま母などやうの人々の，その物語，かの物語，ひかる源氏のあるやうなど，ところどころ語るを聞くに，いとどゆかしさまされど，わが思ふままに，そらでいかでかおぼえ語らむ。

C．いづれの御時にか，女御・更衣あまたさぶらひたまひける中に，いとやむごとなき際にはあらぬが，すぐれてときめきたまふありけり。はじめよりわれはと思いあがりたまへる御方々，めざましきものにおとしめ嫉みたまふ。同じほど，それより下の更衣たちは，ましてやすからず。

	A	B	C
（1）	「更級日記」 菅原孝標女	「源氏物語」 紫式部	「徒然草」 兼好
（2）	「更級日記」 菅原孝標女	「蜻蛉日記」 藤原道綱母	「源氏物語」 紫式部
（3）	「土佐日記」 紀貫之	「源氏物語」 紫式部	「蜻蛉日記」 藤原道綱母
（4）	「土佐日記」 紀貫之	「更級日記」 菅原孝標女	「源氏物語」 紫式部
（5）	「土佐日記」 紀貫之	「徒然草」 兼好	「蜻蛉日記」 藤原道綱母

練習問題 13　　正答／（4）

●解説／

Aは「土佐日記」で作者は紀貫之。わが国最初の日記文学である。土佐守（とさのかみ）の任期を終えて，帰京するまでの55日の船旅の様子などが記されている。当時「女手（をんなで）」とされて，女性が使うものとされていた仮名文字で書かれている。そのため，日記も女性が記しているという体裁をとっている。

Bは「更級日記」で作者は菅原孝標女。13歳の少女時代から40年にもおよぶ半生を回想して記した。設問に引用された冒頭部分からも，多感な少女が「物語」を読んでみたいと強く願っている様子がありありと伝わってくる。作者は当時話題になっていた「源氏物語」を手に入れて，全巻を読んでみたいという願いに駆られて仏に祈願したりもする（実際に，後に願いどおり，「源氏物語」全巻を人から与えられる）。

Cは「源氏物語」で作者は紫式部。冒頭の「桐壺」の部分である。主人公光源氏の母である桐壺更衣の様子が描かれている。桐壺更衣は後に幼い光源氏を残したまま，病に倒れて亡くなってしまう。こののち，光源氏は早くに失った母の面影を求めて，多くの女性を遍歴することになる。

練習問題 14

元禄文化に関する記述として，妥当なのはどれか。

（1）小説では，井原西鶴が洒落本や人情本を生み出し，町人の世相や風俗を題材に「日本永代蔵」や「浮世床」を著した。
（2）俳諧では，松尾芭蕉がわび・さびを説き蕉風を確立するとともに，小林一茶は絵画的な句を，与謝蕪村は素朴で人情味ある味ある句をよみ，俳句を発展させた。
（3）戯曲では，近松門左衛門が人形浄瑠璃の脚本を書き，代表作として，時代物に「国性爺合戦」，世話物に「曾根崎心中」がある。
（4）絵画では，狩野派が隆盛を極め，「見返り美人図」を描いた菱川師宣は，錦絵を始めて庶民の人気を得た。
（5）陶芸では，野々村仁清が有田焼を完成させるとともに，尾形光琳が仁清の弟子としてこの流れをくみ，装飾的で高雅な陶磁器をつくった。

練習問題 15

江戸時代の浮世絵師に関する記述として，妥当なのはどれか。

（1）歌川広重は，「富嶽三十六景」に見られるような大胆で奇抜な構図や題材の新鮮さによって風景版画に新境地を開いた。
（2）喜多川歌麿は，錦絵と呼ばれる多色刷りの浮世絵版画を創作し，情緒に富む美人画を描いて，庶民に広く親しまれた。
（3）葛飾北斎は，旅のスケッチをもとに情趣豊かな「東海道五十三次」を完成し，風景版画家としての名声を得た。
（4）鈴木春信は，大判錦絵の画面いっぱいの構図法を駆使し，全く新しい美人大首絵を発表した。
（5）東洲斎写楽は，大首絵の手法を駆使して，個性豊かに役者絵・相撲絵を描き，「ビードロを吹く女」をはじめとする作品を生んだ。

解答・解説

練習問題 14　　正答／（3）

●解説／元禄文化は，江戸時代前半の上方（大坂）中心の文化を指す。当時経済力をつけ，多彩な教養や生活のゆとりを得た，富裕な町人層が主要な担い手となった。

（1）井原西鶴は浮世草子の作者。人間や世間のありさまを現実的に描いた。「好色一代男」「好色五人女」「好色一代女」（好色物）「武道伝来記」（武家物）「日本永代蔵」「世間胸算用」（町人物）などがある。洒落本の作家は山東京伝，人情本は為永春水が有名。「浮世床」の作者は式亭三馬。
（2）芭蕉は元禄期の俳人だが，蕪村と一茶は江戸時代後半の俳人である。また，画家でもあり，絵画的な描写が特徴なのは蕪村，農民出身で素朴な句を多く詠んだのは一茶の方である。
（3）正しい。近松門左衛門は当初は歌舞伎作者だったが，後に浄瑠璃作者に転向した。「国性爺合戦」は時代物，「曾根崎心中」は世話物。
（4）菱川師宣は若い頃に当時隆盛を誇っていた狩野派の絵画技法を学んでもいるが，後に挿絵画家として活躍した。「見返り美人図」は師宣の代表作の一つ。
（5）野々村仁清は京焼色絵陶器を完成。尾形光琳は狩野派の山本素軒に学び後に宗達画風に転向，独自の画風を切り拓いた画家である。

練習問題 15　　正答／（4）

●解説／

（1）歌川広重は江戸後期の浮世絵師。広重の代表作は「東海道五十三次」。
（2）喜多川歌麿は江戸後期の錦絵師。遊女や町娘などの上半身画（大首絵）を描いた。
（3）葛飾北斎は江戸後期の浮世絵師。西洋画の表現技法も取り入れて風景画を描いた「富嶽三十六景」が代表作。
（4）正しい。鈴木春信は表情の繊細優美な男女を描き，浪漫的・夢幻的作風に特徴がある。
（5）「ビードロを吹く女」は喜多川歌麿の作。東洲斎写楽は江戸中期の浮

練習問題 16

わが国の文学作品に関する記述として，妥当なのはどれか。

（1）「舞姫」は，立身出世と愛情の間に揺れる青年の苦悩が描かれている，作者の自叙伝的色彩の濃い短編小説で，森鷗外の作品であり，彼の作品には他に,「山椒大夫」や「山月記」がある。
（2）「夜明け前」は，作者の父をモデルに明治維新前後の時代を中仙道の馬籠宿からとらえて描いた歴史小説で，島崎藤村の作品であり，彼の作品には他に，「若菜集」や「破戒」がある。
（3）「暗夜行路」は，小動物の生と死を凝視し，一見宗教的でありながら，あくまでも自我中心に諦観を形成する心境小説で，志賀直哉の作品であり，彼の作品には他に，「細雪」がある。
（4）「天平の甍」は，鑑真和上来朝の史実を中軸として成り立つ歴史小説で，井上靖が直木賞を受賞した作品であり，彼の作品には，他に「敦煌」や「遠野物語」がある。
（5）「個人的な体験」は，障害を持つ子の誕生に出会い，絶望の中から与えられた運命を引き受ける若い父親の姿を描いた小説で，大江健三郎が芥川賞を受賞した作品であり，彼の作品には他に，「飼育」や「砂の女」がある。

練習問題 17

以下の組合せとして，妥当なものはどれか。

（1）バッハ	「水上の音楽」	バロック
（2）モーツァルト	「タンホイザー」	ロマン派
（3）ショパン	「軍隊ポロネーズ」	古典派
（4）ムソルグスキー	「ハンガリー狂詩曲」	国民学派
（5）ベートーベン	ピアノ・ソナタ「月光」	古典派

解答・解説

世絵師。代表作は「市川鰕蔵の竹村定之進」。

練習問題 16　正答／（2）

●解説／
（1）「山月記」は中島敦の作品。太平洋戦争中の 1942 年に同作品で文壇に出るが，同年末に持病の喘息で逝去。短命の天才と惜しまれた。
（2）正しい。島崎藤村は当初は浪漫派詩人として創作を始めたが，後に自然主義文学に転じた。「若菜集」は浪漫的詩集。「夜明け前」「破戒」は自然主義的作品。
（3）「暗夜行路」は青年の内面的格闘と成長の物語。「細雪」は谷崎潤一郎の作品。
（4）「天平の甍」は芸術選奨文部大臣賞受賞作品。「闘牛」によって第 22 回芥川賞を受賞した。「遠野物語」は柳田国男の作品。
（5）大江健三郎が芥川賞を受賞した作品は「飼育」。1994 年ノーベル文学賞受賞。「砂の女」は安部公房の作品。

練習問題 17　正答／（5）

●解説／
（1）「水上の音楽」はヘンデル（バロック）の作品。
（2）「タンホイザー」はワーグナー（ロマン派）の作品。また，モーツァルトは古典派。
（3）ショパンはロマン派。
（4）ムソルグスキーの代表作は「禿山の一夜」
（5）正しい。ベートーベンは古典派の代表的作曲家。交響曲「運命」を創作。楽聖と称される。

7 教養試験

自然科学

出題傾向 直近の試験における物理の出題数は，特別区で2問，それ以外のタイプの試験では1問である。化学は，東京都で1問，それ以外のタイプの試験では2問出題されている。生物は，関東型と東京都で1問，地学は，それ以外のタイプの試験では2問出されている。また，地学は，特別区で2問，それ以外のタイプの試験では1問の出題が見られた。数学は東京都，特別区以外で 1 問出題されるが本書では割愛している。物理では力学，電気，電磁気，光の性質の出題頻度が高く，化学は知識重視の出題が多い。生物は生殖，器官，脳と多岐にわたり，地学は地球の内部構造，地震についての出題が多い。

ポイント別・学習法

■物理

＜傾向＞基本的なテーマがまんべんなく出題されているが，力学，電気の出題が多く見られる。直近の物理の出題では，光の屈折，熱とエネルギー，運動量とエネルギー，電流などが出題されている。

物理は公式を覚えれば解ける，ということはありえない。また，そのような誤解が物理を苦手とさせる。落下運動の3公式だけでなく，重力加速度の扱い，水平投射と落下時間，最大高度時の速さについての理解が不十分では，式を正確に扱うことはできない。

電気と回路については直列・並列回路の性質について確実な理解が必須である。オームの法則は2数値から残る未知数を求めることができるが，複雑な回路では回路の性質が重要な役割となる。電力，ジュールの法則，熱量は電気と回路の理解なくして解くことはできない。

また，フックの法則，力の合成と分解（主に相似や三角関数の基礎），エネルギー保存の法則を容易に利用できること，電磁気と光の性質は計算よりも性質についての理解を重点的に学習することである。ここでは取り上げられなかったが，光の屈折（光の進路）も基本書で補足しておきたい。

＜学習法＞自然科学の物理は最初の一歩が踏み出し難い分野である。どれも均等に学習するよりも，項目ごとに十分理解を深めた上で他の項目へと進んでいくことが得点へとつながる。

◎難易度＝ 85 ポイント

◎重要度＝ 80 ポイント

■化学

＜傾向＞出題数はほぼ2問と自然科学科目では重要な科目となる。周期表等の基礎理論をはじめ，熱化学・化学平衡・化学反応等，酸･塩基，無機化合物の性質が頻出テーマである。直近の化学の出題では，ボイル・シャルルの法則やヘスの法則といった化学の法則，物質の状態，有機化合物などが出題されている。

＜学習法＞計算分野は方程式と比例が理解できれば問題なく解くことができる。知識項目においては，出題頻度の高い項目を重点的に学習することが大切である。化学反応式は有機化合物の化学反応（主に燃焼）の係数を確実にできるようにすることである。しかしそれは計算問題の下準備で，係数は体積や質量計算には欠かせない。気体の性質は温度について誤りがなければ公式のみで解くことができる。

知識では，周期表から元素の性質を理解した上で，様々な分類について理解を深めていくことが学習効率を高める。有機化合物と無機化合物，金属，中和と塩，電池の順に知識を広めるとよい。

◎難易度＝85ポイント

◎重要度＝75ポイント

■生物

＜傾向＞出題数はほぼ2問と，自然科学分野での出題数は化学同様に多い。近年頻出しているテーマは，細胞・組織，代謝，遺伝などがある。直近の生物の出題では，動物･植物の細胞，ヒトの免疫，酵素などが出題されている。

細胞構造は動物・植物細胞の共通点と相違点に注意する。細胞分裂では，体細胞と生殖細胞についての理解ができていることが重要である。生殖と発生では，年によって難易度が大きく変わる。また，周辺知識として，植物と動物のおよその分類とその特徴についてわかっているとよい。呼吸と光合成は繰り返し学校教育で学習しており，理解しやすく出題頻度も高い。

また，神経と脳については公務員試験全般でよく出題される。特に脳については，間脳の性質は重要である。植物の分布は地理と交錯するが，とらえ方が異なり，生物では土壌については考慮しない。

＜学習法＞受験生の多くは高校時代に一部を学習しているので手をかけやすい。分野を横断するような出題もあるため，様々なテーマについて，広く知識を得ておく必要がある。

◎難易度＝70ポイント

◎重要度＝85ポイント

■地学

＜傾向＞地球の運動や太陽系の出題頻度が高く，気象，地球の構成物質と火山などが続く。太陽系では，太陽や惑星について，最低限の知識を持っていたい。一つひとつの惑星の特徴を覚えることも必要だが，共通点からまとめておきたい。地震についても要注意。災害についての認識も公務員志望者として持っていたい。特にプレートと地震との関係，震度，震源までの距離については十分な学習を望む。

気象や天気の変化についても出題されている。日本の四季と気団（高気圧）についての勢力と時期について説明ができるようにしておきたい。日々の天気については前線と雲の様子から，その変化を説明できるようにしておくこと。

直近では，太陽放射，恒星などが出題されている。

＜学習法＞出題数は1問と少ないが，上級試験が第一志望であるならば学習する価値はある。だが，高校での履修者も少ないので，基礎から学習するならば，頻出項目にしぼって学習するのも戦略の一つ。

◎難易度＝70ポイント

◎重要度＝70ポイント

過去５年の出題傾向 ★★★★★

物理 ① 力と運動

この分野からの出題は圧倒的に多い。特に，物体が落下する時の速度，車やエレベーターの加速度や摩擦に関する応用問題が多く出題されている。少し難しい問題にも慣れておこう。

■力

・力の３要素…大きさ，向き，作用点を力の３要素という。

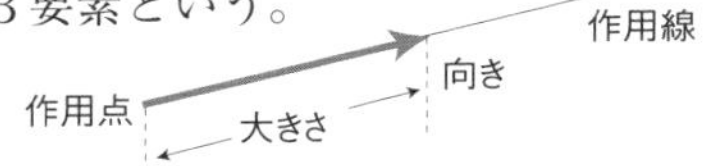

・力の合成と分解…平行四辺形の法則。

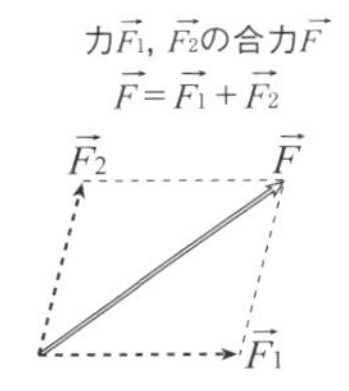

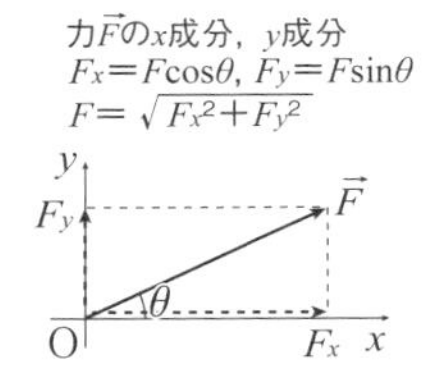

■弾性力 よく出る

・フックの法則…つるまきばねを引き伸ばした場合，変形が少ないうちは自然の長さからの伸びに比例して弾性力が強くなる。

[弾性力]		[ばね定数]		[のび（縮み）]
F	$=$	k	$\times$	x
[N]		[N/m]		[m]

■摩擦力

・最大摩擦力…物体が動き出す直前の摩擦力をいう。F_{max} [N] $= \mu \times N$ [N]

μ：静止摩擦係数

・動摩擦力…すべっている物体にはたらく摩擦力をいう。F' [N] $= \mu' \times N$ [N]

μ'：動摩擦係数

■運動の３法則 よく出る

・慣性の法則（運動の第１法則）…物体に他から力が加わらないか，または加わっている力がつり合っている場合には，はじめ静止している物体は静止し続け，運動している物体は等速直線運動を続ける。

・運動方程式（運動の第２法則）…物体に加速度が生じているときは，力がおよぼされており，その力Fの大きさは物体の質量×加速度の値に等しい。

m [kg] $\times$ a [m/s²] $=$ F [N]

・作用反作用の法則（運動の第３法則）…２つの物体が互いにおよぼし合う作用と反作用は，同一直線上にあり，大きさは等しく，逆向きである。

■速さと速度

・速さ…単位時間当たりの移動距離。

$$v = \frac{x}{t}$$

v：速さ [m/s]
t：時間 [s]
x：距離 [m]

・速度…速さに運動の向きを加えたもの。

■等加速度直線運動

・加速度…単位時間当たりの速度変化。

$$a = \frac{v - v_0}{t}$$

a：加速度 [m/s²]
t：時間 [s]
v_0：初速度 [m/s]
v：t秒後の速度 [m/s]

・等加速度直線運動…直線上を，一定の加速度で進む運動。

$$v = v_0 + at$$

$$x = v_0 t + \frac{1}{2}at^2$$　x：距離 [m]

$$2ax = v^2 - v_0^2$$

■落体の運動

v_0 [m/s]：初速度　v [m/s]：時刻t [s] における速度
y [m]：原点Oからの変位　g：重力加速度

・自由落下運動…初速度が０で重力以外の力がはたらかない運動。

$v = gt \quad y = \frac{1}{2}gt^2 \quad v^2 = 2gy$

・鉛直投げ下ろし運動

$v = v_0 + gt \quad y = v_0t + \frac{1}{2}gt^2 \quad v^2 - v_0^2 = 2gy$

・鉛直投げ上げ運動

$v = v_0 - gt \quad y = v_0t - \frac{1}{2}gt^2 \quad v^2 - v_0^2 = -2gy$

■放物運動 よく出る

・水平投射…水平方向は等速直線運動，鉛直方向は自由落下運動。

$v_x = v_0 \quad x = v_0t \quad v_y = gt \quad y = \frac{1}{2}gt^2$

・斜方投射…水平方向は速度 $v_0\cos\theta$ の等速直線運動，鉛直方向は初速度 $v_0\sin\theta$ の鉛直投げ上げ運動。

水平方向 $v_x = v_0\cos\theta$

$x = v_0\cos\theta \cdot t$

鉛直方向 $v_y = v_0\sin\theta - gt$

$y = v_0\sin\theta \cdot t - \frac{1}{2}gt^2$

$v_y^2 - v_0^2\sin^2\theta = -2gy$

◇等速円運動

・回転角…θ [rad] ＝ ω [rad/s] $\times t$ [s]

・周期…T [s] ＝ $\frac{2\pi}{\omega}$ ＝ $\frac{1}{n}$ [回 /s]

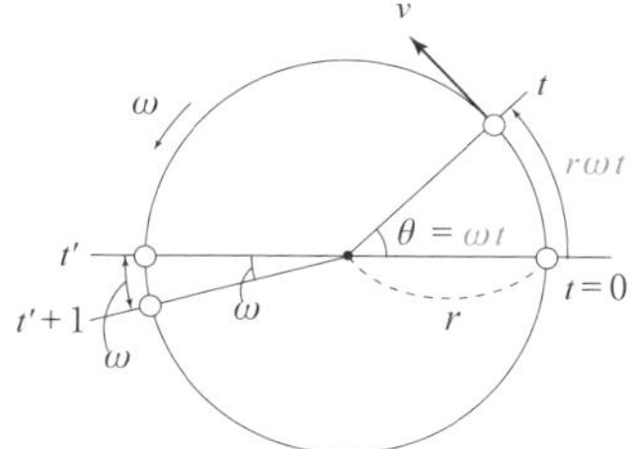

ω：1秒間の回転角

・速度…v [m/s] ＝ r [m] $\times\omega$ [rad/s]

向き：円の接線方向

・加速度…a [m/s^2]

＝ r [m] $\times\omega^2$

向き：円の中心方向

・向心力…F [N] ＝

m [kg] $\times r\times\omega^2$

向き：円の中心方向

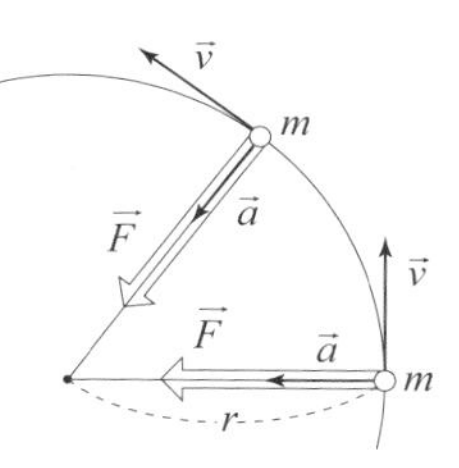

◇単振動 よく出る

・ばね振り子の周期

$T = 2\pi\sqrt{\frac{m}{K}}$ K：比例定数

・単振り子の周期

$T = 2\pi\sqrt{\frac{l}{g}}$ l：糸の長さ

◇ケプラーの法則

・第1法則（だ円軌道の法則）…惑星の公転軌道は太陽を1つの焦点とする楕円である。

・第2法則（面積速度一定の法則）…惑星と太陽を結ぶ線分（これを動径という）が，一定時間に描く面積は一定である。

・第3法則（調和の法則）…惑星の公転周期 T の2乗は，楕円軌道の半長径（半長軸）a の3乗に比例する。

$T^2 = ka^3$ k：比例定数

◇万有引力

・万有引力の法則…2つの物体の間には，それぞれの質量の積に比例し，距離の2乗に反比例する大きさの引力 F [N] がはたらく。

$$F = G\frac{m_1m_2}{r^2}$$

G [N・m^2/kg^2]：万有引力定数

m_1，m_2 [kg]：質量

r [m]：距離

出題パターン check!

秒速20mで進んでいる電車が，一定の加速度2m/s^{2}で減速を始めて駅に止まった。駅より何m手前の地点から減速を始めたか。

電車 → 駅

（1）25m
（2）50m
（3）75m
（4）100m
（5）150m

答え（4）

過去５年の出題傾向　★★★★☆

物理 ② 運動量とエネルギーと波動

運動量の分野では運動量保存の法則を使った問題の出題，また，波動の分野ではドップラー効果についての説明問題が目立っている。基礎をしっかり理解しておこう。

■運動量とエネルギー

・**運動量と力積**…運動量の変化は加えられた力積に等しい。

［現在の運動量］［はじめの運動量］　［力積］

mv [kg・m/s] $- mv_0$ [kg・m/s] $= Ft$ [N・s]

■運動量保存の法則　よく出る

衝突における作用反作用の力以外に，外から力が加わらない限り，衝突前後の運動量の総和は一定量に保たれる。

［衝突前の運動量の和］［衝突後の運動量の和］

$m_1v_1 + m_2v_2 = m_1v_1' + m_2v_2'$

■反発係数（はねかえり係数）

$e = \dfrac{v_2' - v_1'}{v_1 - v_2}$ ［遠ざかる速さ］［近づく速さ］

$e = 1$　弾性衝突

$0 < e < 1$　非弾性衝突

$e = 0$　完全非弾性衝突

・**床と球の衝突**…ボールを h［m］の高さから落下させて h'［m］の高さまではね返ったときの反発係数 e は，

$e = \sqrt{\dfrac{h'}{h}}$

■仕事と力学的エネルギー　よく出る

・**仕事**…F[N] の力を加えて物体が s［m］移動したときの力のした仕事 W［J］は次のように求められる。

W［J］$= F$［N］$\cdot s$［m］$\cdot \cos\theta$

θ：F と s のなす角

・**仕事の原理**…てこや滑車などの道具を使っても，道具の重さや摩擦が無視できる場合，仕事は変わらない。

・**仕事率**…単位時間あたりの仕事の量をいう。

P［W］$= \dfrac{W[\mathrm{J}]}{t[\mathrm{s}]}$

・**位置エネルギー**…$E_p = mgh$

・**運動エネルギー**…$E_k = \dfrac{1}{2}mv^2$

・**運動エネルギーと仕事**…運動エネルギーの変化はその間にされた仕事に等しい。

［現在の運動エネルギー］［はじめの運動エネルギー］［力×距離］

$\dfrac{1}{2}mv^2 - \dfrac{1}{2}mv_0^2 = F \times s$

［J］　［J］　［N］［m］

・**力学的エネルギー保存の法則**…位置エネルギー E_p（mgh［J］）と，運動エネルギー E_k $\left(\dfrac{1}{2}mv^2\ [\mathrm{J}]\right)$ の和は一定に保たれる。

$E_p + E_k =$ 一定

■熱とエネルギー

・**熱量**…熱量＝質量×比熱×温度変化で求められる。

Q［J］$= m$［g］$\cdot C$［J/g・K］$\cdot t$［K］

・**熱と仕事**…熱も仕事に変えることができる。熱の仕事当量 J［J /cal］，W［J］の仕事が全て Q［cal］の熱に変化したとすると

$W = JQ$　　$J = 4.19$［J/cal］

・**ボイル・シャルルの法則**…ボイルの法則（温度が一定のとき，一定質量の気体の体積は圧力に反比例する）とシャルルの

法則（圧力が一定のとき，気体の体積は絶対温度に比例する）をまとめると次のようになる。

$$\frac{P_1V_1}{T_1} = \frac{P_2V_2}{T_2}$$

圧力 $P_1 \to P_2$
体積 $V_1 \to V_2$
絶対温度 $T_1 \to T_2$

■気体の分子運動

・**状態方程式**…気体定数 R = 8.31［J/mol・K］

P［Pa］・V［m^3］= n［mol］・R・T［K］

■気体の内部エネルギーと状態変化

・**熱力学の第1法則**…外部から気体に熱量や仕事が加えられると，気体の内部エネルギーは増加する。

ΔU［J］= Q［J］+ W［J］

・**状態変化**

状態変化	特　徴	第1法則　$\Delta U=Q+W$から
定積変化	体積が一定	$W=0$ 与えられた熱量Qは，すべて内部エネルギーΔUになる。
定圧変化	圧力が一定	
等温変化	温度が一定	$\Delta U=0$ 与えられた熱量Qは，すべて気体がする仕事Wになる。
断熱変化	熱の出入りなし	$Q=0$ 外からの仕事Wは，すべて内部エネルギーΔUになる。

A→C：シャルルの法則が成立
A→D：ボイルの法則が成立

■可逆変化と不可逆変化

・**可逆変化**…空気の抵抗を無視したときの振り子の運動のように，外部に変化を残さずに，完全にはじめの状態に戻るような変化。

・**不可逆変化**…高温の物体から低温の物体への熱の伝導のように，現象が一方的で，逆向きに進行させるにはエネルギーを必要とする変化。

■熱効率 e

Q［J］の熱を与えられたときに W［J］の仕事をする熱機関の効率は，

$$e = \frac{W}{Q}$$

■波動

・**周期と振動数**…周期 T は媒質が1回振動する時間で，振動数は媒質が1秒間にくり返す振動の回数［Hz］である。

・**波の基本式**

$$v = f \times \lambda = \frac{\lambda}{T}$$

波の速さ v［m/s］，振動数 f［Hz］，波長 λ［m］，T［s］

・**ホイヘンスの原理**…波が伝わるとき，ある瞬間における波面上の各点は，次の瞬間波源となり，そこから球面波（素元波）が出て，その球面波の接線が次の瞬間の波面となる。

・**反射の法則**…入射角 θ_1 = 反射角 θ_2

・**屈折の法則**

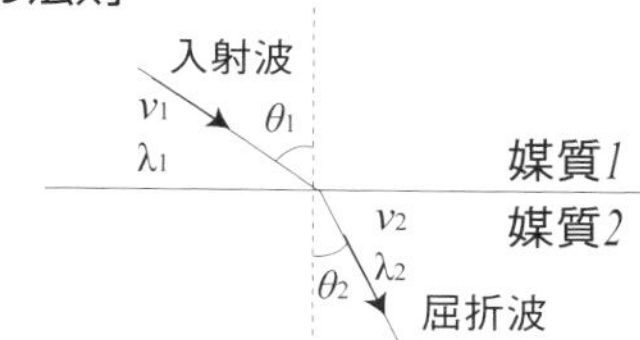

$$\frac{v_1[m/s]}{v_2[m/s]} = \frac{\lambda_1[m]}{\lambda_2[m]} = \frac{\sin\theta_1}{\sin\theta_2} = n$$

媒質1での速さ／媒質2での速さ，媒質1での波長／媒質2での波長，入射角／屈折角，屈折率

■音波　よく出る

・**ドップラー効果**…音源と観測者が相対的に近づくとき音が高く聞こえ，遠ざかるときは低く聞こえる現象。

$$f = \frac{V - v_0}{V - v_s} \cdot f_0$$

$V - v_0$……（音速－観測者の速さ）［m/s］
$V - v_s$……（音速－音源の速さ）［m/s］
f［Hz］聞こえる振動数　f_0：音源の振動数

※音源から観測者に向かう方向を正とする。

出題パターン check!

質量2000gの金属を35℃に熱して，20℃の水350gの中に入れたところ，水の温度が30℃になった。この金属の比熱はいくらか。熱が外部に逃げないものとし，水の比熱を4.2J/gKとする。

（1）　1.47J/gK
（2）　1.54J/gK
（3）　1.78J/gK
（4）　2.21J/gK
（5）　2.43J/gK

答え（1）

過去５年の出題傾向 ★★★★★

物理③ 電流と磁界と原子

電流の分野では，電熱器やニクロム線などの抵抗に関する問題，原子の分野では，原子核の崩壊と半減期についての問題が目立っている。基礎から応用までやっておこう。

■静電気力

・**クーロンの法則**…距離 r［m］だけ離れた２点に置かれた点電荷 q_1［C］, q_2［C］の間にはたらく静電気力 F［N］は次のようになる。

$$F = k_0 \frac{q_1 q_2}{r^2}$$

比例定数 k_0 は，$k_0 = 9.0 \times 10^9$［N・m²/C²］(真空中)

・**電界内で電荷が受ける力**…強さ E［N/C］の電界内に置かれた電荷 q［C］が電界から受ける静電気力 F［N］は，$F = qE$

■コンデンサ よく出る

・**コンデンサに蓄えられる電荷 Q［C］**

$$Q = CV$$

C［F］：電気容量　V［V］：極板間の電位差

・**コンデンサの直列接続**

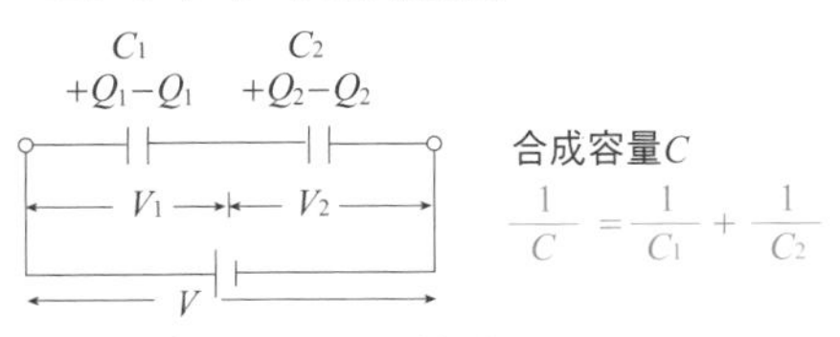

合成容量 C

$$\frac{1}{C} = \frac{1}{C_1} + \frac{1}{C_2}$$

・**コンデンサの並列接続**

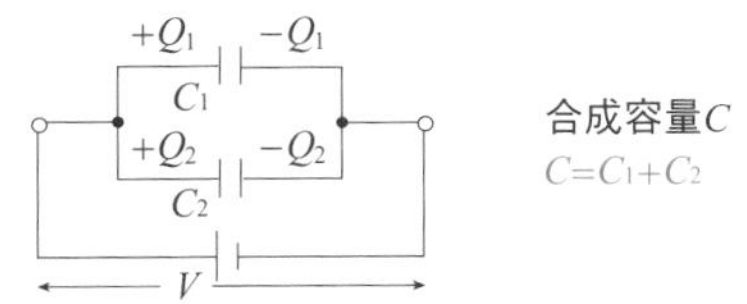

合成容量 C

$$C = C_1 + C_2$$

・**静電エネルギー**…電気容量 C［F］のコンデンサの極板間に V［V］の電圧が加わり，Q［C］の電荷がたくわえられているとき，このコンデンサにたくわえられている静電エネルギー U［J］は次のようになる。

$$U = \frac{1}{2}QV = \frac{1}{2}CV^2 = \frac{1}{2} \cdot \frac{Q^2}{C}$$

■電流と抵抗 よく出る

・**オームの法則**…導体を流れる電流は電圧に比例する。

電圧		電気抵抗		電流
V［V］	＝	R［Ω］	×	I［A］

・**電気抵抗と抵抗率**…抵抗は長さ l［m］に比例し，断面積 S［m²］に反比例する。

$$R = \rho \frac{l}{S}$$　ρ：抵抗率［Ω・m］

・**電気抵抗の直列接続**…各抵抗を流れる電流は等しい。

$$R = R_1 + R_2 + \cdots\cdots + R_n$$

・**電気抵抗の並列接続**…各抵抗にかかる電圧は等しい。

$$\frac{1}{R} = \frac{1}{R_1} + \frac{1}{R_2} + \cdots\cdots + \frac{1}{R_n}$$

・**キルヒホッフの法則**

第１法則…回路中に分岐点があるとき，分岐点に流れ込む電流と分岐点から流れ出る電流は等しい。

第２法則…回路を一巡してもとの場所にもどるとき，途中の各部の電位差を符号付きで順次加えた値は０になる。

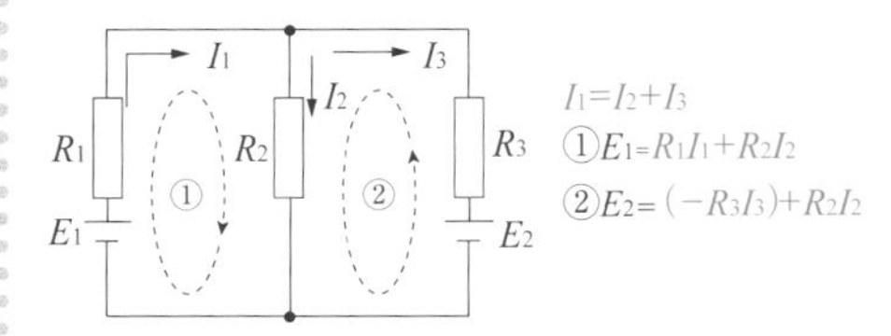

・ジュールの法則…抵抗 R［Ω］の導線に電圧 V［V］が加わり，電流 I［A］が流れているとき，時間 t［s］の間に発生する熱量 Q［J］は次のようになる。

$$Q = VIt = I^2Rt = \frac{V^2}{R}t$$

■電流と磁界

・電流のつくる磁界

A：直流電流のまわりの磁界

B：円形電流の中心の磁界

C：：ソレノイド内部の磁界

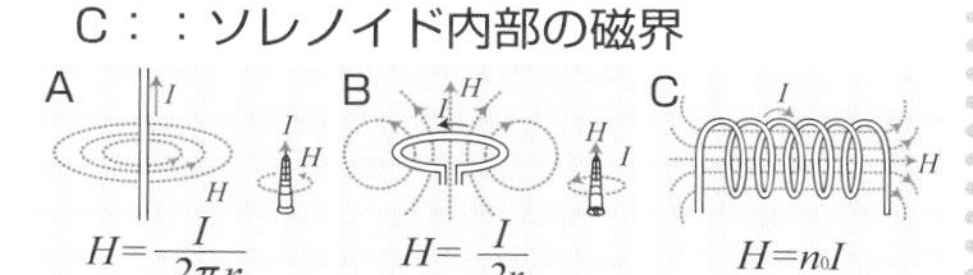

r［m］:導線からの距離　r[m]:円形電流の半径　n_0:1mあたりの巻き数

・フレミングの左手の法則…I［A］の電流が流れる長さ l［m］の導線が磁束密度 B［Wb/m^2］の磁界から受ける力 F［N］は，

電流・磁界に垂直な場合

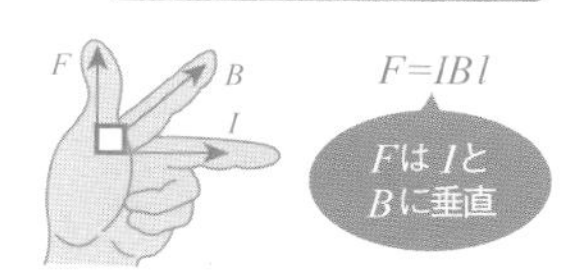

・ローレンツ力 f［N］…磁界中を運動する荷電粒子は磁界から力を受ける。

$$f = qvB$$

q［C］：電荷　v［m/s］：速さ　B［Wb/m^2］：磁束密度

■電磁誘導

コイルの磁界が変化するとき，コイルに誘導起電力が生じ，誘導電流が流れる現象。

A 磁束が増加した瞬間

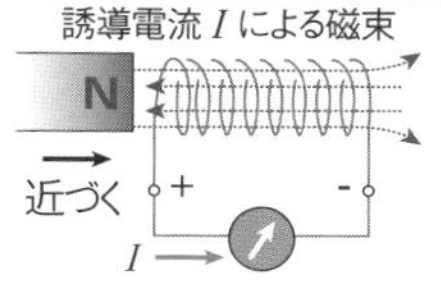

B 磁束が減少した瞬間

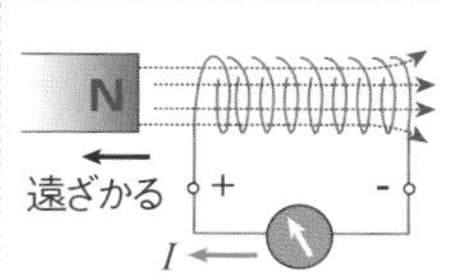

・レンツの法則…誘導電流は，誘導電流のつくる磁束が外部の磁束の変化を妨げる向きに流れる。

■原子と原子核　よく出る

・原子の構造　Z：原子番号　A：質量数
e［C］：電気素量

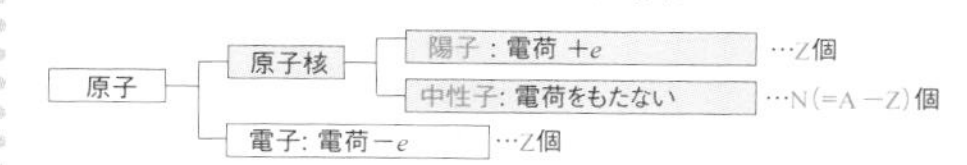

・質量数と原子番号

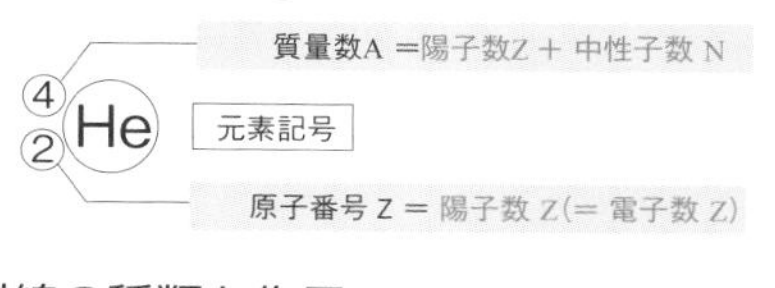

・放射線の種類と作用

放射線	本体	電荷	電離作用	物質透過力	A,Z の変化
α線	^{4}He の原子核	$+2e$	大	小	${}^A_ZX \xrightarrow{\alpha} {}^{A-4}_{Z-2}X'$
β線	電子	$-e$	中	中	${}^A_ZX \xrightarrow{\beta} {}_{Z+1}^{A}X'$
γ線	電磁波	0	小	大	―

・半減期…$t = 0$ における原子核の数を N_0，時刻 t に残っている同種の原子核の数を N とすると半減期 T との関係は，右のようになる。

$$\frac{N}{N_0} = \left(\frac{1}{2}\right)^{\frac{t}{T}}$$

■原子核と核エネルギー

・核分裂…質量数の大きな原子核が，中性子を吸収して質量数の小さな原子核に分裂する反応で，多量のエネルギーを放出する。

・核融合…原子番号の小さな2つの原子核が融合して重い原子核になる反応で，多量のエネルギーを放出する。

■素粒子

素粒子の分類	性質・素粒子の例
クォーク	「強い力」がはたらくハドロン(例 陽子,中性子,π中間子)の構成粒子
レプトン	「強い力」がはたらかない粒子。例 電子,μ粒子(ミューオン)
ゲージ粒子	クォークやレプトン間にはたらく基本的な力を伝える粒子。例 光子

出題パターン check!

原子に関する記述として，妥当なのはどれか。

（1）原子核では，陽子と中性子が電気力によって強く結び付いている。

（2）原子核に含まれる中性子の数を原子番号という。

（3）α線は高速の電子であり，β線はヘリウムの原子核である。

（4）核子は，陽子と電子から構成されている。

（5）原子の質量数は，陽子の数と中性子の数の和である。

答え（5）

過去5年の出題傾向 ★★★★☆

化学① 物質の構成と化学反応

この分野では，原子やイオンの構造に関する基礎的な問題から化学結合や化学の基本法則についての説明問題が目立っている。基礎的なことをしっかり整理しておこう。

■物質の構成

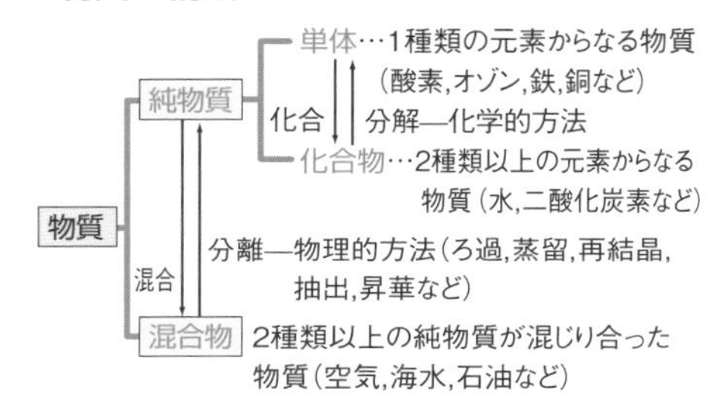

＊純物質は，物質によって融点や沸点，密度などが決まっている。

・同素体…同じ元素からできていて，性質の異なる単体をいう。

例ダイヤモンドと黒鉛，酸素とオゾン

■混合物の分離

・ろ過…液体とその液体に溶けない固体とをろ紙を用いて分離する。

・蒸留…液体を加熱して気体とし，冷却して再び液体にする。

・分留…沸点の違いを利用して，液体の混合物を蒸留により分離する。

・再結晶…溶液を冷却して，結晶になるものを分離する。

・抽出…液体または固体の混合物に適当な溶媒を加え，目的の物質を溶媒に溶かして分離する。

・昇華…固体の混合物を加熱して，直接気体になる物質を分離する。

■原子の構造と原子の表し方

・同位体（アイソトープ）…原子番号が同じで中性子数が異なる原子どうしをいう。

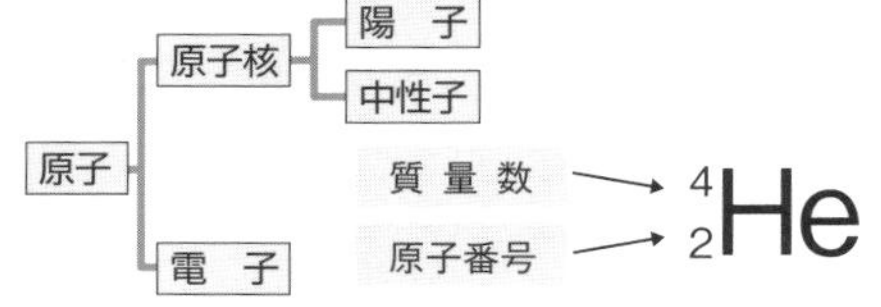

質量数＝陽子の数＋中性子の数

原子番号＝陽子の数（＝電子の数）

例 水素の同位体 $^{1}_{1}$Hと $^{2}_{1}$H（重水素原子）

酸素の同位体 $^{16}_{8}$O $^{17}_{8}$O $^{18}_{8}$O

・電子殻…電子は原子核のまわりに存在し，いくつかの層（電子殻）に分かれている。

電子殻	K殻	L殻	M殻	N殻	…	n番目の殻
電子の最大数	2個	8個	18個	32個	…	$2n^2$個

・電子配置…電子は，ふつう内側の電子殻から順に満たされる。K殻に2個，L殻以上では8個の電子が入ると安定した電子配置になる。

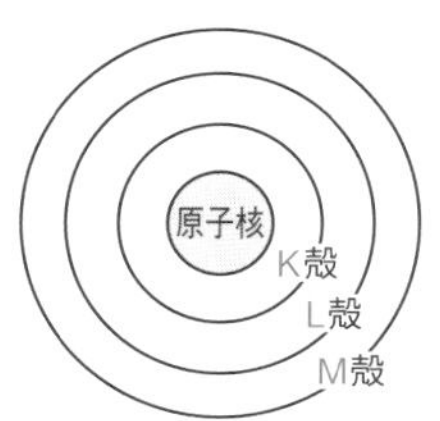

・価電子…最外殻電子で原子の性質と関係が深い。貴ガスの価電子は0とする。

■イオン よく出る

・イオンの生成…原子が電子を失うか，もらうかして，貴ガス型の電子配置になる。

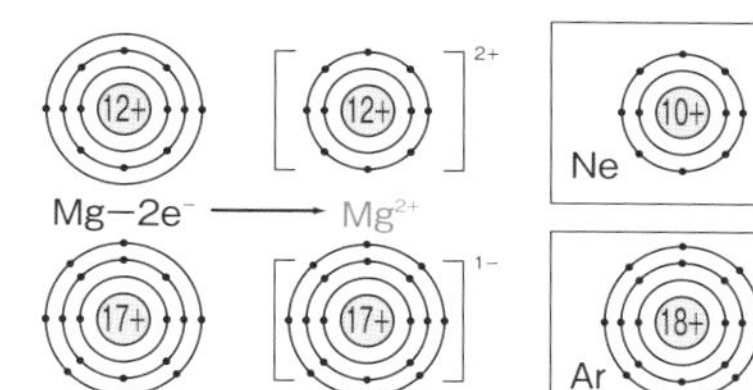

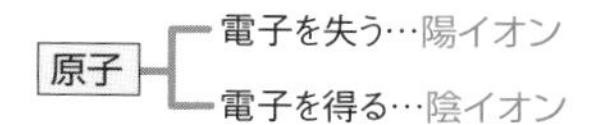

・**イオン化エネルギー**…原子から電子1個を取り去って1価の陽イオンにするのに必要なエネルギー。イオン化エネルギーが小さいほど陽イオンになりやすい。

・**電子親和力**…原子が電子1個を受け取って1価の陰イオンになるとき放出するエネルギー。電子親和力が大きいほど陰イオンになりやすい。

■化学結合 よく出る

化学結合	特徴	例
イオン結合	陽イオンと陰イオンとの間の静電気力による結合。金属元素と非金属元素の原子間で行われる。	NaCl
共有結合	2個の原子が価電子を共有してできる結合。非金属元素の原子間で行われることが多い。	H_2, CO_2
金属結合	金属元素の原子が，自由電子を共有してできる結合。自由電子は全原子で共有される。	Fe, Al
配位結合	非共有電子対を持つ分子または陰イオンが，その非共有電子対を陽イオンと共有してできる結合。	NH_4^+

・**電気陰性度**…原子が共有電子対をひきつける強さ。

■元素の周期表

・**周期律**…元素を原子番号の順に配列するとその性質が規則的に変化する。

・**周期表**…周期律にしたがって，元素を表に整理したもの。

■物質量（モル，mol）

・**1mol**…6.02×10^{23}個の原子，分子，イオンなどの集団。

・**アボガドロ数**…1モルあたりの粒子数。
6.02×10^{23}個

・**モル質量**…原子量・分子量・式量にg単位をつけたもの。単位は［g/mol］

■化学反応式

・**化学反応式のつくり方**

①反応物質（左辺）→生成物質（右辺）

②左辺と右辺の各原子の種類と数が等しくなるように係数をつける。

・**化学反応式の表す量的関係**

物質 化学反応式	窒素 ＋ 水素 → アンモニア N_2 ＋ $3H_2$ → $2NH_3$
分子数の比	1分子　3分子　2分子 6.02×10^{23}個　$3 \times (6.02 \times 10^{23})$個　$2 \times (6.02 \times 10^{23})$個
物質量の比	1mol　3mol　2mol
質量の比 （質量保存の法則）	28g　3×2g　2×17g 28g ＋ 6g ＝ 34g
標準状態での気体の体積の比 （気体反応の法則）	22.4L　3×22.4L　2×22.4L 1 ： 3 ： 2

■化学の基本法則

質量保存の法則	化学反応の前後で，物質の質量の総和は変わらない。
定比例の法則	化合物中の成分元素の質量の比は一定である。
倍数比例の法則	2つの元素が化合してできる数種類の化合物について，一方の元素の一定量と化合する他方の元素の質量の比は，簡単な整数比になる。
気体反応の法則	気体の反応では，同温・同圧において，反応する気体と生成する気体の体積の比は，簡単な整数比になる。
アボガドロの法則	同温・同圧において，すべての気体は同体積中に同数の分子を含む。

出題パターン check!

法則の記述として，正しいものを1つ選べ。

（1）アボガドロの法則…全ての気体は，温度と圧力が変化しても同体積中に同数の分子を含む。

（2）気体反応の法則…化学反応の前後で，反応に関係した物質の総質量は変化しない。

（3）倍数比例の法則…2種類の元素からなる化合物がいくつかあるとき，一方の元素の一定量と化合している他方の元素の質量は，化合物の間で簡単な整数比になる。

（4）定比例の法則…同温・同圧のもとで，反応する気体や生成する気体の体積の間には，簡単な整数比が成り立つ。

（5）質量保存の法則…ある化合物中の元素の質量の比は，その化合物のつくり方に関係なく常に一定である。

答え（3）

過去5年の出題傾向 ★★★★☆

化学 ② 物質の状態と反応熱

この分野からの出題は多い。特に，コロイド溶液の説明，ボイル・シャルルの法則，気体の状態方程式，熱化学方程式などが目立っている。これらの計算ができるようにしておこう。

■物質の三態

物質の状態は，温度と圧力によって変化する。

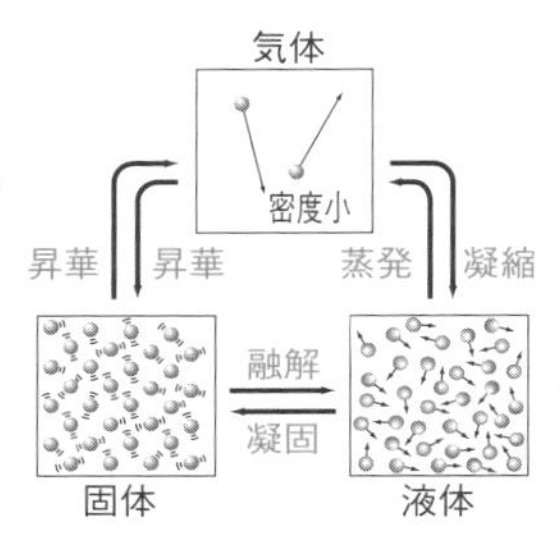

・**状態図**…物質の状態と，温度と圧力の関係を表したもの。

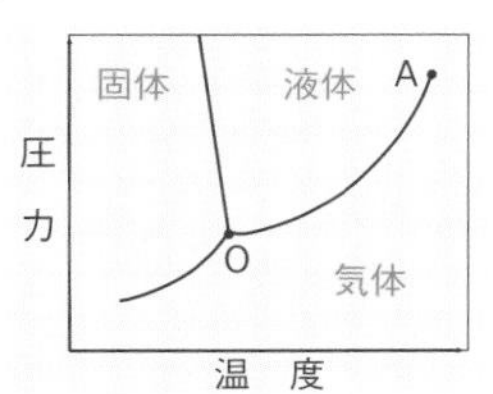

◇点Aは臨界点。液体として存在できる限界。
◇点Oは三重点（固体，液体，気体が共存）。

■気体の法則 よく出る

・**ボイルの法則**…温度が一定のとき，一定の物質量の気体の体積 V は圧力 P に反比例する。

・**シャルルの法則**…圧力が一定のとき，一定の物質量の気体の体積 V は絶対温度 T に比例する。

・**ボイル・シャルルの法則**…一定量の気体の体積 V は，圧力 P に反比例し，絶対温度 T に比例する。

$$\frac{P_1V_1}{T_1}=\frac{P_2V_2}{T_2}$$

・**気体反応の法則**…気体間の反応では，反応する気体の体積と，反応により生じる気体の体積の間には簡単な整数比が成り立つ。

・**アボガドロの法則**…同温・同圧のもとにある同体積の気体は，同数の分子を含む。

・**気体の状態方程式**

・**分子量の求め方**…分子量 M，質量 w［g］とすると，

$$M=\frac{wRT}{PV}$$

■混合気体

・**ドルトンの分圧の法則**…混合気体の全圧は，成分気体の分圧の和に等しい。

全圧 P ＝分圧 P_1 ＋分圧 P_2 ＋…

■理想気体

・**理想気体**…分子自身の体積が0で，分子間力がはたらかず，気体の状態方程式に適合する。

■溶解と溶液

・**溶液**…溶媒に溶質が溶け，均一に混ざりあったもの。

・**水和**…溶質粒子が水分子と結びつき，とり囲まれること。

・**電解質と非電解質**

電解質	水中で電離し，イオンになる溶質。溶液は電気を通す。 例 塩化ナトリウム NaCl ──→ $Na^+ + Cl^-$
非電解質	電離しない溶質。溶液は電気を通さない。 例 エタノール，スクロース（ショ糖）

■溶解度

・**飽和溶液**…ある温度で溶けることができ

る最大質量の溶質を溶かした溶液。

・**固体の溶解度**…溶媒 100 g に溶けることのできる溶質の最大質量（g）。

・**ヘンリーの法則**…一定温度で一定体積の溶媒に溶ける気体の物質量は，その気体の圧力（混合気体では分圧）に比例する。

質量パーセント濃度	%	溶液100g中の溶質の質量で表す。	$\dfrac{溶質の質量(g)}{溶液の質量(g)}\times100$	$\dfrac{w}{W+w}\times100$
モル濃度	mol/L	溶液1L中の溶質の物質量で表す。	$\dfrac{溶質の物質量(mol)}{溶液の体積(L)}$	$\dfrac{n}{V}$
質量モル濃度	mol/kg	溶媒1kgに溶けた溶質の物質量で表す。	$\dfrac{溶質の物質量(mol)}{溶媒の質量(kg)}$	$n\times\dfrac{1000}{W}$

W：溶媒の質量(g)，w：溶質の質量(g)，V：溶液の体積（L），n：溶質の物質量(mol)

■沸点上昇と蒸気圧降下

・**蒸気圧降下**…不揮発性物質を溶かした溶液の蒸気圧は，純溶媒の蒸気圧より低くなる。

・**沸点上昇**…溶液の蒸気圧が低くなるため，溶液の沸点は上昇する。

・**凝固点降下**…溶液の凝固点は，純溶媒の凝固点より低くなる。

■コロイド よく出る

直径が 10^{-7} ～ 10^{-5}cm の粒子が分散している状態をコロイドという。

・**コロイド溶液の性質**

チンダル現象	コロイド粒子が光を散乱させ，光の通路が輝いて見える現象。
ブラウン運動	コロイド粒子が，熱運動する分散媒粒子に衝突されて行う不規則な運動。限外顕微鏡（側面から光を当てて観察する顕微鏡）で観察できる。
電気泳動	コロイド粒子は正または負に帯電しているため，コロイド溶液に直流電圧を加えると，反対符号の電極へコロイド粒子が移動する現象。
透析	半透膜を利用して，コロイド溶液を精製する操作。コロイド溶液を半透膜に入れて水中につるすと，イオンや小さな分子が半透膜を通って除かれる。

■化学反応と熱

・**反応熱**…化学反応に伴って，発生したり吸収されたりする熱量（kJ/mol）。

・**熱化学方程式**…化学反応式の右辺に反応熱を書き加え，両辺を等号で結んだ式。発熱反応のときは＋，吸熱反応のときは－符号。

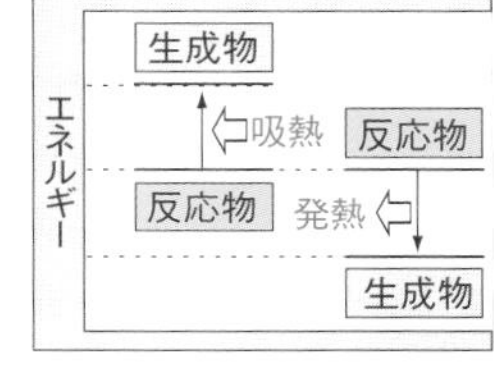

・**反応熱の種類**

＊aqは多量の水を表す。

燃焼熱	物質1molが完全燃焼するときの反応熱。	例 COの燃焼熱 $CO(気)+\frac{1}{2}O_2(気)=CO_2(気)+283kJ$
生成熱	化合物1molがその成分元素の単体から生成するときの反応熱。	例 CH_4の生成熱 $C(黒鉛)+2H_2(気)=CH_4(気)+74.4kJ$
中和熱	酸の水溶液と塩基の水溶液が中和して水1molができるときの反応熱。	例 HClとNaOHの中和熱 $HClaq+NaOHaq=NaClaq+H_2O(液)+56.4kJ$
溶解熱	物質1molが多量の溶媒に溶解するときに発生または吸収する熱。	例 NaOHの溶解熱 $NaOH(固)+aq^*=NaOHaq+44.5kJ$
蒸発熱	液体の物質1molが気体に状態変化するときに吸収する熱。	例 H_2Oの蒸発熱 $H_2O(液)=H_2O(気)-44.0kJ$

注 溶解や状態変化は化学反応ではないが，熱化学方程式で表すことができる。

■ヘスの法則…物質が変化するとき，発生または吸収される熱量の総和は変化する前と後の物質量が決まれば，途中の経路に関係なく一定である。$Q_1 = Q_2 + Q_3$

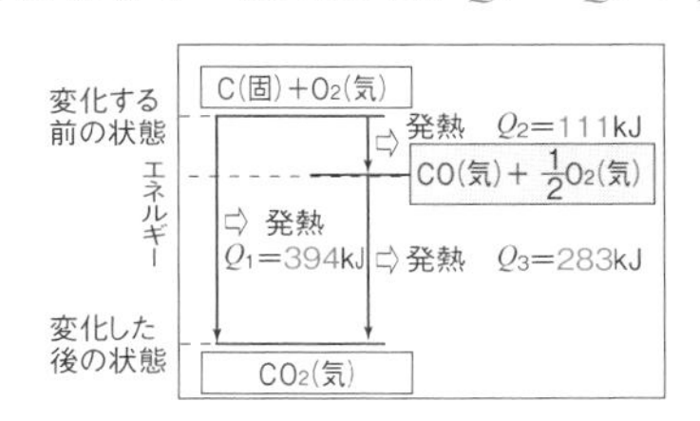

出題パターン check!

不揮発性物質の希薄溶液について述べた文のうち誤っているものはどれか。

（1）純溶媒と溶液が半透膜に接しているとき，純溶媒側から溶液側に移動する。

（2）純溶媒より蒸気圧が低いので，沸点は純溶媒より高い。

（3）凝固点降下度は溶媒に関係なく溶質の種類で決まる。

（4）溶液の凝固点は溶媒の凝固点より低い。

（5）溶液の浸透圧は溶質粒子のモル濃度と絶対温度に比例し，溶媒や溶質の種類に関係しない。

答え（3）

過去５年の出題傾向　★★★★☆

化学 ③ 物質の変化と無機物質・有機物質

この分野では，イオン化傾向，中和反応，酸化還元反応に関する出題が目立っている。有機化合物の問題はあまり見られないが，デンプンやブドウ糖に関しては最低限やっておこう。

■酸と塩基　よく出る

・酸か塩基の定義…酸か塩基かは，H^+ を出すか OH^- を出すか（アレーニウスの定義），または H^+ を受け取るか（ブレンステッドの定義）で判断する。

■水素イオンの濃度とpH

・水のイオン積 K_w

$K_w=[H^+][OH^-]=1.0\times10^{-14}=[mol/L]^2$ (25℃)

・pH（水素イオン指数）

$[H^+]=1\times10^{-n}$mol/L→pH $=n$

H^+の濃度 (mol/L)	10^{-1}	10^{-2}	10^{-3}	10^{-4}	10^{-5}	10^{-6}	10^{-7}	10^{-8}	10^{-9}	10^{-10}	10^{-11}	10^{-12}	10^{-13}	10^{-14}
pH	1	2	3	4	5	6	7	8	9	10	11	12	13	14
水溶液の性質	酸性 ←						中性	→ 塩基性						

■中和反応

・中和…酸から生じた H^+ と塩基から生じた OH^- から H_2O が生成する反応。

［酸］＋［塩基］→［水］＋［塩］

・中和の量的関係…酸の出す H^+ の物質量＝塩基の出す OH^- の物質量

例　c [mol/L] の a 価の酸 v [mL] と，c' [mol/L] の b 価の塩基 v'[mL] がちょうど中和している。

$$c\times\frac{v}{1000}\times a=c'\times\frac{v'}{1000}\times b$$

・塩の分類…正塩（中性塩），酸性塩，塩基性塩がある。水溶液の液性とは関係がない。

■酸化と還元　よく出る

・酸化と還元の定義

	酸素の授受	水素の授受	電子の授受	酸化数の増減
酸化	酸素と結びつく反応	水素を失う反応	電子を失う反応	酸化数の増加
還元	酸素を失う反応	水素と結びつく反応	電子を得る反応	酸化数の減少

・酸化数の決め方

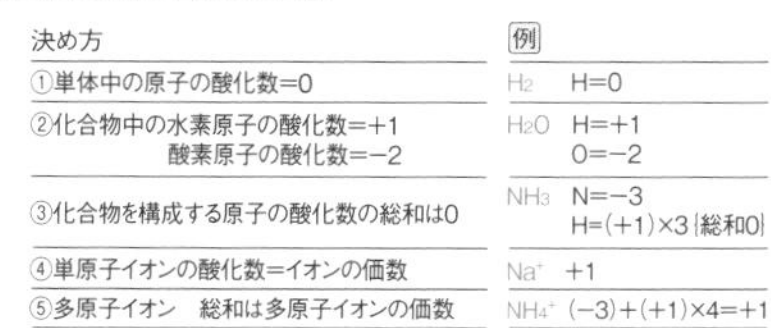

決め方	例
①単体中の原子の酸化数=0	H_2　H=0
②化合物中の水素原子の酸化数=+1 酸素原子の酸化数=−2	H_2O　H=+1 O=−2
③化合物を構成する原子の酸化数の総和は0	NH_3　N=−3 H=(+1)×3 {総和0}
④単原子イオンの酸化数=イオンの価数	Na^+　+1
⑤多原子イオン　総和は多原子イオンの価数	NH_4^+　(−3)+(+1)×4=+1

■金属のイオン化傾向　よく出る

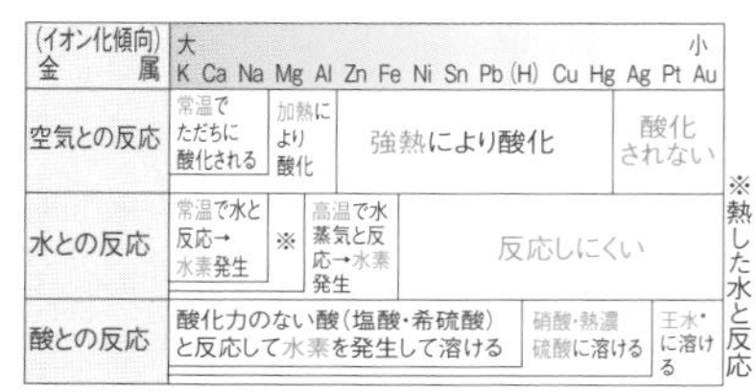

<table>
<tr><td>(イオン化傾向)
金属</td><td colspan="16">大 → 小
K Ca Na Mg Al Zn Fe Ni Sn Pb (H) Cu Hg Ag Pt Au</td></tr>
<tr><td>空気との反応</td><td colspan="3">常温でただちに酸化される</td><td colspan="2">加熱により酸化</td><td colspan="8">強熱により酸化</td><td colspan="3">酸化されない</td></tr>
<tr><td>水との反応</td><td colspan="3">常温で水と反応→水素発生</td><td>※</td><td colspan="3">高温で水蒸気と反応→水素発生</td><td colspan="9">反応しにくい</td></tr>
<tr><td>酸との反応</td><td colspan="10">酸化力のない酸（塩酸・希硫酸）と反応して水素を発生して溶ける</td><td colspan="4">硝酸・熱濃硫酸に溶ける</td><td colspan="2">王水*に溶ける</td></tr>
</table>

※熱した水と反応

*王水は濃硝酸と濃塩酸を１：３の体積比で混合したもの。

■電池

・電池の原理…イオン化傾向の異なる２種類の金属を電解質の水溶液にひたし，両電極を導線でつなぐと電子の流れが生じる。

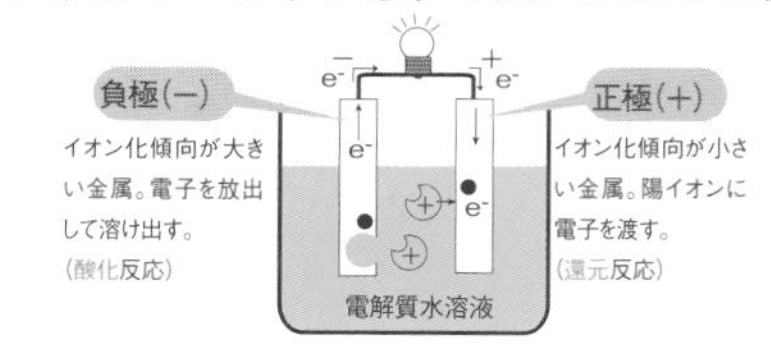

・電池の種類…ダニエル電池，ボルタ電池，乾電池（マンガン電池），鉛蓄電池などがある。

■電気分解　よく出る

・電気分解の原理…電解質の水溶液に外部から電子の流れを起こし，酸化還元反応を起こす。

陰極…還元反応が起こる（e^- を受け取る）。

陽極…酸化反応が起こる（e^- を失う）。

■化学平衡

可逆反応において，正反応と逆反応の速さが等しくなった状態（平衡状態）。見かけ上は反応が進行していないように見える。

・**ル・シャトリエの原理**…ある反応が平衡状態にあるとき，温度，濃度，圧力などの条件を変えると，その加えられた変化を打ち消すような方向の反応が起こり，新しい平衡に達する。

・**色々な化学平衡**…多量の食塩を水に溶かしたときに見られる溶解平衡や，弱電解質水溶液で見られる電離平衡などがある。

■非金属元素の単体と化合物　よく出る

・**ハロゲンの単体**…17 族に属するフッ素 F，塩素 Cl，臭素 Br，ヨウ素 I などの元素をいう。価電子数 7 個で 1 価の陰イオンになりやすい。

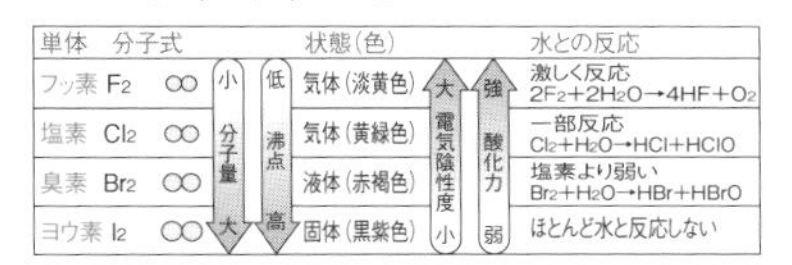

単体	分子式	状態（色）	水との反応
フッ素	F_2	気体（淡黄色）	激しく反応 $2F_2+2H_2O \rightarrow 4HF+O_2$
塩素	Cl_2	気体（黄緑色）	一部反応 $Cl_2+H_2O \rightarrow HCl+HClO$
臭素	Br_2	液体（赤褐色）	塩素より弱い $Br_2+H_2O \rightarrow HBr+HBrO$
ヨウ素	I_2	固体（黒紫色）	ほとんど水と反応しない

■金属元素の単体と化合物

・**アルカリ金属**…1 族で価電子数が 1 個である。1 価の陽イオンになりやすい。

・**アルカリ土類金属**…2 族で価電子数が 2 個である。2 価の陽イオンになりやすい。

■遷移元素

3 族から 11 族に属する元素で，全て金属元素である。

・**遷移元素の特徴**…硬く，融点，沸点が高い。色々な酸化数をしめし，有色の化合物や錯イオンを形成。同周期の隣接する元素と性質が類似している。

■有機化合物の特徴

おもに炭素原子を骨格としている化合物。①構成する元素の数は少ない（C，H，O，N，S，ハロゲンなど）。②炭素原子の共有結合により，鎖状，環状の基本構造をつくるため化合物が多い（100 万種以上）。③無機化合物に比べ融点，沸点が低く，燃えやすい物質が多い。④水に溶けにくく，有機溶媒に溶けやすい物質が多い。

■有機化合物の分類

炭素原子間の結合のしかたによって，次のように分類できる。

飽和	不飽和
$-\overset{|}{\underset{|}{C}}-\overset{|}{\underset{|}{C}}-$ 単結合だけ	$>C=C<$　$-C\equiv C-$ 二重結合，三重結合を含む

鎖式（Cが鎖のように次々とつながっている）	環式（Cの鎖が環になっている）
-C-C-C-C-	C-C / C-C（環）

■官能基

有機化合物特有の性質を示す原子団をいう。

例

アルデヒド基	カルボキシル基	ケトン基	アミノ基	エーテル結合
$-CHO$	$-COOH$	$>CO$	$-NH_2$	$-O-$

■炭化水素　・炭化水素の分類

	飽和炭化水素	不飽和炭化水素	
鎖式炭化水素（脂肪族炭化水素）	単結合のみ	二重結合1個	三重結合1個
	アルカン C_nH_{2n+2} 例 CH_3-CH_3 エタン $CH_3-CH_2-CH_3$ プロパン	アルケン C_nH_{2n} 例 $CH_2=CH_2$ エチレン $CH_3-CH=CH_2$ プロペン（プロピレン）	アルキン C_nH_{2n-2} 例 $CH\equiv CH$ アセチレン $CH\equiv C-CH_3$ プロピン
環式炭化水素	脂環式炭化水素		芳香族炭化水素
	シクロアルカン C_nH_{2n} 例 シクロヘキサン	シクロアルケン C_nH_{2n-2} 例 シクロヘキセン	例 ベンゼン

出題パターン check!

炭化水素に関する記述として妥当なのはどれか。

（1）ブタジエンは，炭素原子４個と水素原子10個からなる化合物であり，主に原油を蒸留して製造され，この物質の縮合重合によりスチレンブタジエンゴムが合成される。

（2）プロピレンは，炭素原子３個と水素原子８個からなる化合物で，無色無臭であり，ナフサを熱分解することにより得られ，ナイロンを製造するための原料となる。

（3）プロパンは，炭素原子３個と水素原子６個からなる化合物であり，天然ガスから分離して製造され，家庭用燃料に使用される。

（4）エチレンは，炭素原子２個と水素原子４個からなる化合物であり，ナフサを熱分解することにより得られ，塩化ビニルを製造するための原料となる。

（5）メタンは，炭素原子１個と水素原子４個からなる化合物で，特有のにおいがあり，原油を蒸留して製造され都市ガスの主成分となる。

答え（4）

過去５年の出題傾向 ★★★★★

生物 ① 細胞と代謝

この分野からの出題は多い。特に，細胞の基本構造，細胞膜の性質，光合成の明反応と暗反応，好気呼吸の過程などからの出題が目立っているので，確実に覚えておこう。

■細胞 よく出る

・細胞説…1838年，シュライデンが植物について，1839年，シュワンが動物について細胞説を唱えた。

・細胞の構造

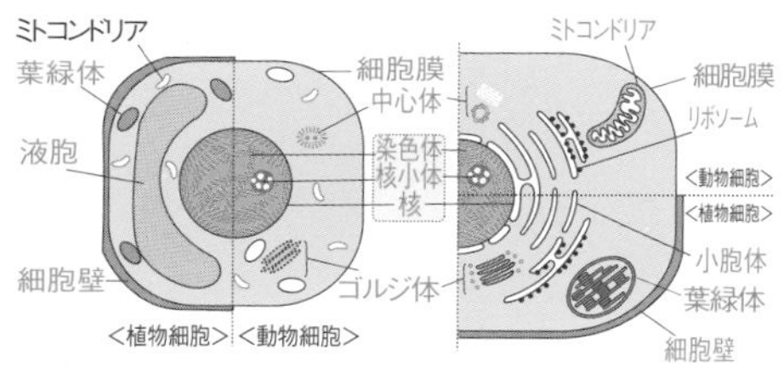

【光学顕微鏡でみた細胞】　【電子顕微鏡でみた細胞】

・細胞の機能

核	核膜	核を包む二重の膜で，多数の核孔がある。
	核液	核内を満たす液で，液体状またはコロイド状である。
	染色体	DNA（遺伝子）とタンパク質からなり，核内に分散している。酢酸カーミン溶液や酢酸オルセイン溶液によって染まる。
	核小体	RNAを含む球状体で，1～数個ある。
細胞質	細胞膜	タンパク質と脂質からなり，選択透過性をもつ。
	ミトコンドリア	内外二層の膜からなり，内膜は突出してクリステをつくる。好気呼吸に関する各種の酵素を含み，好気呼吸の場となる。
	色素体	葉緑体，有色体，白色体などがある。葉緑体は，クロロフィル・カロテン・キサントフィルなどの同化色素を含み，光合成の場となる。動物細胞にはない。
	中心体	動物細胞，および藻類などの一部の植物細胞にみられる。2個の中心粒からなり，細胞分裂に関係する。
	ゴルジ体	扁平な袋が重なりあった層状の構造体で，細胞の分泌活動に関係する。
	小胞体	管状または袋状の膜構造で，物質の輸送に関係する。
	リボソーム	RNAを含み，タンパク質合成の場となる。
	細胞質基質	コロイド状で，種々の酵素を含む。
	細胞壁	セルロースなどを主成分とする全透性の膜で，細胞の形を保持する。動物細胞にはない。
	液胞	成長した植物細胞によく発達する。内部の細胞液には無機塩類・糖類・有機酸・アントシアンなどを含む。
	細胞含有物	デンプン粒・脂肪粒のほか，種々の結晶体がある。

■細胞膜の性質

・半透性…水溶液中の溶媒（水）分子は通すが，溶けている溶質分子は通さない。

・選択透過性…細胞膜は基本的には半透膜である。しかし，溶質のうち比較的小さい分子などを選択的に通すことができる。

・能動輸送…濃度勾配に逆らって特定の物質を出入りさせる（ATPエネルギーを利用）。

■動物細胞と浸透

・溶血…赤血球を低張液に浸すと細胞内へ水が入って破裂する現象をいう。

・生理食塩水…動物の体液と等張の食塩水，ヒトは0.9％，カエル0.65％。

・リンガー液…各種塩類を加え，体液に近づけた等張液。

■植物細胞と浸透

吸水力（S）＝浸透圧（P）－膨圧（T）

①低張液（蒸留水）に浸したとき　②等張液に浸したとき　③高張液に浸したとき

細胞膜　細胞壁　核　液胞

蒸留水に浸したとき，細胞の体積は最大になる。（P=T，S=0）

限界原形質分離（P=S，T=0）

原形質分離（T=0）

■物質代謝とエネルギー代謝

・同化…外界から取り入れた物質をもとに体内で物質が合成される過程。エネルギー吸収反応である。

例　炭酸同化（光合成と化学合成）と窒素同化

- **異化**…体内の有機物が簡単な物質に分解される過程。エネルギー放出反応である。

例　呼吸（好気呼吸，嫌気呼吸）

- **エネルギー代謝**…物質代謝に伴って起こるエネルギーの出入り。

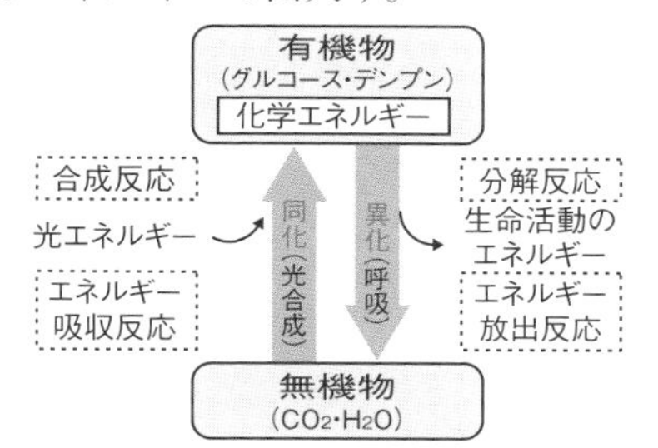

■ATP と ADP

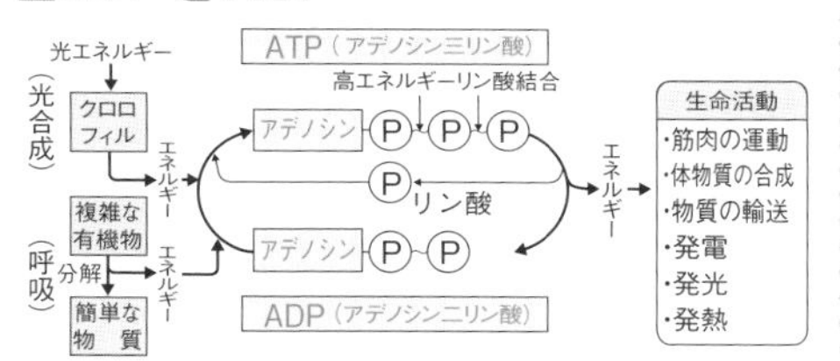

■酵素　よく出る

- **酵素の種類**…酵素は，その触媒する化学反応の種類によって酸化還元酵素（脱水素酵素など），加水分解酵素（消化酵素など）に分けられる。
- **酵素の特性**…①基質特異性，②最適温度，③最適 pH
- **酵素の基質特異性**…それぞれの酵素は特定の基質のみに作用する。

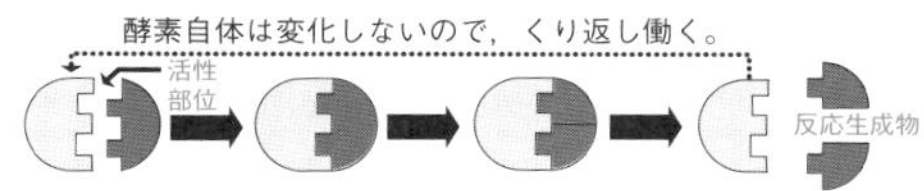

■呼吸

- **好気呼吸の過程**…細胞質基質で行われる解糖系，ミトコンドリアで行われるクエン酸回路，電子伝達系の３つの過程からなる。解糖系はグルコースがピルビン酸になるまでの過程で，２ATP を生成する。クエン酸回路では，脱炭酸酵素，脱水素酵素がはたらき２ATP を生成。電子伝達系では解糖系やクエン酸回路からの水素がいくつかのシトクロム系酵素群の間を受け渡され，最終的に酸素と結合し，水を生成する。このとき 34ATP が生成され，３つの過程で合計 38ATP が生成される。
- **好気呼吸の全過程**　$C_6H_{12}O_6 + 6O_2 + 6H_2O \rightarrow 6CO_2 + 12H_2O$ + 688kcal（38ATP）

■炭酸同化

- **光合成**…光のエネルギーを利用し炭酸同化を行う。例　緑色植物，光合成細菌
- **化学合成**…無機物を酸化する際に発生するエネルギーを利用。例　亜硝酸菌，硝酸菌
- **光合成の反応過程**

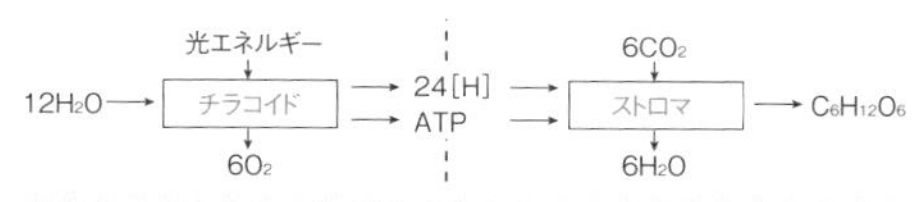

$6CO_2 + 12H_2O$ + 光エネルギー $\rightarrow C_6H_{12}O_6 + 6H_2O + 6O_2$

■光合成と呼吸

光合成は光が当たっているときだけ CO_2 を吸収し，O_2 を放出しているが，呼吸は昼夜 O_2 を吸収し，CO_2 を放出している。夜明けごろの明るさでみかけ上 O_2 と CO_2 の出入りが見られなくなる。このときの光の強さを補償点という。

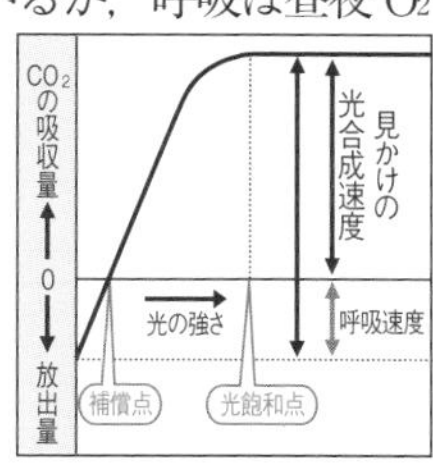

出題パターン check!

次の各細胞構造体とそのはたらきについて述べたものの組み合わせとして，妥当なものはどれか。

（１）リボソーム…ほとんどの細胞に見られ，分泌作用に関係する。
（２）ゴルジ体…ほとんどの細胞に見られ，細胞分裂のときに役にたつ。
（３）小胞体…細胞の運動や細胞分裂に関係する。
（４）ミトコンドリア…ほとんどの細胞に見られ，エネルギー生成に関係する。
（５）葉緑体…植物細胞に見られ，タンパク質の合成に関係している。

答え（４）

生物 ② 生殖と遺伝

この分野では，遺伝の分野からの出題が突出している。特に，メンデルの法則，血液型の遺伝，伴性遺伝に関する問題が目立っている。遺伝の基礎を整理し理解しておこう。

■生殖方法

・無性生殖…性に関係なく子を増やす方法。子は親と同一形質になる。

例 ゾウリムシなどの分裂，酵母菌などの出芽，ジャガイモなどの栄養生殖，アオカビなどの胞子生殖がある。

・有性生殖…２つの性が関連した配偶子による生殖。子は両親とは異なる新しい形質になる。配偶子には同じ形と大きさの同形配偶子，形や大きさの異なる異形配偶子がある。

■細胞分裂 よく出る

・体細胞分裂

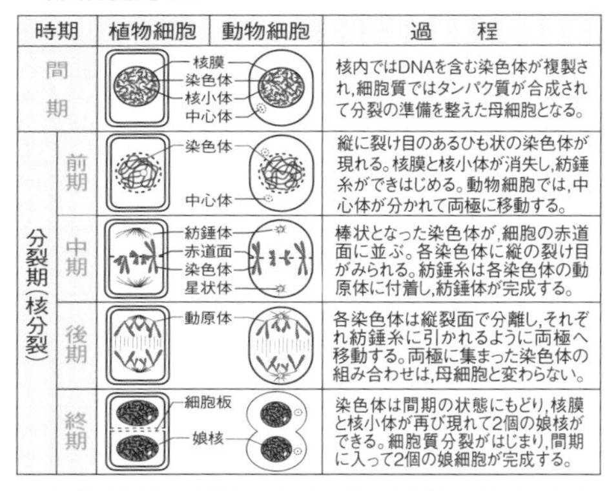

時期		植物細胞	動物細胞	過程
間期		核膜 染色体 核小体 中心体		核内ではDNAを含む染色体が複製され，細胞質ではタンパク質が合成されて分裂の準備を整えた母細胞となる。
分裂期（核分裂）	前期	染色体 中心体		縦に裂け目のあるひも状の染色体が現れる。核膜と核小体が消失し，紡錘糸ができはじめる。動物細胞では，中心体が分かれて両極に移動する。
	中期	紡錘体 赤道面 染色体 星状体		棒状となった染色体が，細胞の赤道面に並ぶ。各染色体に縦の裂け目がみられる。紡錘糸は各染色体の動原体に付着し，紡錘体が完成する。
	後期	動原体		各染色体は縦裂面で分離し，それぞれ紡錘糸に引かれるように両極へ移動する。両極に集まった染色体の組み合わせは，母細胞と変わらない。
	終期	細胞板 娘核		染色体は間期の状態にもどり，核膜と核小体が再び現れて2個の娘核ができる。細胞質分裂がはじまり，間期に入って2個の娘細胞が完成する。

・減数分裂…動物の配偶子や植物の胞子などの生殖細胞がつくられるときの細胞分裂。２回の分裂（第一，第二分裂）が引き続き起こり，１個の母細胞から４個の娘細胞ができる。第一分裂のとき染色体が半減する。

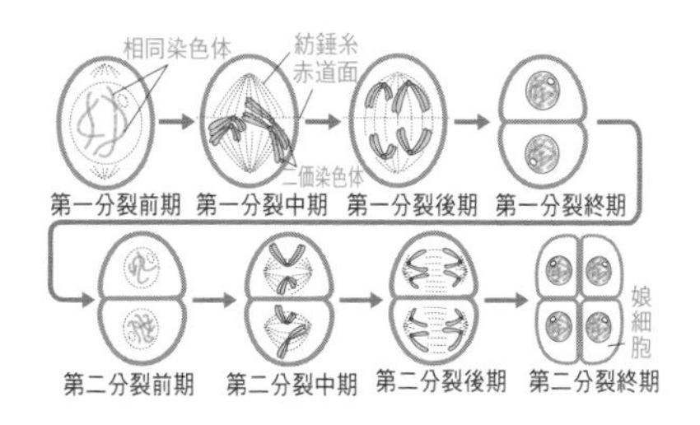

■動物の配偶子形成

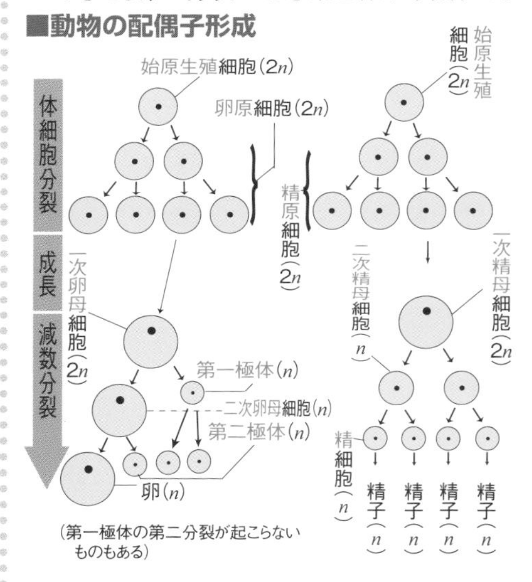

■動物の受精

１個の精子が卵内に侵入し，卵の核（n）と精子の核（n）とが合体して受精卵（２n）ができる。

■被子植物の重複受精

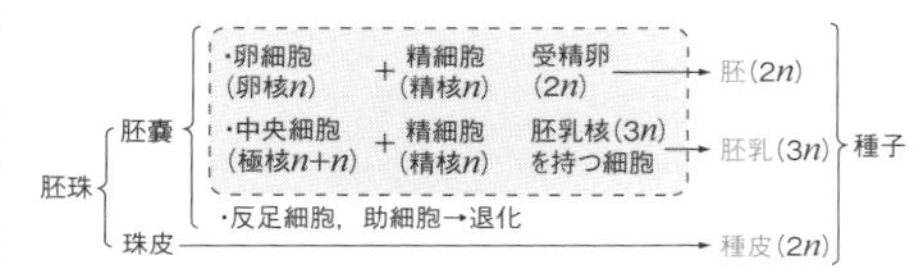

■メンデルの法則 よく出る

・顕性（優性）の法則…顕性（優性）形質

と潜性（劣性）形質が，同時に存在する場合には顕性（優性）形質が現れる。

・**分離の法則**…体細胞で対の遺伝子は分離して別々の配偶子の中に入る。F_1（雑種第１代）のつくる配偶子は，顕性（優性）遺伝子と潜性（劣性）遺伝子の比が１：１となる。

〈一遺伝子雑種の遺伝のしくみ（エンドウの種子の形）〉

分離比　3　：　1
遺伝子型（3種類）1AA 2Aa　1aa

〈F_1(Aa)の配偶子とその組み合わせ〉

♀＼♂	A	a
A	AA	Aa
a	Aa	aa

[F_2の形質]
顕性（優性）形質と潜性（劣性）形質が３：１の比に現れる。

・**独立の法則**…２組以上の対立形質に着目して交雑した場合，それぞれの形質は独立して遺伝する。

〈二遺伝子雑種の遺伝のしくみ〉
（エンドウの種子の形と子葉の色）

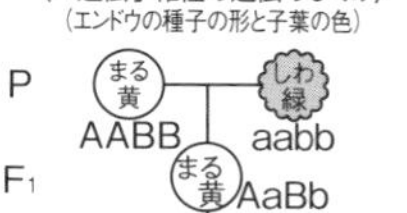

F_2　まる黄　まる緑　しわ黄　しわ緑
分離比9　：　3　：　3　：　1

〈F_1(AaBb)の配偶子とその組み合わせ〉

♀＼♂	AB	Ab	aB	ab
AB	AABB	AABb	AaBB	AaBb
Ab	AABb	AAbb	AaBb	Aabb
aB	AaBB	AaBb	aaBB	aaBb
ab	AaBb	Aabb	aaBb	aabb

・**検定交雑**…潜性（劣性）ホモをかけあわせることで，その個体の体細胞の遺伝子型とその個体の配偶子の遺伝子型および分離比がわかる。

同型接合体（ホモ接合体）AAの検定	異型接合体（ヘテロ接合体）Aaの検定
検定されるもの　まる ? × しわ aa 潜性(劣性)の同型接合体	検定されるもの　まる ? × しわ aa 潜性(劣性)の同型接合体
検定交雑の結果　まる 100%	検定交雑の結果　まる 50%　しわ 50%
すべて顕性(優性)形質が現れる	顕性(優性)形質と潜性(劣性)形質が１：１に現れる
?はAAとわかる	?はAaとわかる

■色々な遺伝　よく出る

・**不完全顕性（優性）**…対立遺伝子間の顕性，潜性の関係が不完全で中間雑種が現れ，顕性（優性）の法則が成立しない。

例　マルバアサガオ，オシロイバナ

・**複対立遺伝子**…１つの形質に３つ以上の遺伝子が関係する。

例　ヒトのABO式血液型

〈血液型と遺伝子型〉

表現型（血液型）	遺伝子型
A型	AA,AO
B型	BB,BO
AB型	AB
O型	OO

〈両親の血液型と子どもの血液型〉

両親	子ども
A×A	A,O
A×B	A,B,AB,O
A×AB	A,B,AB
A×O	A,O
B×B	B,O

両親	子ども
B×AB	A,B,AB
B×O	B,O
AB×AB	A,B,AB
AB×O	A,B
O×O	O

・**致死遺伝子**…ホモになると致死作用を示す遺伝子。

例　ハツカネズミの毛の色の遺伝

・**伴性遺伝**…性染色体上にある性決定の遺伝子以外の遺伝子による遺伝。

例　ヒトの赤緑色覚異常，血友病

■遺伝子の本体

・**DNA（デオキシリボ核酸）**…遺伝子の本体である。

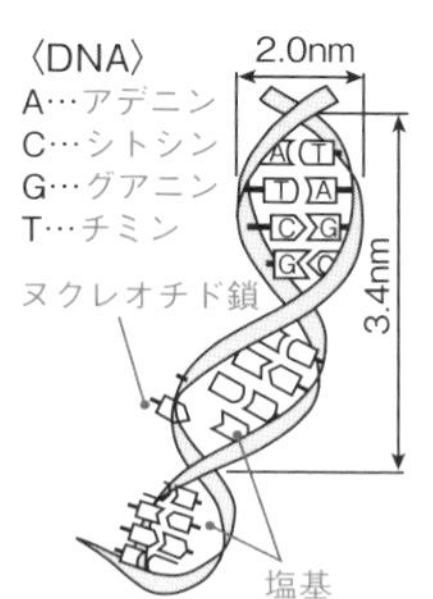

2本のヌクレオチドが塩基の部分で水素結合し，長いはしご状になり，ねじれている（二重らせん構造）。塩基の並び方で遺伝情報が決まる。

出題パターン check!

体細胞分裂に関する記述として，妥当なのはどれか。

（１）間期は，核内ではDNAを含む染色体が複製される。
（２）分裂期の前期では，棒状となった染色体が，細胞の赤道面に並ぶ。
（３）分裂期の中期では，縦に裂け目のあるひも状の染色体が現れる。
（４）分裂期の後期では，核膜と核小体が再び現れて２個の娘核ができる。
（５）分裂期の終期では，各染色体は縦裂面で分離する。

答え（１）

過去５年の出題傾向 ★★★★☆

生物 ③ 恒常性の維持

この分野では，血液のはたらき，自律神経の説明，肝臓の機能，脊椎動物の脳のはたらきなどからの出題が目立っている。覚える事柄が多いので，よくまとめておこう。

■恒常性 よく出る

・内部環境…生体内の細胞や組織は，血液・リンパ液・組織液で満たされている。これらの液体成分の総称をいう。

・血液の成分とそのはたらき

成分		特徴	主な働き
有形成分	赤血球	円盤形,無核	酸素の運搬（全身の細胞へ）,二酸化炭素の一部を運搬
	白血球	アメーバ運動,有核	食菌作用,感染防御
	血小板	不定形,無核	血液の凝固
液体成分	血しょう	水,炭水化物,タンパク質,脂質,無機塩類などからなる	栄養素の運搬（全身の細胞へ）,代謝物の運搬（腎臓へ）

■生体防御

・リンパ球…B細胞（Bリンパ球）といくつかの種類のT細胞（Tリンパ球）がある。

・抗原抗体反応…抗体（免疫グロブリン）が抗原と反応して沈殿や凝集を起こし，抗原を不活性化する反応。

・体液性免疫…抗原抗体反応に基づく免疫をいう。

・細胞性免疫…T細胞が抗原を識別して，直接攻撃する反応をいう。

■血液凝固

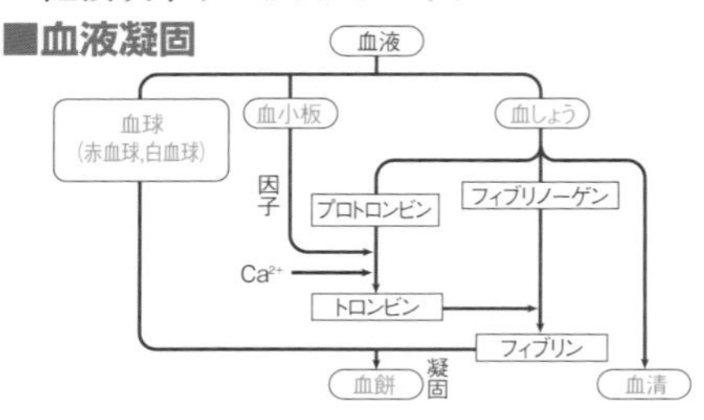

■肝臓 よく出る

・肝臓のはたらき

グリコーゲンの代謝	血液中のグルコース（血糖）をグリコーゲンに変えて貯蔵する。低血糖になると，グリコーゲンを分解してグルコースに変える。
尿素の合成	タンパク質の分解産物である有害なアンモニアを毒性の少ない尿素に変える。
胆汁の生成	脂肪を乳化する胆汁（胆液）を生成し，胆嚢に蓄える。
解毒作用	有害物質を酸化分解し，無毒化する。
体熱の発生	盛んな代謝によって発生した熱は，体温の保持に役立つ。
脂肪の代謝	アミノ酸を脂肪に変え，皮下に貯蔵する。
血液の貯蔵等	血液を貯蔵し循環量を調節する。古くなった赤血球を破壊する。

・腎臓のはたらき

ろ過	・糸球体（毛細血管の集まり）を通る血液から血球とタンパク質以外の成分（低分子化合物など）がボーマンのうにこし出される。 ・こし出された液は原尿とよばれる（原尿は血しょうと成分が似ている）。
再吸収	・原尿が腎細管を流れる間に，次の成分が毛細血管内に再吸収される。 グルコース・アミノ酸→100％再吸収 無機塩類・水→再吸収率が高い ・老廃物の尿素の再吸収率は低く，これは尿として，腎うを経てぼうこうに運ばれる。

■自律神経系

主として，心臓・消化管などの内臓諸器官やだ液腺などに分布し，これらのはたらきを意思とは無関係に調節する。交感神経と副交感神経があり，拮抗的にはたらく。

・自律神経のはたらき

自律神経系	神経末端から分泌される物質	働き			
		心臓の拍動	瞳孔	消化管の運動	顔面の血管
交感神経	ノルアドレナリン	促進	拡大	抑制	収縮
副交感神経	アセチルコリン	抑制	縮小	促進	拡張

■ホルモン よく出る

・ホルモンのはたらき

内分泌腺		ホルモン	働き	過多症・欠乏症
脳下垂体	前葉	成長ホルモン	タンパク質の合成促進，骨・筋肉などの成長促進	過…巨人症 欠…小人症
		甲状腺刺激ホルモン	チロキシンの分泌促進	欠…クレチン症
		副腎皮質刺激ホルモン	糖質コルチコイドの分泌促進	—
		生殖腺刺激ホルモン ろ胞刺激ホルモン・黄体形成ホルモン・黄体刺激ホルモン	生殖腺の成熟促進，性ホルモンの分泌促進，排卵誘起	—
	中葉	インテルメジン	体色変化(両生類・ハ虫類)に関係	—
	後葉	バソプレシン	腎臓の集合管における水分の再吸収促進，血圧の上昇	過…高血圧 欠…尿崩症
甲状腺		チロキシン	物質代謝促進，成長・変態(両生類)の促進	過…バセドウ病 欠…クレチン症
副甲状腺		パラトルモン	体液中のカルシウム量の増加	欠…テタニー症
すい臓のランゲルハンス島		インスリン(β細胞) グルカゴン(α細胞)	血糖量減少 血糖量増加	欠…糖尿病
副腎	皮質	糖質コルチコイド 鉱質コルチコイド	血糖量増加 体液中の無機質を調節	欠…アジソン病
	髄質	アドレナリン	血糖量増加	—
卵巣	ろ胞	ろ胞ホルモン(エストロゲン)	女性の二次性徴発現	—
	黄体	黄体ホルモン(プロゲステロン)	妊娠の継続・維持，排卵抑制	—
精巣		雄性ホルモン(テストステロン)	男性の二次性徴発現	—

■血糖量の調節

ヒトの血液中のグルコースの量（血糖量）は自律神経やホルモンの調節によりほぼ一定に保たれている。

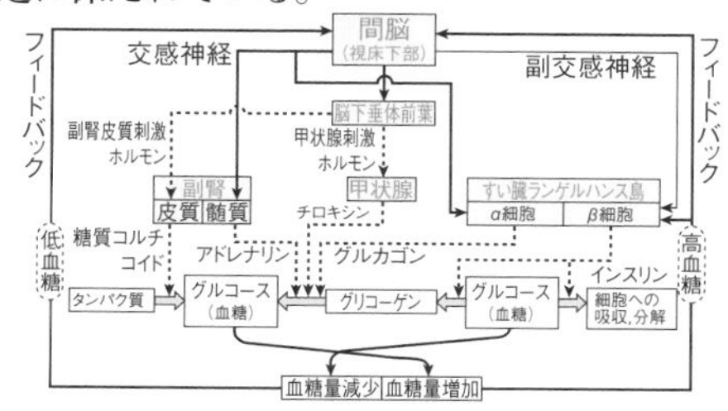

■脊椎動物の神経系

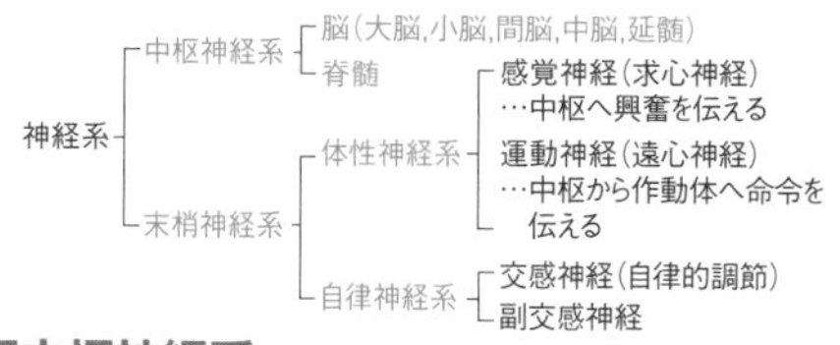

■中枢神経系

・ヒトの脳とそのはたらき

部位	おもな機能
大脳	感覚中枢，運動中枢，学習・創造・記憶の中枢，本能・情緒的行動の中枢
小脳	平衡保持の中枢，意識運動の無意識な調節
間脳	自律神経系の中枢
中脳	眼球運動，ひとみの調節，姿勢保持の中枢
延髄	呼吸・心臓の拍動の中枢

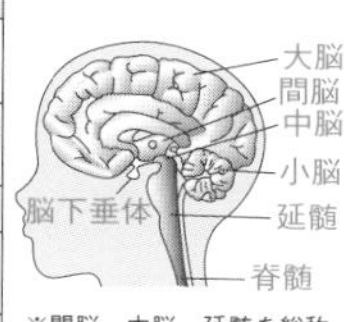

※間脳，中脳，延髄を総称して脳幹という。

■ヒトの脊髄

・脊髄…運動神経・感覚神経の通路へ，反射の中枢がある。

・興奮の伝達経路

刺激→感覚神経→背根→脊髄→大脳→脊髄→腹根→運動神経→反応

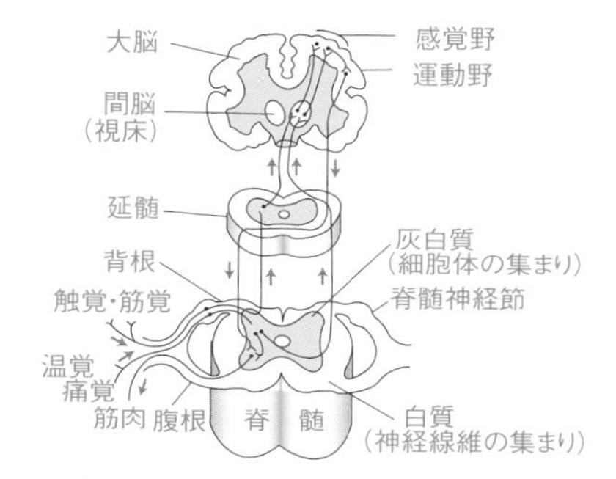

■反射

刺激に対して無意識（大脳が関与しない）に起こる反応をいう。

・反射弓…反射の経路。

刺激→感覚神経
→背根→脊髄
→腹根→運動神経
→反応

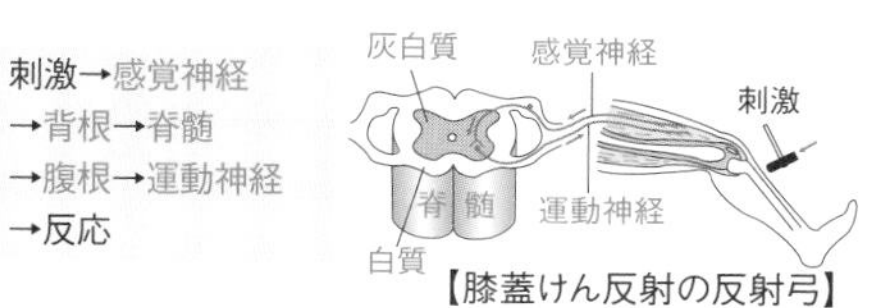

【膝蓋けん反射の反射弓】

出題パターン check!

次の文は，血液に関する記述であるが，文中の空所a～cに該当する語句の組み合わせとして，妥当なのはどれか。

血液は血球と血しょうに分かれる。血球には，ヘモグロビンにより O_2 を運搬したり，炭酸脱水素酵素により一部の CO_2 を運搬する［a］，出血すると壊れ，血液凝固の原因となる［b］，アメーバ作用をし，食菌作用を営む［c］がある。

	a	b	c
(1)	血小板	赤血球	白血球
(2)	赤血球	白血球	血小板
(3)	血小板	白血球	赤血球
(4)	赤血球	血小板	白血球
(5)	白血球	血小板	赤血球

答え（4）

過去５年の出題傾向　★★★★☆

地学 ① 大気と地球

この分野からの出題は多い。特に，高気圧と低気圧の風向き，大気と前線の関係，フェーン現象，地殻を構成する岩石に関する問題が目立っている。理論立てて覚えておこう。

■大気の構造

・**大気の温度構造**…大気は気温の高度変化にしたがって，４つの圏に分けられる。

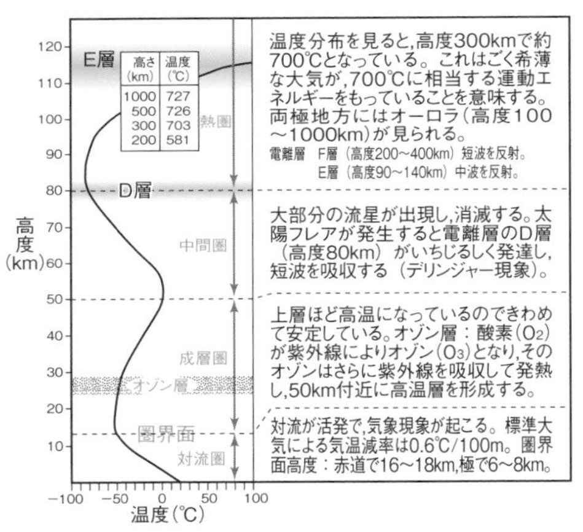

■太陽放射と地球放射

・**太陽定数**…大気圏外で太陽放射に垂直な面が受ける熱量 1.95cal/cm^2・min

・**温室効果**…大気中の CO_2 は地表から放出される赤外線を吸収し，これが熱となって地表付近の温度を上げるようにはたらき地表の熱を逃さない。このはたらきをいう。

・**熱平衡**…地球は太陽から熱を受けるが，これと同じ量の熱を放出し，熱の過不足が起こらないようになっている。

■風

・**大気にはたらく力**…大気の高圧部から低圧部に等圧線に直角にはたらく気圧傾度力，地球の自転によるみかけの力である転向力，地形や低気圧，前線などの影響により発生する上昇気流などがある。

・**風の種類**…地衡風，地上風，海陸風，季節風，貿易風，偏西風などがある。

■断熱変化

・**断熱膨張と断熱圧縮**…熱の出入りがない状態で気体を膨張させることを断熱膨張，圧縮させることを断熱圧縮という。断熱膨張では気体の温度が下がり，断熱圧縮では気体の温度は上昇する。

・**乾燥断熱減率**…湿度が100％未満の場合，高度が100 m上昇するごとに，気温が１℃下がる。

・**湿潤断熱減率**…水蒸気が飽和状態（湿度100%）の場合，高度が100 m上昇するごとに，気温が0.5℃下がる。

・**フェーン現象**…断熱減率の違いにより，山を越えた大気が昇温し，乾燥する現象。

■日本の天気

・**日本に影響を与える気団**

気団名	季節	性質
シベリア気団	冬	寒冷・乾いている
小笠原気団	夏	温暖・湿っている
オホーツク海気団	梅雨・初秋	寒冷・湿っている

・**冬**…シベリア気団の影響で，西高東低の気圧配置になり，北西の季節風が吹く。

・**夏**…小笠原気団の影響で，南高北低の気圧配置になり，南寄りの季節風が吹く。

・**春と秋**…移動性高気圧と低気圧とが交互に通過するため，天気は３～４日おきに変化する。

■前線

性質の異なる２つの気団の境界面が地表と交わる線。寒冷前線，温暖前線，停滞前線，閉塞前線などがある。

- **寒冷前線**…寒気が暖気の下に入り込み，暖気を押し上げて進む。そのため上昇気流が発生し，積乱雲が発生し，突風が吹き，狭い範囲で激しい雨が降る。前線通過後は気温が下がり，風向きが南寄りから北西寄りに変わって天気は急速に回復する。
- **温暖前線**…暖気が寒気の上にはい上がって進む。そのため，乱層雲が発生し，広い範囲でおだやかな雨が降る。前線通過後は，気温が上がり，風向きは東寄りから南寄りに変わり，天気は回復する。
- **停滞前線**…暖気団と寒気団の勢力が等しいのでほとんど動かない。前線の北側では長雨が続く。梅雨前線や秋雨前線がある。
- **閉塞前線**…寒冷前線が温暖前線に追いつき，暖気が押し上げられる。最終的には前線が消え，温帯低気圧がなくなる。

■地球の形

- **形**…赤道方向に少し膨らんだ回転楕円体である。
- **ジオイド**…地球全体を平均海水面でおおったと仮定したときの形をいう。
- **鉛直線偏差**…重力の方向と地球楕円体への垂直線とのずれの角度。

■重力と引力

- **重力**…地球による引力と自転による遠心力の合力をいう。万有引力の法則から，

$$g = \frac{GM}{R^2}$$

（R：地球の半径，g：重力加速度，G：万有引力定数，M：地球の質量）

■地球の内部構造

- **モホロビチッチ不連続面（モホ面）**…地殻とマントルの境目をいう。この面を境に地震速度が急に速くなる。
- **グーテンベルク不連続面**…マントルと核の境目をいう。
- **レーマン不連続面**…内核と外核の境目をいう。
- **アイソスタシー（重力平衡）**…密度の小さい地殻が，密度の大きいマントルの上に浮いているような状態で安定したまま存在していることをいう。

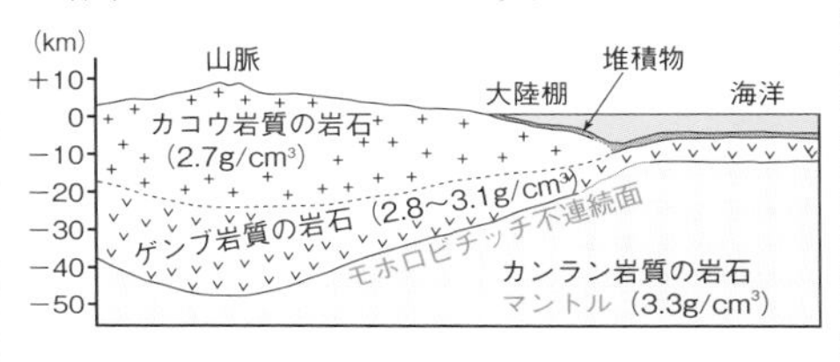

■地殻の構成

- **火成岩**…マグマが地表付近で急に冷え固まった火山岩（斑状組織）と地下深くで，ゆっくり冷え固まった深成岩（等粒状組織）がある。
- **火成岩と造岩鉱物**

化学成分	多←SiO₂の量→少			できかたと組織
火山岩	流紋岩	安山岩	玄武岩	急冷された＝斑状組織
深成岩	花崗岩	閃緑岩	斑れい岩	ゆっくり冷えた＝等粒状組織
色	白っぽい←→黒っぽい			
密度	小さい(2.7)←→大きい(3.0)			
造岩鉱物	石英　カリ長石　黒雲母　斜長石　角閃石　輝石			無色鉱物／有色鉱物／かんらん石

出題パターン check!

次の空欄A，B，Cにあてはまるものとして妥当なのはどれか。

化学成分	多　←　SiO₂の量→　少		
火山岩	A	安山岩	B
深成岩	花崗岩	C	斑れい岩

	A	B	C
(1)	玄武岩	流紋岩	閃緑岩
(2)	流紋岩	閃緑岩	玄武岩
(3)	閃緑岩	流紋岩	玄武岩
(4)	流紋岩	玄武岩	閃緑岩
(5)	玄武岩	閃緑岩	流紋岩

答え（4）

過去５年の出題傾向　★★★☆☆

地学②　地殻変動と宇宙

この分野では，太陽系の内惑星・外惑星に関係する問題，地震と地震波に関する説明，プレートテクトニクスに関する問題が目立っているので，しっかりと理解しておく。

■地震と地殻変動

・**地震波**…P 波（縦波），S 波（横波），L 波（表面波）がある。

・**初期微動継続時間（P-S 時間）**…P 波が到達してからＳ波が到達するまでの時間。震源からの距離が遠くなるほど長くなる。

・**震源と震央**…地震が起こったところを震源，震源の真上の地表の点を震央という。

・**震源までの距離の求め方（大森公式）**

$t = \frac{d}{V_s} - \frac{d}{V_p}$ となるから，$d = \frac{V_p \cdot V_s}{V_p - V_s} \cdot t$

$\frac{V_p \cdot V_s}{V_p - V_s} = k$ とおくと，$d = kt$

d：震源までの距離　　t：初期微動継続時間

V_s：S 波の速度（3 ～ 4km/s）

V_p：P 波の速度（5 ～ 7km/s）

■震度とマグニチュード

・**震度**…振動の大きさを表し，０～７までの 10 段階に分けられる（震度５，６はそれぞれ強，弱の２段階）。

・**マグニチュード（M）**…地震の放出するエネルギーの大きさを表すもの。マグニチュードが１大きくなるとエネルギーは約 32 倍になる。

■地震の分布

・**地震帯**…環太平洋地震帯，アルプス・ヒマラヤ地震帯，海嶺地震帯などがある。

・**日本付近の地震**…巨大地震は海溝付近でよく発生している。深発地震は海溝から日本海側へいくにつれて震源が深くなっている。これは太平洋の海洋プレートが，日本列島の下へ潜り込んでいる証拠と考えられる。

■地層と断層

・**断層**…地層が圧力や張力を受けて，割れ目に沿ってずれたもの。正断層，逆断層，横ずれ断層などがある。

・**活断層**…過去数十万年間に繰り返しずれて地震が起こり，今後も起こりうると考えられる断層をいう。

■プレートの動き

・**プレートテクトニクス**…プレートどうしの衝突，分離，沈み込みなどによって，地殻変動を統一的に説明しようとする考え方。

■堆積岩と変成岩

・**堆積岩**

種　類	起　因	堆積物の粒径（mm）	岩石名
砕屑岩	風化・侵食による砕屑物の堆積	礫……………2以上 砂……………2～1/16 泥 { シルト…1/16～1/256 泥 { 粘土………1/256以下	礫岩 砂岩 泥岩
火砕岩	火山活動に伴う噴出物の堆積	火山弾…………64以上 火山礫…………64～２ 火山灰…………2以下	集塊岩 火山礫凝灰岩 凝灰岩
生物岩	生物の遺がいの堆積	フズリナ・サンゴ・ウミユリ 放散虫・珪藻	石灰岩 チャート
化学岩	水中の溶解成分の堆積	海水中の $CaCO_3$ 海水中の SiO_2 海水中の NaCl	石灰岩 チャート 岩塩

・**変成岩**…ヘンマ岩などの広域変成岩，ホルンフェルスや大理石などの接触変成岩がある。

■化石

・**示準化石**…サンヨウチュウやアンモナイトなどのように地層ができた時代を知る手がかりとなる化石。

・**示相化石**…サンゴやアサリなどのように地層ができた時代の環境を知る手がかりとなる化石。

■地球の自転と公転

・**自転**…地球は地軸を中心として西から東へ（反時計回り）自転している。地球の自転方向と公転方向とが同じ反時計回りであるから，地球の1日は，地球が361°自転する時間となる。

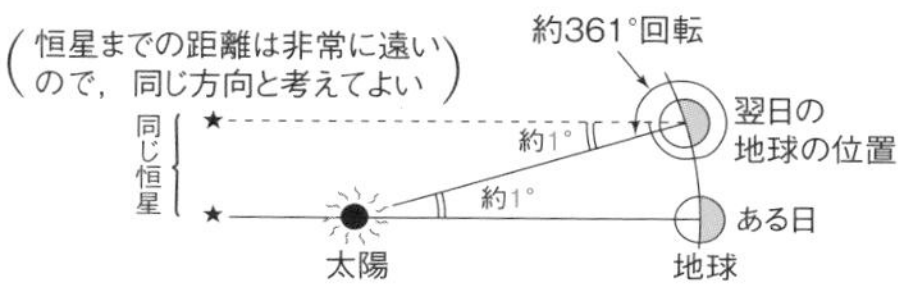

・**フーコーの振り子**…北半球では，振り子の振動面は右回りに回転していく。これは，地球が逆に左回りに自転している証拠となる。

・**公転**…地球の公転軌道は太陽を1つの焦点とするだ円である。

・**太陽の年周運動**…太陽は黄道上を西から東へ移動し，約1年で1周する。

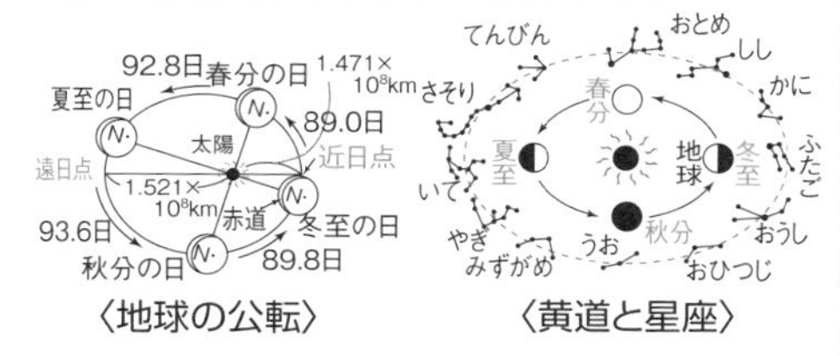

〈地球の公転〉　〈黄道と星座〉

・**地球公転の証拠**…年周視差，年周光行差。

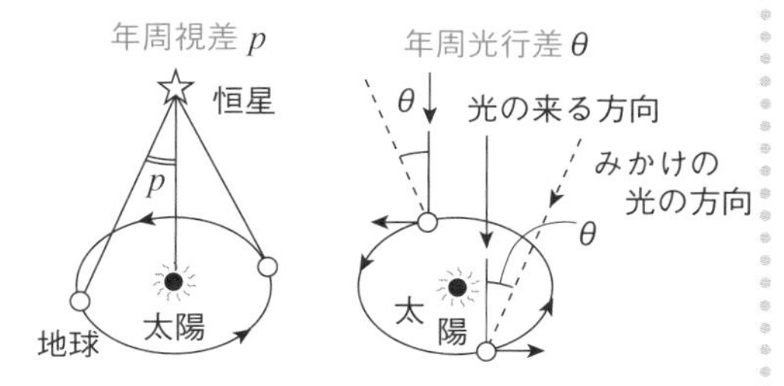

■惑星

・**惑星の分類**…惑星を密度によって分類すると地球型惑星と木星型惑星に，太陽からの距離によって分類すると内惑星・外惑星に分類される。

・**惑星のみかけの運動**

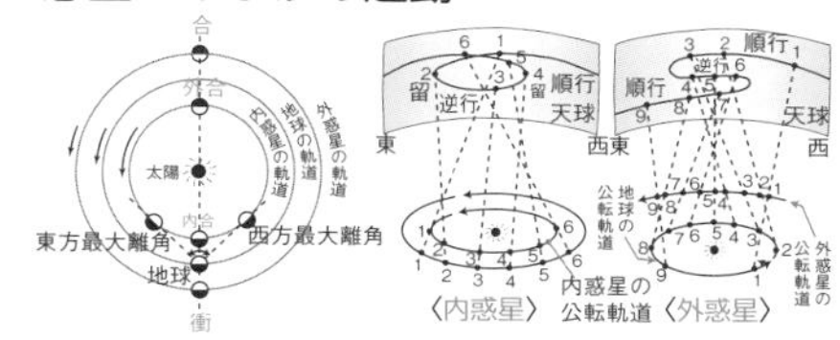

・**ケプラーの惑星運動の法則**

第1法則（だ円軌道の法則）…惑星は太陽を1つの焦点とするだ円軌道を公転する。第2法則（面積速度一定の法則）…惑星と太陽を結ぶ直線が一定時間に描く面積は常に一定である。第3法則（調和の法則）…公転周期の2乗と太陽との平均距離の3乗の比は惑星によらず一定。

■恒星

・**みかけの明るさ**（実視等級）…恒星の明るさは等級で表し，1等星の明るさは6等星の明るさの100倍となるよう決められている。

・**絶対等級**…星を地球から10パーセク（32.6光年）離れたところにもってきたと仮定し，明るさを等級で表したもの。

・**HR図（ヘルツシュプルング・ラッセル図）**…縦軸に絶対等級，横軸にスペクトル型または表面温度をとって，多数の星を記入した図。この図をもとにラッセルは星を主系列星，赤色巨星，白色わい星の3つのグループに分類した。

出題パターン check!

地震に関する記述として，妥当なのはどれか。

（1）世界中で，大きな地震の発生地域は環太平洋地域に限られている。
（2）地震の強さは震度で表し，0～9の10段階で表している。
（3）マグニチュードが1大きいとエネルギーは約32倍になる。
（4）日本付近で起こる地震の震源の深さは，海溝から日本海側に行くにつれて，だんだん浅くなっていく。
（5）S波よりもP波のほうが伝わる速度が遅い。

答え（3）

練習問題1

下図のように，水平面と45°の角をなす斜面に質量20kgの物体を置き，斜面と平行で上向きの力を物体に加える。重力加速度を$9.8m/s^2$，斜面と物体との間の静止摩擦係数を0.5とするとき，物体が上向きに動き出すのに必要な最小の力の大きさとして，正しいのはどれか。

（1） $49\sqrt{2}$［N］
（2） $98\sqrt{2}$［N］
（3） $147\sqrt{2}$［N］
（4） $196\sqrt{2}$［N］
（5） $245\sqrt{2}$［N］

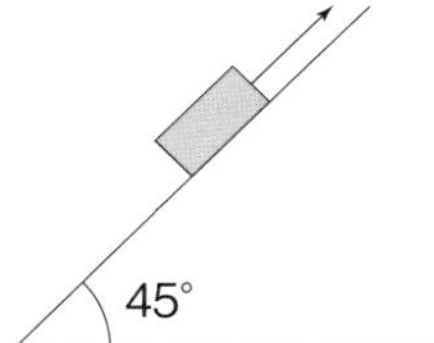

練習問題2

*x*軸上を運動する物体の速度*v*と，出発してからの時刻*t*の関係が，下図のようなグラフで表されている。文中の［ a ］～［ c ］に，最も適した数値の組み合わせを，下の（1）～（5）より選べ。

この物体が出発点から最も遠く離れたのは，時刻［ a ］［s］のときで，このときの物体は出発点から［ b ］［m］離れた位置にあった。また，この物体の時刻10［s］での位置は出発点から［ c ］［m］の所である。

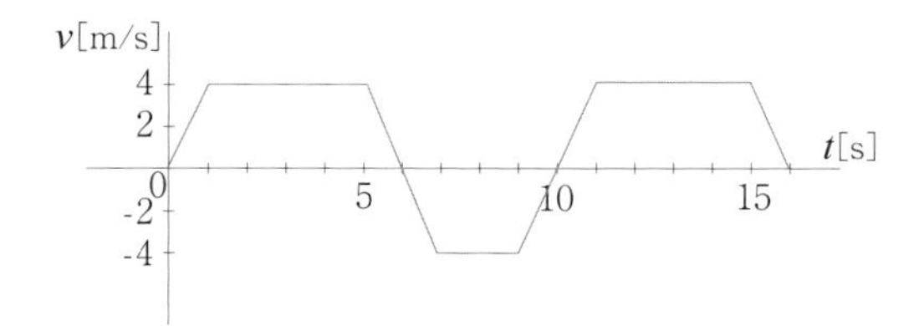

	a	b	c
（1）	6	8	32
（2）	6	20	8
（3）	15	26	0
（4）	16	28	8
（5）	16	52	32

解答・解説

練習問題1　正答／（3）

●解説／この物体が斜面に沿ってすべり落ちようとする力［N］は，$20 \times 9.8 \times \frac{\sqrt{2}}{2} = 98\sqrt{2}$［N］である。斜面と物体との静止摩擦係数が0.5であるから，動き出す直前の最大摩擦力は，$98\sqrt{2} \times 0.5 = 49\sqrt{2}$である。よって，上向きに動き出すのに必要な最小の力は，$98\sqrt{2} + 49\sqrt{2} = 147\sqrt{2}$となる。

練習問題2　正答／（4）

●解説／*v*–*t*グラフと*t*軸が囲む面積は，*t*軸より上の部分では正の変位，下の部分では負の変位を表している。グラフから0～6［s］までの変位は台形の面積より＋20 m，6～10［s］までの変位は－12 m，10～16［s］までの変位は＋20 mである。よって，最も遠く離れたのは16［s］後の28 mとなる。また，10［s］後の出発地点からの変位は8 mとなる。

練習問題3

断面が円のニクロム線Aは，100V の電源に接続すると消費電力が 500 Wであり，断面が円でAと材質が等しく長さが2倍のニクロム線Bは，40V の電源に接続すると消費電力が 1,000W になった。このとき，Aの断面の半径 r_A とBの断面の半径 r_B との比として，正しいのはどれか。ただし，それぞれの電源の電圧は一定であり，ニクロム線の抵抗は温度によって変化しない。

	r_A		r_B
(1)	2	:	1
(2)	3	:	2
(3)	1	:	2
(4)	1	:	3
(5)	1	:	5

練習問題4

原子核が自然崩壊するときに，3種類の放射線を出すが，それを図のような電場においたとき，a，b，cに該当する放射線の組み合わせとして正しいのはどれか。

	a	b	c
(1)	α線	β線	γ線
(2)	α線	γ線	β線
(3)	β線	γ線	α線
(4)	β線	α線	γ線
(5)	γ線	β線	α線

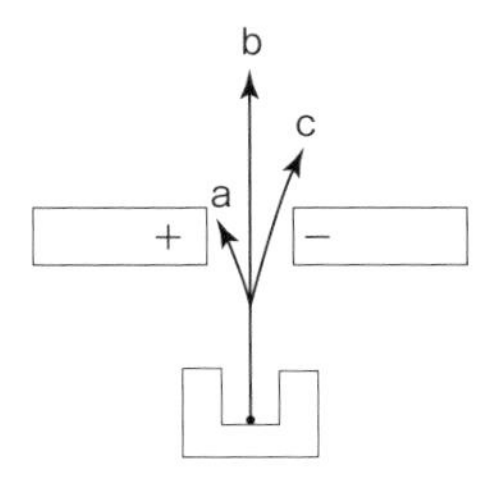

解答・解説

練習問題3　正答／(5)

●**解説**／ニクロム線の抵抗は長さに比例し，断面積に反比例する。
電力P＝(電圧E)^2/抵抗Rであるから，ニクロム線Aの抵抗は 20 Ω，ニクロム線Bの抵抗は 1.6 Ωとなる。長さがニクロム線Bの方が2倍であるから，同じ長さの抵抗の値を比べると 20：0.8＝25：1となる。

円の断面積は半径の2乗に比例するから抵抗は半径の2乗に反比例する。よって，半径 r_A：r_B＝1：5となる。

練習問題4　正答／(3)

●**解説**／ラジウム・ウランなどは原子核が不安定なため，自然崩壊する。その崩壊する際にα線，β線，γ線の3種類の放射線を放出し，別な原子核に変化する。α線は高速のヘリウム原子核（$^4_2$He）の流れであり，＋2eの電荷を持っていることから−極の方向へ引かれていく。β線は高速の電子の流れで，−eの電荷を持っていることから＋極へ引かれる。γ線は波長の短い電磁波であるから電界や磁界の中でも曲がらない。

練習問題5

図のようにC_1，C_2，C_3という3つのコンデンサを接続した。C_1＝4μF，C_2＝3μF，C_3＝2μFであるとすると，AB間の合成容量はおよそ何μFになるか。

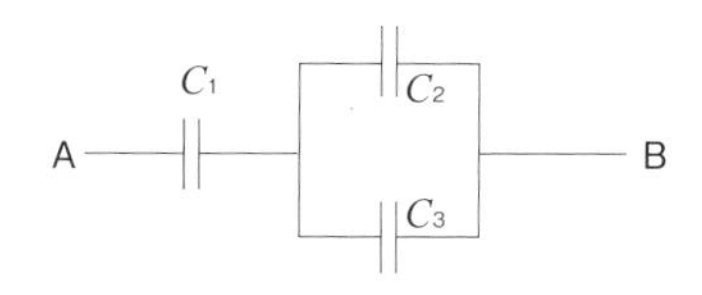

（1） 1.1μF
（2） 2.0μF
（3） 2.2μF
（4） 5.2μF
（5） 9.0μF

練習問題6

原子の構造に関する次の文のa～fの空欄に適した語として，正しい組み合わせはどれか。

原子の中心には原子核がある。原子核は正の電荷を持つ［ a ］と，電荷を持たない［ b ］とからなっている。原子核のまわりには［ c ］の電荷を持ったいくつかの［ d ］が存在する。

原子核中の［ a ］の数を［ e ］といい，［ a ］と［ b ］の数の和を［ f ］という。

	a	b	c	d	e	f
（1）	電子	中性子	正	陽子	原子番号	質量数
（2）	陽子	中性子	負	電子	質量数	原子番号
（3）	電子	陽子	正	中性子	原子番号	質量数
（4）	陽子	中性子	負	電子	原子番号	質量数
（5）	陽子	電子	正	中性子	質量数	原子番号

練習問題7

次のa～cの化学法則を発見した人物の組み合わせとして，正しいものはどれか。

a　化学反応の前後で，物質の質量の総和は不変である。
b　気体が関係する化学反応式では，それらの気体の体積は，同温，同圧下において簡単な整数比になる。
c　2種の元素から成る，異なる化合物では，一方の元素の一定量と化合している他方の元素の質量は簡単な整数比となる。

解答・解説

練習問題5　正答／（3）

●解説／コンデンサの合成容量の求め方は抵抗の合成抵抗の求め方とは反対である。並列部分の合成容量は，3＋2＝5μFである。

よって，

$$\frac{1}{C}=\frac{1}{4}+\frac{1}{5}=\frac{9}{20}$$

$\therefore C \fallingdotseq 2.2\mu F$

練習問題6　正答／（4）

●解説／原子は，原子核とそれをとりまく負の電荷を持っている電子からできている。原子核は正電荷を持つ陽子と電荷を持たない中性子からなっている。また，電子の質量数は無視できるので，質量数＝陽子数＋中性子数で求められる。

原子核に含まれる陽子の数は元素によって決まっており，それを原子番号という。原子番号＝陽子数＝電子数である。

練習問題7　正答／（2）

●解説／aは質量保存の法則である。質量保存の法則は1774年ラボアジェが提唱した。bは気体反応の法則である。気体反応の法則は1808年ゲー=リュサックが提唱した。cは倍数比例の法則である。倍数比例の法則は1802年ドルトンが提唱した。プルーストは定比例の法則を，アボガドロは

	a	b	c
（1）	プルースト	ラボアジェ	ドルトン
（2）	ラボアジェ	ゲー＝リュサック	ドルトン
（3）	アボガドロ	ドルトン	プルースト
（4）	アボガドロ	ラボアジェ	ゲー＝リュサック
（5）	ラボアジェ	プルースト	ドルトン

練習問題8

コロイド溶液に関する次の文の空欄A～Fにあてはまる語句の組み合わせとして，妥当なのはどれか。

［ A ］のコロイド溶液に，少量の電解質を加えると沈殿する。この現象を［ B ］といい，コロイド粒子の帯びている電荷と反対の電荷を持つ価数の大きいイオンほど［ B ］を起こさせやすい。このようなコロイドを［ C ］コロイドという。また，［ D ］のコロイド溶液に，少量の電解質を加えても沈殿しない。このようなコロイドを［ E ］コロイドという。［ E ］コロイドの溶液に，多量の電解質を加えると沈殿し，これを［ F ］という。［ C ］コロイドに［ E ］コロイドを加えると，電解質を加えても沈殿しにくくなる。このようなはたらきをするコロイドを保護コロイドという。

	A	B	C	D	E	F
（1）	水酸化鉄（Ⅲ）	凝析	疎水	タンパク質	親水	塩析
（2）	水酸化鉄（Ⅲ）	塩析	親水	タンパク質	疎水	凝析
（3）	デンプン	塩析	疎水	粘土	親水	透析
（4）	デンプン	凝析	疎水	粘土	親水	透析
（5）	デンプン	透析	親水	粘土	疎水	塩析

練習問題9

酸と塩基に関する記述として，妥当なのはどれか。

（1）酸は，水溶液中で電離して水素イオンを生じる物質で，金属と反応して水素を発生する性質がある。酸の例としてはアンモニアがある。
（2）酸の全モル数に対して電離している酸のモル数の割合を電離度という。電離度が1に近い酸は弱酸である。
（3）酢酸は弱酸であるが，濃度が小さいほど電離度は大きい。
（4）酢酸と水酸化ナトリウムの等モルの混合水溶液は中性を示す。
（5）酸の価数が大きい酸ほど強い酸であり，塩基の価数が大きい塩基ほど強い塩基である。

解答・解説

アボガドロの法則を提唱した。

練習問題8　正答／（1）
●解説／水酸化鉄（Ⅲ），炭素，粘土などは，少量の電解質を加えると，電気的反発力を失い沈殿する。これを凝析といい，このようなコロイドを疎水コロイドという。また，タンパク質，デンプン，セッケンなどは，電解質を少量加えても沈殿しないが，多量に加えると安定性を失い沈殿する。これを塩析といい，このようなコロイドを親水コロイドという。

練習問題9　正答／（3）
●解説／
（1）アンモニアは無色で刺激臭を持つ空気より軽い気体で，水によく溶け，塩基性を示す。
（2）電離度が1に近い酸は，強酸である。
（3）酢酸は水に溶かすとき，水が多いほど電離度も増す。
（4）生成する塩 CH_3COONa が加水分解してアルカリ性（塩基性）を示す。
（5）価数の大小と酸・塩基の強弱は無関係。

練習問題 10

ある炭化水素の一定量を完全に燃焼させたところ，0℃，1 atm において 4.48L の二酸化炭素と 5.40 g の水を生じた。この炭化水素は何か。

（1）メタン
（2）アセチレン
（3）エチレン
（4）エタン
（5）プロパン

練習問題 11

次の文の空欄 a ～ c にあてはまる語句の組み合わせとして，妥当なのはどれか。

第1アルコールを酸化すると［ a ］が得られ，さらに酸化すると［ b ］が得られる。また，第2アルコールを酸化すると［ c ］が得られる。

	a	b	c
（1）	カルボン酸	ケトン	アルデヒド
（2）	アルデヒド	ギ酸	ケトン
（3）	アルデヒド	酢酸	ケトン
（4）	ケトン	カルボン酸	アルデヒド
（5）	アルデヒド	カルボン酸	ケトン

練習問題 12

植物の組織に関する記述として，妥当なのはどれか。

（1）道管は，管状の細胞が縦に並び，その上下の細胞壁は多数の小孔があり，この孔を通じて葉で同化された養分の移動が行われる。
（2）クチクラ層は，維管束の木部と師部の間にある組織で，成長に伴い細胞分裂し肥大化する。
（3）師管は，細胞が縦に並び，間の隔壁が消失して長い管となったもので，根で吸収した水や水に溶けた養分の通路となっている。
（4）形成層は，ほとんど未分化な分裂組織で，吸水により急速に分裂し，一部が機能分化し，葉を形成する。
（5）気孔は表皮細胞が変形した孔辺細胞にはさまれたすき間で，細胞間げきにある気体の放出や水分の蒸散が行われている。

解答・解説

練習問題 10　正答／（4）

●**解説**／0℃，1atm で，気体 1 mol は 22.4L である。発生した CO_2 は，4.48/22.4 = 0.20mol である。したがって，含まれていた C は，0.20mol。また，含まれていた H は，5.40 × 2/18 = 0.60 g である。よって，含まれていた H は 0.60mol。組成式を C_xH_y とすると，$x：y$ = 0.20：0.60 = 1：3 であるから組成式が CH_3 となる。このことから，この炭化水素はエタン C_2H_6 である。

練習問題 11　正答／（5）

●**解説**／第1アルコールを酸化するとアルデヒドが生じ，さらに酸化するとカルボン酸が得られる。第2アルコールを酸化するとケトンが生じる。

練習問題 12　正答／（5）

●**解説**／道管は根からの水や無機物の通り道である。クチクラ層は葉の表面にあり，葉を保護するはたらきがある。師管は葉で同化された養分の通り道である。形成層は維管束の木部と師部の間にある分裂組織である。木の年輪は形成層が毎年毎年分裂して形成したものである。気孔は表皮細胞が変形したもので，酸素や二酸化炭素の出入りや水分の蒸散が行われている。

練習問題 13

次の文は，光合成について述べたものである。空所 a～d に該当する語句の組み合わせとして，妥当なのはどれか。

光合成には［a］の影響を受ける明反応と二酸化炭素濃度や［b］の影響を受ける暗反応がある。明反応は［a］を利用して［c］を分解して［d］を暗反応に送る。暗反応では，［a］を必要とせず，明反応からの［d］と二酸化炭素や酵素反応によりブドウ糖が合成される。

	a	b	c	d
（1）	温度	光	二酸化炭素	酸素
（2）	温度	光	水	酸素
（3）	光	温度	二酸化炭素	炭素
（4）	光	温度	水	水素
（5）	光	温度	水	酸素

練習問題 14

遺伝に関する記述として，妥当なのはどれか。

（1）メンデルの法則には，顕性（優性）の法則，独立の法則，全か無かの法則の３つがあり，このうち，独立の法則とは，１対の対立遺伝子が，配偶子が形成されるときに，互いに分かれて別々の配偶子に入ることをいう。

（2）ホモ接合体は，同じ遺伝子の組み合わせの個体で，ヘテロ接合体は，異なる遺伝子の組み合わせの個体であり，ホモ接合体は，自家受精を何代繰り返しても，子孫は同じ形質の個体しか現れない。

（3）不完全顕性（優性）では，赤色の花（RR）と白色の花（rr）の品種を交雑すると，花の色は，F_1では赤色：桃色が３：１，F_2では赤色：桃色：白色が９：３：１となる。例として，スイートピーがある。

（4）条件遺伝子は，１つの形質に関して３種類以上の遺伝子が対立関係にあるときの遺伝子で，例として，ヒトのABO式血液型に関する遺伝子がある。AはB及びOに対して顕性（優性）である。BとOの間には顕性や潜性の関係がない。

（5）致死遺伝子は，個体を胎児の発生過程で死に至らしめる遺伝子であり，例として，ハツカネズミの体色の遺伝がある。黄色のハツカネズミを交雑すると，黄色の遺伝子は，色に関しては潜性（劣性）であり，致死作用では顕性（優性）であるため，F_1は黒色：黄色が２：１となる。

解答・解説

練習問題 13　正答／（4）

●**解説**／光合成は，葉緑体のチラコイドで行われる明反応とストロマで行われる暗反応がある。明反応は光に，暗反応は温度と二酸化炭素の濃度に影響される。明反応では光のエネルギーを利用して水を分解し，暗反応に ATP と水素を供給する。暗反応では，外から取り入れた二酸化炭素と，明反応からの ATP と水素を利用しブドウ糖を合成する。

練習問題 14　正答／（2）

●**解説**／メンデルの法則は顕性（優性）の法則，独立の法則，分離の法則である。不完全顕性（優性）では，赤色の花（RR）と白色の花（rr）を交雑させると，F_1では全て中間色である桃色（Rr）になり，F_2では，赤色（RR）：桃色（Rr）：白色（rr）が１：２：１となる。ヒトの血液型の遺伝子は複対立遺伝子といい，１つの形質に３つ以上の対立遺伝子が関係している。AとBの間には，顕性や潜性の関係がなく，AとBはOに対して顕性（優性）である。ホモになると致死作用を示す遺伝子を致死遺伝子という。黄色のハツカネズミ（Yy）どうしを交雑すると黄色（YY）の個体は死亡し，黄色（Yy）：灰色（yy）が２：１となる。

練習問題 15

ヒトのホルモンは，血液によって全身に運ばれ微量ではたらく。このホルモンが欠乏したり，多すぎたりすると色々な症状が現れる。その1つとして，バセドウ病があるが，この原因として妥当なのはどれか。

（1）成長ホルモンの過多
（2）成長ホルモンの欠乏
（3）パラトルモンの欠乏
（4）チロキシンの欠乏
（5）チロキシンの過多

練習問題 16

血液凝固に関する次の文の空欄ａ～ｄにあてはまる語句の組み合わせとして，妥当なのはどれか。

血管が壊れて血液が血管外に出ると，［ a ］が壊れる。［ a ］から出てきた因子が，血しょう中のタンパク質の１種を変化させる。その結果できた［ b ］というタンパク質が，血しょう中の［ c ］というタンパク質を，［ d ］という繊維状のタンパク質に変える。［ d ］は血球にからみつき固まりをつくり，出血を止める。

	a	b	c	d
（1）	血小板	フィブリン	フィブリノーゲン	トロンビン
（2）	血小板	フィブリノーゲン	フィブリン	トロンビン
（3）	トロンビン	フィブリン	血小板	フィブリノーゲン
（4）	トロンビン	血小板	フィブリノーゲン	フィブリン
（5）	血小板	トロンビン	フィブリノーゲン	フィブリン

練習問題 17

次の文は，火星に関する記述であるが，文中の空欄ａ～ｃに該当する語の組み合わせとして，妥当なのはどれか。

2003年火星が６万年ぶりに地球に大接近した。火星が地球に接近するのは軌道上で地球が火星を追い越すときである。地球と火星の太陽を回る速度が違うため，地球は周期的に火星に追いつき追い越すことを繰り返している。地球が火星を追い越すとき，太陽，地球，火星が一直線上に並ぶ。このことを［ a ］という。地球と火星が［ a ］になってからふたたび次の［ a ］になるには約２年２ヶ月かかる。この周期を［ b ］という。また，太陽をはさんで地球と火星が一直線上に並ぶことを［ c ］という。

解答・解説

練習問題 15　　正答／（5）

●**解説**／成長ホルモンが過多であると巨人症，欠乏すると小人症。パラトルモンが欠乏するとテタニー症。チロキシンの欠乏はクレチン症となり，過多になるとバセドウ病になる。

練習問題 16　　正答／（5）

●**解説**／出血すると血小板が壊れ，その中にある因子が血しょう中のタンパク質の一種を変化させる。その結果できたトロンビンというタンパク質が血しょう中のフィブリノーゲンというタンパク質をフィブリンという繊維状のタンパク質に変化させる。フィブリンは血球にからみつき固まりをつくり止血する。

練習問題 17　　正答／（5）

●**解説**／火星が地球に接近するのは，軌道上で地球が火星を追い越すときである。地球の公転周期は約365日，火星は約687日である。このため，地球は周期的に火星に追いつき追い越すことを繰り返している。地球が火星を追い越すとき，太陽，地球，火星が一直線状に並ぶ。この状態を「衝」という。地球と火星が衝になってから再び次の衝になるまで約２年２ヶ月かかる。この周期を「会合周期」という。また，地球と火星が最も離れるときは，

	a	b	c
（1）	合	会合周期	衝
（2）	衝	公転周期	合
（3）	近日点	会合周期	遠日点
（4）	合	公転周期	衝
（5）	衝	会合周期	合

解答・解説

太陽をはさんで地球と火星が一直線上に並ぶときである。この状態を「合」という。

練習問題 18

寒冷前線の記述として，妥当なのはどれか。

（1）暖気団が寒気団を押しやりながら寒気団の上に這い上がるため上昇気流が発生する。その結果，乱層雲や巻雲が発生する。

（2）暖気団が寒気団を押しやりながら寒気団の上に這い上がるため上昇気流が発生する。その結果，積雲や積乱雲が発生する。

（3）寒気団が暖気団の下にもぐりこむため上昇気流が発生する。その結果，乱層雲や巻雲が発生する。

（4）寒気団が暖気団の下にもぐりこむため上昇気流が発生する。その結果，積雲や積乱雲が発生する。

（5）寒気団の力と暖気団の力がつりあうため前線が停滞する。その結果，雨雲が発生し，長い間雨が降り続く。

練習問題 18　正答／（4）

●解説／寒冷前線は，低気圧の中心から南西に伸びる。寒気団が暖気団の下にもぐりこみ暖気を上昇させて積乱雲を発生させる。寒冷前線が近づくと，南西風が強まり，にわか雨・雷・突風などが起こる。寒冷前線が通過すると，風向きが北西や西にかわって気温や湿度が急降下し，晴れてくる。

練習問題 19

高さ 1,000 mの山を7℃の水蒸気を含んだ空気塊が越えるとき，山の風上の斜面 400 mの高度で凝結をおこし雲が発生した。この雲は山頂で消え，そこから風下の斜面では雲は生じなかった。このとき，風下のふもと（海抜0mとする）の気温として，妥当なのはどれか。ただし，乾燥断熱減率を 1.0℃ /100 m，湿潤断熱減率を 0.5℃ /100 mとする。

（1）5℃

（2）7℃

（3）10℃

（4）15℃

（5）17℃

練習問題 19　正答／（3）

●解説／海抜 400 mでの気温は，

$$7 - 1.0 \times \frac{400}{100} = 3℃$$

山頂では，

$$3 - 0.5 \times \frac{1000 - 400}{100} = 0℃$$

山頂で雲が消えたので，その後は乾燥断熱減率の割合で温度が上昇する。よって，風下のふもとでは，

$$0 + 1.0 \times \frac{1{,}000}{100} = 10℃$$ となる。

練習問題 20

示準化石となる条件として，妥当なのはどれか。

（1）地理的に狭い範囲に分布し，産出個数が少なく，種としての生存期間が短い化石。
（2）地理的に広い範囲に分布し，産出個数が多く，種としての生存期間が長い化石。
（3）地理的に狭い範囲に分布し，産出個数が少なく，種としての生存期間が長い化石。
（4）地理的に広い範囲に分布し，産出個数が多く，種としての生存期間が短い化石。
（5）地理的に広い範囲に分布し，産出個数が少なく，種としての生存期間が長い化石。

練習問題 21

次の文は，プレートテクトニクスについて述べたものである。空所ａ～ｄに該当する語の組み合わせとして，妥当なのはどれか。

地表からおよそ100 ｋｍから200 ｋｍまでの層は少し軟らかく流動性があると考えられており［ a ］と呼ばれている。一方その上のマントルと地殻をあわせた硬い部分は［ b ］という。この［ b ］は，大小10数枚のプレートとして地表をおおっている。このプレートは，［ c ］でマントルから上昇して生まれ，［ a ］の上を移動し，［ d ］でマントルに沈んでいく。

	a	b	c	d
（1）	リソスフェア	アセノスフェア	中央海嶺	海溝
（2）	アセノスフェア	リソスフェア	中央海嶺	海溝
（3）	リソスフェア	アセノスフェア	海溝	海盆
（4）	アセノスフェア	リソスフェア	海盆	海溝
（5）	リソスフェア	アセノスフェア	中央海嶺	海盆

解答・解説

練習問題 20　正答／（4）

●解説／示準化石は，地理的分布が広いほど広い地域の対比に役だち，生存期間が短いほど細かい年代決定ができる。また，産出量が多いほど化石として発見されやすい。

練習問題 21　正答／（2）

●解説／地震波の研究が進むにつれて，地表から100km程のところに地震波の速度の小さくなる地震波低速度層があることがわかってきた。およそ100～200kmまでの層は，少し軟らかく流動性がある。この層はアセノスフェアと呼ばれている。一方その上のマントルと地殻をあわせた硬い部分はリソスフェアと呼ばれる。リソスフェアは大小10数枚のプレートとして地表をおおっている。プレートは，中央海嶺でマントルから上昇して生まれ，アセノスフェアの上を移動し，海溝でマントルに沈んでいく。現在では，地震，火山，造山運動などがこのプレートの運動で起こるとされている。

練習問題 22

火山岩を，もととなるマグマの粘性の大小によって並べたものとして，妥当なのはどれか。

	小 ←	粘性	→ 大
（1）	流紋岩	安山岩	玄武岩
（2）	安山岩	流紋岩	玄武岩
（3）	玄武岩	安山岩	流紋岩
（4）	流紋岩	玄武岩	安山岩
（5）	安山岩	玄武岩	流紋岩

練習問題 23

太陽に関する記述として，妥当なのはどれか。

（1）黒点は，磁場が弱く周囲の光球より温度が高いため黒く見え，その数は変化しない。

（2）太陽定数とは，大気圏外において太陽放射に垂直な面が受ける熱量のことをいい，195cal/cm^2・min で表すことができる。

（3）太陽を構成する元素は，ヘリウムが大部分を占めており，次いで酸素，鉄の順に多い。

（4）中心核では，核分裂反応が繰り返されており，大量のエネルギーが発生している。

（5）太陽系の惑星は，太陽を中心に公転しており，太陽に近い位置の惑星から順に，水星，金星，地球，火星，木星，土星，天王星，海王星である。

練習問題 24

震源で生じた地震波を地表のある地点で観測したところ，P 波を観測してから 6 秒後に S 波を観測した。P 波と S 波が地中を伝わる速さをそれぞれ 7〔km/s〕，4〔km/s〕とするとき，震源から観測地点までの距離は何 km か。

（1）32〔km〕

（2）38〔km〕

（3）44〔km〕

（4）50〔km〕

（5）56〔km〕

解答・解説

練習問題 22　正答／（3）

●**解説**／火山岩はマグマが地表近くで急速に冷え固まってできた岩石であり，玄武岩，安山岩，流紋岩などがある。マグマの粘性は SiO_2 の量によって決まる。SiO_2 の量が少ないほど粘性が小さい。

練習問題 23　正答／（5）

●**解説**／太陽の黒点は，9.5 年から 12 年程度の周期で増減しており，太陽定数の熱量は，1.95cal/cm^2・min である。また，太陽の光球を構成するのは，73.46% が水素であり，ヘリウム 24.85%，酸素 0.77% と続く。太陽の中心核では，核融合反応が行われている。

練習問題 24　正答／（5）

●**解説**／震源から観測地点に，S 波が到達するまでの時間と P 波が到達するまでの時間の差が初期微動継続時間（P − S 時間）であるから，この時間差 6 秒についての式をつくる。

震源から観測地点までの距離を x〔km〕とすると，

$\frac{x}{4} - \frac{x}{7} = 6$　　$\therefore x = 56$〔km〕

となる。

監修／東京工学院専門学校

各種公務員試験において，例年，多数の合格者を輩出している総合学園。実績ある公務員コースのほかにもビジネス関連からコンピュータ，芸術，工学，建築関係まで，幅広い学科を持つ。創立は昭和34年。関連学校に東京エアトラベル・ホテル専門学校などがある。

〒184-8543東京都小金井市前原町5-1-29
URL https://technosac.jp/

編集協力／(有)エディッシュ、(有)コンテンツ
企画・編集／成美堂出版編集部（原田洋介、池田秀之）
表紙デザイン／ふるやデザイン・ルーム

本書に関する正誤等の最新情報は、下記のURLをご覧ください。
https://www.seibidoshuppan.co.jp/support/

上記アドレスに掲載されていない箇所で、正誤についてお気づきの場合は、書名・発行日・質問事項（ページ・問題番号など）・氏名・郵便番号・住所・FAX番号を明記の上、**郵送**または**FAX**で、**成美堂出版**までお問い合わせください。
※**電話でのお問い合わせはお受けできません。**
※本書の正誤に関するご質問以外はお受けできません。また受験指導などは行っておりません。
※ご質問の到着確認後10日前後に、回答を普通郵便またはFAXで発送いたします。
※ご質問の受付期限は、2025年の10月末日までに実施される各試験日の10日前必着といたします。
ご了承ください。

最新最強の地方公務員問題 上級 '26年版

2024年11月30日発行

監　修　東京工学院専門学校（とうきょうこうがくいんせんもんがっこう）
発行者　深見公子
発行所　成美堂出版
〒162-8445 東京都新宿区新小川町1-7
電話(03)5206-8151 FAX(03)5206-8159
印　刷　広研印刷株式会社

ISBN978-4-415-23896-8
落丁・乱丁などの不良本はお取り替えします
定価は表紙に表示してあります